D1159932

S.F.
V.

HUGO VON HOFMANNSTHAL

GESAMMELTE WERKE

IN

EINZELAUSGABEN

PROSA

III

1952

S. FISCHER VERLAG

HUGO VON HOFMANNSTHAL

PROSA
III

1952

S. FISCHER VERLAG

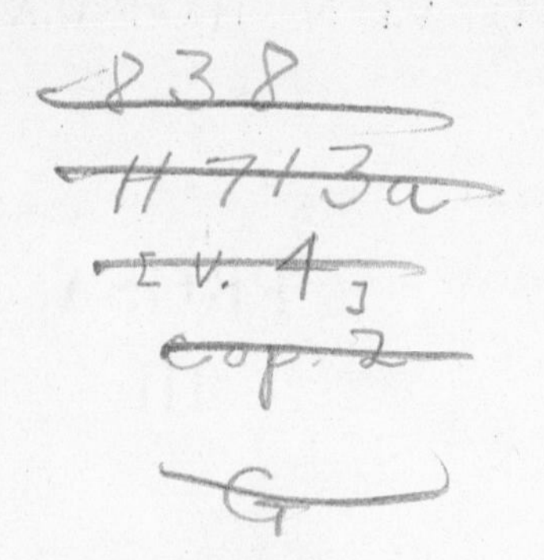

HERAUSGEGEBEN
VON
HERBERT STEINER

Erstes bis fünftes Tausend

Printed in Austria
Druck Brüder Rosenbaum, Wien

PROSA

III

AUGENBLICKE IN GRIECHENLAND

I

DAS KLOSTER DES HEILIGEN LUKAS

WIR waren an diesem Tag neun oder zehn Stunden geritten. Als die Sonne sehr hoch stand, hatten wir gelagert vor einem kleinen Khan, bei dem eine reine Quelle war und eine schöne große Platane. Später hatten wir noch einmal mit den Maultieren aus einem Faden fließenden Wassers getrunken, flach auf dem Boden liegend. Unser Weg war zuerst an einem Abhang des Parnaß eingeschnitten, dann in einem urzeitigen versteinten Flußbett, dann in einer Einsenkung zwischen zwei kegelförmigen Bergen; zuletzt lief er über eine fruchtbare Hochebene hin inmitten grüner Kornfelder. Manche Strecken waren öde mit der Öde von Jahrtausenden und nichts als einer raschelnden Eidechse überm Weg und einem kreisenden Sperber hoch oben in der Luft; manche waren belebt von dem Leben der Herden. Dann kamen die wolfsähnlichen Hunde bellend und die Zähne weisend bis nahe an die Maultiere, und man mußte sie mit Steinen zurückjagen. Schafe, schwer in der Wolle, standen zusammengedrängt im Schatten eines Felsblockes, und ihr erhitztes Atmen schüttelte sie. Zwei schwarze Böcke stießen einander mit den Hörnern. Ein junger hübscher Hirt trug ein kleines Lamm auf dem Nacken. Auf einer flachen steinichten Landschaft verharrte regungslos der Schatten einer Wolke. In einer sonderbar geformten Mulde, wo

Tausende von einzelnen großen Steinen lagen und dazwischen Tausende von kleinen stark duftenden Sträuchern wuchsen, zog sich eine große Schildkröte über den Weg. Dann, gegen Abend, zeigte sich in der Ferne ein Dorf, aber wir ließen es zur Seite. An unserem Weg war eine Zisterne, in die tief unten der Quell eingefangen war. Neben dem Brunnen standen zwei Zypressen. Frauen zogen das klare Wasser empor und gaben unseren Tieren zu trinken. An dem Abendhimmel segelten kleine Wolken hin, zu zweien und dreien. Geläute von Herden kam aus der Nähe und Ferne. Die Maultiere gingen lebhafter und sogen die Luft, die aus dem Tal entgegenkam. Ein Geruch von Akazien, von Erdbeeren und von Thymian schwebte über den Weg. Man fühlte, wie die bläulichen Berge sich schlossen und wie dieses Tal das Ende des ganzen Weges war. Wir ritten lange zwischen zwei Hecken von wilden Rosen. Ein kleiner Vogel flog vor uns hin, nicht größer als das Fleckchen Schatten unter einer dieser blühenden Rosen; die Hecke zur Linken, wo die Talseite war, hörte auf, und man schaute hinab und hinüber wie von einem Altan. Bis hinunter an die Sohle des kleinen bogenförmig gekrümmten Tales und an den gegenüberliegenden Hang bis zur Mitte der Berge standen Fruchtbäume in Gruppen, mit dunklen Zypressen vermischt. Zwischen den Bäumen waren blühende Hecken. Dazwischen bewegten sich Herden, und in den Bäumen sangen Vögel. Unterhalb unseres Weges liefen andre Wege. Man sah, daß sie zur Lust angelegt waren, nicht für Wanderer oder Hirten. Sie liefen in sanften Windungen immer gleich hoch über dem Tal. In der Mitte des Abhangs stand eine einzelne Pinie, ein einsamer, königlicher Baum.

Sie war der einzige wirklich große Baum in dem ganzen Tal. Sie mochte uralt sein, aber die Anmut, mit der sie emporstieg und ihre drei Wipfel in einer leichten Biegung dem Himmel entgegenhielt, hatte etwas von ewiger Jugend. Nun faßten niedrige Mauern den Weg links und rechts ein. Dahinter waren Fruchtgärten. Eine schwarze Ziege stand an einem alten Ölbaum mit aufgestemmten Vorderbeinen, als ob sie hinaufklettern wollte. Ein alter Mann, mit einem Gartenmesser in der Hand, watete bis an die Brust in blühenden Heckenrosen. Das Kloster mußte ganz nahe sein, auf hundert Schritte oder noch weniger, und man wunderte sich, es nicht zu sehen. In der Mauer zur Linken war eine kleine offene Tür; in der Tür lehnte ein Mönch. Das schwarze lange Gewand, die schwarze hohe Kopfbedeckung, das lässige Dastehen mit dem Blick auf die Ankommenden, in dieser paradiesischen Einsamkeit, das alles hatte etwas vom Magier an sich. Er war jung, hatte einen langen rötlich blonden Bart, von einem Schnitt, der an byzantinische Bildnisse erinnerte, eine Adlernase, ein unruhiges, fast zudringliches blaues Auge. Er begrüßte uns mit einer Neigung und einem Ausbreiten beider Arme, darin etwas Gewolltes war. Wir saßen ab, und er ging uns voran. Durch einen ganz kleinen von Mauern umschlossenen Garten traten wir in ein Zimmer, in dem er uns allein ließ. Das Zimmer hatte die nötigsten Möbel. Unter einem byzantinischen Muttergottesbild brannte ein ewiges Licht; gegenüber der Eingangstür war eine offene Tür auf einen Balkon. Wir traten hinaus und sahen, daß wir mitten im Kloster waren. Das Kloster war in den Berg hineingebaut. Unser Zimmer, das vom Garten aus zu ebener

Erde war, lag hier zwei Stock hoch im Klosterhof. Die alte Kirche, mit dem Glanz des Abends auf ihren tausendjährigen, rötlichen Mauern und Kuppeln schloß eine Seite ab; die drei andern waren von solchen Häusern gebildet, wie wir in einem standen, mit solchen kleinen hölzernen Balkonen, wie wir auf einem lehnten. Es waren unregelmäßige Häuser von verschiedenen Farben, und die kleinen Balkone waren hellblau oder gelblich oder blaßgrün. Aus dem Haus, das die Ecke bildete, lief zur Kirche hinüber wie eine Zugbrücke eine Art Loggia. Manches schien unmeßbar alt, manches nicht eben älter als ein Menschenalter. Alles atmete Frieden und eine von Duft durchsüßte Freudigkeit. Unten rauschte ein Brunnen. Auf einer Bank saßen zwei ältere Mönche mit ebenholzschwarzen Bärten. Ein andrer von unbestimmbarem Alter lehnte jenen gegenüber auf einem Balkon des ersten Stockwerks, den Kopf auf die Hand gestützt. Kleine Wolken segelten am Himmel hin. Die beiden waren aufgestanden und gingen in die Kirche. Zwei andre kamen eine Treppe herab. Auch sie hatten das lange schwarze Gewand, aber die schwarze Mütze auf ihrem Kopf war nicht so hoch, und ihre Gesichter waren bartlos. In ihrem Gang war der gleiche undefinierbare Rhythmus: gleich weit von Hast und von Langsamkeit. Sie verschwanden gleichzeitig in der Kirchentür, wie ein Segel, das hinter einem Felsen verschwindet, wie ein großes unbelauschtes Tier, das durch den Wald schreitet, hinter Bäumen unsichtbar wird, nicht wie Menschen, die in ein Haus treten. In der Kirche fingen halblaute Stimmen an, Psalmen zu singen, nach einer uralten Melodik. Die Stimmen hoben und senkten sich, es war etwas Endloses, gleich weit von Klage und von Lust, etwas Feierliches, das von Ewigkeit her und weit in die Ewigkeit so forttönen mochte. Über dem Hof aus einem offenen Fenster sang jemand die Melodie nach, von Absatz zu Absatz: eine Frauenstimme. Dies war so seltsam, es schien wie eine Einbildung. Aber es setzte wieder ein, und es war eine weibliche Stimme. Und doch wieder nicht. Das Echohafte, das völlig Getreue jenem feierlichen, kaum noch menschlichen Klang, das Willenlose, fast Bewußtlose schien nicht aus der Brust einer Frau zu kommen. Es schien, als sänge dort das Geheimnis selber, ein Wesenloses. Nun schwieg es. Aus der Kirche drang mit den dunklen, weichen, tremolierenden Männerstimmen ein gemischter Duft von Wachs, Honig und Weihrauch, der wie der Geruch dieses Gesanges war. Nun fing die frauenhafte Stimme wieder an, absatzweise nachzusingen. Aber andre ähnliche Stimmen aus dem gleichen offenen Fenster, nicht weit von meinem Balkon, fielen ein, halblaut und nicht ernsthaft, es wurde ein Scherz daraus, die schöne Stimme brach ab, und nun wußte ich, daß es Knaben waren. Zugleich kamen ihre Köpfe ans Fenster. Einer war darunter sanft und schön, wie ein Mädchen, und das blonde Haar fiel ihm über die Schultern bis an den Gürtel. Andre von den Klosterknaben standen unten im Hof und sprachen hinauf: „Der Bruder!“ riefen sie, „der Bruder! Der Hirt! Der Hirt!“

Später kam ich dazu, wie die Brüder voneinander Abschied nahmen. Der junge Hirt stand im Licht der untergehenden Sonne, dunkel, schlank und kriegerisch; hinter ihm die Herde und die Hunde. Er hielt in der starken dunklen Hand die kleine Hand des

Knaben mit den langen Haaren. Ein Mönch im schwarzen Talar, aber ein noch junger, bartlos, ein Novize, ein zwanzigjähriger Schöner mit einem Lächeln, das um den jungen Mund und die glatten Wangen gedankenlos und eitel, aber in der Nähe der schönen dunklen Augen ergebungsvoll und wissend war, trat ins halboffene Tor. Er rief den Knaben nicht an, er winkte nur. Die Gebärde seiner erhobenen Hand war ohne Ungeduld. Er war nicht der Befehlende, es war der Übermittler des Befehls, der Bote. Auf einen kleinen Altan über dem Torweg trat ein älterer Mönch heraus, er stützte den Ellenbogen aufs Geländer, den Kopf auf die Hand, und sah gelassen zu, wie der Befehl überbracht und wie er befolgt wurde. Der Novize neigte sich für ihn kaum merklich oder lächelte auch nur um ein kleines ergebener und glänzender. Der schöne Knabe ließ die Hand des Bruders los und lief zu dem Novizen hin. Der Hirt wandte sich und ging sogleich mit großen ruhigen Schritten landein, bergab. Die Herde, als wäre sie ein Teil von ihm, war schon in Bewegung, flutete schon die Straße hinab, eingeengt von den Hunden. In der Kirche sangen sie stärker. Zum Dienst dieser abendlichen Stunde lagen alle in den dämmernden Kapellen auf den Knien, oder ausgestreckt auf dem Steinboden, oder in tiefer Versunkenheit stehend an dem hohen Pult lag ihr Antlitz über gekreuzten Armen auf dem heiligen Buch. In der erhabenen Gelassenheit ihres Gesanges zitterte eine nach alten Regeln gebändigte Inbrunst. Die ewigen Lichter schwangen leise in der von Weihrauch und Honig beschwerten Luft. Es vollzog sich, was sich seit einem Jahrtausend Abend für Abend an der gleichen Stätte zur gleichen Stunde vollzieht. Welches stürzende Wasser ist so ehrwürdig, daß es seit zehnmal hundert Jahren den gleichen Weg rauschte? Welcher uralte Ölbaum murmelt seit zehnmal hundert Jahren mit gleicher Krone im Winde? Nichts ist hier zu nennen als das ewige Meer drunten in den Buchten und die ewigen Gipfelkronen des schneeleuchtenden Parnaß unter den ewigen Sternen.

Die Sterne entzündeten sich über den dunkelnden Wänden des Tales. Der Abendstern war von einem seltenen Glanz; war irgendwo ein Wasser, nur ein Quell und Tümpel vielleicht zwischen zwei Feigenbäumen, so mußte dort ein Streifen von seinem Licht liegen wie vom Mond. Nun entbrannten unter ihm, am nahen irdisch schweren Horizont, in der Menschensphäre andre starke Sterne, da und dort: das waren die Hirtenfeuer, höher und tiefer an den Hängen der dunklen Berge, die das bogenförmige Tal umschlossen. Bei jeder Flamme lag ein einsamer Mann mit seinen Tieren. Im weiten Bogen um das Kloster, in dem die ewigen Lichter brannten, war der Reichtum des Klosters gelagert. Die Hunde schlugen an, und die Hunde antworteten ihnen. Der Feuer waren mehr als dreißig, die Berghänge lebten von Schlafenden. Hie und da blökte ein Lamm aus unterbrochenem Schlummer. Die Käuzchen riefen, die Zikaden waren laut, und doch herrschte die stille ewige Nacht.

Wo der Abendstern stand, dort glänzte unsichtbar hinter dunklen Bergen der Parnaß. Dort, in der Flanke des Berges, lag Delphi. Wo die heilige Stadt war, unter dem Tempel des Gottes, da ist heute ein tausendjähriger Ölwald, und Trümmer von Säulen liegen zwischen den Stämmen. Und diese tausendjährigen Bäume sind zu jung, diese Uralten sind zu jung, sie reichen nicht zurück, sie haben Delphi und das Haus des Gottes nicht mehr gesehen. Man blickt ihre Jahrhunderte hinab wie in eine Zisterne, und in Traumtiefen unten liegt das Unerreichliche. Aber hier ist es nah. Unter diesen Sternen, in diesem Tal, wo Hirten und Herden schlafen, hier ist es nah, wie nie. Der gleiche Boden, die gleichen Lüfte, das gleiche Tun, das gleiche Ruhn. Ein Unnennbares ist gegenwärtig, nicht entblößt, nicht verschleiert, nicht faßbar, und auch nicht sich entziehend: genug, es ist nahe. Hier ist Delphi und die delphische Flur, Heiligtum und Hirten, hier ist das Arkadien vieler Träume, und es ist kein Traum. Langsam tragen uns die Füße ins Kloster zurück. Ganz nahe von uns knurren große Hunde. Auf dem Altan über dem Torweg lehnt eine Gestalt. Ein andrer, ein Dienender, tritt seitwärts aus den Hecken hervor, dort, wo die Hunde knurren. „Athanasios!“ ruft der Mönch vom Altan, „Athanasios!“ Er sagt es mehr als er es ruft, gelassen und sanft befehlend. „Athanasios, was gibt es da?“ „Es sind die Gäste, die beiden Fremden, die herumgehen.“ „Gut. Gib acht auf die Hunde.“ Diese Worte sind wenige. Dies Zwiegespräch ist klein zwischen dem Priester und dem dienenden Mann. Aber der Ton war aus den Zeiten der Patriarchen. Aus wenigen Gliedern setzt sich dies zusammen. Unangetastetes Auf-sich-Beruhen priesterlicher Herrschaft, ein sanfter Ton unwidersprochener Gewalt, Gastlichkeit, gelassen und selbstverständlich geübt, das Haus, das Heiligtum, bewacht von vielen Hunden. Und dennoch, dies Unscheinbare, diese wenigen Worte, gewechselt in der Nacht, dies hat einen Rhythmus in sich, der von Ewigkeit her ist. Dies reicht zurück, dies Lebendige, wohin die uralten Ölbäume nicht reichen. Homer ist noch ungeboren, und solche Worte, in diesem Ton gesprochen, gehen zwischen dem Priester und dem Knecht von Lippe zu Lippe. Fiele von einem fernen Stern nur ein unscheinbares, aber lebendiges Gebilde, der Teil einer Blume, weniges von der Rinde eines Baumes, es wäre dies dennoch eine Botschaft, die uns durchschauert. So klang dieses Zwiegespräch. Stunde, Luft und Ort machen alles.

II

DER WANDERER

εἰσὶ καὶ κυνῶν ἐρινύες

DER Schlaf der Mönche ist kurz. Bald nach Mitternacht läuteten sie die Glocken, beteten, sangen; vor Sonnenaufgang wiederum. Wir hatten kaum zwei Stunden halben Schlummers hinter uns; wir waren um so wacher. Wir gingen auf dem schmalen Pfad hintereinander sehr rasch, so rasch, als die Maultiere, mit den Wegweisern im Sattel, hinter uns schritten. Der Weg führte in der Morgenkühle zurück am Hang oberhalb des lieblichen Tales, wieder über die gleiche Ebene zwischen zwei kahlen Bergen, dann bog er, im ausgetrockneten Bett eines Gießbaches, seitwärts hinab, spaltete sich gegen Davlia einerseits, andrerseits gegen Chaeronea in Böotien; bis dorthin sollten es sieben Stunden sein, und halben Weges eine Ader guten Wassers, die niemals versiegte, weit und breit bekannt den Hirten.

Unser Gespräch währte bis zu jener Begegnung mit dem einsamen Wanderer; es währte also zwei und eine halbe oder drei Stunden, ununterbrochen, ohne den leisesten Zwang oder bewußten Willen, es fortzuführen, und war eines der seltsamsten und schönsten Gespräche, dessen ich mich entsinnen kann.

Wir waren zu zweit, und indem wir sprachen, war es, als hinge jeder nur seinen Erinnerungen nach, von denen viele uns gemeinsam waren. Zuweilen rief sich der eine die Gestalt eines Freundes herauf, den der andre nie gesehen, von dem er nur viel gehört hatte. Aber die tiefe und gleichsam zeitlose Einsamkeit, die uns umgab, das körperlose Erhabene der Umgebung — daß wir vom Fuß des Parnaß nach Chäronea, vom delphischen Gefild gegen Theben hinunterschritten, den Weg des Ödipus —, die strahlende Reinheit der Morgenstunde nach einer Nacht ohne tiefen, dumpfen Schlaf, dies alles machte unsere Einbildungskraft so stark, daß jedes Wort, von einem ausgesprochen, den Geist des andern mit sich fortriß und er mit Händen zu greifen wähnte, was dem andern vorschwebte.

Unsre Freunde erschienen uns, und indem sie sich selber brachten, brachten sie das Reinste unsres Daseins herangetragen. Ihre Mienen waren ernst und von einer fast beängstigenden Klarheit. Indem sie vor uns lebten und uns anblickten, waren die kleinsten Umstände und Dinge gegenwärtig, in denen unser Vereintsein mit ihnen sich erfüllt hatte. Ein Zucken, ein Weichwerden des Blicks, ein Sichfeuchten der inneren Hand in einer erregten Stunde, ein betroffenes Stocken, ein Fortgleiten, Fremdwerden, wieder ein Nahesein — alle diese ganz zarten kleinen Dinge waren in uns da, und mit der seltsamsten Deutlichkeit, doch wußten wir kaum, ob, was wir erinnerten, die Regungen des eigenen Innern waren oder die jener andern, deren Gesichter uns anblickten; nur daß es gelebtes Leben war, und Leben, das irgendwo immer fortlebte, denn es schien alles Gegenwart, und die Berge waren in diesem lautlosen, bläulichen Leben der Luft nicht wirklicher als die Erscheinungen, die uns begleiteten.

Mit einem Namen, den einer von uns hinwarf, konnten wir neue hervorrufen. Gestalt auf Gestalt kommt heran, sättigt uns mit ihrem Anblick, begleitet uns, verfließt wieder; andre, anklingend, haben schon gewartet, nehmen die leere Stelle ein, beglänzen einen Umkreis gelebten Lebens, bleiben dann gleichsam am Wege zurück, indessen wir gehen und gehen, als hinge von diesem Gehen die Fortdauer des Zaubers ab, und das Häuflein der Männer auf den Maultieren viele Hunderte von Schritten hinter uns zurückbleibt. Die noch leben und in diesem Licht atmen, kommen zu uns wie die, welche nicht mehr da sind. In diesen Minuten sehen wir alles rein: die geheimnisvolle Kraft Leben lodert in uns nur als Enthüllerin des Unenthüllbaren. Wir sehen ihre Gesichter, wir glauben den Ton ihrer Stimme zu hören, scheinbar unbedeutende kleine Sätze: aber es ist, als enthielten sie den ganzen Menschen; und ihre Gesichter sind mehr als Gesichter: das gleiche wie im Ton jener abgebrochenen Sätze steigt in ihnen auf, kommt näher und näher gegen uns heran, scheint in ihren Zügen, im Unsagbaren ihres Ausdrucks aufgefangen und darinnen befestigt, aber nicht beruhigt. Es ist ein endloses Wollen, Möglichkeiten, Bereitsein, Gelittenes, zu Leidendes. Jedes dieser Gesichter ist ein Geschick, etwas Einziges, das Einzelnste was es gibt, und dabei ein Unendliches, ein Auf-der-Reise-Sein nach einem unsagbar fernen Ziel. Es scheint nur zu leben, indem es uns anblickt: als wäre es unser Gegenblick, um dessenwillen es lebe. Wir sehen die Gesichter, aber die Gesichter sind nicht alles; in den Gesichtern sehen wir die Geschicke, aber auch die Geschicke sind nicht alles. In jedem, der uns grüßt, ist ein Ferneres noch, ein Jenseits von beiden, das uns anrührt. Wir sind wie zwei Geister, die sich zärtlich erinnern, an den Mahlzeiten der sterblichen Menschen teilgenommen zu haben.

Viele Bilder von Jünglingen und Männern waren gekommen und gegangen, da erschien noch einer. Wir sahen ihn auftauchen, der am unsäglichsten gelitten hat, bevor er uns für immer entschwand. Ich sage „Unsre Freunde", doch waren die Begegnungen spärlich; er kreuzte unsre Lebensbahn, einmal ein leidenschaftliches Gespräch, ein Sichaufreißen ohne Maß, Himmel und Hölle Aufreißen, ein Auseinandergehen wie Brüder, dann wieder fremd, eisig fremd. Aber seine Briefe, ein Wort einmal kalt und groß, andre Worte wie blutend, sein Tagebuch, die wenigen, mit nichts zu vergleichenden Gedichte, alle aus einem einzigen Jahr seines Lebens, dem neunzehnten, und die er haßt, verachtet, in Stücke reißt, wo er sie findet, bespeit, die Fetzen mit Füßen tritt; die Geschichte seiner grausamen letzten Wochen und seines Sterbens, aufgezeichnet von seiner Schwester — so ist sein Bild unsren Seelen eingegraben. Er ist arm und leidet, aber wer dürfte wagen ihm helfen zu wollen, maßlos einsam — wer, sich ihm nur zu nähern, der mit übermenschlicher Kraft sein Selbst zusammenkrümmt wie einen Bogen, den unbarmherzigsten Pfeil von der Sehne zu schicken; der jede Hand von sich stößt, sich im Unterirdischen der großen Städte verkriecht, jede Annäherung mit Hohn erwidert, vor jeder Erwähnung seiner Gaben, seines Genius zurückweicht, wie der Sträfling vor dem glühenden Eisen, unstet auftaucht, jetzt da, jetzt dort, aus Mazedonien, aus dem Kaukasus, aus Abyssinien einen Brief den Seinen zuwirft, dessen Hoffnungen den Klang haben von Drohungen, dessen trockene Angaben starren wie maßlose Auflehnung und selbstverhängtes Todesurteil. Der um Geld zu ringen meint, um Geld, um

Geld, und gegen den eignen Dämon um ein Ungeheures ringt, ein nicht zu Nennendes. Und nun sehen wir ihn abyssinisches Gebirg herabgetragen kommen, einsamen Felspfad herunter, schweigende Luft: eine ewige Gegenwart, wie hier; es ist, als trügen sie ihn auf uns zu. Er liegt auf der Bahre, das Gesicht mit schwarzem Tuch verdeckt, das eine kranke Knie groß wie ein Kürbis, daß die Decke sich emporwölbt; die schöne abgezehrte Hand, die Hand, von den Schwestern geliebt, reißt manchmal das Tuch vom Gesicht, den Dunklen, Farbigen, die ihn tragen, den Weg zu befehlen; sie wollten langsam schräg den Hang entlang; er will steil hinab, ohne Weg, schnell. Unsagbare Auflehnung, Trotz dem Tod bis ins Weiße des Augs, den Mund vor Qual verzogen und zu klagen verachtend.

Keines dieser Taggesichte war gewaltiger gewesen als dieses letzte. Was konnte noch kommen? Wir gingen langsamer, und keiner sprach. Fast drohend blickte die Morgensonne auf die fremde ernste Gegend. Weggezehrt war das selbstverständliche Gefühl der Gegenwart, worin Mensch und Tier sich behagen. Fremde Schicksale, sonst unsichtbare Ströme, schlugen in uns auf Festes und offenbarten sich. Der Anblick einer Herde hätte uns erfreut. Ein Vogel in der Luft wäre uns willkommen gewesen. Da kam von ferne ein Mensch auf uns zu. Der Mann ging schnell. Er war allein, und hier geht selten einer allein. Der Hirt geht mit seiner Herde; wer kein Hirt ist, reitet; dieser ging. Er schien uns barhaupt. Hier geht um der Kraft der Sonne willen niemand ohne einen Schutz des Hauptes: also mußte es eine Augentäuschung sein. Er kam näher, er war barhaupt. Sein Haar war schwarz, ums ganze Gesicht ging ein schwarzer, struppiger Bart; sein Gang war wankend. Er hatte einen Knüppel in der Hand, auf den er sich im Gehen stützte. Die Sonne blitzte auf dem harten Gestein, und uns war, er hätte nackte Füße. Das war unmöglich; die Wege bergauf und bergab sind Steingeröll, schneidend wie Messer; nicht der ärmste Bettler, der nicht mindest mit hölzernem Schuhwerk seine Füße schützte. Der Mann kam näher und hatte nackte Füße. Die Fetzen von Beinkleidern, solcher, wie sie die Leute in den Städten tragen, hingen um die abgezehrten Beine. Hier geht niemand, der einem andern Wanderer in der Einöde des Gebirges begegnet, wortlos an ihm vorüber. Er wollte zehn Schritte seitwärts unsres Weges mit schief gesenktem Kopf an uns vorbei, ohne Gruß. Wir riefen ihm die griechischen Worte entgegen, die den gewöhnlichen Gruß bedeuten. Er antwortete, ohne stehenzubleiben, und seine Worte waren deutsche. Da hatte ihm mein Freund schon den Weg vertreten mit einer kurzen Rede und Frage, wie er da herkomme, wo er da hingehe. Indessen stand ich auf drei Schritte, sah auf seinen Füßen geronnenes Blut, an der starken Hand einen tiefen blutigen Riß. Breite Schultern, mächtig der Nacken; das Gesicht zwischen dreißig und vierzig, näher vielleicht den vierzig, elend, von der Schwärze des Bartes noch gelblich bleicher. Die Augen unstet, flackernd, verwildert zum Blick eines scheuen, gequälten Tieres. Er sagte den Namen: Franz Hofer aus Lauffen an der Salzach, Buchbindergeselle. Das Alter: einundzwanzig Jahre; das Ziel des Weges: Patras. Patras war fünf Tagereisen von hier für einen rüstigen ortskundigen Mann, Berge dazwischen, öde Flächen, eine Meeresbucht. Wenn er sich nicht auf den Stock stemmte, schütterte sein Leib, und seine Lippen flogen. Das Fieber habe er schon seit drei Monaten. Darum habe er heim wollen. Von Alexandrien in Ägypten bis zur Hafenstadt Piräus habe ihn ein Schiffsheizer unten im Kohlenraum liegen lassen, der sei aber weitergefahren nach Konstantinopel, darum müsse er jetzt zu Fuß gehen gegen Triest. Wie er den Weg zu finden meinte? Den habe er dahier. Er zog unter dem Leibriemen einen Fetzen Papier hervor, da waren mit Bleistift, fast schon verwischt, die Namen von Ortschaften aufgeschrieben. Er wies auf einen: dorthin müsse er heute. Der Ort lag gegen Delphi hin, acht Stunden Gehens von hier, wo wir standen, wenn man den Weg kannte und die geringen Zeichen richtig wußte in der öden Landschaft. Ob er die Sprache des Landes spräche? Kein Wort: die Leute verstünden einen nicht, wenn man deutsch oder italienisch redete, das sei verflucht. Wann er die letzte Mahlzeit gehalten hätte? Gestern mittag ein Stück Brot und heute einen Trunk Wasser an einem Quell dort hinten. Das war der Quell, auf den wir zugingen, halbwegs Chäronea in Böotien.

Indessen waren unsre Leute mit den Maultieren herangekommen, standen herum und waren erstaunt über den Wanderer. Wir reichten ihm Wein in einem kleinen Becher, seine Hand zitterte wild und verschüttete mehr als die Hälfte; dann gaben wir ihm Brot und Käse, und sein Mund schütterte so kläglich, daß er die Bissen kaum hineinbrachte. Wir hießen ihn niedersitzen; er sagte, er habe keine Zeit, er müsse heute noch sehr weit gehen. Hier stieß etwas Irres in seinem Blick hervor. Wir sagten, wir würden ihm jetzt etwas Geld geben; ob dann einer von uns für ihn an seine Heimatgemeinde schreiben sollte, damit die zu ihm gehörten wüßten, daß er krank sei und wie es um ihn stünde. Das sollten wir um alles nicht unternehmen, das verbitte er sich, das wäre ihm verflucht, das ginge niemanden daheim etwas an, wie es um ihn stünde. Und sogleich wandte er sich und fing schon an zu gehen, auf den Knüttel gestützt. Wir ihm nach und sagten, er solle aufsitzen auf eines der Maultiere und mit uns zurück; wir würden ihn bis Athen und zur Hafenstadt Piräus bringen und ihm dort das Geld auf die Hand geben zur Fahrt bis Triest und darüber. Unsre Wegweiser, die verstanden was wir wollten, hatten schon ein satteltragendes Maultier herangeschoben und griffen ihn an, ihn in den Sattel zu heben. Er aber trat hinter sich mit aufgehobenem Knüppel: Das wäre ihm verflucht, den Weg zurück noch einmal zu machen, den er schon seit so vielen Tagen nach vorwärts gemacht habe — das solle sich niemand unterstehen, ihn zwingen zu wollen. Nun konnte man, wie er so drohend dastand und den Stock gegen uns hob, aber mit merklich schütterndem Arm, sehen, was er für ein großer, starker Mensch war und welche Unbändigkeit in ihm steckte und wie er der Gewalttätige eines ganzen Dorfes sein konnte und der Gefürchtete, und wie dies alles herabgewüstet war zu einem tierhaft umängstigten Wesen, das sich noch diesen Tag und den nächsten hinschleppen mochte und vor Nacht hinfallen und eines elenden und einsamen Todes sterben würde. Ließen wir jetzt von ihm ab, dann kam er nicht lebendig aus diesem Gebirge. Wir hießen die Wegweiser zurücktreten und gingen, wir beide allein, zu ihm hin. Wir sagten ihm, wir wollten ihn nicht im Stich lassen, er solle selber sagen, was er von uns wolle; was immer es wäre, wir würden es tun. „Dorthin will ich," sagte er und zeigte die Richtung; es war die, aus welcher wir kamen. So solle er sich auf das Maultier setzen und festbinden lassen im Sattel; wir wollten ihm zwei von den Wegweisern mit ihren Tieren mitgeben, die brächten ihn noch heute bis nach einem Dorf am Abhang des Parnaß, von wo er die Meeresbucht sehen konnte, an deren andrem Ende Patras lag; und sie würden für ihn die Herberge ausfindig machen und das gewöhnliche Fußkleid der Landesbewohner für ihn kaufen. Dort solle er sich pflegen und die Wunden an seinen Füßen heilen lassen und sich stille halten sechs oder auch zehn Tage lang. Dann würden wir wieder hinkommen und ihn mit uns nehmen bis Patras.

Er faßte das vordere und hintere Ende, wo der Sattel erhöht ist, und zog sich mit Anstrengung hinauf und die Wegweiser halfen ihm, den sie den „fremden Herrn Bettler" nannten und banden ihn mit Anstand und Ehrerbietung quersitzend, wie bei uns die Frauen, am Sattel fest. Dann ging das Maultier den Weg an, und der gebundene Mensch schwankte dahin, bergauf, wir aber waren gleichfalls aufgesessen und ließen uns bergab gegen Chäronea tragen und ritten schweigend.

Befremdlich war das eifrige Fußheben der Maultiere nach vorwärts und in einer befremdlichen Luft vollzog sichs, daß wir an jene Wasserader kamen, die rein und schnell zwischen dem Gestein dahinfloß, daß man die Maultiere abschirrte, daß die Männer an der Erde lagen und neben den Maultieren tranken, und daß wir, oberhalb zwischen niedrigen Sträuchern, uns hinließen, zu trinken wie sie. Hier war vor wenigen Stunden auch er gelegen, der Schiffbrüchige, das wandelnde nackte Menschenleben, und ringsum lauerte die ganze Welt wie ein einziger Feind. Mir war, da ich nun hier trank, als flösse das Wasser von seinem Herzen zu meinem. Sein Gesicht blickte mich an, wie früher jene Gesichter mich angeblickt hatten; ich verlor mich fast an sein Gesicht, und wie um mich zu retten vor seiner Umklammerung, sagte ich mir: „Wer ist dieser? Ein fremder Mensch!" Da waren neben diesem Gesicht die andern, die mich ansahen und ihre Macht an mir übten, und viele mehr. Nichts in mir wußte in diesem Augenblick zu sagen, ob es Fremde unter den Fremden waren, deren Gesichter auf mich gewandt waren oder ob ich irgendwann irgendwo zu jedem von ihnen gesagt hatte: „Mein Freund!" und vernommen hatte: „Mein Freund!" Ohne Übergang wurde etwas in mir gegenwärtig, etwas Fernes, lieblich-angstvoll Versunkenes: ein Knabe, an dem Gesichter von Soldaten vorüberziehen, Kompagnie auf Kompagnie, unzählig viele, ermüdete, verstaubte Gesichter, immer zu vieren, jeder doch ein Einzelner und keiner dessen Gesicht der Knabe nicht in sich hineingerissen hätte, immer stumm von einem zum andern tastend, jeden berührend, innerlich zählend: „Dieser! Dieser! Dieser!", indes die Tränen ihm in den Hals stiegen.

Ein Etwas blieb irgendwo über diesem kreisend, nichts als ein Staunen, ein Nirgendhingehören, ein durchdringendes Alleinsein, ein durchdringendes fragendes „Wer bin ich?" Da, im Augenblick des bangsten Staunens, kam ich mir wieder, der Knabe sank in mich hinein, das Wasser floß unter meinem

Gesicht hinweg und bespülte die eine Wange, die aufgestützten Arme hielten den Leib, ich hob mich, und es war nichts weiter als das Aufstehen eines, der an fließendem Wasser mit angelegten Lippen einen langen Zug getan hatte.

Aber diese Stunde, und die nächste dann, bis Chäronea, und die folgenden, da wir in die Eisenbahn stiegen und durch Böotien und Attika getragen wurden, bis der Zug in der Bahnhofshalle von Athen einlief, sah ich eine Landschaft, die keinen Namen hat. Die Berge riefen einander an; das Geklüftete war lebendiger als ein Gesicht; jedes Fältchen an der fernen Flanke eines Hügels lebte: dies alles war mir nahe wie die Wurzel meiner Hand. Es war, was ich nie mehr sehen werde. Es war das Gastgeschenk aller der einsamen Wanderer, die uns begegnet waren.

Einmal offenbart sich jedes Lebende, einmal jede Landschaft, und völlig: aber nur einem erschütterten Herzen.

III

DIE STATUEN

JENER Wanderer war weit weg von mir, als ich am nächsten Abend zur Akropolis hinaufstieg. Auch von den Gestalten des eigenen Lebens hätte keine hier herantreten können. Es war als wäre ein Etwas zwischen mir und ihnen wieder dicht geworden, und die Erinnerung an die Magie, die uns umsponnen hatte, schien befremdlich. Sonderbar war es gewesen, im phokäischen Gebirge dem fieberkranken Manne aus Lauffen an der Salzach zu begegnen. Sonderbar unwirklich dies, wie er so mit Schweigen auf seinen Tod zuging und daß er um alles den Weg, den er gegangen war, nicht noch einmal machen wollte. Wenn man diesem Schweigen nachdachte und dem Blick, mit dem er uns hatte von sich wegscheuchen wollen, — fast war es, als ob wir ihn belästigten, da wir zwischen ihn und seinen Tod traten.

Aber mich verlangte nicht, noch weiter daran zu denken. „Gewesen“, sagte ich unwillkürlich und hob den Fuß über die Trümmer, die zu Hunderten hier umherlagen. Ich bemerkte jetzt erst, daß die Sonne hinter dem Parthenon untergegangen war und daß ich der einzige Mensch war, der sich hier oben aufhielt. Das Hervorströmen der Schatten hatte etwas Feierliches, es schien das Letzte vom Leben, das noch in ihnen war, in einem abendlichen Trankopfer sich hinzugießen auf diesen Hügel, auf dem selbst die Steine vom Alter verwesten. Ohne mein Zutun wählte mein Blick eine dieser Säulen aus. Sie schien sich irgendwie aus der Gemeinschaft der übrigen weggerückt zu haben. Es war eine unsägliche Strenge und Zartheit in ihrem Dastehen, zugleich mit meinem Atemzug schien auch ihr Kontur sich zu heben und zu senken. Aber auch um sie spielte in dem Abendlicht, das klarer war als aufgelöstes Gold, der verzehrende Hauch der Vergänglichkeit, und ihr Dastehen war nichts mehr als ein unaufhaltsam lautloser Dahinsturz.

Wunderbar dennoch in sich gesammelt stand sie da. Ich wollte hinübergehen zu ihr; es trieb mich, um sie herumzugehen. Ihr Schatten strömte zu ihren Füßen auf den Boden hin; die abgewandte Seite, dorthin, gegen den Untergang der Sonne, diese schien mir das eigentliche Leben zu enthalten.

Aber ehe ich den ersten Schritt tat, hielt ich schon inne. Ein Hauch der Verzagtheit hauchte mich an, ein Gefühl der Enttäuschung versehrte mich im voraus. Dieser Vormittag kam zurück, das endlose Umhergehen, von einem Ding zum anderen. Die Ermüdung des Wegs, Schritt um Schritt, zu Steinen hin und Trümmern von Steinen; da waren die Ausgrabungen auf der Agora, da war die Pnyx, da war der Rednerhügel, da die Tribüne; da die Spuren ihrer Häuser, ihre Weinpressen, da waren ihre Grabmäler an der eleusinischen Straße. Dies war Athen. Athen? So war dies Griechenland, dies die Antike. Ein Gefühl der Enttäuschung fiel mich an. Ich setzte mich auf eines der Trümmer, die da an der Erde lagen und auf die ewige Nacht zu warten schienen; Stufe zu einem Heiligtum, unkenntliches Bruchstück von einem Altar, oder göttliche Gestalt, abgeschliffen zu einem rundlichen Stück Stein, ich setzte mich auf eins dieser Trümmer und kehrte der Säule den Rücken.

Diese Griechen, fragte ich in mir, wo sind sie? Ich versuchte mich zu erinnern, aber ich erinnerte mich nur an Erinnerungen, wie wenn Spiegel einander widerspiegeln, endlos. Namen schwebten herbei, Gestalten; sie gingen ineinander über ohne Schönheit; als löste ich sie auf in einem grünlichen Rauch, darin sie sich verzehrten. Was war das, was ich an ihnen trieb? Ich prüfte mich selber. Es war nichts anderes als der Fluch der Vergänglichkeit, mit dem ich sie behauchte; das kleine Wort „Gewesen" war stärker als diese ganze Welt. Ich warf die Zeit auf sie und ich sah, wie ihre Gesichter grünlich wurden, vergingen.

Daß sie längst dahin waren, darum haßte ich sie, und daß sie so rasch dahingegangen waren. Ihre paar Jahrhunderte, die elende Spanne Zeit, jenseits des ungeheuren Abgrundes; ihre Geschichte, dieser Wust von Fabel, Unwahrheit, Gewäsch, Verräterei, Furcht, Neid, Worten; das ewige Prahlen darin, die ewige Angst darin, das rasche Vergehen. Schon war ja alles nicht, indem es zu sein glaubte! Und darüber schwebend die ewige Fata Morgana ihrer Poesie; und ihre Götter selber, welche unsicheren, vorüberhastenden Phantome: da standen Chronos und die Titanen, gräßlich und groß, schon waren sie dahin, von den eigenen Kindern gestürzt und vergessen; dann treten jene anderen heran, die Olympischen, wer glaubte sie? Schon waren auch sie vorüber, gelöst in einem farbigen Nebel, verklungen zum Echo ihrer selbst; Götter, ewige? Schon waren sie dahin, milesische Märchen, eine Dekoration an die Wand gemalt im Hause einer Buhlerin.

Wo ist diese Welt, und was weiß ich von ihr! rief ich aus. Wo fasse ich sie? Wo glaube ich sie? Wo gebe ich mich ganz an sie? Hier! oder nirgends. Hier ist die Luft und hier ist der Ort. Dringt nichts in mich hinein? Da ich hier liege, wirds hier auf ewig mir versagt? Nichts mir zuteil als dieses Gräuliche, diese ängstliche Schattenahnung?

Tiefer mußte die Sonne gesunken sein, länger zogen die Schatten sich hin, da traf mich — kam es von außen oder von innen? — ein Blick; tief und zweideutig, wie von einem Vorübergehenden. Er ging und war mir schon halb abgewandt, halb abgewandt verachtungsvoll auch dieser Stadt, seiner Vaterstadt. Sein Blick enthüllte mir mich selbst und ihn: es war Platon. Um die Lippen des Mythenerfinders, des Verächters der Götter spielten der Hochmut und geisterhafte Träume. In einem prunkvollen, unbefleckten Gewand, das lässig den Boden streifte, ging er hin, der Unbürger, der Königliche; er schwebte vorüber, wie Geister, die mit geschlossenen Füßen gehen. Verachtend streifte er die Zeit und den Ort, er schien von Osten herzukommen und nach dem Westen zu entschwinden.

Als das Phantom hinweg war, lag alles nüchtern, traurig. Doppelt entweiht schien der Hügel mit seinen Trümmern und meine Schuld lag am Tage. Es ist deine eigene Schwäche, rief ich mich an, du bist nicht fähig, dies zu beleben. Dies alles ist Anruf der Ewigkeit — wer ihn zu hören vermöchte! Wie kannst du ihn hören? Du selber zitterst vor Vergänglichkeit, alles um dich tauchst du ins fürchterliche Bad der Zeit. Wenn du um die Säule herumgehen wolltest, wolltest du nur dem eben entschwundenen Augenblick nach! — Unwillkürlich stand ich auf. Meine Gegenwart lastete auf diesem Ort. Durch mich starb das Gestorbene nochmals dahin. Ich will lesen, sagte ich zu mir und suchte mir eine Stelle im Schatten. Ich zog das Buch hervor, den „Philoktet" des Sophokles, und las. Ich wollte mir selbst entfliehen und folgte mir nach; wie ich las, von Zeile zu Zeile, so war es Zeichen um Zeichen, wie hier um mich diese Trümmer. Nicht, daß ich benommen gewesen wäre und nicht verstanden hätte, was ich las: klar und deutlich stand Vers um Vers vor mir, melodisch und furchtbar stiegen die Klagen des einsamen Mannes in die Luft. Ich fühlte das ganze Gewicht dieses Jammers und zugleich die unvergleichliche Zartheit und Reinheit der sophokleischen Zeile. Aber es schob sich zwischen mich und alles wieder jener grünliche Schleier, es ergriff mich jener verzehrende Verdacht, jene Auflehnung meines ganzen Innern. Diese Götter, ihre Sprüche, diese Menschen, ihr Handeln, alles schien mir fremd über die Maßen, trüglich, vergeblich. Diese Figuren, sie schienen, während sie vor mir redeten, ihr Gesicht zu wechseln. Sie handeln, betrügen — betrügen sie sich selber? Dieser Sohn des Achilleus, glaubt er, was er spricht? Bald schien es, als hätte Odysseus sein argloses Gemüt mit Ränken umsponnen, bald wieder scheint er sein williger, wissender Helfershelfer. Was bedeutet es, wenn er sich plötzlich gegen jenen auflehnt, und dem Philoktet die Heimkehr verspricht? Er hat kein Schiff, ihn heimzubringen. Was geht in ihm vor? Sie wollen dem kranken Mann seinen Bogen wegnehmen; aber sie wissen ja, sie müssen doch wissen, daß ohne Philoktet selber die Stadt nicht fallen kann. Wissen sie, daß es vergeblich ist, was sie tun, vergeblich diese listigen Reden, und gestehen sie es sich selber nicht ein? Dies alles war fremd über die

Maßen und unbetretbar. Ich konnte nicht weiterlesen. Ich legte das Buch aus der Hand. Eine Luft erhob sich, strich über den Hügel hin und wandte die Blätter des Buches um, das neben mir auf der Erde lag. Es roch plötzlich zugleich nach Erdbeeren und Akazien, nach reifendem Korn, nach dem Staub der Straßen und nach dem offenen Meer. Ich fühlte die Bezauberung dieses Duftes, in dem die ganze Landschaft sich zusammenfaßte; dieser Landschaft, um die die Spur von Jahrtausenden hauchte, dieser Luft, worin das Gold der Ewigkeit aufgelöst schien. Aber ich wollte mich diesen nicht hingeben. Ich bückte mich, steckte mein Buch zu mir und wandte mich zum Gehen.

Unmögliche Antike, sagte ich mir, unmögliches Beginnen, vergebliches Suchen. — Die Härte dieses Wortes schien mich zu ergötzen. — Nichts ist von all diesem vorhanden. Hier, wo ich es mit Händen zu greifen dachte, hier ist es dahin, hier erst recht. Eine dämonische Ironie webt um diese Trümmer, die noch im Verwesen ihr Geheimnis festhalten. Sie gleichen allzusehr diesen Düften. Beide reizen zu vergeblichen Träumen, und was zurückbleibt ist der Geschmack der Lüge auf der Zunge.

Ich hob den Fuß, um die gespenstische Stätte des Nichtvorhandenen zu räumen und mich nach dem kleinen Museum zu begeben, das aus unscheinbarem Mauerwerk an den Abhang hingebaut ist. Dort sind, dachte ich, in Schränken Kostbarkeiten ausgelegt, die aus dem Schutt der Gräber kommen: kleine Spiegel aus Metall, Armbänder oder Gehänge aus gehämmertem Gold, Krüge und Urnen. Sie haben der Gewalt der Zeit widerstanden, für den Augenblick wenigstens, sie sprechen nur sich aus und sind von vollkommener Schönheit. Ein Becher gleicht der Rundung der Brüste oder der Schulter einer Göttin. Eine goldene Schlange, die einen Arm umwand, ruft diesen Arm herauf. Der Mäander, mit dem sie verziert sind, bringt das Motiv der Unendlichkeit vor die Seele, aber so unterjocht, daß es unser Inneres nicht gefährdet. In der Ergötzung des Auges geben sich die Sinne zufrieden und ihr Streben nach Unendlichkeit schläft ein. Ich will dorthin. Es ist vergeblich, ringen zu wollen um das Unerreichliche.

Ich ging schnell querüber und trat in den Vorraum des kleinen Museums. Der Kustode war auf der Schwelle gestanden und hatte mein Kommen beobachtet. Als ich nahe war, trat er scheinbar achtlos zur Seite und dann, sobald ich eintrat, mit gespielter Überraschung, aus dem Dunkel auf mich zu. „Sie kommen leise", sagte er, „und Sie kommen spät, mein Herr, aber Sie kommen nicht zu spät." Es war ein kleiner Mann von unbestimmbarem Alter und der unangenehmen Gesichtsfarbe der Blonden, die zu einer dunklen Rasse gehören. „Sie kommen darum nicht zu spät, da Sie mich noch bereit finden, meinem Reglement zutrotz Sie einzulassen, obwohl die sinkende Sonne bereits den Rand des Hügels erreicht hat." In einer maßlos eitlen Art waren seine Lippen und die häßlich blonden Haare seines langen Schnurrbartes an jedem Wort beteiligt, das er hervorbrachte, sein Ohr bewunderte seine Zunge im Gebrauche der fremden Sprache und seine unangenehm glänzenden Augen waren in einer ungemessenen Weise fasziniert von sich. „Ich werde Sie einlassen", fuhr er fort, „weil ich es für gut finde, obwohl ein lächerliches

Reglement mir hierüber Vorschriften zu machen sich herausnimmt. Aber Ihre Zeit ist gemessen, wählen Sie aus, was Sie zu sehen wünschen."

Indem er sprach, wurde mir sein Gesicht abscheulich, obwohl es nicht eigentlich häßlich war. Aber der dreifache, mit unmäßiger Sorgfalt gepflegte Bart: ein starker Schnurrbart, ein gestutzter Vollbart ums ganze Gesicht herum, und aus diesem sich hervorhebend ein Knebelbart, gaben der ganzen kleinen Physiognomie etwas Aufreizendes, und ich wollte ohne weiteres an ihm vorüber und eintreten. „Bewundern Sie zuerst", sagte er, und bewunderte sich selber sichtlich im Reden, „die Weisheit, mit der mein Museum so angelegt ist, daß es nirgends den Umriß des erhabenen Hügels stört." Er ließ mir die Zeit, diesem Phänomen gerecht zu werden; dann trat er zurück und gab mir den Weg frei: „Nun öffne ich Ihnen und stelle die Schätze, welche die griechische Nation meiner Obhut anvertraut hat, zu Ihrer Verfügung. Ich werde Sie nicht inkommodieren, berühren Sie, wenn Ihr Auge nicht genügt, mit den Händen des Kenners den ehrwürdigen Stein. Denn Sie sind, das sehe ich auf den ersten Blick, nicht Deutscher und Archäologe, sondern Franzose und Künstler." Ich entzog mich seinem Geschwätz und trat in den ersten Raum. An der Wand, wo es nicht mehr recht hell war, war auf einem hölzernen Gestell etwas aufgestellt, das mir fremd und häßlich schien, und ich wollte schnell daran vorbei. Da stand der Mensch schon dicht mir im Rücken. „Ganz recht, mein Herr", sagte er, „widmen Sie den besten Teil Ihrer Zeit diesem Kunstwerk: die Welt hat vielleicht kein erhabeneres, zweifellos kein merkwürdigeres:

Sie stehen vor dem dreileibigen Dämon, dem vornehmsten Schmuck des alten ursprünglichen Athenatempels.“ Die drei männlichen Leiber, die in einen plumpen geringelten Drachenschwanz ausliefen, schienen mir abscheulich; die drei bärtigen Köpfe hatten eine Art von gutmütigem Ausdruck; dumpf und tierhaft glotzten sie auf mich herüber. „Hier sehen Sie“, rief der Kleine und drehte seinen Knebelbart zu einer Locke, „hier sehen Sie wahrhaft große, archaische Kunst. Welche Männlichkeit! Welcher Ernst, wogegen alles Spätere als Weichlichkeit und Dekadenz erscheint! Hier haben Sie den Zusammenbruch der Fabel von den bartlosen Griechen.“ Er fixierte mich fast drohend und ich konnte erkennen, welche Bedeutung seine eigene Erscheinung mit den drei Bärten für ihn in diesem Lichte besaß. „Und nun denken Sie dies herrliche Gebilde, im Schmuck seiner Farben: die Gesichter und die Lippen braunrot — Sie sehen hier die Spuren —, die Augäpfel gelbweiß, die Augensterne grün, die Pupillen grauschwarz. Alle Bärte und Schnurrbärte haben Sie blau zu denken, wohlgemerkt! bei allen dreien, und ebenso das Haupthaar der beiden äußersten Köpfe, dagegen das des mittleren — welcher Geist, welche Bedeutung, über die ich viel nachdenke, und über die ich eine Publikation vorbereite — greisenhaft gelblichweiß!“ Er zwang mich, nahe heranzutreten und wollte mich anrühren, um mir ganz genau die Spuren der Farbe auf den plumpen Gesichtern zu zeigen, da wandte ich mich sehr jäh und kehrte ihm entschieden den Rükken. Im nächsten Saal, den ich schnell betreten hatte, und wo es stärker dämmerte, denn er hatte nur ein einziges schmales Fenster, blieb ich stehen und ich glaubte seinen Schritt im Rücken zu hören. Ich horchte, aber er war nicht hinter mir. Ich überschritt noch eine Schwelle und betrat den dritten Raum.

Standbilder waren da, weibliche, in langen Gewändern. Sie standen um mich im Halbkreis, unwillkürlich zog ich den Vorhang vor die Tür und war allein mit ihnen. In ihrer vollkommenen Ruhe, bis zum Rande gefüllt mit Leben, schienen sie an sich herabzublicken, vor sich hinzublicken, aber sie sahen mich nicht. Trotzdem — das war vielleicht das Letzte, wovon ich in der Sekunde des Eintretens mir Rechenschaft gab, ehe etwas anderes an mir geschah —, sie waren nicht blicklos: dies mochte an dem wunderbaren Leben liegen, mit dem das obere Lid beladen war, und das gegen die Nasenwurzel hinströmte und sich unter den Augen mit erhabenem Ernst verlor.

In diesem Augenblick geschah mir etwas: ein namenloses Erschrecken: es kam nicht von außen, sondern irgendwoher aus unmeßbaren Fernen eines inneren Abgrundes: es war wie ein Blitz: den Raum, wie er war, viereckig, mit den getünchten Wänden und den Statuen, die dastanden, erfüllte im Augenblick viel stärkeres Licht, als wirklich da war: die Augen der Statuen waren plötzlich auf mich gerichtet und in ihren Gesichtern vollzog sich ein völlig unsägliches Lächeln. Der eigentliche Inhalt dieses Augenblickes aber war in mir dies: ich verstand dieses Lächeln, weil ich wußte: ich sehe dies nicht zum erstenmal, auf irgendwelche Weise, in irgendwelcher Welt bin ich vor diesen gestanden, habe ich mit diesen irgendwelche Gemeinschaft gepflogen, und seitdem habe alles in mir auf einen solchen Schrecken gewartet, und so furchtbar mußte ich mich in mir berühren, um wieder zu werden, der ich war. — Ich sage „seitdem" und „damals", aber nichts von den Bedingtheiten der Zeit konnte anklingen in der Hingenommenheit, an die ich mich verloren hatte; sie war dauerlos und das, wovon sie erfüllt war, trug sich außerhalb der Zeit zu. Es war ein Verwobensein mit diesen, ein gemeinsames Irgendwohinströmen, eine unhörbare rhythmische Bewegung, stärker und anders als Musik, auf ein Ziel zu; ein inneres Hingespanntsein, ein Sich-in-Marsch-Setzen; es glich einer Reise; unzählige tretende Füße, unzählige Reiter: der Morgen eines feierlichen Tages; jungfräuliche Luft, der frühe Morgen vor der Sonne — daher kam dieses fahle starke Licht, das den Raum und mein Herz durchzuckt hatte —, ein Tag der Hoffnung und der Entscheidung. Irgendwo geschah eine Feierlichkeit, eine Schlacht, eine glorreiche Opferung: das bedeutete dieser Tumult in der Luft, das Weiter- und Engerwerden des Raumes — das in mir dieser unsagbare Aufschwung, diese überschwellende Geselligkeit, wechselnd mit diesem schlaffen todbehauchten Verzagen: denn ich bin der Priester, der diese Zeremonie vollziehen wird — ich auch das Opfer, das dargebracht wird: das alles drängt zur Entscheidung, es endet mit dem Überschreiten einer Schwelle, mit einem Gelandetsein, einem Hier — mit diesem Dastehen hier, ich inmitten dieser: noch ist das Ganze Gegenwart, in ihren rieselnden Gewändern, in ihrem wissenden Lächeln: da verlischt schon dies in ihre versteinernden Gesichter hinein, es verlischt und ist fort; nichts bleibt zurück als eine todbehauchte Verzagtheit. Statuen sind um mich, fünf, jetzt erst wird mir ihre Zahl bewußt, fremd stehen sie vor mir, schwer und steinern, mit schiefgestellten Augen. Groß sind ihre Gestalten; aufgebaut — tierhaft oder göttlich — aus überstarken Formen; ihre Gesichter sind fremd; geschürzte Lippen, erhabene Augenbogen, mächtige Wangen, ein Kinn, um das das Leben fließt; sind es noch menschliche Mienen? Nichts an ihnen spielt auf die Welt an, in der ich atme und mich bewege. Ist nicht in diesen zweideutig lächelnden Larven ein lauerndes Herüberblicken von drüben? und zugleich eine ganz momentane und gegenwärtige Drohung, wie von einer Atmosphäre, die sich zusammenballt? Stehe ich nicht vor dem Fremdesten vom Fremden? Blickt hier nicht aus fünf jungfräulichen Mienen das ewige Grausen des Chaos?

Aber, mein Gott, wie wirklich sind sie. Sie haben eine atemberaubende sinnliche Gegenwart. Aufgebaut wie ein Tempel hebt sich ihr Leib auf den herrlichen starken Füßen. Ihre Feierlichkeit hat nichts von Masken: das Gesicht empfängt seinen Sinn durch den Körper. Es sind mannbare Frauen, Bräute, Priesterinnen. In ihren Mienen ist nichts als die Strenge der Erwartung, die erlesene Kraft und Hoheit ihrer Rasse, ein Wissen um den eigenen Rang. Was sie starr erscheinen macht, ist die Beklommenheit eines erhabenen Festes, sie nehmen an Dingen teil, die über jede gemeine Ahnung sind.

Wie schön sind sie! Ihre Körper sind mir überzeugender als mein eigener. Es ist in dieser geformten Materie eine tiefsinnigere Belehrung, als ich je von meinen Gliedern empfangen habe. Es ist eine Intention in ihr, so stark, daß sie auch mich spannt. Ich habe nie zuvor etwas gesehen wie diese Maße und diese

Oberfläche. Schien nicht für ein Wimperzucken das Universum mir offen?

Aber auch jetzt wiederum — indes ich mir doch so ernüchtert dünke, so schnell ernüchtert und wieder bei mir selber — diese Materie da vor mir, sie ist nicht ernüchtert, so fest sie scheint, es ist etwas Liquides an ihr, etwas Sehnsüchtiges, sie kommt irgendwoher und sie verrät, daß sie irgendwohin will. Sie ist auf einer Reise, sie landet in diesem Augenblick, will sie mich mitnehmen? Woher sonst diese Ahnung einer Abreise auch in mir, dieses rhythmische Weiterwerden der Atmosphäre, dieses mit festem Fuß Wandeln an einem fremden breiten Fluß, Hinaufgleiten an einem niegesehenen gekrümmten Berg — woher diese ganze ahnungsvolle Unruhe, dieser lautlose Tumult — der mich bedroht oder dem ich gebiete? — Es ist, antworte ich mir unfehlbar wie ein Träumender, es ist das Geheimnis der Unendlichkeit in diesen Gewändern. Nicht nur dies Gekräuselte, von den Schultern bis unters Knie Hinunterrieselnde, nein, die ganze Oberfläche ist Gewand und webender Schleier, offenbares Geheimnis. Ist denn nicht in der gleichen Weise auch der Vorhang dort, der leise weht, ein webender Teil von mir? Empfing ich nicht unsichtbare Glieder, die ich traumhaft unwissend bewege? Empfing ich sie nicht, um mit nichtirdischen Händen aufzuheben den Schleier, einzutreten in den ewigen lebenden Tempel? — Wenn in mir ein Sinn erwachte, der über alle Sinne ist; wenn der das Auge bewältigen könnte, von innen heraus! — antwortete es in mir flüssig und bestimmt, wie das Anspringen eines quellenden Wassers, und ein neuer Gedanke drängte sich herzu: Wer diesen wahrhaftig gewachsen wäre, müßte sich anders ihnen nahen als durchs Auge, ehrfürchtiger zugleich und kühner. Und doch müßte ihm sein Auge dies gebieten, schauend, schauend, dann aber sinkend, brechend wie beim Überwältigten. — Und dieser Gedanke hob mich wie ein großes Wasser, das, ins Haus hineindringend, einen unter den Achselhöhlen ergreift. Er hob mich diesen entgegen, diese zugleich mir entgegen.

Mein Auge sank nicht, doch sank eine Gestalt über die Knie der einen Priesterin hin, jemand ruhte mit der Stirn auf dem Fuß einer Statue. Ich wußte nicht, ob ich dies dachte, oder ob dies geschah. Es gibt einen Schlaf im Wachen, einen Schlaf von wenig Atemzügen, der größere Kraft der Verwandlung in sich hat und dem Tode verwandter ist als der lange tiefe Schlaf der Nächte.

— — — — — — — — — — — — — — — — —

Wiederum besann ich mich auf mich selber. Ohne jeden Zweifel, sagte ich mir, bin ich hier in der Gewalt der Gegenwart, stärker und in anderer Weise, als es sonst gegeben ist. Dies, was hier vor mir ist, mein Auge füllt, richtet mich irgendwohin, ins Unendliche. Mag sein, es sind diese Statuen, wovon meine Seele ihre Richtung empfängt, mag sein, es ist etwas anderes, als dessen Boten sie mich umstehen. Denn es ist sonderbar, daß ich sie wieder nicht eigentlich als Gegenwärtige umfasse, sondern daß ich sie mir mit beständigem Staunen irgendwoher rufe, mit einem bänglich süßen Gefühl, wie Erinnerung. In der Tat, ich erinnere mich ihrer, und in dem Maß, als ich mich dieser Erinnerung gebe, in dem Maß vermag ich meiner selbst zu vergessen. Dieses Selbstvergessen ist ein seltsames deutliches Geschehen: es ist ein grandioses Abwerfen, Teil um Teil, Hülle um Hülle, ins Dunkle. Es wäre wollüstig, wenn Wollust in so hohe Regionen reichte. Ungemessen mich abwerfend, auflösend, werde ich immer stärker: unzerstörbar bin ich im Kern. Unzerstörbar, so sind diese, mir gegenüber. Es wäre undenkbar, sich an ihre Oberfläche anschmiegen zu wollen. Diese Oberfläche ist ja gar nicht da — sie entsteht durch ein beständiges Kommen zu ihr, aus unerschöpflichen Tiefen. Sie sind da, und sind unerreichlich. So bin auch ich. Dadurch kommunizieren wir.

Eines ahne ich indessen blitzschnell: worin meine gegenwärtige Herrlichkeit begründet ist. Ich verachte die Zahl und alle Unterschiede. Dies ist unter dem, was ich abgeworfen habe. Ich fühle, daß die mehr als menschliche Größe dieser Wesen sich an mir auflöst, zu nichts wird. Dann, daß ihre Vielheit mir nichts anderes ist, als die Einheit. Dann dies zugleich — und ich fühle, daß es mit den anderen Phänomenen aus einer Ordnung ist: jene Fahrten, die vor wenig Augenblicken mir angeboten waren, ich bedarf ihrer nicht mehr; verharrend bin ich auch am Ufer jenes seltsam breiten, nie gesehenen Flusses, stehe auf dem Gipfel jenes Berges mit gekrümmtem Hang. Nur diese brauche ich, die Trägerinnen der Ewigkeit, mit denen ich mich selbst zur Gottheit mache. Von ihrem Dastehen, von ihren rieselnden Gewändern, von ihren Mienen, blicklos wissend blickenden, trieft dies eine Wort: „Ewig!" Indem ich die Hieroglyphe ihres Gesichtes — denn ihre Gesichter sind längst eines für mich, und vom Scheitel bis zur Sohle sind sie wahrhaft Figur und ich kenne kein Vor- und kein Nacheinander bei ihrer Betrachtung —, indem ich die verbundenen

Zeichen darin in einem letzten Schwung völlig erkenne, weiß ich als Letztes: unbedürftig bin ich auch ihrer. Ich brauche sie nur, wie sie mich brauchen. Sie stünden nicht vor mir, wenn ich ihnen nicht von Ewigkeit zu Ewigkeit hülfe, sich aufbauen.

Und indem ich mich immer stärker werden fühle und unter diesem einen Wort: Ewig, ewig! immer mehr meiner selbst verliere, schwingend wie die Säule erhitzter Luft über einer Brandstätte, frage ich mich, ausgehend wie die Lampe im völligen Licht des Tages: Wenn das Unerreichliche sich speist aus meinem Innern und das Ewige aus mir seine Ewigkeit sich aufbaut, was ist dann noch zwischen der Gottheit und mir?

UNGESCHRIEBENES NACHWORT ZUM „ROSENKAVALIER“

EIN Werk ist ein Ganzes und auch zweier Menschen Werk kann ein Ganzes werden. Vieles ist den Gleichzeitig-Lebenden gemeinsam, auch vom Eigensten. Fäden laufen hin und wider, verwandte Elemente laufen zusammen. Wer sondert, wird unrecht tun. Wer eines heraushebt, vergißt, daß unbemerkt immer das Ganze entklingt. Die Musik soll nicht vom Text gerissen werden, das Wort nicht vom belebten Bild. Für die Bühne ist dies gemacht, nicht für das Buch oder für den einzelnen an seinem Klavier.

*

Der Mensch ist unendlich, die Puppe ist eng begrenzt; zwischen Menschen fließt vieles herüber, hinüber, Puppen stehen scharf und reinlich gegeneinander. Die dramatische Figur ist immer zwischen beiden. Die Marschallin ist nicht für sich da, und nicht der Ochs. Sie stehen gegeneinander und gehören doch zueinander, der Knabe Oktavian ist dazwischen und verbindet sie. Sophie steht gegen die Marschallin, das Mädchen gegen die Frau, und wieder tritt Oktavian dazwischen und trennt sie und hält sie zusammen. Sophie ist recht innerlich bürgerlich, wie ihr Vater, und so steht diese Gruppe gegen die Vornehmen, Großen, die sich vieles erlauben dürfen. Der Ochs, sei er wie er sei, ist immerhin noch eine Art von Edelmann; der Faninal und er bilden das Komplement zueinander, einer braucht den andern, nicht nur auf dieser Welt, sondern sozusagen auch im metaphysischen Sinn. Oktavian zieht Sophie zu sich herüber— aber zieht er sie wirklich zu sich und auf immer? Das bleibt vielleicht im Zweifel. So stehen Gruppen gegen Gruppen, die Verbundenen sind getrennt, die Getrennten verbunden. Sie gehören alle zueinander, und was das Beste ist, liegt zwischen ihnen: es ist augenblicklich und ewig, und hier ist Raum für Musik.

*

Es könnte scheinen, als wäre hier mit Fleiß und Mühe das Bild einer vergangenen Zeit gemalt, doch ist dies nur Täuschung und hält nicht länger dran als auf den ersten flüchtigen Blick. Die Sprache ist in keinem Buch zu finden, sie liegt aber noch in der Luft, denn es ist mehr von der Vergangenheit in der Gegenwart, als man ahnt, und weder die Faninal, noch die Rofrano, noch die Lerchenau sind ausgestorben, nur ihre drei Livreen gehen heute nicht mehr in so prächtigen Farben. Von den Sitten und Gebräuchen sind diejenigen zumeist echt und überliefert, die man für erfunden halten würde, und diejenigen erfunden, die echt erscheinen. Auch hier ist ein lebendiges Ganzes und man kann den Figuren ihre Redeweise nicht vom Mund reißen, denn sie ist zugleich mit ihnen geboren. Es ist gesprochene Sprache, mehr als sonst vielleicht auf dem Theater, aber sie will nicht für sich allein das Fluidum sein, von dem alles Leben in die Gestalten überströmt, sondern nur mit der Musik zusammen. Wo sie ihr zu widerstreben scheint, ist es vielleicht nicht ohne alle Absicht; wo sie sich ihr hingibt, geschieht es von innen heraus.

*

Die Musik ist unendlich liebevoll und verbindet alles: ihr ist der Ochs nicht abscheulich — sie spürt, was hinter ihm ist, und sein Faunsgesicht und das Knabengesicht des Rofrano sind ihr nur wechselweise vorgebundene Masken, aus denen das gleiche Auge blickt — ihr ist die Trauer der Marschallin ebenso süßer Wohllaut wie Sophiens kindliche Freude, sie kennt nur ein Ziel: die Eintracht des Lebendigen sich ergießen zu lassen, allen Seelen zur Freude.

ÜBER DIE PANTOMIME

DIE alte Schrift des Lukian, welche den gleichen Gegenstand behandelt, würde man auch heute nicht ohne Nutzen und Vergnügen durchlesen.

Ihr Titel Περὶ ὀρχήσεως durfte dem Sinne nach in den oben stehenden Worten übertragen werden. Ebensowohl hätte die Überschrift lauten mögen: „Über den Tanz." Es ist vom darstellenden Tanz zumeist die Rede; doch kann niemand auch den primitivsten Formen des Tanzes ein darstellendes, pantomimisches Element absprechen. Das Pantomimische andererseits wäre undenkbar, ohne daß es durch und durch vom Rhythmischen, rein Tanzmäßigen durchsetzt wäre; fällt dies weg, so befinden wir uns in einem Schauspiel, dessen Darsteller sich absurderweise der Hände bedienen, anstatt ihrer Zunge; also in einer mit Willkür unvernünftigen Welt, in der zu verharren beklemmend wirkt. Dagegen in eine Haltung, eine rhythmische Wiederholung von Bewegungen einen Gemütszustand zusammenfassen, darin ein Verhältnis zu umgebenden Personen, gedrängter, und bedeutender als die Sprache es vermöchte, auszusprechen, etwas an den Tag zu geben, was zu groß, zu allgemein, zu nahe ist, um in Worte gefaßt zu werden: diese Ausdrucksform ist einfachen heroischen Zeiten, ja besonders dem urweltlichen Zustand geläufig, und wiederum aus unserer bis zur Verworrenheit vielfachen, übergreifenden Gegenwart hebt sich, wie alles Menschliche beharrender

Art ist, das gleiche unzerstörbare Bedürfnis hervor, welches zu stillen, da der Lebensboden ungünstig ist, die Kunst eine ihrer uralten Formen zu einer neuen Belebung uns darbietet.

„Die frommen Inder", sagt Lukian, „begnügen sich nicht, die aufgehende Sonne nach Art der Griechen durch den Kuß der eigenen Hand zu verehren; nach Osten gewandt grüßen sie schweigend den Gott durch eine Folge bewegter Gebärden, durch welche dessen eigener Tageslauf über das Gewölbe des Himmels darstellend gemeint ist; und durch diesen pantomimischen Ersatz für unsere Gebete, Opfer und Chorlieder versichern sie sich seiner Gunst bei Anfang und Ende seines täglichen Kreislaufes. Weiter gehen noch die Äthiopier und tanzen auch während der Schlacht; der Pfeil, den ein Äthiopier aus der Federkrone seines Hauptes zieht, die ihm statt des Köchers dient, wird nicht von der Senne fliegen, ohne daß rhythmische Bewegungen, worin sich das Gefühl der eigenen Kraft mit der dem Feinde zugedachten Todesdrohung verbindet, sich zwischen die einzelnen kriegerischen Handgriffe einschieben."

Auf Zeremonie läuft alles hinaus, in ihr stillt sich ein tiefstes Bedürfnis, urtümlich religiöser Sphäre; hier ist nichts von leer, mit welchem Beiwort die im Schwang befindliche Tagessprache gerne das Wort Zeremonie zu behängen pflegt. Es sind, wie bei jenen Sonnenanbetern und Kriegern, die erfülltesten Momente des Daseins, ehrfürchtige Hingenommenheit oder die Ekstase des Kampfes, in welchen aus innerer Überfülle sich ein gehaltenes zeremoniöses Gebaren entbindet. Zur Zeremonie kann die einfachste Handlung erhoben werden: das Schütteln von Speer und

Schild, ebenso wie das Darreichen einer Trinkschale, und keine wäre so einfach, daß sie nicht in gereinigtem Sinne als erhaben erscheinen könnte. So haben wir Ruth St. Denis hervortreten sehen und im Gewand eines im Tempel dienenden Mädchens, die Schale mit dem Feuer in Händen, in einer langen Folge der einfachsten Gebärden, mit Schreiten und Neigen, Entzünden und Weihen, eine unermeßliche Wahrheit, geistige Schönheit entfalten. So ist der große Tänzer Nijinsky und vermag in der Gebärde eines, der mit hohler Hand am Quell sich Wasser schöpft, alle Reinheit und Erhabenheit der unverderbten menschlichen Natur zu offenbaren. So waren die Zeremonien der Sada Yakko, eingeschoben zwischen den Dialogen einer uns fremden Sprache in langwierigen Dramen, deren Handlungen uns unverständlich waren; und haben wir nicht gleichfalls von der großen europäischen Schauspielerin dergleichen Momente erlebt, in denen sie aus der Nüchternheit der Vorgänge einer „Kameliendame“ gleichsam auf eine ganz andere, die eigentliche Bühne trat und sich für uns in Augenblicke eines wahrhaft tragischen Tanzes der Gehalt, nicht mehr des abgegriffenen Theaterstückes, sondern menschlich ewiger Situation zusammendrängte?

Die Erfindungen, durch welche allenfalls der Theaterdichter solchen Offenbarungen einer hohen seelisch-sinnlichen Begabung zu Hilfe kommen kann, indem er sich ihr in auserwählten Fällen mit Freude unterordnet, bewegen sich auf einer anderen Ebene als das Drama. Es sind wohl Schauspiele, was hier zu geben versucht wird, aber keine Dramen. Der Aufbau bleibt schematisch, den Figuren muß das Individuelle mangeln, welches nicht anders als durch die Sprache zu geben ist. Ein geistiger, bedeutender, ja unendlicher Inhalt wird aber nur scheinbar fehlen. Denn die Kunst wie die Natur ist in ihrem Bereich unerschöpflich an Auskunftsmitteln, jedem ihrer Geschöpfe einen unendlichen Lebensreichtum zu sichern, und unbedingt ist ihr Vermögen, alles schließlich wieder ins Gleichgewicht zu setzen. Ist die Erfindung der Situationen nur derart, daß sie den Tänzer schnell in sein eigentliches Element hinüberführen: sein allgemein Menschliches aus der Fülle seiner Natur herauszugestalten, so steht auch hier wie nur je im Wortgedicht ein Unendliches vor uns. Kein Neigen des Hauptes, kein Heben des Fußes, kein Beugen des Armes gleicht dem andern; hier ist Kunst, und wie Natur ist sie nach unendlichen Arten unendlich. Eine reine Gebärde ist wie ein reiner Gedanke, von dem auch das augenblickliche Geistreiche, das begrenzte Individuelle, das fratzenhaft Charakteristische abgestreift ist. In reinen Gedanken tritt die Persönlichkeit vermöge ihrer Hoheit und Kraft hervor, nicht eben allen sogleich faßlich. So tritt in reinen Gebärden die wahre Persönlichkeit ans Licht und über die Maßen reichlich wird der scheinbare Verzicht auf Individualität aufgewogen. Wir sehen einen menschlichen Leib, der sich in rhythmischem Fluß bewegt nach unendlichen Modifikationen, die in vorgezeichneten Bahnen ein innerer Genius leitet. Es ist ein Mensch wie wir, der sich vor uns bewegt, aber freier, als wir jemals uns bewegen, und dennoch spricht die Reinheit und Freiheit seiner Gebärden das Gleiche aus, das wir aussprechen wollen, wenn wir gehemmt und zuckend uns innerer Fülle entladen. Ist es aber nur Freiheit des Körpers, was uns hier beglückt? Enthüllt sich nicht hier die Seele in besonderer Weise? Entlädt sie sich nicht hier wie in den Tönen, aber noch unmittelbarer, noch zusammengefaßter, der inneren Fülle? Worte rufen eine schärfere Sympathie auf, aber sie ist gleichsam übertragen, vergeistigt, verallgemeinert; Musik eine heftigere, aber sie ist dumpf, sehnsüchtig ausschweifend; die von der Gebärde aufgerufene ist klar zusammenfassend, gegenwärtig, beglückend. Die Sprache der Worte ist scheinbar individuell, in Wahrheit generisch, die des Körpers scheinbar allgemein, in Wahrheit höchst persönlich. Auch redet nicht der Körper zum Körper, sondern das menschliche Ganze zum Ganzen.

„Das ist wahr", heißt es beim Lukian, „der Pantomime muß gewappnet sein von Kopf zu Fuß. Sein Werk muß in Harmonie ausgesonnen sein, vollkommen im Gleichgewicht und in den Verhältnissen; eins in sich selber, jedem Gegner gewachsen. Da dürfen keine Flecken daran sein; da muß alles vom Besten sein: ein schöner Einfall, ein tiefer Kunstverstand, vor allem wahre Menschlichkeit. Wenn jeder Einzelne von den Zusehern eins wird mit dem, was sich auf der Szene bewegt, wenn jeder Einzelne in den Tänzen gleichsam wie in einem Spiegel das Bild seiner wahrsten Regungen erkennt, dann — aber nicht früher als dann — ist der Erfolg errungen. Solch ein stummes Schauspiel ist aber auch nicht weniger als eine Erfüllung jenes delphischen Gebotes: ‚Erkenne dich selbst', und die aus dem Theater nach Hause gehen, haben etwas erlebt, das erlebenswert war."

ERNST HARTMANN ZUM GEDÄCHTNIS

UNENDLICH leid tut es einem um Hartmann. Es ist in diesem Leid etwas so Persönliches und dabei so Allgemeines, so Öffentlich-Privates, wie es jemand, der außerhalb der Wiener Atmosphäre aufgewachsen wäre, kaum begreifen könnte. Es ist dies: man weiß nun mit einem Male, daß das Burgtheater, jenes alte, das sich ins neue doch und trotz allem hinüberlebte, nun wirklich gestorben ist. Die Grenze war verschwimmend. Je nachdem man mit härterem oder milderem Blick hinschaute, konnte man etwas von dem alten Glanz um eine gute Vorstellung schimmern sehen. Aber nun erscheint die Grenze ganz hart und scharf gezogen.

Ich suche Hartmann in meinem Gedächtnis und sehe zahllose Gestalten. Lebendig springen sie hervor, sein Clarence und sein Mercutio und sein König Heinrich und sein Leon und seine kleineren Rollen. Sein Franz Lerse, der ganz Einfachheit und Natur war, mit einem diskreten Glanz wie gehämmertes Gold, und seine pompösen Rollen, wie der verarmte Edelmann und die nicht zu vergessenden Episoden, mit denen er den inneren Reichtum Schnitzlerscher Stücke an den Tag zu bringen half, die Rollen im „Grünen Kakadu", den alten Herzog im „Medardus" und dahinter die Flut der anonymen französischen Stücke, aus deren Gedränge sich nur zufällig eine bezaubernde Figur, nein, eine bezaubernde Leistung, eine bezaubernde Gegenwart, eine bezaubernde

Schauspielerei entgegenhebt, „der zündende Funke"! Sicherlich, sein Gedächtnis lebt in allen diesen Rollen. Eine reiche, unendlich liebenswürdige Natur wirkte sich in ihnen aus.

Aber an ihm war mehr als alle diese Rollen miteinander. Die Erinnerung an ihn erschöpft sich nicht in Bildern, sie ist am heftigsten in einem Gefühl. Das Stärkste an ihm war seine Atmosphäre. Es war ein Fluidum um ihn, an das man mit lebhafterer Sehnsucht denkt als an irgendeine einzelne Gestalt.

In ihm war etwas unendlich Verbindliches, Verbindendes, Beziehungsvolles. Vor unserem inneren Auge steht nicht nur seine Geste, sondern auch die Geste seiner Partner. Wir hören seine Stimme nie allein, sondern immer im Dialog. Sein Blick geht hinüber zu anderen Figuren, seine Hände verbinden die Schatten anderer Figuren rastlos mit dem seinigen. Die Hohenfels, die Gabillon gibt ihm eine Replik, zwischen Lachen und Weinen antwortet ihm seine Frau, seine wundervolle Partnerin.

Ja, er war ein entzückend beziehungsvoller Schauspieler, und mit ihm erst stirbt wahrhaft eine Welt, keine wahre Welt und doch keine lügnerische, eine gesteigerte Welt, eine Feiertagswelt. Herzog, Edelmann, Bürger und Bedienter standen droben, alle waren sie pompös und gewinnend, alle waren sie im heimlichen Einverständnis miteinander, und ihr Zusammensein war ein Ganzes, auf dem viel Glanz lag. Man nannte es das Burgtheater.

WILHELM DILTHEY

UNVERGESSLICH auf immer, diesem Greis begegnet zu sein. Wunderbar die Luft um diesen alten Mann. Herbstluft, geistige, strahlende Herbstluft: Fernes, Fernstes, zum Greifen nahe, das Nahe vergeistigt und wie verklärt. Oder die Luft von Athen, die zarteste, klügste, unsentimentalste Luft, die es gibt: man steht auf einem Hügel, sieht ein Haus von ferne, einen Baum, ein paar Ziegen, das ist alles schön wie der Äther und dabei fest, bestimmt wie Gedanken eines guten Kopfes, da schwimmt nichts, da schweift nichts, da verschwebt nichts, da verbebt nichts: alles steht da, leuchtet, lebt.

Schwingendes Gespräch, rastloses Vorwärts, kluges freudiges Aufblitzen altersloser Augen — schöne Kette, mir abgerissen nach dem vierten, dem fünften Glied. Passioniertes Gespräch, passioniertes Zuhören: Freude, Ungeduld, Leidenschaft in beiden. Ein Sausen geistiger Ströme in der Luft um ihn, ungeheure Durchkreuzung, Wirbel auf Wirbel: und in ihm unersättliche Lust, unstillbare Freude, sich da hineinzustürzen. Ein Jüngling, der ein strahlendes Land durchläuft und an keinem Wasserfall vorbeikann, er würfe denn die Kleider ab und badete. Freude in ihm und um ihn — ich suche ein Bild, das solche Freude nahebrächte, einen Klang, der dies widertönte, einen Klang vibrierender und doch gehaltener Freude ... Dies: Lynkeus' Lied, Goethes tiefstes Freudenlied, dies:

Ich blick in die Ferne,
ich seh in der Näh
den Mond und die Sterne,
den Wald und das Reh.
So seh ich in allen
die ewige Zier,
und wie mirs gefallen,
gefall ich auch mir.

Dies, heruntergesungen von einem hohen Turm, gesungen von einer dünnen, zitternden, unsäglich vergeistigten Greisenstimme. Denn so singt kein Jüngling, so singt Faust, und sein Turmwächter ist nur ein beseeltes Phantom, so singt ein Greis aus dem verklärten Gespensterleib eines Jünglings.

Dies war die Stimmung um ihn: Faust II, Akt V. Nie war die Atmosphäre eines Lebenden verwandter mit der Atmosphäre einer Dichtung. Greisenhafter innerer Reichtum, Fülle der Anschauung, Fülle der Verknüpfung. Im Innersten ein wunderbar loderndes Feuer, auf die Welt zu die Gebärde des Liebenden, unsagbar vergeistigt. Das Werk da vor ihm, übermenschlich angefangen, unmöglich zu vollenden. Jäh auflodernd, eine greisenhafte Ungeduld, ein mächtiger fiebernder Zorn, ein Vorwärtstreiben, Anspannen aller Kräfte. Im Innersten ein Wissen: et voluisse sat est, ein tiefes Sich-Beruhigen über dem Gleichnishaften unseres Tuns. In der Nähe immer, geduckt, der Tod: Ansporner und Störer, Zerstörer oder Wecker und doch durch seine Nähe das Unvollendete adelnd. Ein erfülltes Menschenleben. „Der Mensch lebt, indem er sich ein Stück Ewigkeit durch einen hinten vorgehaltenen Tod auffängt“, sagt Brentano.

Ich blick in die Ferne,
ich seh in der Näh
den Mond und die Sterne,
den Wald und das Reh.

Was war die Landschaft, in die er hineinblickte? Groß war sie, unermeßlich groß. Lynkeus' Auge, Lux-Auge, nun ist es zu — wer blickt so weit, wer blickt so tief? Der Mann hatte ein Auge, das sah im Innern der Erde die Erze gehen in ihren Gängen und übersah nicht das kleinste Fischerboot, schwärzlich am fernsten Himmelrand. Wie lebte nicht für diese Augen eine geistige Welt, und Welten über Welten, Schicht über Schicht, und eins im andern gespiegelt, und eins aus dem andern gezeugt, und Verwandlung überall, und Einheit überall. Das war Universalität des Geistes, hier wars ein Phänomen, lebend und belebend, hier wars einmal kein leeres Wort.

Geistiges Gebilde, ihm war es lebendig. Durch die Zeiten sich hinüberwandelnd, vor seinem Blick blieb es beständig. Mit solchem Aug, wie Goethe die Metamorphose der Pflanze, die Metamorphose des Tieres schaute, schaute er die Metamorphose geistiger Formen. Eine Denkweise, eine Dichtweise, eine Art des Fühlens, ein Gepräge des Welterkennens, sie war einmal da, taucht unter, verhüllt sich, kommt wieder. Er stand da wie der Entenjäger, der weiß, wo die Ente wieder emporkommt. So knüpfte er Zeit an Zeit, so war ihm Geschichte ein lebendiges Geschehen. Was sich heraufwindet durch die Zeiten, und ist doch einheitliches Wesen, und wirkt sich aus, in Individuen, in Institutionen, nun dichterisch und heißt Hans Sachs, nun sittlich-seelenhaft und heißt Luther, nun denkerhaft und heißt Leibniz, nun anonym als ein Statutum und heißt Preußisches Landrecht, diesem Proteischen sein Eigentliches abgewinnen, sein geistiges Gesicht, ihm ins Aug schauen als einem Wesen, dergleichen Wesenheiten geistigster Art als die bleibenden Kräfte hinter dem Weltgetriebe erkennen, auf und ab steigen vom Geist des Individuums zum Geist der Zeiten, vom Geist des Volkes zum Geist des Einzelnen, gerecht die Welt aufteilen zwischen der dämonischen Kraft des Einzelwesens und der heiligen, beharrenden Kraft geistiger Formen, in diesem Lebensstrom leben und weben mit glühender Freude, mit wahrer Leidenschaft, das heißt Philosophie treiben, das heißt eines Philosophen Leben leben.

„Was ist das Allgemeine?" sagt Goethe. „— Der besondere Fall. Was ist das Einzelne? — Millionen Fälle." So lag die Welt vor ihm.

Ein deutscher Professor, wie Doktor Faust. Der Name ehrt ihn, er ehrt den Namen. Sein Leben in seinen Schriften, seine Schriften irgendwo, in Jahrbüchern der Akademien, in Sonderdrucken zu gelehrten Anlässen, oder im Buchhandel vergriffen, vergeblich gesucht, ihm selber unzugänglich, mit Willen von ihm so dahintengelassen. Das kommun Professorale meilenfern hinter ihm, verzehrt von Flamme jeder Erdenrest. Welche ergreifende Demut in dieser Vernachlässigung des eigenen Ruhmes und welcher Stolz: welches Wissen, mit dem höchsten geheimsten geistigen Leben der Nation unzerreißbar verbunden zu sein. Welch ein grandioses Gefühl für die Größe seines Volkes in dieser einen Gebärde. Feurig, rein, tiefsinnig, gültig: welch ein Mann!

EINLEITUNG ZU MARLOWES „EDUARD II."

Deutsch von Alfred Walter Heymel

GEDANKEN über Goethe, zum Teil vortreffliche, finden sich im Inventar unseres literarischen Besitzstandes. Auch an Gedanken über Shakespeare ist kein Mangel. Ein fruchtbarer Gedanke an Shakespeare scheint es mir, wenn man eine Tragödie von Marlowe frisch zu übersetzen auf sich nimmt. Es ist ein unausgewickelter Gedanke — um so schöner; er gehört der Sphäre des Lebens an, wogegen seine Entwicklung in die blassere philologische Sphäre hinüberführen würde. Diese genialen Produkte, als frisch entstandene, starrend von Leben, Trotz, Emphase, Jugend, waren Shakespeare nahe; daß sie ihm viel bedeutet haben müssen, davon haben wir in seinem Werk die Spuren und mehr als Spuren. So schwebt über diesen unverweslichen Werken der höchst geistige Duft eines unlöslichen erhabenen Zusammenhanges. Tritt man ihnen nahe, so durchfährt uns bewundernder Schrecken über die grandiose Wildheit des löwenmäßigen Gesichtes, das aus ihrem Spiegel uns entgegenblickt. Einem solchen Sichaufbäumen, solchen Aufgehen in den Moment, einem solchen berserkerhaften Sichgebärden bis in die Wurzeln der Seele hinein, müssen wir bekennen, mit staunender Fremdheit gegenüberzustehen; ähnlich ergeht es mit Dürers jugendlichen Werken, wobei ich zuvörderst an die grandiose Offenbarung Johannes denke. Aber diese Blätter aus unserem Besitz zu lassen, würde man uns darum nicht bereitfinden; ebensowenig diese Dramen.

Die Sprache verwandelt sich leicht, von Generation zu Generation; das originale Werk wird, diesem Wandel widerstehend, nur noch köstlicher; Übersetzung veraltet. Immer wieder wird sich ein Deutscher finden, dem es am Herzen liegt, Werke hohen Ranges, fremden Nationen und vergangenen Zeiten angehörig, der eigenen Generation nahezubringen. Er fußt auf der Überzeugung, menschliche und dichterische Großheit, einmal leibhaftig hervorgetreten, könne niemals abgetan sein.

Vergleicht man diese Übersetzung mit der älteren E. von Bülows, um die Mitte des neunzehnten Jahrhunderts entstanden, so tritt uns eine gesteigerte Sensibilität, dem Eigentlichen, dem Organischen des dichterischen Gebildes gegenüber, merklich entgegen. Der ältere Übersetzer sieht in den Verszeilen des Originals, gleichsam wie in Behältern, einen geistigen oder pathetischen Inhalt, den er mit Treue und Präzision herüberzubringen trachtet. Der neuere fühlt: der Text ist Organismus und das Eigentliche, das Leben des Lebens, in ihm, nicht hinter ihm zu suchen. Das Leben des Lebens sucht er wiederzugeben. Die Rhythmik behandelt er frei: er möchte lieber, daß sein Vers dem Vers Marlowes so lebendig gleicht, wie ein von Kinderhand aufgebauter Schneemann einem schreitenden Menschen, als daß er ihm so totenhaft gleiche, wie ein Gips einem lebenden Gebilde. Er denkt an den geatmeten, gesprochenen Vers, nicht an den fürs Auge in Druckzeichen hingesetzten. Das eigentliche innere Leben des englischen Verses ist wiederzugeben gesucht; geht dort die Wucht von den vielen kurzen Stammwörtern aus, so ist im Deutschen erstrebt, das Gleiche, womöglich mit dem gleichen

Wortstamm, zu geben; zwischen diesen Wortstämmen in ihrer etwas gewandelten jetzigen Bedeutung und in der, womit sie hier für ihre englischen Verwandten Platz halten, ergeben sich zuweilen Schwebungen, die dem Genauen peinlich, dem Phantasievollen nicht ohne Reiz erscheinen werden.

DAS SPIEL VOR DER MENGE

Eindruck und Überlegung

„Sorge, welche du gewinnest,
Merke, wen du dir entfremdest!“

EIGENES Tun ist immer problematisch, noch in ganz anderem Sinn als das Tun der anderen. Was man selber getan hat, ist man geneigt, bedenklich zu finden, auch bei gutem Ausgang; wer sich entgegengesetzt verhält, hat praktisches Genie; der Philister schließlich macht sich allein vom Resultat abhängig.

Wer Dramatisches hervorbringt und sich dabei doch mit dem Theater nicht recht einlassen will, erscheint absurd. Über Hebbel fällt in Richard Wagners Selbstbiographie das überraschend scharfe Wort: Er sitzt in Wien in seiner Stube und betreibt seine theatralischen Angelegenheiten von da aus in *dilettantischer* Weise. Theaterdichter waren zu allen Zeiten mit der Bühne verwachsen, die beiden größten, die wir kennen, selber Schauspieler; zahllose andere vom zweiten Rang zeitlebens oder auf lange einer Bühne adjungiert; von Deutschen sind, um einen noch höheren Namen aus dem Spiel zu lassen, Tieck und Immermann, ebenso wie Schiller, zeitlebens mit dramaturgischen Bestrebungen hervorgetreten. Was ihnen groß, wertvoll und im höheren Sinne theatralisch wirksam erschien, suchten sie herbeizuziehen und bauten in einem weltbürgerlichen Sinn das Repertorium der deutschen Bühne aus. In der Umpflanzung der Antike waren sie breiter als wir; denn sie schlossen die Komödie ein. Calderon und Lope, die nachshakespearischen Engländer, schienen ihnen geeignet, das Repertoire, auf welchem Iffland und Kotzebue einen breiten Raum einnahmen, zu veredeln. Den fremden Gebilden entlegener Herkunft begegneten sie mit Ehrfurcht, aber mit Freiheit. Wer liebt, darf sich etwas herausnehmen, und sie waren sich bewußt, für das Theater und nicht für die Literaturgeschichte zu arbeiten. Ein Dichter der gegenwärtigen Generation, wenn er sich im gleichen Sinne betätigt, stößt vielfach auf ein Befremden, das ihn selber wieder befremden muß. Hält dieses an, und bleibt seinen dramaturgischen Versuchen zugleich aber auch die Teilnahme des Publikums anhaltend, so wird er sich auf seinem Wege nicht irremachen lassen. Er ist sich bewußt, innerhalb der deutschen Tradition zu verharren, und vermutet, er werde schließlich im Recht, die ihm Opponierenden im Unrecht bleiben. Der Versuch, den Elektrastoff zunächst in einem scheinbaren Anlehnungsverhältnis an Sophokles aus einem Gegenstand des Bildungsinteresses zu einem Gegenstand der Emotion zu machen, war jugendlich und verlief problematisch; aus einer Bearbeitung wurde eine neue, durchaus persönliche Dichtung, deren Bedenkliches hinreichend festgestellt ist; den sophokleischen „Ödipus“ durch eine Übertragung, welche sich einige geringe Freiheiten herausnahm, zur Grundlage einer höchst phantasie- und eindrucksvollen Darstellung gemacht und dadurch für eine große Zahl von Zeitgenossen, auch der einfacheren Schichten, existent gemacht zu haben, vermag ich keineswegs zu bedauern; indem ich das Spiel vom „Jedermann“ auf die Bühne brachte, meine ich, dem deutschen Repertorium nicht so sehr etwas *gegeben*, als ihm etwas *zurückgegeben* zu haben, das ihm von rechtswegen nicht fehlen durfte und nur sozusagen durch einen historischen Zufall vorenthalten wurde. Denn die englische Form des Gedichtes ist typische Urform und weist auf einen späteren Bearbeiter hin, der, mit so herrlichen Gaben, Hans Sachs sehr wohl hätte werden mögen. Zu analysieren, was ihm, in historischer Notwendigkeit, gefehlt haben mag, daß er es nicht wurde, bedürfte es anderen Raumes und einer höheren Zusammenfassung.

Gibt man sich mit dem Theater ab, es bleibt immer ein Politikum. Man handelt, indem man vor eine Menge tritt, denn man will auf sie wirken. So auch hier. Wählt man einen ungewöhnlichen Raum, beruft man eine außergewöhnliche Menge, so liegt ein verstärkter Akzent auf diesem Handeln. Nicht das Gedicht, sondern der Raum, den wir wählten, die Menge, vor die wir es brachten, war hier der Gegenstand einiger Kritik. Man sprach, vereinzelt, von einem gelehrten Experiment: das Gegenteil zu unternehmen war beabsichtigt, und die Wirkung scheint dem Unternehmen recht zu geben. Andere Stimmen schoben Max Reinhardts Hang zum Versuch und zur Ausdehnung des Versuches hier die abermalige Wahl der Arena zu. Ich habe Herrn Reinhardt nie schematisch handeln sehen, und ich glaube nicht, daß er etwas Geringes gegen das Gefühl des Dichters, für den er arbeitet, unternehmen würde, geschweige denn etwas so Großes wie die Wahl des Raumes für eine Aufführung. Ich nehme also mit besonderem Vergnügen die Verantwortung dafür auf mich, daß wir dieses Gedicht vor eine große, eine sehr große Menge brachten, sowie dafür, daß wir es nicht auf einer regelmäßigen Bühne darstellten, sondern auf einem einfachen Gerüst, in drei Stufen abgebaut, das, ohne jede historische Exaktheit, in der Idee der altenglischen Bühne nahe kam. Über diese Form der Bühne hatte Immermann mit Tieck ein Gespräch, das er in seinem Reisejournal aufgezeichnet hat. Tieck hob es als einen der größten Vorzüge dieser Bühne hervor: „daß die Zuschauer die Handlung unter sich vorgehen sahen" — und ich kann mir nicht versagen, die abschließenden Sätze dieser Aufzeichnung Immermanns hierherzusetzen: „Vergegenwärtigt man sich die Einrichtung lebendig, so werden einem die großen Vorteile nicht entgehen. Die Handlung wird gewissermaßen den *Zuschauern entgegengenötigt*. Die Dekoration spielt mit und die Gruppe macht sich immer wie von selbst pyramidalisch oder sonst malerisch. Das Falsch-Illusorische ist ganz aufgegeben, dagegen das, was allein illudieren soll, das Geistig-Poetische, desto mehr unterstützt."

Dramatische Gebilde dieser großen simplen Art sind wahrhaftig aus dem Volk hervorgestiegen. Vor wen sollten sie als wiederum vor das Volk? Nenne man dies immerhin die Masse, die Großstadtmasse oder welches Übel man will, und wäge ab, ob mehr Gärtnergehilfen darunter waren oder mehr Friseurs, und mehr brave gemeine Soldaten oder mehr Bankiers und Bankgehilfen. In allen diesen steckt doch das Volk und in seinen gehaltsreichen Tiefen schlummert das Geheimnis deutschen Wesens. Wie aber, daß wir das Abgestorbene, das Unzeitgemäße vor sie gebracht hätten! Es wird in unserer Zeit gar zu viel Wesens gemacht von unserer Zeit. Goethe war hart dagegen. „Ich liebe sie nicht, sie dienen der Zeit", sagte er von den Zeitungen. Und dieses ewig große Märchen ginge die Leute von heute nichts an, ginge fünftausend und abermals fünftausend Deutsche nichts an, Glieder des Volkes, „das dem Christentum seine größte geistige Anregung verdankt"? Publikum ist schwankend, kurzsinnig und launisch; das Volk ist alt und weise, ein Riesenleib, der wohl die Nahrung kennt, die ihm bekommt. Es versteht und empfängt in einer großen Weise und teilt das Heiligste seines Besitzes den Einzelnen mit, die rein und bewußt aus ihm hervortreten.

Ein menschliches Märchen ist dies, in christlichem Gewande. Das Verhältnis ist schwer zu fassen, und so bemühe ich hier zum letzten Male den großen Mann, dessen tiefblickende Belehrung ich immer dankbaren Sinnes aufnehme: „Es gab Zeiten", schreibt Immermann auf einem andern Blatt seiner tiefen, reinsinnigen Aufzeichnungen, „wo die Unfertigkeit des Menschlichen, welche sich jetzt in lauter kleinen Streitpunkten von Talent, Gelegenheit, Nervenübeln, Vermögen, Bildung und Gesellschaft, Reisen und Hausleben, Absichten und Zufällen zersplittert zeigt, an *einem* großen Gegensatz erschien, an dem zwischen dem Irdisch-Flüchtigen und der ewigen Seligkeit. Das Geschlecht war damals auch in seinen Geschäften unsicher, die Last des Daseins ruhte auch auf ihm; aber es war doch von ihr eine Erlösung zu hoffen. Wohltuend war es mir also, als ich mit einem Stoffe Bekanntschaft machte, worin das göttliche Licht und jenes glorreiche Gefühl einer tapferen Vergangenheit noch gewaltig hindurchleuchtete." Das Wohltuende für den Dichter liegt darin, unsäglich gebrochenen Zuständen ein ungebrochenes Weltverhältnis gegenüberzustellen, das doch in der innersten Wesenheit mit jenem identisch ist. So spricht er aus, was hier ausgesprochen werden kann, in ästhetischem Betracht ebensowohl als im politischen; ich meine: indem man jenes alte Spiel zu erneuern bemüht war, als indem man es vor unsere Zeitgenossen brachte.

„LEBENSFORMEN“ VON W. FRED

WIR sind nun einmal miteinander da, und es ist eine große Sache, daß wir miteinander da sind. Ein jeder müdet sich ab, ein jeder will vorwärts, keiner achtet viel auf den anderen, und doch ist jeder dem anderen im Wege, und Hemmungen und Stockungen sind unser halbes Leben. Das Alte scheint abgetan und ist noch zähe, das Neue tritt gewaltig auf und hat oft nur ein leeres Gesicht. Wir glauben zu wissen, wo wir hin wollen, und wissen oft kaum den nächsten Schritt. Über die Wirklichkeit meinen wir uns einig zu sein — wie aber, wenn man den einzelnen fragte, auf was es ihm in der Wirklichkeit ankommt! Auf Freiheit unbedingt legen wir es an, und es ist doch den meisten nicht wohl, als wo sie gebunden und im Geschirre sind; um der Unabhängigkeit willen nehmen sie die Sklaverei auf sich. Vieles ist da, was uns bindet, und gerade wie wir nicht gebunden sein wollen, Zahlloses was uns trennt, und wir dürfen nicht Wort haben. Nie gab es größere Einsamkeit in einem dichteren Gedränge, niemals eine größere Konfusion bei subtilerer Verkettung und Verzahnung; die Begriffe sind entwertet wie das Geld, die Menschenmenge wird immer dichter, die Verhältnisse immer undichter, und es wird ein Wunder, daß man noch existieren kann.

Auf Formen will niemand Gewicht legen, und doch hängt und haftet an Formen, was wir tun und treiben. Durch Formen hängt das Vielerlei leidlich zusammen und präsentiert sich allenfalls als ein Ganzes. Die

Formen sind da, Lebensformen, altneu; im Stocken und Schwanken fristen sie sich hin und drücken doch das Wesentliche an den Verhältnissen aus, sagen ohne Worte, worüber in Worten und Begriffen sich niemand würde einigen wollen.

Lebensformen sind es recht eigentlich, womit der Tagesschriftsteller zu tun hat. Aber es gehört ein ausgebildeter Weltsinn dazu, ihrer allerort gewahr zu werden, sich zu ihnen in ein richtiges Verhältnis zu setzen, und nirgend ist ein ausgebildeter Weltsinn seltener als unter deutschen Schriftstellern.

Mit Begriffen zu hantieren, hier das Zerklüftete noch mehr zu zerklüften, wird jeder in seiner Weise sich bereit finden, aber von dem Weltverstand Gebrauch zu machen, der so in den realeren Sphären des Lebens vorausgesetzt wird, das ist unter den Schreibenden nicht des Hundertsten Sache, und Formen werden abschätzig beurteilt, wo jeder für sich in die Tiefe zu bohren, ins Grenzenlose zu haspeln sich alleinig berufen fühlt.

Und doch ist in diesem Umsetzen des Weltverstandesmäßigen das Um und Auf der höheren journalistischen Begabung zu erkennen. Hier ist der Journalist in seinem eigentlichen Felde; hier ist er, was er ist, und sondert sich reinlich vom Essayisten, vom populären Wissenschaftler und vom philosophisch-ästhetischen Dilettanten. Eine beträchtliche Bildung, und die nicht nach der Studierlampe riecht; einen geübten und soliden Blick für die Weltverhältnisse; einen wahren Weltsinn, weder engherzig noch gesinnungslos: diese drei stellt er in den Dienst der rechten Sache, wenn er für seine Mission ansieht, den Anschluß des Alltäglichen, empirisch Gegebenen an das Bleibende, Geistige, Wesentliche zu vermitteln.

Ein unaufhörliches Verbinden, Vermitteln, Zuführen vollzieht sich über die ganze Breite der physischen Welt. Das Zutragen von Nachrichten, von Fakten, von Urteilen, Anschauungen desgleichen geht ins Uferlose. Hier ist der Journalist einer höheren Ordnung unerläßlich, der das chaotisch über uns Ausgeschüttete mit Auswahl erst wahrhaft uns zuzumitteln weiß. Er schreibt aus dem Heute heraus und für das Heute: da muß er es verstehen, sich Rechenschaft zu geben, was denn tausendfältig dem Heutigen zugrunde liegt, und diese geistige Arbeit geht wiederum ins Uferlose.

Sieht man ein umfangreiches Buch wie dieses, „Lebensformen“, überfliegt die Überschriften der zahllosen Kapitel, die witzig und eigentümlich formuliert sind, so wird man gewahr, es sind Kollektaneen, aber nicht des Gelehrten, sondern des Journalisten, der immerfort an das real Gegebene, das Momentane anzuknüpfen gedrungen ist. In der Konsequenz dieser Haltung liegt das Wertvolle. Hier, in diesen Kollektaneen, in diesem Repertorium gesellschaftlicher, vielfältiger Beobachtung sind die Umrisse eines kultivierten Journalismus gegeben, dessen wir wenige Vertreter haben, und den wir doch nötig brauchen. Das Wort Kultur, auch auf ein bestimmtes Gebiet beschränkt, wird man fürs nächste vermeiden müssen, es ist allzusehr in jedermanns Mund und Feder: so wird man sich begnügen, darauf hinzuweisen, daß sich hier dokumentiert, was jeder Kultur zugrunde liegt: Selbstzucht, Anspannung, anhaltende Bemühung, immer im Hinblick auf eine bestimmte

Tätigkeit, die des Tagesschriftstellers, der durch jede höhere Leistung ebensoviel von ihrer Würde restituiert wird, als ihr durch jede leichtfertige Ausübung da und dort entzogen werden mag.

„WILHELM MEISTER" IN DER URFORM

VON gehobenen Schätzen hört jeder gerne reden, wenn auf dem Dachboden eines Trödlerladens einer ein köstliches Bild aufstöbert, so freuen wir uns, als ob wir es selbst gewesen wären, alte mächtige Schreibtische mit Geheimfächern haben etwas Anziehendes wie alte Häuser und Burgen. Die Mappe des Urgroßvaters gibt einem unserer seelenvollsten Dichter den Stoff vielleicht zur schönsten seiner Erzählungen, „Die verlorene Handschrift" war der Titel eines durch Dezennien hochberühmten Romans. Und wie es gegangen, so geht es auch heute: ein Gymnasiast in Zürich kommt zum Lehrer, bringt ein Konvolut, eine Handschrift, die seit Jahren in des Vaters altem Schreibtisch liegt: ob das wohl was wäre. Der Lehrer nimmts, blätterts auf, es ist der „Wilhelm Meister", eine alte Abschrift, meint er, zu Goethes Zeiten Gott weiß von wem, Gott weiß zu welchem Zwecke angefertigt. Er legt die Blätter weg, nimmt sie einmal wieder zur Hand, verwundert sich über den Text, der ihm neu klingt, vergleicht, schlägt nach: er hat „Wilhelm Meisters theatralische Sendung" in Händen, die erste Form des Romans, dem Namen nach von der Goethe-Forschung gekannt, seit je und immer verloren geglaubt, einen Schatz, zumindest für die vom Fach, vielleicht für ganz Deutschland, für die ganze Welt.

Vor Jahren, nicht allzuvielen, war im Weimarschen Archiv ein ähnlich überraschender Fund getan: die

Szenenreihe, fragmentarisch, welche die älteste Fassung von Goethes Faust-Drama darstellt. Ein Namen rein Goetheschen Gepräges war schnell gefunden: Ur-Faust. Neben ihn stellt sich nun der Ur-Meister. Wie sollte nicht die Analogie in den Namen walten, da das Schicksal schon analogisch verfahren ist, beide Handschriften abenteuerlich zutage kommen ließ. Auf eine dritte Analogie haben die Philologen hingewiesen, beidemal waren Frauen die Bewahrerinnen der Handschrift. Neben das Weimarsche Hoffräulein von Göchhausen tritt die Schweizerin Frau Barbara Schultheß, ein Mitglied des Züricher Freundeskreises, der sich um Lavater gruppierte. Goethe nennt sie „du“, schreibt ihr durch viele Jahre, macht auf der Rückreise von Rom einen beträchtlichen Umweg, um sie wieder zu sehen. Uns ist sie ein neues Gesicht, eines von den tüchtigen, herzlichen Achtzehnten-Jahrhundert-Gesichtern, die uns scharf und fein entgegenschauen, wenn wir wie in eine zaubervolle Camera obscura in die Jünglingsjahre Goethes hineinblicken. Da regt sich, wie auf einer schwarzen Spiegelfläche aufgefangen, aber doch lebendig farbenvoll, ein ganzes Volk von deutschen Menschen, tüchtig, warm und wahr, Männer und Frauen, Greise, Jünglinge und Mädchen. Unter ihnen ist Barbara Schultheß, Gattin des Fabrikanten David Schultheß von Zürich. In Goethes Schriften, worin Tausende von Namen genannt, wo tausend Gesichtern ein Umriß gegeben ist, durch die das Wesentliche weiterlebt, fanden wir ihrer nicht erwähnt. Da wird neuerdings gemeldet, es sei durch ein kürzlich aufgefundenes Schema zur Fortsetzung von „Dichtung und Wahrheit“ bezeugt, daß der Dichter auch dieser Freundin Bild habe für unabsehbare Zeiten an solcher Stelle festhalten wollen.

So halten wir denn in der Frau Barbara Schultheß Abschrift „Wilhelm Meisters theatralische Sendung" in Händen, den Ur-Meister neben dem „wirklichen" Meister, das Werk, das den Achtundzwanzigjährigen, den Dreißigjährigen, den Fünfunddreißigjährigen beschäftigte, neben jenem, das zwischen dem zweiundvierzigsten und dem siebenundvierzigsten Lebensjahre aufs neue vorgenommen und zur Vollendung getrieben wurde. Wir kannten ein geräumiges, palastähnliches Wohnhaus der besondersten Art und wußten, es sei auf den Fundamenten eines älteren, eingeschränkten Bürgerhauses errichtet und manches von den Mauern, ja von Treppen und Gemächern des alten Hauses in das neue einbezogen. Nun steht das Alte vor unseren Augen, wir können sie nebeneinander sehen, können vergleichen, und nun erst hat unsere Bewunderung für den Baumeister keine Grenzen.

Immerhin haftet dem Prozeß, durch den wir zu diesem Resultat gelangen, etwas Bängliches an. Was wir als ein Bestehendes ansehen und für viele Generationen Geschaffenes, als ein Bestehendes lieben und kennen, und woran zu erfassen, zu erkennen noch so unendlich viel übrigbleibt, das sollen wir uns als ein Entstehendes vor die Seele führen, sollen sehen, woraus es entstanden ist und wie es allenfalls auch hätte nicht entstehen können. Jede Veränderung an einem geliebten Wesen, einem geliebten Gegenstand ist ängstlich — soll sich nun gar vor unseren Augen auch das ehrwürdig überlieferte geistige Gebild verwandeln? Sollen wir, was unverrückbar vor uns zu stehen schien, Zug für Zug still und schön und bei ruhiger Fläche von einer Tiefe, die das Senkblei nicht mißt, sollen wir dies scheinbar für die Ewigkeit Gegebene nun in Bewegung uns auflösen? Ein solcher Prozeß wird uns aufgedrängt. Wir müssen ihn durchmachen, um des alten oder des neuen Besitzes mit Freiheit uns zu erfreuen.

Indem unsere Gedanken von dem einen zu dem anderen Buch herüber und hinüber gehen, folgen wir herüber und hinüber der Verwandlung eines geistigen Gesichtes: das eine scheint uns zutraulicher, lebendiger anzublicken, doch wieder blickt das andere bedeutender, feuriger, geistiger. Die Bücher, nebeneinander gehalten, geben, was kein direkter Ausdruck, kein Geständnis so bildhaft geben kann: die geistige Umwandlung des reifenden Goethe. Hinter der Wirkung werden wir ein Wirkendes gewahr, höchstes Leben, am Leben bildend. Was Mitlebenden, wofern das Glück sie so begünstigte, mitzuerleben und fragmentarisch zu erfassen in Dezennien gegeben war, das drängt uns ein Zauberspiegel seltsamer Art zu einem Schauspiel von der höchsten Konzentration zusammen.

„Wilhelm Meisters theatralische Sendung“, sei es immer ein fragmentarisches Buch — besäßen wir diesen Torso eines Buches allein, nur ihn, der die Gestalten Wilhelm, Mignon, Philine, Aurelie uns überlieferte, es wäre ein bedeutendes, gehaltreiches, unvergleichliches Buch. In ihm hätten wir von der Hand unseres größten Dichters einen unvollendeten Roman, nicht ohne Verwandtschaft mit den großen ausländischen Romanen des achtzehnten Jahrhunderts und doch mit Elementen darin, die ihn über alle diese Vorbilder hinausheben. Gewiß, der Einschlag von

Abenteuer- und Komödiantenroman in dem Buch ist nicht ganz so, wie er ist, zu denken, ohne daß ein „Roman comique“ des Scarron, ein „Gil Blas“ des Lesage existierte. Eine gewisse unnachahmliche, dunkelhelle Atmosphäre des bürgerlichen Stadthauses, worin das ganze Leben mit herzlichem Behagen wechselweise aus dämmerigem Tageslicht und dem Licht einer bescheidenen Kerze herausmodelliert ist — wir kennen sie, diese Atmosphäre, aus den „Geschwistern“ vor allem —, setzt, nebst dem Genie dessen, der sie schuf, auch die Existenz der großen englischen Schriftsteller voraus, die mit solchem Blick des Herzens zum erstenmal die eingeschränkte Welt des Bürgerhauses, des Gasthofes erfaßten: Sternes, Richardsons, Goldsmiths. Und Rousseau ist hier ebensowenig wegzudenken als für den „Werther“: weder der Rousseau der „Neuen Heloise“ noch der der „Konfessionen“, weder der breite Strom des neuen Pathos, der mit der Einheit des Fühlens die Einheit der Welt wiederherstellt, noch die unendliche Subtilität des sich selbst durchschauenden, sich selbst enthüllenden Herzens. So ist die Basis dieses wie jedes bedeutenden Werkes Aneignung, selbstverständliche Aneignung in einem großen Geist und originalem Sinne. Dazu die Hand des Mannes, der vor zehn Jahren den „Werther“ geschaffen, der seitdem viel von der Welt gesehen hat, dem sich die Menschen zueinander, die Stände gegeneinander in ein klares Licht setzen, der mit vielerlei Menschen verknüpft ist, viel erfahren, genossen, gelitten hat und gewillt ist, aus dem allen einen Roman zu machen, ein großes buntes Stück Welt hinzustellen, in sich verbunden, „vielleicht mehr durch Stetigkeit als durch Einheit“.

Zur Mittelfigur nimmt er einen Wilhelm Meister, Bürgersohn aus wohlhabendem Hause wie Werther, bildsam, regsam, zartfühlend wie Werther, den oberen Ständen zugeneigt wie dieser, nicht ohne daß diese Hinneigung ihm wie dem andern zweideutige Situationen und bittere Momente brächte, kurz eine Art von Werther, genau so ähnlich und doch so unähnlich, als etwa Halbbrüder oder Geschwisterkinder sein mögen. Dieser wie jener ein halb und halb autobiographisches Gebilde, in dessen Brust der Geist des Dichters, wenn es ihm gefällt, so oft und so behaglich Wohnung nehmen kann wie in der eigenen Stube. Aber als der Jüngling Goethe den Jüngling Werther schuf, stürzte er sich in diesen hinein und verließ ihn erst, als der entseelte Leib starr am Boden lag. Goethe der Mann geht neben dem Jüngling Wilhelm Meister ruhigen Schrittes einher und sieht gelassen zu, wie der labyrinthische Pfad allmählich doch sich entwirre und nach einem Ziel führe. Er läßt ihn vor uns aufwachsen, die Liebe und das Leid erfahren, in Beziehungen und Abenteuer sich verstricken, den Großen der Erde mit Scheu und Begierde vors Antlitz treten, seltsame Geschöpfe an sich ketten, sein Geld vertun, Erfahrungen einsammeln. Ein Roman — was man so einen Roman nennt, ist dieser Torso von 1782 mehr als jenes andere majestätische Werk von 1796. Die Episode mit Marianne allein, Mariannens Gestalt, ihre Vergangenheit, Bekanntschaft, beginnende Liebschaft und Höhepunkt des Liebesglücks, um wieviel mehr ist dies hier in der Weise eines Romans, zum Behagen des Romanlesers ausgestaltet als dort. Wie vieles mehr wird uns hier gezeigt, gegeben, was dort nur angedeutet, geheimen höheren Zwecken aufgeopfert war. Wilhelms Kinderzeit, das Puppenspiel, hier lebts vor uns, dort steckt es eingequetscht in der Exposition, wo wir seiner nicht recht froh werden. Daß Wilhelm viel von einem Dichter in sich hat, das mußten wir aus der Gestalt glauben, es als ein Element der Gestalt uns zu eigen machen; hier wirds uns im einzelnen gezeigt, gerade seine Produkte werden vor uns ausgebreitet, in einer Tragödie, „Belsazar", von ihm verfaßt, sehen wir ihn zum erstenmal die Bühne betreten. Nun gar das Theaterwesen, mit welcher Breite ist es hier behandelt, und welcher gegenständlichen Liebe. Diese Schauspielerin und Theaterdirektorin de Retti mit ihrem Lümmel von Liebhaber, mit der Realität ihrer Geldnöte, mit den scharf geschnittenen Gesichtern ihrer Truppe — manchmal fast Hogarthschen Gesichtern —, wie sitzt dies deutlich und real in der bürgerlichen Welt, der Publikumswelt, der Offiziers- und sonstigen Gönnersphäre. Hier ist die prägnante Atmosphäre von Lenz und Wagner nicht ganz fern — wer dächte an Lenz und Wagner, wenn er in die geheimnisvoll gehobene, geheimnisvoll geläuterte Welt der „Lehrjahre" hineinblickt? An dies Theaterwesen höchst realer Malweise sind nun die Begebenheiten auf dem gräflichen Schloß, das Abenteuer mit den Räubern, die Begegnung mit der Amazone angeschlossen. Mignons geheimnisvolles Wesen, des Harfners Geschick, in ähnlicher Weise, wenn auch nicht ganz so schön wie in den „Lehrjahren", mit Wilhelms Schicksal verknüpft. Philine ihnen gegenüber, um ein Etwas niedriger, als wäre es die gleiche Gestalt, aber in gemeinerem Licht. Jarno mit dem Shakespeare in der Hand. Serlo mit seiner Schwester Aurelie. Aureliens Konfession, die

Hindeutung auf einen Ungetreuen, auf Lothario. Hier bricht der Torso ab. Welch ein Werk! Denken wir, daß wir von „Wilhelm Meister“ nur dies besäßen. Welche Fülle von Gestalten, welch wunderbarer Reichtum der Gegenüberstellung! Wie würden wir uns bemühen, das Geheimnis der weiteren Entwicklung zu durchdringen! Wir würden den Titel „Wilhelm Meisters theatralische Sendung“ ohne Ironie nehmen, würden Wilhelm auf dem Theater verharren lassen, ihn vielleicht mit Aurelie verbinden, den geborenen Dichterdramaturgen mit der großen Schauspielerin. Oder er wendet sich vom Theater ab, ohne doch in die bürgerliche Sphäre zurückzusinken. Sanfte Herzen würden ihn Marianne wiederfinden lassen, andere ihn auf ewig an Mignon binden, durch Mignon, mit Mignon ihn Italien finden lassen; auch dies ist ein Weg zu sich selber, war es doch Goethes Weg. Aber wie immer wir dies wendeten, wir würden immer nur in gleichem Sinne vorwärtsschreiten, nie würden wir auch nur die Schwelle der Zaubersphäre berühren, zu welcher in dem Roman von 1796 alles Geschehene, auch das Geringfügigste, hinaufgehoben ist; nie würden wir aus uns selbst die ungeheure geistige Belichtung hervorzubringen vermögen, in welcher sich alle Geschöpfe dieses Buches als in einem wahrhaft himmlischen Medium vor uns bewegen, nie das Geheimnis einer Verkettung zu finden, durch welche jeglicher Punkt dieses Werkes von jeglichem folgenden ein immer höheres Licht zugeworfen bekommt, jegliches Geschehen bei vollkommen natürlichen Zusammenhängen in einem immer höheren Sinn erscheint. Nie hätten wir eine Erfindung hervorgebracht gleich jenem eingeschobenen sechsten Buch der „Bekenntnisse einer schönen Seele“, durch welches die Gestalten Lotharios, Nataliens, Theresens, der Gräfin in der unerwartetsten Weise zusammengefaßt und, ehe wir sie noch kennen, für uns mit einem Seelengehalte erfüllt werden, der sie dann von innen heraus erleuchtet wie Alabasterlampen. Nie etwas Ähnliches wie Mignons Tod und Begräbnis, diese festliche Trauermusik zur Hochzeitsfeier, nie die ehrwürdige Weisheit des Lehrbriefes, nie Gestalten wie Natalie und Therese. Denn wir hätten — kannten wir nur die Bücher der „Theatralischen Sendung“ — in unserer Phantasie an einer Behandlungsweise festgehalten, worin jedes Ding: Figuren, Abenteuer, Lebensverhältnisse, um seiner selbst willen hingestellt ist gleichwie in einem realistischen Gemälde. Die Vortragsweise dagegen, die in „Wilhelm Meisters Lehrjahren“ herrscht, ist das Gegenteil: es ist durchwegs eine symbolisierende, bei der vollkommensten Natürlichkeit des Vorgangs und Anschaulichkeit des Details. Die Blätter der „Theatralischen Sendung“ enthalten, was sie eben enthalten, und es ist nicht wenig; die Blätter der „Lehrjahre“ enthalten Unendliches. Was das neuere Werk voraus hat, was dem älteren Buch fehlt, ist das Entscheidende.

Was dazu gehörte, aus dem Stoff, der dies eine Buch hergegeben hatte, jenes andere zu machen, darüber belehrt uns die zehnjährige Stockung. Zehn Jahre von den reifsten Jahren des größten Mannes, zehn mittlere Lebensjahre Goethes mußten hingehen. Eine innere Verwandlung mußte sich vollziehen: wer das eine und das andere Buch zu lesen versteht, kann sie ermessen. Kein intensives Bekenntnis, kein Brief von der erhabensten Weisheit reicht an die Belehrung heran, die von dem Nebeneinander dieser beiden Bücher ausgeht. Alles wandelt sich, alles strebt empor; der Schöpfer ein anderer, mit ihm die Geschöpfe; verwandelt, geläutert in ihm das Gefühl zu den eigenen Geschöpfen, das Gefühl zur Welt. Werther ist Goethes Doppelgänger, Mignon, Therese, Natalie sind seine Töchter. Dieser stete, unmerkliche, nie stockende Zug nach dem Höheren, dem Lichteren, wie ein Tag, der sich ausreinigen will: welches Dokument, welches tiefe, ins eigene Innere blickende Gedicht vermöchte eine solche ungeheure Metamorphose auszusprechen!

So scheiden wir von dem merkwürdigen Buch, das ein abenteuerlicher Zufall uns in die Hände brachte, und fühlen uns in unserem Verhältnis zu dem unausschöpflichen Werk, das wir kannten — freilich, wie wenig kennt man, was man seit Jahren zu besitzen meint —, innerlichst bekräftigt. Es ist eines der berühmtesten Werke der Weltliteratur, ein vorzüglicher und stolzer Besitz des deutschen Volkes. Und dennoch, es ist kein volkstümliches Buch, es ist beinahe ein unbekanntes, nein, ein wenig gekanntes Buch. Als Schiller die acht Bücher des Romans zu Ende gelesen hatte, schrieb er, am 2. Juli 1796, den ersten von drei wundervollen Briefen. Man wird es nie überdrüssig, sie nachzulesen, und der Schluß des ersten enthält in den zartesten und wahrsten Worten alles, was über diesen Gegenstand gesagt werden kann. „Leben Sie jetzt wohl, mein geliebter, mein verehrter Freund! Wie rührt es mich, wenn ich denke, daß, was wir sonst nur in der weiten Ferne eines begünstigten Altertums suchen und kaum finden, mir in Ihnen so nahe ist. Wundern Sie sich nicht mehr, wenn es so wenige gibt, die Sie zu verstehen fähig und würdig sind. Die bewunderungswürdige Natur, Wahrheit und Leichtigkeit Ihrer Schilderungen entfernt bei dem gemeinen Volk der Beurteiler allen Gedanken an die Schwierigkeit, an die Größe der Kunst, und bei denen, die dem Künstler zu folgen imstande sein könnten, wirkt die genialische Kraft, welche sie hier handeln sehen, so feindlich und vernichtend, bringt ihr bedürftiges Selbst so sehr ins Gedränge, daß sie es mit Gewalt von sich stoßen." Da ists gesagt: ein Werk dieser Art ist nicht eine müßige Ergötzung der Einbildungskraft, es wendet sich an das innerste Gemüt, und wer es nicht mit Liebe aufnehmen kann, wen es nicht beglückt, der schiebt es fort von sich, ratlos, verlegen und mit verhohlener Unlust, ja mit Haß. Schwer ists zu fassen, nicht um seiner Verschlungenheit willen, denn Verschlungenes hätte sich in drei Menschenaltern zur durchsichtigsten Einfalt aufgelöst, sondern um seiner Reinheit und Hoheit willen. Denn nichts ist schwerer anzueignen, schwerer auch nur wahrzunehmen, als das Große und Erhabene, trotzdem oder eben weil es nichts anderes ist als das Reinste und Wahrste des Natürlichen.

ANTWORT AUF DIE „NEUNTE CANZONE“ GABRIELE D’ANNUNZIOS

Wien, 1. Februar [1912]

SIE sind es müde, d’Annunzio, Ihre Rhetorik in den Dienst schöner Dinge zu stellen. Diese letzten zwanzig Jahre hindurch haben Sie es für Ihr Vorrecht gehalten, der Herold reiner, schöner und glorreicher Erinnerungen zu sein. Sie waren die öffentliche und melodische Stimme Ihres Landes, wenn der Geburtstag eines Ihrer bezaubernden Musiker sich nach hundert Jahren erneuerte oder wenn einem anderen großen Sohne Italiens ein Denkmal geweiht wurde. Man hörte Ihre Stimme, wenn ein Schiff vom Stapel lief und wenn ein alter Kirchtum einstürzte. Ihre Hymnen waren ohne Zahl, aber keine entbehrte eines würdigen Gegenstandes. Der Lobspruch war Ihr eigentliches Metier. „Lobsprüche“ ist der Titel Ihres schönsten Buches. Ihre Kandidatenrede, als Sie Parlamentarier werden wollten, war ein Lob des Ackerbauers, gewürzt mit Zitaten aus Hesiod und Virgil; und Sie wurden gewählt; und als Sie im Parlament aus Ihrer Bank aufstanden, um sich, kurz entschlossen, auf den Bänken der Gegenpartei niederzulassen, so zweifle ich nicht, daß Sie an diesem Tage zwei unvergleichliche Lobreden gehalten haben: die eine auf die Partei, der Sie den Rücken kehrten, die andere auf die, der Sie sich zuwandten. Sie haben seitdem die wundervollen Städte Ihres Landes, eine nach der andern, verherrlicht: ihre Türme und ihre Mauern, ihre Rathäuser und ihre Tore; die dunklen und erhabenen Erinnerungen ihrer Geschichte, die Mienen ihrer Frauen. Nach den großen Städten haben Sie die kleineren Städte gepriesen und dann die einzelnen Punkte der Landschaft. Sie haben die liebliche Mündung des Arno verherrlicht und die Fischerhütte am ravennatischen Strand, in der Garibaldi sich verbarg; die Schluchten des Apennin und die reiche Ebene um Bologna; die Biegungen der Küste, die Linien der Flüsse, die Straßen und die Kreuzwege, die Bäume, die Aquädukte, die Viehherden, die Lavaströme, die Friedhöfe, die Aussichtspunkte. Ihre Poesie vereinigte zuweilen den Schwung Pindars mit der Zuverlässigkeit des Baedeker, und man war erstaunt und beunruhigt, wenn man gelegentlich unter einem Ölbaum saß oder in einen Feldweg einbog, den Sie nicht für die Ewigkeit festgehalten hatten.

Damals waren Sie ein Dichter, ein bewundernswerter Dichter, ein bewundernswerter italienischer Dichter. (Nicht so sehr vielleicht der Nachfolger des erhabenen Leopardi oder des reinen, großen Manzoni, als die kompletteste Wiedergeburt eines Francesco Redi oder Giambattista Marini, die beide große, schwelgerische, bewundernswerte und bewunderte italienische Dichter waren.) Dann kam eine Phase, da waren Sie der lateinische Dichter, der lateinische Dichter katexochen. Später dann waren Sie, das fällt ins vorige Frühjahr, Franzose und französischer Dichter. Zwischendurch waren Sie, glaube ich, argentinischer Dichter. *Ich weiß nicht, was Sie heute sind.*

Ich weiß wirklich nicht, wer oder was man sein muß, um diese Neunte Canzone zu schreiben oder, wenn man das Unglück gehabt hat, sie zu schreiben, um sie dann nicht in derselben Stunde zu verbrennen. Ich weiß wirklich nicht, wer oder was man sein muß, um an einem Produkt dieser Art festzuhalten, wenn man einen Verleger hat, der Menschenverstand genug besitzt, dieses Produkt mit beiden Händen von sich abzuwehren, wenn eine Redaktion, mit der man hinlänglich liiert ist, einem die Publikation dieses Produktes rundweg ablehnt, wenn die Regierung des eigenen Landes dieser Redaktion und diesem Verleger durch ein Verbot zu Hilfe kommt und wenn die ernsthaftesten patriotischesten Zeitungen des eigenen Landes der Regierung zubilligen, sie habe bei dieser Beschlagnahme „mehr aus menschlichem Schamgefühl als aus politischer Vorsicht“ gehandelt.

Ich frage mich, wer oder was man sein muß, um in einem so ernsten Moment so unrecht und so unpolitisch, so wenig menschlich und zugleich so grotesk zu handeln. Ich frage mich, wie es möglich ist, ohne Haß die Gebärde des Hasses zu grimassieren, ohne Erregung die Grenzen des Anstandes zu überschreiten und mit den Erinnerungen einer höchst ernsthaften Vergangenheit ein solches Spiel zu treiben. Ich frage mich, wie man, wenn man Tyrtäos spielt, so viel vom Pulcinella an sich haben kann, wie man die alberne Anekdote, die stereotype alte Lüge, die Gebärde des Komödianten und die infime Beredsamkeit des agent provocateur durcheinandermischen und wie man es darauf anlegen kann, durch Terzinen mit dem Effekt des „patriotischen“ Kinematographen zu wetteifern.

Vor allem aber, wie man in einem für sein eigenes Volk kritischen und ernsten Augenblick mit bewußter Unaufrichtigkeit die Vergangenheit mit der Gegenwart vermengen kann. Diese Vergangenheit ist so sehr Vergangenheit als nur etwas, sie ist welthistorische Vergangenheit. Sie umfaßt ein Jahrtausend: denn sie ist ein Block von Legnano bis Pavia, von Pavia bis Lodi, von Lodi bis Custozza. Wir sind gestanden, wo unsere historische Mission uns hingestellt hatte, und hundertundfünfzig Schlachtfelder bezeugen — Schlachtfelder, von denen Sie für hundertundfünfzig Oden Gebrauch machen können —, daß wir ziemlich fest gestanden sind. Wir hatten dieses Land als Erbe der Vergangenheit und haben uns betragen, wie es unsere Schuldigkeit war. Als das Geschick, das diesen tausendjährigen Kampf gewollt hatte, auch sein Ende wollte, vermöge der im Innern des Geschehens tätigen Kräfte, deren Hervortreten wir die geschichtlichen Ideen nennen, da löste sich diese Umklammerung. Diese Lösung hat einen welthistorischen Namen; aber durch eine geheimnisvolle Fügung, die durch ihre symbolische Tiefe und Zartheit gelegentlich Ihrer Poesie eine Lektion geben könnte, führt dieses Ende einen Namen, der weder Ihnen noch uns wehtut: denn es heißt nicht Custozza und Lissa, sondern Königgrätz.

Ohne Schmerz und mit keinem anderen Gefühl als Ehrfurcht bleiben wir auch, d'Annunzio, in Ihren Dörfern vom Cadorin bis zur Brianza vor den Marmortafeln stehen, auf denen die Namen der braven Leute zu lesen sind, die im Kampf gegen brave Leute für die Freiheit und Einheit von Italien gefallen sind. Nicht als Fremde gehen wir dort umher, wahrhaftig nicht als haßerfüllte Fremde stehen wir auf dem blutgetränkten Hügel bei Vicenza oder in dem Gefilde von Peschiera, wo so viele Tote lagen; denn in diesem Jahrtausend ist viel Blut durcheinandergeflossen, auf

Schlachtfeldern viel und auch bei Hochzeiten, und vielleicht fließt mehr von Dantes Blut, von dem lombardischen Blut des großen Dante in den Adern des einen oder andern von uns als in den Ihrigen. Denn wirklich, denke ich Sie in diesem Augenblick, Sie als einen lebendigen Menschen und diesen Menschen als den, der diese „Neunte Canzone“ ausgesonnen und hingeschrieben hat, so fühle ich nichts von einem Italiener, nichts von wahrem italienischem Geist mir Aug in Auge. Auch dieser Geist ist ein historisch Gegebenes: er blickt uns an aus den Gesichtern großer weltkluger Päpste; er sieht aus den Zügen des Machiavell, und in dem Sohn der Lätitia Bonaparte ist viel von ihm. Italienisch sein heißt hart und fein und klar sein, das Gegebene sehen, wie es ist, mit uralten Bauernaugen, und sich das Beste davon nehmen. Italienisch ist der zarte und strenge Kontur des Mantegna, italienisch die kühne, aber irdische Spekulation des Lionardo, italienisch das Argument eines Paolo Sarpi, italienisch die Politik von Cavour und Mazzini. Italienisch ist die strenge, scharfe Linie in der Poesie des Alfieri, des Giusti. Italienisch ist es, klar zu wollen, hartnäckig festzuhalten, mit Einfachheit zu leben, und wenn es sein muß, mit Anstand, in Bescheidenheit zu sterben, so wie jetzt von braven Männern in der Cyrenaika gestorben wird.

Schreiend schlecht passen Ihre Terzinen zu allen diesen Dingen. Wer das Unglück hatte, sie in die Hand zu bekommen, hat nichts in der Hand, was italienischen Geist atmet. Ich sehe nicht das Endglied der Reihe, an deren Anfang Dante steht. Ich sehe keinen italienischen Dichter und keinen italienischen Patrioten. Ich sehe Casanova, den das Spielerglück verlassen hat, Casanova mit fünfzig Jahren, Casanova in keinem glücklichen Moment, Casanova kriegerisch geschminkt und über dem notdürftig zugeknöpften Schlafrock die Leier des Tyrtäos.

Und indem ich nichts zu sehen vermag, was zu der Reihe würdiger und vornehmer italienischer Gesichter paßt, welche die Erinnerung spontan mir heraufgerufen hat, frage ich mich, wessen Züge mir da wie aus einem halberblindeten Spiegel entgegenkommen, frage mich: ist dies nicht das *zweite italienische Gesicht*, symbolisch wie das erste — ein Gesicht, das einmal existierte, aber verschwunden zu sein schien —, das Gesicht des Pasquino, das Gesicht des Pietro Aretin, und diese Gebärde der „Neunten Canzone", diese Schmähung aus dem Dunkeln, dieser Dolchstoß in den Rücken des alliierten Mannes, dieses Höhnen und Provozieren unter dem Schutze anderer, dieses Ausnützen einer durch die Situation gegebenen Straflosigkeit, diese ganze würdelose Gebärde des Pasquillanten — ist dies nicht die symbolische Gebärde zu diesem symbolischen Gesicht? Aber dieses zweite italienische Gesicht gehört den Jahrhunderten an, die Ihr die Jahrhunderte der Sklaverei nennt — und nun, da Ihr die Herren seid in Eurem Lande, ist es *unmöglich* geworden, dieses Gesicht, und niemand und nichts dürfte heute in Italien so *unmöglich* sein, sich als so unmöglich fühlen wie der Mann, aus dessen Versen heraus, wie aus einem bösen Traum hervor, sich dieses Gesicht im zwanzigsten Jahrhundert nur für einen Augenblick zeigen konnte.

EIN DEUTSCHER HOMER VON HEUTE

„Die Odyssee“

Deutsch von Rudolf Alexander Schröder

NICHT leicht wird in einer englischen Bibliothek neben dem griechischen Homer eine andere Übersetzung stehen als die des Pope. Schlagen wir sie auf, so ist die Vorrede zunächst bedeutend, prägnant, des großen Gegenstandes würdig. In der Sprache des achtzehnten Jahrhunderts, weltmännisch-gelehrtenhaft, voll anständiger Zurückhaltung, gleich fern von Nüchternheit wie von flackernder Emphase, finden wir ausgesprochen, was einem unerschöpflichen und eigentlich unfaßlichen Objekt gegenüber mit Anstand ausgesprochen werden kann. Die Übersetzung selbst wird uns mehr befremden als befriedigen. Daß sie von keines gewöhnlichen Mannes Hand geschaffen ist, mögen wir schnell zugestehen. Aber wir sind Deutsche, und hier fühlen wir einigermaßen den Engländer; dann sind wir von heute, und der Übersetzer ist von gestern; aber der insulanische kühne Engländer mußte dem insulanischen kühnen Griechen wohl etwas minder fern stehen als beide dem binnenländisch schwerfälligen Deutschen; und der Mann von gestern steht den Urzeiten, aus denen dieses Werk herüberglänzt, um fast zwei Jahrhunderte näher als wir. Dies erwägend, müssen wir uns als die Basis, auf die wir aufbauen, ein Paradoxon eingestehen, von dem abzukommen wir in keiner Weise gewillt sind: wir statuieren die homerischen Gedichte als außerhalb der zeitlichen Bestimmtheit und außerhalb der nationellen Beschränkung stehende. Wir alle, Deutsche, Engländer, Franzosen, nähern uns — und durch die Jahrhunderte immer wieder — diesen im vollkommensten Sinn unsterblichen Gedichten mit dem Bewußtsein, daß wir ihnen und sie uns in noch ganz anderem Sinne angehören als irgend sonst das Produkt einer fremden Literatur. Ein ähnliches Verhältnis findet zur Bibel statt, und doch ein völlig verschiedenes: Abraham, Simson, Gideon, David, Salomon, Esther und Ruth mögen groß und lebendig durch das Gedächtnis der Jahrtausende wandeln, Michelangelo mag sie in erhabenen Figuren für alle Zeiten festhalten, Dante sie in sein Weltgedicht verflechten und der bürgerliche Mund in seine Sprichwörter und Redensarten: doch wird die Einbildung der Deutschen niemals wollen, sie wären Deutsche. Welcher Deutsche aber würde sich die Überzeugung nehmen lassen, ein Jüngling wie Telemach müsse ein deutscher Jüngling, ein Mädchen wie Nausikaa könne nichts anderes als ein deutsches Mädchen sein? Goethe ist uns in dieser Präsumption vorangegangen: wer die „Achilleis“ schrieb, die „Nausikaa“ entwarf, der meinte aus aufrichtiger Seele etwas wie deutsche Gestalten weiterzubilden, nicht Fremdes an Fremdes anzuleimen. Mit der gleichen Anmaßung aber müssen wir die Angehörigen der anderen Nationen mit der homerischen Welt schaltend uns vorstellen. Spricht und schreibt der Franzose von antikem Wesen, so ist ihm, daß er allein etwas davon im Blut trage. Er ist, unter Barbaren, der wahre Erbe der Griechen. Er hat das Auge, mit dem sie blickten; in ihm schwingt ein Etwas vom Rhythmus ihres Lebens: schaut er in ihre

Welt hinein, so erfaßt er allein mit ungezwungener Seele ganz genau den zarten, dabei reinen und festen Kontur, mit dem Örtlichkeiten, Menschen, Geschicke umrissen sind. „Dies", sagt er sich, „ist der klare und majestätische Entwurf des Poussin, dies gleicht der Feinheit des Racine, dies der reinen, scharfen Linie des Molière. Dies Klare da, dies Weltgemäße, dies Nirgend-Verschwommene, dies, wenn es etwas ist, ist französisch." Und wer könnte gegen den Engländer an, wenn all diese Mannhaftigkeit, diese Stoßkraft, wenn diese sämtlichen Wettkämpfer, diese Seehelden, diese Inseleroberer ihm Engländer sind und nichts als Engländer? So stehen diese unausdeutbaren dichterischen Gebilde in der Mitte der Zeiten, in der Mitte der Völker. Die Zeiten wandeln sich, Völker steigen und sinken; jenes Große aber hält sich in der Mitte, unwandelbar, befestigt wie auf ewig.

Den gleichen Rang, wie bei den Engländern Pope, hält bei uns Vossens Übersetzung oder etwa noch einen höheren. Denn neben Pope steht, um ein Jahrhundert älter, Chapman, der Freund Spensers, Shakespeares, Ben Jonsons, und es ist in seiner Übersetzung ein Etwas von dem Feuer seiner großen Epoche, wodurch sie jünger erscheint, je veralteter die des achtzehnten Jahrhunderts uns anmutet. Neben Voß aber steht kein früherer Deutscher, und die späteren hält er durchaus nieder. Auch er ist achtzehntes Jahrhundert, aber eine Welt liegt zwischen ihm und Pope. Jener ist voll Tradition, voll Politur, ist das Ende einer Kette; dieser ist eher rauh, ungefüge, aber er steht am Anfang einer neuen Zeit. Es war ein historischer Moment, als er auftrat; dies umwittert ihn auf immer. Und es ist eine männliche, reine Gesinnung in ihm, die nie ihre Wirkung auf ein rein aufnehmendes Gemüt versagen wird. Etwas von der homerischen Größe, homerischen Reinheit übermittelt er für alle Zeit. Viel scheint es, wenn man ihn allein liest. Schlägt man dann das Original auf, so stockt einem der Atem: die Vollkommenheit, wovon das Gedächtnis doch nur ein schwaches Abbild in sich trug, dringt von allen Seiten auf uns ein und überwältigt die Phantasie. Hernach wieder in der gleichen Stunde den Voß aufzuschlagen, ist unmöglich. Das Original ist Gegenwart, Leben, offenbares Geheimnis, die Übersetzung ist ein Bericht. Jene Sprache dort hören wir nie und nirgends wieder, diese hier ist ein tüchtiges, dann und wann ein trockenes Deutsch, das manchmal nach der erzählenden Prosa hinschlägt, manchmal nach der Predigt. Dort gleitet Wendung auf Wendung, Vers auf Vers dahin: es ist ein unerschöpfliches leuchtendes Fließen: die Welle berührt nicht die Welle, und doch sind sie miteinander eines. Hier häkelt sich Satz an Satz, Vers an Vers, so wie es eben geht; wo sich's nicht häkelt, dort klaffts.

Einhundertundzwanzig Jahre sind dahingegangen, und Voß ist geblieben, was er war, und das ist viel; aber das Homerische Gedicht hat sich wiederum gewandelt. Diese unausdeutbaren Gebilde sind Leben, zweifelhaft, doppelblickend wie alles Leben. Sie machen unausgesetzte Wandlungen durch. Wir wissen, daß Thukydides nicht die Ilias in Händen hielt, die wir in Händen halten. Wir wissen nicht, welche Odyssee bei den Panathenäen vorgelesen wurde; wir wissen nur so viel, daß es nicht völlig die unsrige war. Immerhin, seit den Alexandrinern gibt es *einen* Text, und es ist *ein* Homer, in welchem seit zwanzig Jahrhunderten die Welt liest. Und dennoch: es ist *ein* Text, und es ist ein tausendfach verschiedener Homer. Nichts an diesen Gedichten, das vor dem geistigen Auge feststünde: nicht ihr Urheber, den wir zur mythischen Gestalt haben werden sehen und der, indem er unsichtbar wurde wie ein Gott, diese Gedichte, die wir nach ihm nennen, nur um so geheimnisvoller, ungeheurer, lebendiger hinter sich zurückließ; nicht ihr Umfang: der Scholiast sagt uns, daß die Doloneia (der zehnte Gesang der Ilias) ursprünglich „von Homer“ sei beiseite gelassen und erst von Pisistratus in die Ilias eingefügt worden, und es fehlt in der neueren Zeit wie im Altertum nicht an Stimmen, die den letzten Gesang der Odyssee sowie die Hälfte des vorletzten als eine Hinzufügung von späterer Hand verwerfen; nicht die Struktur im großen und im kleinen. Hier legt uns ein deutscher Gelehrter die Odyssee auseinander als ein Konglomerat aus vier gänzlich verschiedenartigen Heldengedichten und weist an kleinen Widersprüchen des pragmatischen Nexus, Unvereinbarkeiten des zeitlichen Verlaufes die Nähte und Klammern auf, die dies scheinbare Ganze zusammenhalten; dort hebt ein englischer Forscher einige der berühmtesten Gleichnisse der Ilias aus dem Zusammenhang, rückt sie an andere Stellen und versteht uns zu überzeugen, daß er sie nun erst dorthin gebracht, wo sie ursprünglich gestanden haben müssen; und auch die Sprache nicht, das ist das Außerordentliche, auch sie nicht, die stets lebendig sich anfühlende Oberfläche, die wir mit Händen zu greifen meinen, auch sie ist nicht ein schlechthin Gegebenes, ist nicht, was sie scheint, ist Gegenwart und Phantom zugleich wie alles an diesen

Gedichten. Wir lernten in der Schule, dies sei der ionische Dialekt; aber hinter dieser gemeineren Schulweisheit steht schon seit Dezennien eine höhere, welche die Reinheit des Gedichtes herzustellen bemüht ist, indem sie die ionischen Formen in äolische verwandelt, vielmehr zurückverwandelt; was uns, was Aristarch, was den großen Humanisten der Urtext des Homer hieß, heißt diesem Philologen „die Korruption der Oberfläche" des äolischen Epos. Und dennoch, wo scheinbar nichts der Prüfung standhält, alles unter dem forschenden Blick sich aufzulösen scheint, das Einheitliche in Teile zerfallen will, das Organisch-Geglaubte als ein Geschichtetes, in Jahrhunderten Zusammengeschweißtes sich offenbart, hält Eines stand, ja tut sich von Geschlecht zu Geschlecht nur immer sieghafter hervor: das unaussprechlich gewaltige innere Leben dieser Gebilde. Genius des Einzelnen oder Genius eines Stammes, Genius eines Vierteljahrtausends: hier ist die Offenbarung des gewaltigsten poetischen Vermögens, das die Erde kennt, hier lodert das Feuer der Einbildungskraft mit so stetigen Flammen als nirgends im Bereich der menschlichen Überlieferung. Wenn etwas, was Menschen schufen, übermenschlich heißen darf, so sind es diese Gedichte. Sie leben und sind da, heute wie vor dreitausend Jahren. Wie in ein unsagbar Lebendiges blicken wir in sie hinein, wie in ein Feuer, wie in ein Auge. Es gibt Sterne, die so weit von uns sind, daß der Lichtstrahl, der vor dreitausend Jahren von ihnen ausging, heute unseren Sehnerv trifft. Solch ein Stern ist Homer. Der Glanz dessen, was auf ihm vorgeht, trifft uns heute als eine lebendige Gegenwart. Blättern wir diese Bücher auf, so stürzt

Fülle gegenwärtigen Lebens auf uns herein, wenn anders Stürzen heißen darf, was vielmehr ein ruhevolles, aber namenlos gewaltiges Heranschweben ist.

Hier ist das Allgemeinste eines ungeheueren Phänomens mit unzulänglichen Worten auszusprechen versucht. Wir sind gewohnt, dies Phänomen hinzunehmen, nicht es ins Auge zu fassen. Was wir ins Auge zu fassen gewohnt sind, ist der Inhalt der homerischen Welt, nicht das verwunderlich erschütternde Phänomen ihrer Gegenwart als ein Ganzes, Lebendiges, hier, bei uns Lebendigen. Wir sind gewohnt, an Odysseus zu denken und an den Hund des Odysseus, der starb, nachdem sein Auge den heimkehrenden Herrn noch einmal erblickt hatte; an Briseis, an Kirke, an Kalypso; an den letzten Kampf Hektors, an die vergebliche Flucht, den Tod und das Schreckliche nach dem Tod; an die liebliche Insel der Phäaken; an Zeus und Thetis; an die Kampfspiele um Patroklos' Scheiterhaufen, an Priamos, der vor Achilles kniet; an Penelope, wie sie nachts am Webstuhl sitzt und das Gewobene wieder auftrennt. Oder unsere nachschaffende Phantasie erhebt sich, läßt das Einzelne unter sich und streift in halbhoher Sphäre über das Ganze hin; so ist ihr freilich zumute, wie es sich kaum sagen läßt — ein Glanz des Daseins unter ihr, eine Fülle des Lebens, eine Heiligkeit des Irdischen, ein gesättigtes Leuchten, ein Strahlen, überall; überall, trotz aller dunklen, grausamen, fürchterlichen Dinge, eine Herrlichkeit, unfaßbar. Achilles und Priamos, wie sie miteinander sprechen da im Zelt; und Odysseus und Eumäus, wie sie miteinander sprechen dort im Haus des Hirten; und Helena, wie sie auf die Mauer geht, Paris und

Menelaus miteinander kämpfen zu sehen, und wie sie der früheren Zeiten denkt und der ersten Ehe und weinen muß und ihr Gesicht verhüllt, und da sitzen die alten Männer auf der Mauer, und wie sie sie vorübergehen sehen, reden sie leise untereinander: „Kein Wunder, daß um diese die Troer und die gepanzerten Achäer Leid des Krieges tragen so viel Jahre lang. Denn seltsam gleicht sie von Angesicht einer unsterblichen Göttin." „Kein Wunder", sagen sie; „es ist recht so", sagen sie; „ οὐ νέμεσις Τρῶας..." Sie sitzen auf den Mauern ihrer Stadt, die brennen wird; unten trieft das Gefilde vom Blut ihrer Söhne; da geht die Frau vorüber, um derentwillen dies uferlose Unheil sich vollzieht: „Es ist Gottes Recht", sagen sie, „daß um einer solchen Frau willen wir und jene dort drüben diese Leiden ertragen." Und die Waffen, und die Pferde, und die Zelte, der Wall, das Blachfeld; und die Schiffe und das Meer, und die Ufer, die Buchten, die Klippen, die Stürme, die Wogen, die Blitze; und das Haus und der Hof und die Herden; und der Bettler am Herd und die Schaffnerin, die sich „freut, aus der Fülle zu geben"; und die Bräuche des Krieges und die Bräuche des Friedens; die Opfer, die Weihen, die Geschenke; und die kleineren, die alltäglichen Dinge, mit keinem geringeren Glanz umgossen: die Mahlzeit, Schlafengehen und Aufstehen, Sich-rüsten, Sich-reinigen, das Waschen der Hände; und die Tiere: die Rinder, die Geißen und Böcke, die Wölfe, die schnellen Hunde; und die Kraniche in der Luft, die Fliegen, um die Milchnäpfe summend. Und um jedes Ding eine Herrlichkeit, eine Würde: ein jedes kommt von seinem Vers dahergetragen, so feierlich, so geehrt, so vergöttert, als wäre es der

Mittelpunkt einer heiligen Handlung. Ein kleines Tun, ein alltägliches Geschehen: ein weidendes Tier, eine Meereswelle, die hereinrollt, eine Bewegung des Rudernden, eine Waffe, ein Gerät, eine Wunde — für einen Augenblick ruht ein göttliches Auge auf jedem, und in dem Blick dieses göttlichen Auges schauen wir mit. Sollen wir sagen, es ist die Jugend der Welt darin, der Zauberglanz einer unwiederbringlichen Frühzeit? — Ist es vielmehr nicht höchste, reinste Gegenwart des Menschlichen, unzerstörbar, welche in sich aufzunehmen, in der eigenen Brust immer wiederherzustellen eine nie ermattende Begierde sich regt? Aneignung eines Höheren ist Leben des Lebens; wir Deutsche meinen zu leben, und sollten verlernen, uns das Große stets aufs neue anzueignen? Weil große Zeiten groß waren, weil Herder groß war, seinem Volk fremde Schätze anzueignen, und Goethe groß mit ihm, groß dann das Geschlecht um 1800, groß im Aneignen die Grimm und die Humboldt, so sollten wir es beruhen lassen, den Homer auf dem Voß beruhen lassen und den Shakespeare auf dem Tieck und Schlegel? Da der Schatz der Sprache und seelisches Vermögen sich wechselweise bereichern, wofern ein Berufener beide zu gebrauchen versteht, sollten wir unser Pfund vergraben, anstatt am gewaltigsten aller Handelsplätze mit ihm zu wuchern? Es ist nicht zu verwundern, daß man den deutschen Shakespeare nicht ruhen läßt und daß ein Deutscher mit einer neuen Übertragung der Odyssee hervortritt. Zu verwundern wäre und zu beklagen — wenn es nicht so käme.

Da Goethe einmal unter anderen Malen auf das Homerische Gedicht und auf Vossens Übersetzung zu sprechen kam, die er vortrefflich nannte, fügte er bei: „Aber es wäre zu denken, daß jemand eine naivere, wahrere Empfindung des Originals hätte besitzen und auch wiedergeben können, ohne im ganzen ein so meisterhafter Übersetzer wie Voß zu sein.“ Eine naivere; das Wort ist tief und vieldeutig: also wohl eine zartere und zugleich eine reichere, eine seelenhaftere, eine in höherem Sinn poetische. Fast hätte Goethe hier an sich denken müssen; was war die „Achilleis“ anderes als eine schöpferische Übersetzung; freilich die Übersetzung der Gesänge, die dem Original fehlen; so bedurfte es, sie zu schaffen, einer doppelt wahren, doppelt reichen Empfindung des Originals. Legt man die „Achilleis“ neben den Voß, so ist's eine entfaltete Seelensprache neben einer spröden tüchtigen Bürgersprache. Aber hinter dem einen Buch steht Homer, hinter dem anderen freilich — nur ein letzter Homeride, nur ein bezaubernder Nachahmer. Die Sprache Homers ist ein offenbares Geheimnis; man mag sie primitiv nennen, so ist es die Primitivität einer Rasse von unfaßlichem organischem Reichtum. Man kann ebensowohl den Hauch einer jungen Welt in ihr fühlen als die Reife, die Vieldeutigkeit einer uralten, Schicht über Schicht aufgetürmt. Das Sinnliche ist mit einer Gewalt gemalt, einer Präzision, einem Einklang zwischen Wort und Vision, dem nichts nachkommt. Das Wasser, das Feuer, der Klang der Waffen, die Bäume, die Quellen, die Wolken: es ist, als spiegelte sich zum erstenmal die Welt in einer menschlichen Seele.

Durch diese ganze Welt aber geht ein sittlicher Bezug von der höchsten Zartheit. Es ist eine überall verteilte Würde, verteiltes Lebensgefühl, verteilte Liebe. Das Höchste ist: eine fast unfaßliche Menschlichkeit. Schlägt man irgendeine Stelle auf, wo Menschen von sich, von ihrem Leben sprechen, ihr Inneres enthüllen, und meint man, die reinste, treueste, naivste Erinnerung daran in sich zu tragen, immer ists noch menschlicher, noch entspannter, noch weniger pompös, als man erwartet hätte, noch reiner, simpler, noch weniger pausbäckig und dabei noch menschlich inhaltsvoller. Hier ist ein selbstverständlicher Reichtum des Seelischen, eine höchste Harmonie der inneren Lebendigkeit, eine Frommheit, ein sittlicher Zustand, der ein Höhepunkt der Menschheit ist.

Eine naive Sprache ist die Trägerin dieses göttlichen Gedichtes. Nur eine naive Sprache kann wiederum, in ihren Grenzen, diesen Glanz abzuspiegeln hoffen. Aber nicht eine dürftige. Goethes Sprache, die Sprache des „Werther“ und des „Faust“, ist unvergleichlich naiver als die Sprache, die im siebzehnten Jahrhundert ein deutscher Edelmann, ein deutscher Amtmann oder Pfarrherr gebrauchte. Und ist nicht Hölderlins Sprache naiver als die Klopstocks, Eichendorffs als die Wielands? Verwildert war die deutsche Sprache, verarmt, steif, dürftig; da die Zwischenzeit überwunden war, ist sie aufs neue seelenhaft-naiv geworden. Aus unterbundenen Gliedern ergoß sich von Ader zu Ader ein unnennbarer Reichtum. Die Heilige Schrift, das Volkslied, die alten Prediger, der Jakob Böhme, die Märchen, alles kam zu allem, und die Sprache kam zu sich selber: sie speiste sich von ihren eigenen Quellen.

Ein Jahrhundert ist hingegangen, und dieser Reichtum ist organisch geworden. Es ist eine entfaltete Seelensprache, die keinem einzelnen gehört, sondern das höchste Vermächtnis des Volkes ist. Tritt nun ein begabtes Individuum hervor, vermag es sich dieser ausgebildeten Sprache in vollem Umfange zu bemächtigen — schon dies setzt ein hohes poetisches Vermögen voraus —, fühlt es in sich den geistigen Reichtum, solch ein Ganzes zu erfassen, die Kraft zur unbedingten Hingabe, wie sollte da nicht ein neuer deutscher Homer entstehen können, vor dem auch Voß zwar nicht ins Dunkel der Vergessenheit entschwände, aber dem lebendigen, dem höheren Produkt gegenüber an seinen historischen Platz zurückträte?

Schlage ich nach dem Voß diese Odyssee, neu übertragen von Rudolf Alexander Schröder, auf, so fühle ich mich von einem dichteren poetischen Fluidum allseitiger umgeben, kraftvoller eingeschlossen. Folge ich den Versen im einzelnen, so vermag ich bald mir darüber Rechenschaft zu geben, was jener anfänglich schwer deutbaren allgemeinen Empfindung zugrunde liegt: durch diese Tausende von Zeilen hindurch, fast ohne jede Unterbrechung, ist der einzelne Vers sowohl bereichert als erleichtert. Wo Voß gerade eben nur durchkommt, seinen Vers zu strecken oder seinen Vers zu enden, da scheint der Neuere mit Gelassenheit zu schalten wie mit einer lebendigen Materie, die ihm zu Willen ist, ohne daß er sie aufs Prokrustesbett zu legen braucht; ihm ist ein innerlicher Reichtum von Wendungen zu Gebote, und mit dem Reichtum ein Gefühl der inneren Freiheit: und was ist Gelassenheit anderes als Freiheit der Seele? Nur wer reich ist, kann vollends einfach sein; höchste Simplizität ist mit nichts so unvereinbar als mit Dürftigkeit, mit nichts aber als mit höchster Simplizität ist der unsagbar zarten Menschlichkeit des homerischen Gedichtes beizukommen. Hier ist es erreicht: eine subtil durchgebildete Syntax, mit dem zartesten Gefühl gehandhabt, gibt jedem Wort zugleich den seelischen und den Versakzent, der ihm zukommt. Vers und Vers, Vorgang und Vorgang sind in einer schwebenden, unvergleichlichen Weise aneinandergeknüpft: immer durch kleine Wendungen wie: „gegen dem, dieweil, derweilen, über dem allen, unter ein kleines", die zwischen den örtlichen, den zeitlichen und den kausalen in der Mitte hangen und dem Ganzen eine undefinierbare Luft geben; der große Kunstgriff des epischen Dichters bleibt das ganze Gedicht hindurch unverwischt: daß er seinen Vers nicht einheitlich gestaltet. Hier waltet, wie das Meisterhafte sich stets verwandt bleibt, eine Analogie mit dem Vers des Molière: auch seine Alexandriner wie die Hexameter Homers, ohne Zäsur hintereinander gelesen, sind ein Prosaverfolg: dazwischen heben sich mit Glanz die lyrischen Stellen. Dieses Zwiefache der Oberfläche wiederzugeben, gleichsam einen steten Wechsel spiegelnder und opaker Stellen, ist Voß durchaus versagt geblieben. Sein Vers ist im großen ganzen nur mit Konnivenz als Hexameter zu lesen, der des Neueren nur mit bösem Willen entgegen dem Hexameter zu skandieren. Vielleicht ist man ungeduldig, mich vom scheinbar Äußeren zum scheinbar Inneren des übersetzten Gedichtes kommen zu sehen. So schlage ich denn irgendeine Stelle auf. Den Flug des Hermes zur Erde hinab, mit der Botschaft von Zeus an Kalypso.

Ging und band sich fest am Fuß die schönen Sandalen,
Goldene, göttlicher Art, damit er über die Wasser
Und das unendliche Land, ein Windhauch, flüchtig dahinfuhr,
Drauf ergriff er den Stab, der das Auge der Menschen besänftigt,
Aller, soviel er vermag, und Schlafende wieder erwecket.
Den in der Rechten, entflog der gewaltige Argeiphontes,
Fiel aus dem Äther herab auf die Fläche der hohen Gewässer:
Dicht überm Abgrund strich er dahin, der Möwe vergleichbar,
Welche im furchtbaren Bug der schäumenden salzigen Woge
Fischfang treibt und öfters die Flügel streifet mit Salzschaum.
So fuhr Hermes, der Bote, dahin über Wellen und Wellen.

Hier ist ein physisches Phänomen; ich schlage die gleiche Stelle im Voß auf, der in jedermanns Hand ist. Voß gibt mir den Bericht davon, Schröder die Anschauung. Hier war ein Bewegtes, ich suche ein Ruhendes: gleich die nächsten Verse: die Behausung der Kalypso.

Und er kam vors hohle Gehäus. Dort wohnte die Nymphe,
Zierlich gescheitelten Hauptes: er traf sie eben zu Hause.
Mächtig flammte ein Haufen gewürziger Scheiter vom Herde,

Zedern und allerhand Weihrauch, und duftete fern
übers Eiland.
Aber von innen erscholl ein Lied aus lieblicher Kehle,
Wie sie mit güldener Nadel am Webstuhl wirkte und
umging.
Dicht um die Höhlung wuchs ein Wald
verschwisterter Kronen,
Erlen und Zitterpappeln und duftende schwarze
Zypressen,
Wo im verborgnen Gezweig die flügelspreitenden
Vögel,
Eule und Habicht, ihr Lager gewählt und die Krähen
des Meeres,
Schnellen Geschwätzes, die draußen am Strand ihr
Gewerbe betreiben.
Über dem Tor des hohlen Gemaches hob sich der
Weinstock,
Strotzend in Kraft, mit der Fülle geschwollener
Trauben belastet.
Quellen lauteren Wassers entsprangen viere
beisammen,
Eine der andern nah, und wandten sich hierhin und
dorthin,
Rings von schwellender Wiese umblüht mit Veilchen
und Eppich,
Daß ein Unsterblicher selbst, der je des Weges
daherkäm,
Stünd und weilte, verwunderten Augs und freudigen
Herzens.

Die Stelle ist so wundervoll, daß man der Lust nachgibt, sie im Homer nachzulesen. Im Homer glänzen solche Zeilen wie die ungeschaffene Welt, ja es ist, als vollzöge sich der Schöpfungsakt selber: dies alles war nie da als im Augenblick, wo wir die Augen darauf hefteten. Ähnlich geht es uns bei Handzeichnungen Rembrandts. Aber der Schröder, als ein Spiegel, hält sich daneben. Es ist ein Bezug der Teile in diesen deutschen Versen, ein Ruhen und ein Schweben zugleich, ein Zueinander, und eines belebt und hält das andere. Beim Voß, ich kann mir nicht helfen, läuft alles seelenlos auseinander, „hierhin und dorthin".

Dies war Schilderung einer Landschaft, ein Naturstück, ich suche mir die Erzählung eines menschlichen Tuns: im dritten Gesang, die Opferung der Kuh.

Also der Greis. Sie tummelten sich, es kam schon die Färse
Von der Weide hinauf, es kam vom flüchtigen Nachen
Des Telemachos weidliche Schar, es kam auch der Goldschmied,
Tragend in Händen das Schmiedegerät, vielkünstliches Werkzeug,
Wie mans braucht zum Schneiden des Golds, die blinkende Zange,
Hammer und Amboß, schön und fest, es kam auch Athene,
Gnädig das Opfer zu schaun.

Es ist schwer, hier abzubrechen, aber ich breche ab, sonst wäre ich in Gefahr, die ganze Opferhandlung hierherzusetzen, das Aufschreien der Weiber, die feierliche Zerteilung des Opfertiers, das festliche Mahl, das Bad des Telemach vorher, dann den Aufbruch, die Abreise, kurz alles bis zum Schluß des Gesanges. So vortrefflich ist dies alles gegeben, so voll Anschauung, Fülle, Gegenwart, ein solches Gefühl der deutschen Sprache darin, dann und wann ein Aufleuchten alten Sprachgutes, alles wie selbstverständlich und eben darum vortrefflich.

Das war ein menschliches Tun; ich suche eine menschliche Rede: eine sanfte, gelassene: die des Menelaus im vierten Gesang; dann eine harte, zornige: die des Odysseus am Hof des Alkinoos, wo er „unter verdunkelten Brauen aufblitzend" den phäakischen Spötter abfertigt. Alles hält stand; nein, mehr als das: alles ist gut und schön. Das waren nur einzelne Stellen: der Flug des Gottes, die Behausung der Nymphe, das Opfer, die Erzählung, die Zornrede. Ich schlage einen ganzen Gesang auf und lese ihn durch; den glanzvollen sechsten: Odysseus und Nausikaa. Dann den elften, jenen gewaltigen, wahrhaft erhabenen: die Totenwelt. Hier wie dort das gleiche unbedingte nachschaffende Vermögen, und im stärksten Vermögen das strengste Maßhalten. Im idyllischen sechsten ein Glanz, eine Heiterkeit ohnegleichen und nirgend der Versuch, den unnachahmlichen Stil des Homer der größeren Schärfe, Bestimmtheit des Dante anzunähern.

Überlegt man, was den Kern des homerischen Stiles ausmacht: eine wahre, märchenhafte Allseelenhaftigkeit, zugleich, im Menschlichen, jene schwer zu findende Aufrichtigkeit gegen sich selbst, ungequälte Menschlichkeit, Entspanntheit, so ist und bleibt hier ein höchster Zustand der Menschheit für ewig hingestellt: tritt ein Werk hervor, worin sich dies Reiche, Starke und Reine ohne Verzerrung gespiegelt findet, so kann auch dies neuere sekundäre Werk nur aus gehaltvollen Tiefen hervortretend gedacht werden, und der Moment, wo es hervortritt, kann kein gleichgültiger und ärmlicher sein. Die geistige Sphäre aber, die eine solche Hervorbringung begünstigt, von ihr wiederum bereichert und gestärkt wird, mag wohl als ein Zentrum künstlerisch-sittlichen Strebens inmitten einer allseitigen diffusen, ja chaotischen Betätigung angesehen werden können, um so erfreulicher, je anonymer und verdeckter sie, als ein Wirksames innerhalb unseres Volkes, scheinbar auseinanderliegende Elemente zu binden und den Zusammenhang mit den reinen Bestrebungen früherer deutscher Epochen zu beleben vermögen wird.

DEUTSCHE ERZÄHLER

ICH habe diese Erzählungen nur um der besonderen Schönheit willen zusammengetragen, mit der sie mein Herz in früherem oder späterem Alter berührt haben und mir unvergeßlich geworden sind, so daß ich, um sie aneinanderzureihen, keines Hilfsmittels bedurfte als meines Gedächtnisses. Alles, was ich später sagen werde, bin ich erst allmählich an ihnen gewahr geworden. Sie schienen mir stets die schönsten unter allen deutschen Erzählungen, die ich kannte, und indem ich sie mir schon früher wenigstens in Gedanken oder im Wunsch zu einer Kette zusammenfügte, so folgte ich einem Drange, der jedem Menschen innewohnt und in den Kindern und den Menschen des alten reinen Zeitalters deutlich hervortritt: daß wir von dem Harmonischen ergriffen werden, ihm uns einzuordnen oder zu dienen, das Reiche noch reicher zu machen oder, wie die Schrift es ausdrückt, dem der hat noch dazu zu geben. So räumen die Kinder Erde und Sand hinweg, damit eine Wasserader in die andere überlaufen könne und das Klare zum Klaren komme, so ehrten die Perserkönige einen schönen alten Baum mit goldenem Gehänge, noch heute schenkt der reisende Monarch für einen schönen Garten eine Statue oder schmückt einen schönen Hügel mit einer Kapelle, der einsame Wanderer erhöht die Schönheit einer schweigenden Bergwiese mit einem Gebet oder einem erhobenen Gedanken, und ich kannte einen Mann, der weiter keinen Grundbesitz hatte, aber einen verlassenen kleinen Friedhof kaufte und so das verbriefte Recht erwarb, die Ruhe dieser umgestürzten Grabkreuze, auf denen wechselweise der Schnee lag oder Schmetterlinge saßen, und die schönen über den Weg wuchernden Blumen zu bewachen und gleichsam etwas von seiner Seele dem stummen Weben dieses Friedensortes zuzugießen.

Worin die besondere Schönheit lag, durch welche mein Gemüt ergriffen werden mußte, gerade diese zu seinen Lieblingen zu machen und sie in eine Reihe zu bringen, die aus so verschiedenen Seelen dreier aufeinanderfolgenden Geschlechter hervorgewachsen sind, das kann erst allmählich der Betrachtung klar werden. Alle, deren Erzählungen hier vereinigt liegen, sind von einer reinen, schöpferischen Liebe zum Darstellen irgendeiner Seite des Daseins getrieben worden; irgend etwas in der Welt, irgendein Zusammenhang zwischen dem Menschenwesen und der Welt, hatte sich in ihnen besonders offenbart. So macht sich in allen diesen Hervorbringungen eine höhere Eigenart geltend, nicht die dürftige des Verstandes oder der Fertigkeit, sondern eine tiefe, unkäufliche des Gemüts, und da sie etwas wahrnehmen und sagen mußten, was nur ihnen so lebendig und besonders war, so war auch ihre Sprache von innen heraus gereinigt und gesondert. Zugleich aber geschah es, daß das deutsche Gesamtwesen, das nur durch viele einzelne sich offenbaren kann, in jedem von diesen Erzählern eine Seite mit besonderer Kraft heraustrieb: in *Goethe* ein großes, frommes Anschauen des menschlichen Daseins, so wie man von einem hohen Berge herab die Welt unter sich liegen sieht, daß man glauben würde, es gäbe in ihr nichts

Niedriges, noch Widriges — in *Jean Paul*, diesem gerade entgegengesetzt, das äußerst zart verhäkelte Kleine, Widerstreitende und scheinbar Niedrige, Nichtige des Lebens, gleichsam der zarte Dunst, der um jedes Lebende herum ist, und von der zartesten, persönlichsten Wärme durchstrahlt. In *Eichendorff* wieder das Beglänzte, Traumüberhangene, das Schweifende, mit Lust Unmündige im deutschen Wesen, worin etwas Bezauberndes ist, das aber ein Maß in sich haben muß, sonst wird es leer und abstoßend. In *Brentano* und *Hauff* das reine, unzerstörte Volkswesen, mit seinen geistigen und Seelenmächten, bis zum Aberglauben, seinen Begriffen von Recht und Ehrbarkeit, in denen es festgebunden ist — oder soll ich sagen war? — denn die neuere Zeit hat dies alles aufgelockert, und nur da und dort hält das uralt Gegründete ihr noch stand. In *Tieck* und *Hoffmann* das Geheimnisvolle der Seele, der innere Abgrund, Einsamkeit und Hinüberklangen nach einer anderen Welt. Dann das einsame Kind *Hebbel*, der zerrüttete Jüngling *Lenz* im öden Bergtal, der *Hagestolz* abgesperrt von den Menschen auf seiner Insel, der *arme Spielmann* einsam mitten unter den Menschen mit seiner Musik, lauter Arme-Reiche, und was für deutsche Figuren in ihrer Armut und ihrem Reichtum. In *Gotthelf* dann, aus einer Landschaft hervorgesponnen, ein einfaches Leben, ein einfaches Glück, in der *Droste* ein unheimliches Geschick und auch aus dem Weben der Landschaft hervorgesponnen: hält man diese beiden nebeneinander, so fühlt man, wie groß Deutschland ist. Es ist, als höre man, zu Bremen auf der Weser fahrend, in den Salzhauch der Nordsee das Läuten von Kühen herein, die in Tirol von der Alpe gehen: aber innerlich ist es ein noch weiteres Land. *Arnim* und *Kleist* sind wahre Novellisten, das Große und Einmalige, Nichtwiederkehrende der Begebenheit ist ihr Gegenstand. Es ist seltsam und bedeutungsvoll, daß sie beide ihre Begebenheit in fremdes romanisches Land verlegen; aber wie der Verlauf der Erzählung das Herz der Hauptfiguren bloßlegt, ob einer duldenden Frau, oder eines heldenmütigen Jünglings, so sind es deutsche Herzen, die den Figuren in die Brust gelegt sind. Im „Geisterseher" sind große Verhältnisse dargestellt, weit angelegte Staatsintrigen, vielerlei Menschen in ein großes Geschick verknüpft, dafür hatte *Schiller* ein Auge, damit steht er fast allein unter den Deutschen, diese Seite ist sonst ihre Stärke nicht; in ihrem größten Dichter blitzt freilich da und dort auch das Politische auf, als gediegenes Metall, mitten unter dem sonstigen Weltwesen: so das Gespräch der Regentin mit dem Machiavell in Egmont. In *Sealsfield* ist etwas vorgebildet und nichts Geringes: der deutsche Amerikaner. Die Seele ist deutsch, aber durch eine fremde große Schule durchgegangen. Er reiht sich an die andern, und ist doch besonders. Haben sie ihn drüben vergessen, so ist es traurig, hier durfte er nicht fehlen, er erzählt in einer Weise, daß keiner ihn vergißt, der ihm einmal zugehört hat. Einen sehe ich immer vor mir, von dem doch hier nichts gebracht wird: *Immermann.* Die kleineren Erzählungen sind unter den schwächern seiner Arbeiten; die Romane sind groß angelegt und von einem seltenen Reichtum des Geistes, Kraft, Zartheit, eindringendem Weltverstand, Übersicht, Lauterkeit; er suchte einen Übergang herzustellen: die Anfänge dessen, was unserer damals beginnenden Zeit den Stempel aufdrückte, des Fabrikwesens, des alles überwuchernden Geldwesens, stellte er hin und zeigte das deutsche Seelenhafte im Kampf damit. Dem einen großen Roman ist die westfälische Dorfschulzengeschichte eingeflochten, diese herauszureißen erschien mir frevelhaft; manche habens getan, doch wer es nachtut, bezeigt, daß ihm keine Ehrfurcht innewohnt, und wo wäre Ehrfurcht am Platz, wenn nicht gegen eine hoheitsvolle, reine Seele wie Immermann? So wollte ich auch den *Chamisso* nicht gerne missen, der nicht als ein Deutscher geboren ist, aber sich mit schönen Werken eingekauft hat in die deutsche Dichterschaft. Sein „Schlemihl" ist freilich wundervoll angefangen, die Erfindung ist von hohem Rang, doch fällt die Erzählung ab, wird trüb und matt. Wäre es auch äußerlich ein Bruchstück, wie es innerlich gebrochen ist, ich hätte eher gewagt, es den anderen anzureihen.

So sind es die *älteren* deutschen Erzähler, die ich hier gesammelt habe, und unsere Zeit will doch nur von sich selber wissen und treibt eine Abgötterei mit dem wesenlosen Begriff des Gegenwärtigen. Im einzelnen Menschen gibt es nichts schlechthin Gegenwärtiges, Entwicklung ist alles, eins wirkt sich ins andere, spreche ich mit einem neunzigjährigen Freund, den ich habe, befrage ich ihn nach einer Zeit seines Lebens, den Vierziger- oder Sechzigerjahren des verflossenen Jahrhunderts, so werde ich gewahr, wie für ihn eins ins andere eingeht, der hingeschwundene Zeitraum im nächsten weiterlebt und alles ein und dasselbe Wesen bleibt: so für den einzelnen, so für das ganze Volk. Die Gegenwart ist breit, die Vergangenheit tief; die Breite verwirrt, die Tiefe ergetzt, warum sollten wir immer nur in die Breite gehen? Von einem treuen Freund, einer lieblichen Freundin will ich die Kindheit erforschen, hören, was sie waren, bevor ich sie fand und kannte, — nicht nach tausend gleichgültigen Menschen fragen, denen sie am heutigen Tage begegnet sind.

In diesen Erzählungen ist ein Deutschland, das nicht mehr ganz da ist: der Wald steht nicht mehr so uralt und dicht, auf der Landstraße ist ein anderes und geringeres Leben, in den Dörfern sind es nicht bloß die Dächer, die sich verändert haben; es ist alles da und nichts da, es ist dieselbe Heimat und doch eine andere. So ists auch mit dem, was sich nicht mit Augen sehen und nicht mit Händen greifen läßt. Lebensformen, geistige Formen unseres geheimnisvollen, undeutlich erkennbaren Volks sind hier kristallisiert, eine ältere deutsche Atmosphäre umfängt uns, nehmen wir sie in uns ein, so wird die herrschende Atmosphäre aufgehoben oder wenigstens gereinigt. Der Menschen waren weit weniger im Lande und doch die Verhältnisse zwischen ihnen dichter; schärfer hoben sich die Stände voneinander ab und waren doch enger verbunden als heute. Sprichwörter, volksmäßige Redensarten kommen den Figuren viel in den Mund, alter Brauch und alter Glaube haftet an den Menschen, an den Häusern und Geräten, zuweilen ist es Aberglaube, aber alles aus einem redlichen, ungebrochenen Gemüt. Unsere Atmosphäre dagegen ist dick voller Vorurteile, die aber nicht ehrliche Vorurteile sind wie die der Alten und vergeblich der Aufhebung durch die Kräfte des Gemüts harren; alles bedarf der Klärung, überall ist Zwiespalt, Zerspaltenheit, innerer Vorbehalt, die Nervenübel sind die letzten Ausläufer. Der tiefsinnige Lichtenberg schrieb sich aus seinem Addison ein Wort heraus: The whole man must move together — der ganze Mensch muß sich *auf eins* regen —, er sagte: das müsse sich jeder Deutsche auf den Fingernagel schreiben, das war vor hundertundfünfzig Jahren, aber heute gilt es mehr als je.

In diesen Geschichten ist ein unmeßbarer Reichtum geistiger und gemütlicher Beziehungen darin gegeben, wie die Figuren zueinander stehen; die Liebe ist überall drinnen, aber nicht allein die des Mannes zum Weib, des Jünglings zur Jungfrau, sondern auch des Freundes zum Freund, des Kindes zu den Eltern, des Menschen zu Gott, auch des Einsamen zu einer Blume, zu einer Pflanze, zu einem Tier, zu seiner Geige, zur Landschaft; es ist eine verteilte Liebe, das ist die deutsche Liebe. Nirgends in diesen vielen Geschichten ist es die wilde, ausschließende Besessenheit vom Mann zum Weib, nie das völlig dunkle, erdgebundene Trachten, das in den Geschichten der Romanen so mächtig und unheimlich hervortritt. Würde man französische Erzähler zusammenstellen, so ergäbe sich, daß es innerlich ein älteres Volk ist, alles ist scharf begrenzt, diesseitig, hier in den deutschen Erzählern ist über alles Wirkliche hinaus ein beständiges Einatmen des Jenseitigen, Verborgenen. Das Wunderhafte der Märchen ist nirgends ganz abgestreift, es ist, als wären beständig unter den Kohlen und der Herdasche Edelsteine versteckt. Ein junges Gemüt des Volkes offenbart sich, ein ahnungsvolles, und ein namenloser Zug dorthin, wo alle Wölkchen unter der Hand des Schöpfers sich lösen. Auch wo der Tod gemalt wird, wie beim Sterben des

Schulmeisterlein Wuz, bleibt ein inniges, sanftes Gefühl zurück, kein beklommenes. Das schöne Annerl und der brave Kasperl sterben freilich jäh, aber es ist ein Glanz um ihren Tod, der den Tod selber besiegt. So wird in der *Novelle* der Löwe glorreich besiegt, in *Mozart* die Schwere des Lebens, im *Invaliden* der Teufel und der Wahnsinn, in *Barthli* die Finsternis und Härte der Armut, im *Hagestolz* der Menschenhaß. Für das kalte Herz wird dem *Kohlenmunkpeter* sein warmes fühlendes wieder in die Brust gelegt, im Kind *Hebbel* wächst eine starke, funkelnde Seele aus dem Dunkel ans Licht empor, ja auch im *armen Spielmann* liegt Auflösung und Verklärung. Des unglücklichen *Lenz* Geschichte bricht finster ab, aber hinter diesem Finsteren dämmert ein Höheres, und seine Seele, fühlen wir, streift nur die Verzweiflung, verfällt ihr nicht. So sind alle diese Geschichten wie Gesichter, aus denen kein kalter, gottfremder Blick uns trifft. Es sind liebevolle Gesichter, die zu unserer großen Freundschaft gehören: mit diesem Wort nennt das Volk ja die Verwandtschaft, wie sie sich zu feierlicher Gelegenheit, Geburt und Tod, in einem Hause zusammenfindet. In den reifsten, bedeutendsten Gesichtern tritt der Familienzug am schärfsten heraus, und überfliegt man diese bedeutenden Deutschen, so sieht man, daß Verwandte einander gegenübersitzen. So kommen sie den heutigen Deutschen zur Weihnacht ins Haus, ein liebevoller Zug von Männern, eine Frau auch darunter im weißen Kleid mit tiefen dunklen Augen: die Zeiten sind ernst und beklommen für die Deutschen, vielleicht stehen dunkle Jahre vor der Tür. Vor hundert Jahren waren auch die Jahre dunkel, und doch waren die Deutschen innerlich nie so reich wie im ersten Jahrzehnt des neunzehnten Jahrhunderts, und vielleicht sind für dies geheimnisvolle Volk die Jahre der Heimsuchung gesegnete Jahre.

Unser Volk hat ein schlaffes Gedächtnis und eine träumende Seele, trotz allem; was es besitzt, verliert es immer wieder, aber es ruft sich nachts zurück, was es am Tage verloren hat. Den Reichtum, der ihm eignet, zählt es nicht und ist fähig, seiner Krongüter zu vergessen, aber zuzeiten sehnt es sich nach sich selber, und niemals ist es reiner und stärker als in solchen Zeiten.

DAS ALTE SPIEL VON JEDERMANN

DIE deutschen Hausmärchen, pflegt man zu sagen, haben keinen Verfasser. Sie wurden von Mund zu Mund weitergegeben, bis am Ende langer Zeiten, als Gefahr war, sie könnten vergessen werden oder durch Abänderungen und Zutaten ihr wahres Gesicht verlieren, zwei Männer sie endgültig aufschrieben. Als ein solches Märchen mag man auch die Geschichte von Jedermanns Ladung vor Gottes Richterstuhl ansehen. Man hat sie das Mittelalter hindurch an vielen Orten in vielen Fassungen erzählt; dann erzählte sie ein Engländer des fünfzehnten Jahrhunderts in der Weise, daß er die einzelnen Gestalten lebendig auf eine Bühne treten ließ, jeder die ihr gemäßen Reden in den Mund legte und so die ganze Erzählung unter die Gestalten aufteilte. Diesem folgte ein Niederländer, dann gelehrte Deutsche, die sich der lateinischen oder der griechischen Sprache zu dem gleichen Werk bedienten. Ihrer einem schrieb Hans Sachs seine Komödie vom sterbenden reichen Manne nach. Alle diese Aufschreibungen stehen nicht in jenem Besitz, den man als den lebendigen des deutschen Volkes bezeichnen kann, sondern sie treiben im toten Wasser des gelehrten Besitzstandes. Darum wurde neuerlich versucht, dieses allen Zeiten gehörige und allgemeingültige Märchen abermals in Bescheidenheit aufzuzeichnen.

Die englische Fassung kam mir vor mehreren Jahren in die Hände. Der Eindruck war rein und groß, die Lust unbedingt, dieses Werk dem deutschen Repertorium einzuverleiben, in einem gedachten idealen dramaturgischen Verhältnis, in welchem sich jeder mit dem Theater verknüpfte Dichter zeitweilig fühlen mag. Zur einfachen Übertragung schienen die Reden des englischen Originals zu weitschweifig; nur in der treuherzigen Wesentlichkeit der alten Sprache war dergleichen möglich; bildete man so Zeile für Zeile nach, so wäre, wie beim Nachschnitzen einer alten Holzskulptur, den flächigen Zeilen etwas Leeres, Totes geblieben. Trug man, mit vergehenden Jahren, das Wesentliche dieses dramatischen Gebildes stets in sich, zumindest im Unterbewußtsein, so regte sich allmählich Lust und Freiheit, mit dem Stoffe willkürlich zu verfahren. Sein eigentlicher Kern offenbarte sich immer mehr als menschlich absolut, keiner bestimmten Zeit angehörig, nicht einmal mit dem christlichen Dogma unlöslich verbunden: nur daß dem Menschen ein unbedingtes Streben nach dem Höheren, Höchsten dann entscheidend zu Hilfe kommen muß, wenn sich alle irdischen Treu- und Besitzverhältnisse als scheinhaft und löslich erweisen, ist hier in allegorisch-dramatische Form gebracht, und was gäbe es Näheres auch für uns? Denn wir sind in der Enge und im Dunkeln, in anderer Weise als der mittelalterliche Mensch, aber nicht in minderem Grade; wir überschauen vieles, durchblicken manches, und doch ist die eigentliche Seelenkraft des Blickens schwach in uns; vieles ist uns zu Gebote, aber wir sind keine Gebieter; was wir besitzen sollten, das besitzt uns, und was das Mittel aller Mittel ist, das Geld, wird uns in dämonischer Verkehrtheit zum Zweck der Zwecke. Die neuere Zeit sieht mit einem anderen freieren gütigeren Blick auf den „Mammon“ als die alten frommen Zeiten. „Ist nicht das Geld zum Beleben da?“ fragt Novalis, aber es ist ein Jahrhundert seitdem hingegangen und das Verhältnis zu diesem Dämon hat sich wiederum verdunkelt und verworren. Dieses Verhältnis durchzieht und durchsetzt alle übrigen des Daseins und es ist erschreckend, bis zu welchem Grade es sie alle bestimmt. Durchdenkt man dieses Grundverhältnis des Lebens, das Verhältnis des Menschen zum Besitz, mit dem Denken der Phantasie, das zugleich gestaltet und auflöst, so löst sich der Kern des Jedermannmärchens in einen lebensvollen Nebel, trächtig mit Gestalten, aber im Mittelpunkt bleibt die Allegorie des Dieners Mammon, der ein verlarvter Dämon und stärker als ein Herr ist, und sich als den Herrn seines Herrn offenbart. Eine Allegorie dieser Art hat nichts Kaltes; es ist in der Idee des Dramas, das zerfließende Weltwesen in solcher Art zu festen Gegensätzen zu verdichten. Es ist die Gefahr und der Ruhm unserer Zeit, an deren Schwelle der greise Ibsen steht, daß wir weit genug wiederum sind, uns im Allegorischen bewähren zu müssen.

Der Anreiz, aus den Grundmotiven des alten Spieles, verlarvt bis zur Unkenntlichkeit, ein neues Gebilde hervorgehen zu lassen, war jahrelang mächtig und vielleicht habe ich kein Recht, ihn für abgetan zu halten. Doch überwog am Ende ein anderer Trieb, der gleich mächtig ist im Menschen: für schön Erkanntes rein aufzufassen und wiederzugeben, fremdem Gebild sein Lebensrecht zu wahren und hinter sich wie vor sich, zur Rechten und zur Linken nach dem Spruche zu handeln: daß dem, der hat, noch gegeben werden soll. Ist man älter und noch nicht alt, so stellt sich eine besondere Art von innerlichem Jung-sein ein, das doch dem Jung-sein der völlig Jungen nicht gleich ist. Diese Jugend der Lebensmitte ist mit einer besonderen Kraft begabt, das Eigentliche, Wesenhafte fremder Existenzen zu erkennen und sich nicht duldsam, sondern wahrhaft freudig und genießend dagegen zu verhalten. In einer solchen Verfassung mag man den Mut fassen, ein Altes wahrhaft wieder ins Leben zu rufen; gewähren lassen ohne Einmischung, wiederherstellen ohne Willkür erscheint möglich. Handelt es sich zudem um ein Werk des eigenen oder eines nach Art und Gesinnung unvergleichlich nah verwandten Volkes, so werden geheime Kräfte von innen heraus lebendig, ein Volksgefühl, ein Instinkt volksmäßiger Führung im Innersten wirksam. Man fühlt sich hinabgestiegen in einen Brunnenschacht und sieht die Sterne wahrhaftig über sich blinken, die für andere, oberhalb wandelnd, wahrhaftig nicht am Himmel stehen; hier hilft kein Streit: das Leben ist doppeltblickend und zweideutig, im tiefsten aber ist Einheit und Beruhigung und daran muß man sich halten. Immerhin gibt es des Zweifelhaften und Bedenklichen genug bei solchem Tun. Entäußert man sich gerne höchst scheinhafter und zweifelwürdiger Besonderheiten, so wollte doch keiner seinen Schatten verkauft haben, in dieser Welt, wo auf partikuläres Schattenwerfen so viel gehalten wird. Unter solchen gelegentlichen Bedenken geriet mir der Brief eines seit Jahren abwesenden aber durch steten geistigen Anteil verbundenen Freundes in die Hände und wirkte erfreulich und beruhigend. „Ich darf Ihnen heute“, hieß es darin, „manchen alten

Groll abbitten, verständigen wohl auch, aber auch wie viel unverständigen! und Ihnen rundheraus sagen, daß ich es schön, natürlich und nützlich finde, wenn Sie einmal oder eine Zeitlang solche Sachen arbeiten. Was ich darin dem Geiste nach begrüße, ist der freie Stolz, menschlich zu sein, dem nur die wahre Größe zugänglich und die selbstische Affengröße, die sich den ganzen Tag die Hände wäscht, um ja rein zu bleiben, auf ewig feind ist. Sie haben in diesen letzten Jahren, in denen es so gar kein Auskommen mit Ihnen zu sein schien, einfach in der Stille die sublimste Moral des Theaters begriffen, die darin besteht, nur Demütige zu krönen und seinen goldensten Kranz dem größten Opfer aufzubehalten, den Dichter auf genau dasjenige zu reduzieren, was er mit dem Publikum, diesem unkritisierbaren Repräsentanten der uralten wahren großen Menschheit gemeinsam hat, und von ihm die Entscheidung im Werke zu erzwingen, ob, was er mit diesem Mob in Logen, Mob auf der Galerie, Mob im Stehparterre, an Menschlichem teilt, nun das Höchste ist, was mit ihm geteilt werden kann oder das Niederste, ‚Faust' oder Kotzebue, Weltgedicht oder Melodram, ‚Götterdämmerung' oder ‚lustige Witwe', ‚Romeo und Julia' oder ‚Charleys Tante'. Das Theater übt auch am Größten, der mit ihm zu tun haben will, dieselbe unerbittliche und, wie ich glaube, großartig sittliche Zucht wie die Liebe, sie akzeptieren keine Sonderfälle; beide postulieren den Größten wie den Kleinsten vorerst als gesellige Person und dulden keine Würde; beide zeigen dem Individuum und dem Original die Grenze seines Hochmutes und seines Rechtes auf Eigenleben und machen ihn die heilsame Lehre begreifen, daß es gar nichts heißen will, in demjenigen besonders zu sein, worin man sich von der Menschheit unterscheidet, daß das einzige Kriterium der Größe in der Art und Mächtigkeit dessen liegt, was man mit der ganzen Menschheit teilt." Äußerungen dieser Art zielen auf das Höhere und Allgemeinere und idealisieren oder verallgemeinern das Individuum, an das sie gerichtet sind und an dessen Wirken sie mit freundlichem Anteil anknüpfen. Doch entsteht aus der Übereinstimmung einer solchen Äußerung mit eigenen hellklaren Erwägungen ein Gefühl der Beruhigung und Bekräftigung. Diese Zeilen, auf eine andere dramatische Arbeit zielend, trafen ein, als die Wiederherstellung des „Jedermann"-Spieles eben alle Kräfte in Anspruch nahm. Diese Arbeit aber beendigt, durch ähnliche verstehende und teilnehmende Aussprüche erfreut, war es ein leichtes, völlig zurück- und gegenüberzutreten, als ein Zuschauer unter Zuschauern das lebendige Spiel auf sich wirken zu lassen, dessen Eindruck durch diese Blätter festzuhalten versucht wird.

Glocken wurden geläutet, kräftig und anhaltend. Da wurde die ganze große Masse still und es war, als fühlte man das Stillwerden jedes einzelnen. Indessen war es auch ganz dunkel geworden. In dem riesigen, kaum erleuchteten Raum wurde aus den Tausenden von zufällig zusammengekommenen Menschen, deren Gesichter das einzige Helle in dem dämmrigen Dunkel waren, mit einem Schlag ein Wesen: die Menge. Vor diese Menge trat nun der Spielansager oder Herold und sagte das Spiel an. Er trat seitwärts auf dem Gerüst heraus, ging nach vorne und stieg ein paar Stufen empor, die am vordersten, niedrigsten Teil des Gerüstes zu den mittleren höheren hinaufführten. Hier blieb er stehen, genau in der Mitte, und sagte seinen Spruch her. Von oben fiel ein Schein auf ihn und erleuchtete sein buntes Heroldsgewand, seine Hand mit dem weißen Stab, sein Gesicht, das gewöhnlich war, und über dem ein Kopfschmuck mit recht bunten und schönen Straußenfedern den Kopf des Mannes ansehnlich machte. Als er geendet hatte, war die Menge minder ruhig als vorher: es schien, als sei eine ganz besonders wunderbare Spannung von ihr genommen, die während des Glockenläutens auf ihr gelegen hatte. Der starke Schein, der den Herold erleuchtet hatte, verlosch, dafür aber fiel auf den hintersten, höchsten Teil des Gerüstes von irgendwo her wie aus großer geheimnisvoller Höhe ein Strahl schimmernden Lichtes herab und von dort oben, wo er herzukommen schien, wurde die Stimme Gottes des Herrn vernehmlich. Es war nicht die Stimme eines gütigen Greises, als welchen man Gott den Vater insgemein zu versinnlichen pflegt, sondern die Stimme eines kräftigen Mannes, eines Königs, wenn er zu Gericht sitzt und zürnt. Als aber die Stimme zu der Stelle kam:

> Auf daß sie sollten das Leben erlangen
> bin ich am Marterholz gehangen,
> hab ihnen die Dörn aus dem Fuß getan
> und auf meinem Haupt sie getragen als Kron,

da verwandelte sich der Klang der Stimme zu einer großen Milde und Sanftmut und man konnte erkennen, daß es nun der Erlöser war und die zweite göttliche Person, welche aus der Stimme des dreieinigen Gottes heraustönte, da wurde die Menge merklich stiller, als hätte etwas sie angefaßt. Bisher war sie zwar ruhig gewesen, aber nicht völlig still und gesammelt: einesteils horchte sie auf den ungewohnten Klang einer unsichtbar aus dem Dunkel hervortönenden Stimme und wurde erst allmählich inne, wessen Stimme da gemeint war, andernteils gewahrte sie allmählich die beiden Gestalten, die auf dem hintersten Gerüst standen und nur ganz schwach von dem von oben herab schimmernden Lichtstreif angeleuchtet wurden, und sah scharf hin, um sie zu erkennen, wen sie vorstellen sollten: da war die eine der Erzengel Michael in einer schönen goldenen Rüstung, der andere war der Tod, so wie ihn Holbein und die übrigen Maler der Totentänze dargestellt haben, mit fahlem Gesicht, kahlem Schädel, gekleidet als ein fahrender Mann, und mit einer kleinen Werbetrommel um den Leib. Auch trug er eine hürnene Laterne in der Hand, damit erleuchtete er selber sein Gesicht. Nun redete Gott den Tod mit Namen an, als seinen starken getreuen Boten, und befahl ihm, zu Jedermann hinzugehen und ihn vor Seinen, Gottes, Richterstuhl geführt zu bringen, und der Tod gab eine gehorsame und grimmige Antwort und schickte sich an hinabzusteigen von dem hintersten Gerüst auf das mittlere, trat aber, nachdem er hinabgestiegen war, seitwärts ins Dunkel und wurde unsichtbar, zugleich war auch der Lichtschein von oben erloschen und der Erzengel verschwunden. Einen Augenblick lang war es völlig dunkel, dann fiel taghelles Licht auf das unterste Gerüst und auf den Schauplatz, der vor dem Gerüste lag. Das Gerüst und der Schauplatz waren leer. Sogleich geriet die Menge in eine kleine Unruhe, weil sie nun nicht wußte, wie das Spiel weitergehen würde und was sie sich erwarten sollte. Da kam der

Schauspieler, welcher in dem Spiel den Jedermann vorstellte, mit schnellen Schritten auf das Gerüst zu, stieg hinauf, stand breitbeinig inmitten und wandte sein Gesicht der großen Menge zu. Sogleich wurden die Leute stiller, denn es war einer von den seltenen Schauspielern, welche eine große Gewalt über die Menge ausüben, je leichter, je mehr Leute sie vor sich haben. Diesem sah man es an, daß der Anblick einer so übergroßen Menge ihn reizte und befeuerte. Es war ein schlanker, jugendlicher Mann mit Augen, aus denen das Leben sprühte; an einigem Grau, das seinem Haar beigemischt war, konnte man erkennen, daß er in dem Spiel einen Mann von mittleren Jahren vorstellte; an seinem schönen, mit Luchspelz verbrämten apfelsinenfarbenen Oberkleid konnte man sehen, daß es ein reicher Mann war, und daß es der Jedermann war, das mochte man daraus bemerken, weil die anderen Mitspieler in dem Spiel ihn alsbald so anredeten. Von seinem Hausvogt, der nach ihm auf den hellerleuchteten Schauplatz herausgetreten war, ließ sich Jedermann einen vollen straffen Beutel Goldes reichen, den warf der Vogt ihm auf fünfzehn Schritte Entfernung durch die Luft zu und Jedermann fing ihn mit der einen Hand unterm Sprechen, so zeigten sie sich als rechte Schauspieler, die über das Verstellen und Deklamieren hinaus auch im Springen und Geschicklichkeiten ihren Mann zu stellen wissen. Da wurde der großen Menge gleich behaglich, wie sie den hübschen und reichen Mann da in der Mitte stehen sah, der sich seines Hauses und aller seiner Besitztümer so sehr freute und einen vollen Beutel Goldes in der Hand hatte. Sie waren einverstanden mit ihm und auch mit seinem guten Gesellen, der seitwärts herangekommen war, sich mit Jedermann umarmte und weiterhin alles, was Jedermann vorbrachte, mit großer Zustimmung begleitete und dem reichen Freund in allen Stücken nach dem Mund redete. Ein armer alter Mann kam hinzu, dem hingen ärmliche Lumpen um, und war doch ehemals ein stattlicher Bürger gewesen und Jedermanns Nachbar, Haus bei Haus. Nun fällt er vor dem reichen Jedermann recht demütig auf die Knie; der Beutel Geldes sticht ihm in die Augen: hätte er den, so wäre seiner Not abgeholfen. Und ist es nicht so mit Leuten, die ehemals selber reich waren und arm geworden sind: sie meinen ein Anrecht darauf zu haben, daß man ihnen in den früheren Stand zurückverhelfe, und einen ganz anderen Anspruch auf ihre früheren Glücksgenossen als die sonstigen gewöhnlichen Armen sich anmaßen dürften. Jedermann aber weiß ihn gut und fein abzufertigen. Er belehrt ihn, wie es mit dem Reichtum stehe und welche sonderlichen Lasten und Pflichten der schon von selber auferlege, wie aber die Armen sich einer andern Teilung nicht zu versehen hätten als einer solchen nach gemeiner Gerechtigkeit: und bei einer solchen Teilung sei ein Schilling der Anteil, der auf jeglichen Armen entfalle. Da nimmt der arme Nachbar den Schilling und man weiß nicht, was er denkt: ob er die Belehrung einsieht oder ob er in seinem Herzen murrt gegen den reichen Mann. Aber er geht schlürfend zu Seiten des Gerüstes hinweg. Der Gesell aber, der Speichellecker, weiß sich nicht zu fassen vor Freude über die große überlegene Art, wie Jedermann den Bettler hat abziehen lassen; gleich muß er ihn wieder umarmen vor Gefallen und Freundschaft; da umarmen sie einander wieder, das heißt, sie recken die Arme steif von sich wie Windmühlenflügel und springen ein jeder in die Umarmung des andern hinein. Nun kam Not und Armut in einer anderen Gestalt heran: Büttel brachten einen verwilderten Mann geführt, dem sah man an, daß er wild und zähe mit der Not des Lebens gerungen hatte, nun aber führten sie ihn ab in den Schuldturm; hinter ihm kam sein Weib, an der hingen Kinder, ein ganzer Knäuel, eines hatte sie im Brusttuch, zwei größere klammerten sich an ihr Kleid. Da gab es zwischen diesen armen Leuten und dem reichen Mann in aller Eile im Vorübergehen den Handel, in den alle Reichen und alle Armen untereinander verstrickt sind. Denn das Geldwesen ist ein solches alle-verfangendes Netz, daß irgendwie ein jeder Reiche der Gläubiger und Fronherr jedes Armen ist. Der Reiche meint, er rührt keinen Finger, und doch schickt er bei Tag und Nacht Hunderte in den Frondienst, vor Tags müssen sie für ihn aufstehen, in den Wald hinaus oder in finstere Berggruben hinabsteigen oder ihr Fischerboot auf das kalte Meer hinausschieben, sein Hochmut aber ist, daß er sie gar nicht kennt: darin ist er vom Sklavenhalter verschieden. Darum betrachtet auch der arme Mann die Reichen alle als zusammengehörig, nur ist ihm dunkel, wie sie diese Macht und Zusammengehörigkeit ausüben und aufrechterhalten. Aus diesem dunklen Trotz und ohnmächtigen Groll heraus spricht der gebundene arme Irgendwer zu dem schönen reichen Jedermann, da hat dieser eine geziemende Antwort bereit:

Ich wasch in Unschuld meine Händ
als einer, der diese Sach nit kennt,

und die Büttel führen den Schuldknecht dorthin, wo er hingehört. Aber des Weibes und der Kinder hat sich der reiche Jedermann erbarmt und wird für sie sorgen in der großen lässigen Weise, die einem mächtig reichen Mann so schön ansteht, und wie er diese Angelegenheit hinter sich hat und wieder allein ist mit seinem guten Gesellen, da schüttelt er diese lästige Sache ab und freut sich seines Geldes und malt aus, wie er bauen will, und baut in die Luft hin ein Lustschlößchen für seine Geliebte, ein „Casino“ in italienischer Art, mit einem schönen Garten ringsum. In diesem Ausmalen sieht er von weitem seine Mutter kommen, da muß er wohl hin, kann sich doch nicht vor ihr beiseite drücken, dazu ist er ein zu stattlicher und wohlgezogener Mann. So schickt er den Gesellen weg und läßt sich mit seiner Mutter in ein Gespräch ein, das wird erbaulich, und wie er hofft, wird es kurz, denn ihn zieht es mächtig woandershin, und ohne zu wollen, tritt er von einem Bein aufs andere und verrät seine Ungeduld. Die Mutter ist eine alte Frau und fromme Frau und der Tod ist das nächste in ihren Gedanken und wes das Herz voll ist, des läuft der Mund über: so mahnt sie den Sohn zu einem eingezogenen und gottbetrachtenden Leben und das Wort „Tod“ klingt mehrmals von ihren Lippen, aber sanft und versöhnlich, nicht schauerlich; wie sie es ausspricht, ist es, als tönte von irgendwoher ein leises dumpfes Glockenläuten: aber den Zuschauern wurde es nicht klar, ob es nur in ihrer eigenen Einbildung war oder etwas Wirkliches. Als aber die Mutter ihren Sohn gesegnet hatte und mit schwachen schleifenden Schritten von ihm weg aufs Haus zuging, da hörte man deutlich von irgendwoher eine sehr feine freudige Musik klingen, die wurde stärker und stärker, dann kamen hinter dem Gerüst von rechts und links Lichtlein hervor, zuerst je eines, dahinter wieder eines und wieder eines, die Lichtlein bewegten sich heran, auf Jedermann zu, das Getön kam immer näher und wurde immer fröhlicher, da waren es Buben, in grünen Zindel gekleidet mit langen hängenden Bändern, Litzen und Schellen; jeder trug ein kleines Windlicht, von links und rechts sprangen sie herzu und standen vor Jedermann still; Spielleute kamen hinter ihnen angesprungen mit Geigen und Blasen, und wie sie auseinandersprangen, stand in der Mitte, keine zehn Schritt vor Jedermanns ausgebreiteten Armen, eine schöne junge Frau mit einem Kranz im Haar, da wußte jeder im Hause, das war Buhlschaft. Jedermann und Buhlschaft tauschten zärtliche Reden, und jedesmal, wenn ein gereimtes Sprüchlein und die Antwort darauf zu Ende war, so faßten sie einander an den Händen und schwangen einander im Kreis herum. Da schrien die Buben hinein: Juhu! und die Spielleute bliesen einen Tusch. Unter diese Fröhlichkeit kam noch mehr Fröhlichkeit: von einer Seite kamen viele junge hübsche Frauen herangeschritten, alle mit Kränzen im Haar; von der andern Seite rechts stattliche und wohlgekleidete Herren; das waren die Freundinnen der Buhlschaft und Jedermanns fröhliche Vettern, Kumpane und Tischgesellen. Die gaben sich paarweise die Hände, und stellten einen Tanz an, den sie selber mit Singen begleiteten; die Spielleute fielen ein, indessen waren die Buben aufs zweite höhere Gerüst hinaufgestiegen und streuten überall Blumen und wohlriechende Kräuter; zugleich tat sich auf diesem Gerüst der Bretterboden auf und kam eine große gedeckte Tafel von unten emporgestiegen, reich angerichtet mit blendend weißem Tischzeug und darauf die schönsten Tischgeräte, Teller und Schüsseln, Kannen und Krüge, alles aus edlem Metall. Diese Zurichtungen, die Buben mit ihren Lichtern, die zierliche Musik und der Tanz, dies gab einen solchen Zusammenklang von Freudigkeit, daß ganz von selbst unter den Zuhörern ein kurzes Zurufen und Beifallklatschen ausbrach, aber gleich waren alle wieder still und aufmerksam: denn nun hatten Jedermann und Buhlschaft ihre Gäste zu der Tafel hinaufgeführt, alle nahmen auf Bänken und Stühlen Platz, die grünseidenen Buben warteten auf und es gab einen prachtvollen und fröhlichen Anblick, völlig ähnlich einem alten schmuckhaften Gemälde von der Hand eines Quinten Massys oder Dierick Bouts.

In dieser ausgelassenen Fröhlichkeit nun, an einem schönen und wohlbesetzten Tische, umgeben von jungen Mägden und frohen Gesellen, kamen über Jedermann, den man erbleichen und von seinem Stuhl sich heben sah, die Vorgefühle eines Sterbenden. Er warf verstörte Blicke um sich und die Leute, die da an seinem Tisch saßen, schienen ihm mit eins so fremd, und er konnte sich gar nicht besinnen, wie sie da hergekommen wären. Von einer unbestimmten, aber gräßlichen Angst getrieben, wie sie in dunklen Stunden einen Menschen oder ein Tier anfällt, lief er von der Tafel weg auf das vorderste Gerüst hinunter und schickte nach allen Seiten ins Dunkel angstvolle und starre Blicke. Buhlschaft kam ihm nachgelaufen und suchte ihn zu beruhigen. Da faßte er sie an beiden Händen, sah ihr starr ins Gesicht und aus seinen Reden verstand man, ihm war, er müsse nun bald sterben und nun wolle er von ihr wissen, ob sie bei ihm ausharren werde in der letzten Stunde. Indessen Buhlschaft über solche Reden ihres Liebsten das Blut in den Adern starr wird, bleiben die andern behaglich an der Tafel sitzen unter Scherzen und trinken den Vortrunk. Aber auf Jedermanns leerem Platz sitzt auf einmal der Tod. Die Tafelnden sehen ihn nicht, auch die aufwartenden Buben streifen an ihm vorbei, als wäre er leere Luft, aber unter den Zuschauern sind zuerst etliche ihn gewahr geworden, dann immer mehrere und man hört von unzählig vielen Stimmen ein Flüstern: „Da sitzt der Tod!" Ganz ohne Ahnung aber hüpfen etliche von den Mädchen vom Tisch auf und mit Singen nehmen sie Jedermann und Buhlschaft an den Händen und führen beide an ihre Plätze zurück, da ist indessen der Tod verschwunden. Aber Jedermann kann keine Ruhe finden, da hört er zuerst ein mächtiges schauerliches Glockenläuten, dann hört er fremde seltsame Stimmen, die rufen laut und drohend seinen Namen. Das alles hören die vielen tausend Zuhörer mit ihm, aber die mit ihm an seiner Tafel sitzen, hören nichts und begreifen sein Gebaren nicht, bis mit eins der Tod mitten unter ihnen steht und von hinten her seine grünlich fahle Hand auf Jedermanns Herz legt. Da geht ein hastiges lautloses Flüchten an, die Spielleut sind die ersten, die sich davonmachen, wie gescheuchte Vögel stieben die Buben fort und lassen Lichter und Weinkrüge im Stich, leichenbleich rennt Buhlschaft von ihrem Liebsten weg und ihre Freundinnen heben die Röcke, daß sie besser laufen mögen, und die Mannsleute drücken sich beiseite, nur einer und noch einer am unteren Tischende, denen sitzt der Wein im Kopf, ihre Augen sind halb zu, die bleiben sitzen mit schweren Köpfen. Sonst aber ist alles leer, nur Jedermanns guter Gesell, und seine zwei Vettern, der dicke und der magere, stehen aneinandergedrückt mit niedergeschlagenen Augen irgendwo beiseite. Da hat Jedermann mit Flehen und Betteln von dem Tod eine Stunde Frist erbeten, sich ein Geleit zu suchen für den schweren Weg. Nun tritt der Tod beiseite ins Dunkel aufs oberste Gerüst und Jedermann fliegt auf seinen Gesellen zu und bietet ihn auf, die Reise mit ihm zu tun. Da gibt es ein klägliches Spiel zwischen Jedermann, dem vor Angst und Not das Herz brechen will, und dem Gesellen, der sich dreht und windet und endlich hart und gröblich Jedermann den Rücken kehrt und den Zipfel seines Mantels an sich reißt, daran der flehend sich klammert. Und dann gibt es das gleiche klägliche Spiel zwischen Jedermann und den beiden Vettern. Ganz allein steht Jedermann in dem großen Raum, und die Freudentafel ist in eine geöffnete Spalte des Gerüstes versunken und das ganze Gerüst steht leer und öd. Nun heißt Jedermann seine leibeigenen Knechte mit ihm auf die Reise gehen und sie treten an, und ihrer acht tragen auf den Schultern die schwere große Goldtruhe, um die ist es Jedermann mehr als um alles, die darf nicht dahintenbleiben. Da tritt oben der Tod hervor und ruft ein böses warnendes Wort herunter und schon sind Vogt und Knechte weggestoben, die schwere mit Eisen beschlagene Truhe aber steht da und Jedermann wirft sich auf sie, will die Schlösser und Bänder lösen und in seiner Angst und Erbärmlichkeit ist ihm, als müsse er sich einwühlen in sein Gold und da werde er geborgen sein. Da springt die Truhe auf und es hebt sich einer hervor, der ist fremdartig und gräßlich anzusehen und Jedermann meint, ihn nie zuvor mit Augen gesehen zu haben und doch sollte er ihn wohl kennen: denn es ist Mammon, aber nie zuvor hat ihm der seine wahre lebendige Gestalt schauen lassen, eine Zwergs- und doch Riesengestalt, halb nackigt, aber goldene Ringe um die Arme und Perlenschnüre um den Hals, und an den goldstrotzenden Fingern greuliche lange Krallen. Dieses Geschöpf hat eine furchtbare Stimme: bald in der Fistel wie ein Weib oder ein Entmannter, bald mit wildem dröhnendem Klang, ärger als einer, der im Kampf schreit, um seine Feinde zu erschrecken. Zwischen diesem Wesen und Jedermann gibt es nun eine kurze gräßliche Zwiesprach, dann schlägt der schwere eiserne Deckel der Truhe zu und das fahle Licht, das aus der Truhe geglommen war, verlischt und Jedermann bleibt allein stehen, völlig verlassen und zernichtet. Indem ist die Truhe versunken und auf der gleichen Stelle ein niedriges ärmliches Ruhebett emporgetaucht, auf diesem liegt eine Kranke mit bleichem Gesicht, einem Gichtbrüchigen gleich, und zwei Krückstöcke neben dem Bette. Das sind Jedermanns gute Werke, die sind elend, siech und kraftlos, all sein Übeltun hat sich auf sie geschlagen. Werke ruft ihn beim Namen, und da er sich nicht hinkehrt, ruft sie ihn wieder beim Namen. Da tritt er zu ihr und sieht ein bleiches unnennbares Gesicht und empfängt einen Blick, wie niemand auf der Welt ihm je zuvor gegeben: unter dem Blick kehrt sein Herz sich um und um und er vermag die lebendige Reue zu fühlen, unter der die Seele sich erneuert. Da hat sich Werke von ihrem Lager geschleppt und kniet neben ihm und fühlt, noch ist sie zu schwach, mit ihm zu gehen, da ruft sie ihre Schwester herbei, die ist Glaube. Vom obern Gerüst kommt Glaube herabgestiegen und redet zu Jedermann und aus der Tiefe seines Herzens kommt der Glaube seiner Seele hervor und seine Lippen finden das kindliche Gebet. Da geht unten auf dem dunklen Schauplatz, gleichsam wie in großer Ferne, die Mutter vorbei, mit einem Knecht, der ihr das Licht voranträgt; sie geht zur Frühmette und sieht nur den Schein des Lichtes, das ihr den Weg erhellt, aber mit inneren Augen sieht sie, was da vorgeht auf dem oberen Gerüst. Da spricht sie ein Dankgebet, denn sie weiß, nun ist ihr Kind mit Gott versöhnt, und sogleich ist sie wieder verschwunden und nur jene drei sind da, der Sterbende, seine Werke und sein Glaube. Und alles Licht, von dem diese drei erleuchtet sind, ist der Widerschein eines Lichtes, das von irgendwo auf Glaubes tiefblaues Gewand fällt. Nun heißt Glaube den Jedermann hinaufgehen aufs obere Gerüst: da ist ein Mönch hervorgetreten, von dessen Hand geht Jedermann das Sakrament zu empfangen. Werke, wunderbar gestärkt, hat ihre Krükken von sich geworfen und steht neben Glaube: beide mit gefalteten Händen. Nun kommt der Teufel angesprungen und will Jedermann abholen. Da tritt ihm Glaube in den Weg und sie streiten; der Teufel ist nicht dumm, aber er zieht den Kürzeren, und so ist er doch der Geprellte und es wird über ihn gelacht, aber gleich weisen andere die Lachenden zur Ruhe, denn von oben tritt Jedermann hervor. Sein Gesicht ist verklärt, er trägt ein langes schneeweißes Gewand und einen Kreuzstab in Händen. Hinter ihm sind Engel hervorgetreten und unten auf dem mittleren Gerüste, daran Glaube steht, hat ein viereckiges Grab sich aufgetan. Zwei von den Engeln tragen ein Laken in Händen, das haben sie lautlos in das Grab gebreitet, die nächtige Schwärze mit einem Weiß verhüllend. Da hat auch schon Jedermann einen Fuß ins Grab gesetzt und mit einer unvergeßlichen Gebärde hilft ihm Werke, sich zu betten, und steigt zu ihm und sinkt mit ihm dahin. Der Tod war von seitwärts mit ans Grab getreten, für einen Augenblick hafteten alle Augen nur an Jedermanns bleichem, strahlendem Gesicht und an Werkes unsäglicher Hingegebenheit. Indessen ist der Tod verschwunden, nur Glaube steht da, und Engel singen Gottes Lob. Dann wurde es völlig dunkel, Glocken läuteten, das Dunkel wich einem starken geheimnislosen Licht, das auf das ganze Gerüste, den ganzen Schauplatz und die große sich langsam aufbewegende Menschenmenge gleichmäßig fiel, und das Spiel war zu Ende.

„ARIADNE AUF NAXOS“

Oper in einem Aufzug

Zu spielen nach dem „Bürger als Edelmann“ des Molière

MOLIÈRES „Bourgeois-gentilhomme“ ist eines von den Meisterwerken, von denen mehr eine unübertrefflich gezeichnete Hauptfigur als der Gang der Handlung im Gedächtnis der Gebildeten haftet. Es ist eine „Komödie mit Tänzen“, zu einem höfischen Anlaß entworfen. Was wir daran als unsterblich empfinden, die Charakterkomödie, war eine Beigabe, die das Genie lieferte, bei dem man nichts als eine Art von Rahmen für mimische und musikalische Divertissements bestellt hatte. Das Stück endete mit einem großen Ballett, welches vor Herrn Jourdain und seinen Gästen gespielt wurde und zu welchem Lulli die Musik gemacht hatte. An Stelle dieses Balletts glaubte man, ohne Verletzung der Ehrfurcht eine kleine, dem Geschmack jener Zeit angenäherte Oper setzen zu dürfen, in welcher einem Komponisten der Gegenwart die Gelegenheit gegeben werden sollte, einen höchst einfachen Stoff mit begrenzten musikalischen Mitteln von innen heraus zu beleben und damit vielleicht so manches irrige und am Äußerlichen haftende Urteil über die Grenzen und Bedingungen seines Schaffens zu entkräften.

Ohne Verletzung der Ehrfurcht — denn Molières Komödie ist nun einmal als Rahmenwerk gedacht und nicht als eine regelmäßige Komödie. Ein großer Autor bedient sich auch einer niedrigen oder gemischten Form, wenn sie ihm durch die Umstände aufgedrungen wird, mit solcher Bestimmtheit, daß es unstatthaft wäre, zu glauben, man könne sein Werk mit Gewalt in eine höhere oder reinere Gattung zurückzwingen. Nimmt man dieser Komödie die Tänze und Zeremonien und läßt sie ohne Musik auslaufen, so wird sie ärmer, ohne darum einheitlicher zu werden, denn die Handlung ist und bleibt lose, die Akteinteilung die denkbar willkürlichste. Was alles zusammenhält, ist die Erfindung und Durchführung der Hauptfigur. Von einer vollendeten Rundheit, scheint sie auch außerhalb der Szenen, durch welche ihr Schöpfer sie durchführt, ein Eigenleben zu führen und sich zu allem herzugeben. Erlaubte man sich, Herrn Jourdain zum Veranstalter und Zuschauer einer neuen, darum problematischen Produktion zu machen, ja diese in sein Haus zu verlegen, so geschah es, weil die unerschöpfliche und an keine Epoche gebundene Symbolik dieser wahrhaft repräsentativen Figur dazu verlockte.

CE QUE NOUS AVONS VOULU EN ÉCRIVANT „ARIANE À NAXOS“

„LE Bourgeois Gentilhomme“ de Molière est un de ces chefs d'œuvres qui nous laissent le souvenir d'un personnage inoubliable, plutôt que celui d'une action suivie. C'est une comédie-ballet, écrite pour la cour. L'élément impérissable, la comédie de caractère, nous le devons à la surabondance du génie, auquel on n'avait pour ainsi dire demandé qu'un décor pour un divertissement de danse et de musique.

La pièce se termine, comme on le sait, par un grand ballet, auquel assistent M. Jourdain et ses hôtes, et que Lully avait paré de sa musique. A la place de ce ballet, nous avons cru pouvoir — sans manquer au respect — présenter un petit opéra dans le goût ancien, où un compositeur moderne put trouver occasion d'animer un sujet très simple par des moyens très réduits, et de répondre ainsi victorieusement à certaines critiques superficielles, auxquelles son talent fut parfois exposé.

Sans manquer de respect — car la comédie de Molière, encore une fois, est un cadre et non une comédie régulière. Un grand artiste sait user des formes dramatiques les moins relevées et les plus composites, quand les circonstances le lui commandent, il y témoigne d'une telle sûreté qu'il serait inconvenant de chercher par la violence à élever ou à épurer son œuvre. Que l'on supprime de cette comédie-ballet les danses et les cérémonies, elle s'apauvrit, sans gagner en unité, car son action est, et reste lâche, et son plan le plus arbitraire du monde. Tout se tient par l'invention et le développement du personnage principal. La perfection de cette figure, sa rondeur, la suit à travers toutes les scènes, la met à part, la fait vivre.

Si donc nous nous sommes permis de faire de M. Jourdain l'organisateur et le spectateur d'un divertissement musical nouveau (et par conséquent problématique), si nous avons substitué „Ariane à Naxos" au „Ballet des Nations", c'est que l'inépuisable symbole et l'éternelle actualité de ce personnage immortel nous y conviait et semblait nous y autoriser.

D'ailleurs, on trouvera dans notre adaptation à peu près autant, ou aussi peu, de musique de scène et de musique pure, que Lully en fournit de son temps à l'œuvre de Molière. Une petite ouverture, accessoirement une transition, la leçon de danse, la conversation en musique, les entrées des danseurs, — le tout à la discrétion du compositeur moderne, mais en suivant des chemins déjà tracés, et comme dans l'ombre de son grand devancier.

La cérémonie turque, ce clou de la représentation française et traditionnelle, a dû disparaître, à notre très vif regret, et après d'angoissantes perplexités de notre part. Mais nous destinons notre œuvre à la scène allemande, et les couplets de cette ravissante turquerie tirent tout leur charme de la *lingua franca* que son aspect burlesque n'empêche pas d'être immédiatement intelligible. Traduire ces vers en allemand, sans les défigurer, sans les rendre insupportables, c'est une tâche impossible; les faire chanter tels qu'ils sont, c'est s'exposer à les rendre incompréhensibles au public presque tout entier et leur faire perdre, par conséquent, leur folle gaîté.

Peut-être n'aurions nous cependant pas trouvé le courage de sacrifier un acte aussi célèbre, bien qu'aussi épisodique, si la critique moliéresque la plus récente n'était venue, de France, nous donner quelque courage et presque l'autorisation d'agir ainsi. On sait en effet que cet épisode, un peu détaché de l'action, doit son existence à un fait historique: l'envoi par le Grand Turc d'une ambassade auprès de Louis XIV. De plus, le collaborateur inconnu de Molière en cette circonstance, a pu être dévoilé dernièrement. C'était donc plutôt l'œuvre d'un diplomate orientaliste du XVIIe siècle, que celle d'un grand comique, dont nous décidions.

Mais, la cérémonie supprimée, tombait aussi toute son annexe, l'intrigue amoureuse, la fille de M. Jourdain, son amant Cléonte et Covielle, qui tous ne sont que l'échafaudage un peu conventionnel de cet incident.

Nous sera-t-il permis d'espérer que le public français, si jamais notre adaptation lui tombe sous les yeux, ne voudra voir en elle que l'hommage rendu au génie immortel, par les générations nouvelles d'un peuple étranger, et l'un de ces gestes qui semblent menacer l'image consacrée, mais, qui au contraire, en donnent un reflet nouveau, comme si, dans l'onde où se mirait le personnage, on avait tout à coup versé une eau fraîche et nouvelle.

ARIADNE

Aus einem Brief an Richard Strauß

SIE fragen mich, was es mit der *Verwandlung* auf sich hat, die Ariadne in Bacchus' Armen erfährt, denn Sie fühlen: hier ist der Lebenspunkt, nicht bloß für Ariadne und Bacchus, sondern für das Ganze. Ein Wort von mir, meinen Sie, müßte Ihnen das noch näherbringen, aber ich denke, es ist Ihnen schon ganz nahe, und eben weil es Ihnen so nahe ist, ist es schwer zu fassen, wie alle die offenbaren Geheimnisse des Lebens, die mit Worten noch näher als nahe an uns heranzureißen nicht gegeben ist; mit Tönen aber lassen sie sich in unser Herz hineinziehen, und hier ist es eben, wo die Musik von der Dichtkunst herbeigerufen wird und ihr Bündnis vollberechtigt und besiegelt ist.

Verwandlung ist Leben des Lebens, ist das eigentliche Mysterium der schöpfenden Natur; Beharren ist Erstarren und Tod. Wer leben will, der muß über sich selber hinwegkommen, muß sich verwandeln: er muß vergessen. Und dennoch ist ans Beharren, ans Nichtvergessen, an die Treue alle menschliche Würde geknüpft. Dies ist einer von den abgrundtiefen Widersprüchen, über denen das Dasein aufgebaut ist, wie der delphische Tempel über seinem bodenlosen Erdspalt. Man hat mir nachgewiesen, daß ich mein ganzes Leben lang über das ewige Geheimnis dieses Widerspruches mich zu erstaunen nicht aufhöre. So steht hier aufs neue Ariadne gegen Zerbinetta, wie schon einmal Elektra gegen Chrysothemis stand. Chrysothemis wollte leben, weiter nichts; und sie wußte, daß, wer leben will, vergessen muß. Elektra vergißt nicht. Wie hätten sich die beiden Schwestern verstehen können? Zerbinetta ist in ihrem Element, wenn sie von einem Manne zum andern taumelt, Ariadne konnte nur *eines* Mannes Gattin, sie kann nur *eines* Mannes Hinterbliebene sein. Sie rafft ihr Kleid: es ist die Gebärde derer, die fliehen wollen vor der Welt. „Hier kommt alles zu allem", sagt sie, das ist ebenso weh, wenn auch nicht so hart, wie vieles, das Elektra sagt, der Klytämnestras Schlafgemach die Welt und die Welt Klytämnestras Schlafgemach ist. Für Elektra blieb nichts als der Tod; hier aber ist das Thema weitergeführt. Auch Ariadne wähnt, sich an den Tod dahinzugeben; da „sinkt ihr Kahn und sinkt zu neuen Meeren". Dies ist Verwandlung, das Wunder aller Wunder, das eigentliche Geheimnis der Liebe. Die unmeßbaren Tiefen der eigenen Natur, das Band von uns zu einem Unnennbaren, Ewigdauernden hin, das unseren Kinderzeiten, ja den Zeiten des Ungeborenen in uns nahe war, können sich von innen her zu einer bleibenden, peinlichen Starrnis verschließen: kurz vor dem Tode, ahnen wir, würden sie sich auftun: etwas der Art, das sich kaum sagen läßt, kündigt sich in den Minuten an, die dem Tod der Elektra vorangehen. Aber in einem vom Schicksal nicht so gezeichneten Dasein wird auch eine sanftere Gewalt als der Tod diese Tiefen aufschließen: durch das Dasein hin ist Liebe verbreitet; ergreift sie mit ihrer ganzen Kraft ein Wesen, so löst dieses sich aus seiner Starrnis bis in den tiefsten Grund: die Welt ist ihm wiedergegeben, ja, es zaubert sich selber die Welt hervor als ein Diesseits und Jenseits zugleich. Wenn Ariadne vor ihrem verwandelten Selbst auch die Höhle ihrer Schmerzen zum Freudentempel verwandelt sieht, wenn ihr der Mutter Augen aus dem Mantel des Bacchus entgegenblicken und die Insel aus einem Kerker ein Elysium wird — was bekennt sie damit anderes, als daß sie *liebt* und *lebt*.

Sie war gestorben und ist aufgelebt, ihre Seele ist in Wahrheit verwandelt — freilich, es ist die Wahrheit einer höheren Stufe, wie könnte es die Wahrheit für Zerbinetta und die ihrigen sein! Diese gemeinen Lebensmasken sehen in dem Erlebnis der Ariadne, was eben sie davon zu begreifen vermögen: den Tausch eines neuen Liebhabers für einen alten. So sind die beiden Seelenwelten in dem Schluß ironisch verbunden, wie sie eben verbunden sein können: durch das Nichtverstehen.

Soll ich Ihnen noch ein Wort über Bacchus beifügen? Mir ist, es könnte geschehen, daß Sie sich unter der Arbeit plötzlich fragten: Wer ist Bacchus? Wen verbirgt diese Maske, da hier alles nur Maske des niederen oder höheren Lebens ist? Denn das fühlen Sie, wie ich es mir nun, indem ich diese Zeilen schreibe, bewußt werde: ich bin hier überall so weit von aller Mythologie, daß der bloße mythisch-anekdotische Zusammenhang mich nicht mehr trägt. Ich habe die Balken dieses alten Floßes schon am Ufer gelöst und muß, will ich nicht sinken, auf der nackten Welle ans Ziel kommen. Bacchus ist Gegenspiel zur gemeinen Lebensmaske Harlekin, wie Ariadne Gegenspiel zu Zerbinetta. Harlekin ist bloße Natur, ist seelenlos und ohne Schicksal, obschon ein Mann; Bacchus ist ein Knabe und schicksalsvoll. Harlekin ist irgendeiner, Bacchus ist ein einziger, ein

Gott, auf dem Wege zu seiner Gottwerdung. In Bacchus ist das einzig Liebenswerte, Liebewirkende der höheren Stufe verdichtet: Schicksal. Schicksal auf sich zu ziehen, anderer Schicksal zu werden, ist edelste Lebenskraft; sie ist an die Auserwählten verteilt, an den Knaben wie an den Greis. Bacchus ist fast ein Kind, jedoch ein Gott und mehr als ein Mann; wie der Goethe der „Marienbader Elegie“ ein Greis war und doch alterslos, auch als Liebender jedem Manne überlegen. Wo Schicksal zusammengeballt ist, blickt ein ewiges Gesicht in Feuer hindurch und die Lebenszeit vergeht wie Gewölk. Gestern war Bacchus ein Knabe, sein erstes Abenteuer war Circe, die nichts ist als die natürliche Natur, die dämonisierte Zerbinetta. Für Harlekin wäre es seinesgleichen, wäre es ein leichtes Abenteuer gewesen, das erste Glied einer langen Kette: auch Don Juan lag in irgendeinem Arm zum erstenmal. Aber es ist Bacchus — er sieht sich begehrt, fühlt sich fast schon genommen, und er liebt noch nicht. Ja, er wird hier nicht lieben, das weiß er und schaudert zurück; denn er weiß nicht, wo er jemals lieben wird. Wo die gemeine Natur widerstandslos hinsinkt, vermag er zu widerstehen: alles entschleiert sich seiner scharfen, schicksalsvollen Ahnung: Verwandlung nach oben, Verwandlung nach unten. Tier und Gott enthüllen sich ihm, und ihre Verkettung — in einem Blitz, und so entzieht er sich Circes Armen, aber nicht ohne eine Wunde, eine Sehnsucht, ein ahnendes Wissen. So verstehen Sie sein kleines, zwischen Sehnsucht und Scheu hinschleichendes Liedchen und haben es vom ersten Augenblick so verstanden. Und doch schwingt darin eine Ahnung von Triumph: unsäglich vorwegnehmend, anmaßend sind Auserwählte; sie wären Wahnsinnige — wenn sie nicht recht hätten. Wie es ihn nun treffen muß, das Wesen zu finden, das er lieben kann, dem er zum Schicksal wird und in dem er sein eigenes Schicksal begreift, seinen Platz im Dasein gewahr wird — das ihn verkennt, aber in diesem Verkennen sich gerade ganz ihm hinzugeben vermag, sich ihm anvertraut wie Lebendes, sonst in sich gebunden, nur dem Tod sich so völlig aufgelöst dahingibt, das brauche ich einem Künstler, wie Sie es sind, nicht weiter mit Worten auseinanderzulegen — an dieser Stelle haben Sie entweder schon längst die Feder aus der Hand geworfen, oder Sie haben die tiefsten und geheimsten Kräfte der Musik in sich entbunden gefühlt und sind in einer Region, wo Ihnen die Worte des Textes zu Hieroglyphen geworden sind für ein Unaussprechliches.

Hier müssen mir, wenn wir dies je einmal auf die Bühne bringen, der Maler und der Regisseur alle ihre Kräfte einsetzen, um ein wahrhaftiges Geheimnis — nicht zu offenbaren, aber zu verherrlichen; hier muß die kleine Bühne ins Unbegrenzte wachsen, mit dem Eintritt des Bacchus müssen die puppenhaften Kulissen verschwunden sein, die Decke von Jourdains Saal schwebt auf, Nacht muß um Bacchus und Ariadne sein, in die von oben Sterne hineinfunkeln, nichts darf vom „Spiel im Spiel“ mehr zu ahnen sein, Herr Jourdain, seine Gäste, seine Lakaien, sein Haus, alles muß fort und vergessen sein, und der Zuhörer darf sich dieser Dinge so wenig mehr erinnern, als wer in einem tiefen Traum liegt, etwas von seinem Bette weiß. — Bis dahin ist es ja aber noch weit, so seien Sie indessen herzlich gegrüßt.

DIE PERSÖNLICHKEIT ALFRED VON BERGERS

Bad Aussee, 24. August 1912

MIT Alfred von Berger hat ein höchst merkwürdiges Individuum zu existieren aufgehört.

Es wird nicht viele Menschen in einer Epoche geben, die dem Geheimnis eigentlich dichterischer Existenz so nahestanden, ohne darum im wahren Sinne produktiv zu sein.

Aus diesem geheimen Zwiespalt ergab sich für Alfred von Berger eine eigentümliche Doppelbeleuchtung des Daseins und der eigenen Betätigung. Alles, was er in Lehrvorträgen, in Aufsätzen, in unendlichen und niemals unbedeutenden Gesprächen aussprach, hatte sozusagen einen doppelten Boden.

Er war Phantasiemensch genug, um alles in den Kreis einer vom rationalen Standpunkt ganz getrennten, sozusagen produktiven Betrachtung zu ziehen und, wo die Konstellation seiner Einbildungskraft es bedingte, sich selbst, die Verknüpfungen des Gemütes, die Gesinnungen, ja die Gedanken preiszugeben, als wären es die einer erdichteten Figur.

Wo er handelte, baute er eine Welt von Phantasmen auf dem Rücken einer Messerklinge auf, hielt sich aber für einen Realpolitiker.

Er war ein höchst unbürgerlicher Mensch; die Rolle, die er allenfalls in einer Französischen Revolution hätte spielen können, wäre vielleicht nicht ohne Bedeutung gewesen.

Er war vielleicht weder ein Dichter noch ein Gelehrter, noch ein Politiker, noch ein Theaterdirektor; wohl aber der Schein von etwas Höherem als alle diese vier, wobei ich unter Schein nicht etwas Erschlichenes, sondern etwas Dämonisches verstehe.

Seine Bildung war höchst vielseitig und durchaus im Dienst seiner Phantasie. Es werden wenig verschlungenere und seltsamere Gedankengänge in irgendeinem Gehirn zu Ende gedacht worden sein als in diesem.

Er war allen merkwürdig und problematisch, die ihm begegneten. Am merkwürdigsten und problematischsten sich selber.

NIJINSKYS „NACHMITTAG EINES FAUNS“

RODIN hat über dies belebte Gebilde, dies Stück aufgelöster Skulptur das Entscheidende und das Bleibende gesagt, und es bleibt kaum möglich, nach ihm etwas zu sagen, das nicht überflüssig erschiene. Aber dieser mimische Versuch weicht so sehr von allem ab, was die „Russen“ bisher gebracht haben, verläßt so völlig die Linie des Prunkvollen, des barbarisch Phantastischen, des rhythmisch Leidenschaftlichen, auf der wir diese außerordentlichen Darbietungen sich bewegen zu sehen gewohnt sind, daß er befremden wird. Zu befremden ist das Los und das Vorrecht des Neuen, des Bedeutenden in der Kunst. Man ist gewohnt, in Nijinsky den geniehaftesten und ebendarum den faßlichsten aller Mimen zu genießen. Hier aber handelt es sich nicht mehr um den Tänzer, den Mimen, den Interpreten, sondern um den Urheber eines Ganzen, um eine Funktion dieses außerordentlichen Menschen, für die nur der Name fehlt: ein Etwas zwischen dem Regisseur, dem Darsteller und dem Erfinder, alle diese drei Funktionen in eins zusammenfassend: es handelt sich um Nijinsky als Autor des choreographischen Gedichtes, und vielleicht ist Nijinsky eher den *schweren* als den *leichten* Autoren zuzuzählen.

Ich entsinne mich hier einer Stelle aus dem Aufsatz zu Ehren Hauptmanns, mit welchem Moritz Heimann eines der letzten Hefte der „Neuen Rundschau“ schmückte; darin war gesagt, ein Werk wie „Fuhrmann Henschel“ (das jeder Mensch zu verstehen meint) sei im Grunde ebenso schwer zu verstehen wie „Pippa“. Dieser Satz, ausgesprochen von einer so stillen und großen Autorität, scheint mir auch die vorliegende Materie zu erleuchten. Ein Kunstwerk kann auf den ersten Blick schwer faßlich erscheinen, und es kann auch einem wirklichen durchdringenden Verstehen einen gewissen Widerstand entgegensetzen, nicht durch allegorische Geheimnisse oder sonstige Dunkelheiten, sondern durch die *Dichtigkeit des Gewebes*, welche eben seine hohe Qualität ausmacht; dies scheint mir hier wie dort, bei dieser winzigen Szene wie bei jenem Trauerspiel, der Fall zu sein.

Es sind sieben oder acht Minuten einer strengen, ernsten, rhythmisch zurückhaltenden Pantomime, auf eine Musik von Debussy, die berühmt und von jedermann gekannt ist. Aber diese Musik ist durchaus nicht der Schlüssel zu diesem Ballett, wie etwa Schumanns Musik der Schlüssel und der völlig passende Schlüssel zu dem Ballett „Karneval“ ist. Der „Karneval“ scheint jedesmal wie eine Improvisation aus seiner Musik hervorzuströmen. Neben der strengen inneren Kraft von Nijinskys kurzer Szene dagegen scheint mir die Musik von Debussy zurückzutreten, ein begleitendes Element zu werden, ein Etwas in der Atmosphäre, nicht die Atmosphäre selbst. Auch das berühmte Gedicht von Mallarmé, dessen Titel und Grundstimmung die Musik übernommen hat, ist nicht der Schlüssel; eher vielleicht der eine Vers des Horaz: Faune, „nympharum fugientium amator“ in seiner Konzentration, die den Vorgang eines Basreliefs in vier Worte schließt.

Dieses Äußerste an Konzentration, diese skulpturale Konzentration, dieses Basrelief sind es, die ich in der mimisch-dichterischen Arbeit von Nijinsky wiederfinde. Eine Vision der Antike, die ganz die unsrige ist, genährt von den großen statuarischen Gebilden des fünften Jahrhunderts, dem delphischen Wagenlenker, dem archaischen Jünglingskopf des Akropolismuseums, mit einer Schwingung von Schicksal und Tragik bis ins Bukolische hinein, gleich fern der Antike Winckelmanns, der Antike Ingres' wie der Antike Tizians.

Die uralte simple bukolische Situation „Faun und Nymphen“, eines der ewigen Grundmotive der Weltphantasie, streng in ihre wesentlichen Teile zerlegt.

Der Faun schlafend, die Nymphen in seiner Nähe spielend. Er erwacht, nähert sich: ein Tier des Waldes, halb scheu, halb begierig. Sie erschrecken, flüchten. Ein Teil des Gewandes, ein Tuch, eine Schärpe, von der jüngsten, schönsten verloren, bleibt ihm zurück. Er spielt damit tierhaft, zärtlich, trägts in sein Versteck, legt sich nieder. In der Ausführung die gleiche Simplizität und Strenge. Jede Gebärde im Profil. Alles auf das Wesentliche reduziert, zusammengepreßt mit einer unglaublichen Kraft: Haltungen, Ausdrücke, die wesentlichen, die entscheidenden.

Ein Aufstehen, ein Heranlauern, ein Faunssprung, ein einziger...

„Wenn ich den ganzen Faun nicht in einem Sprunge geben kann, bin ich ein Stümper vor mir“, fühlt man Nijinsky sich sagen. Man spürt etwas Heldenhaftes am Werk. Die Erinnerung an eine Gestalt, an ein Streben wie Feuerbach, wie Marées blitzt auf.

Nichts darf sich wiederholen. Es gibt nichts Nebensächliches. Einzigkeit ist Gesetz.

Ein grandios Gebundenes tritt uns entgegen. Das Gebundene ist gebändigter Reichtum der Erfindung, das Bindende ist Reichtum des bildenden Gemütes. Wir sind hier auf dem Boden der höchsten Kunst, und ich wage es auszusprechen, daß Goethe im Genuß einer Darbietung wie dieser die Freude empfangen hätte, der ein Element von Ehrerbietung nicht fremd ist.

ROBERT LIEBEN

NATURFORSCHER UND ERFINDER

Gestorben in Döbling, den 20. Februar 1913

DAS geistige Antlitz dieses Jungverstorbenen blieb den meisten seiner Zeitgenossen verborgen. Als man um sein Grab stand, war es, als wäre es nur rasch aus einer Verborgenheit in die andre hinübergegangen. Einigen wenigen Menschen, die sich untereinander kaum kennen, tritt aus schwankenden und über weite Lebensräume verstreuten Erinnerungen, die in ihnen auftauchen, etwas entgegen, das noch leibhaft genug ist, um für dieses einzige, nie wiederkehrende Individuum angesprochen zu werden, ein Schemen, das mit seinen Augen blickt, mit seiner Haltung, dem Nachklang seiner Stimme, ja seinem Lächeln seine Identität verbürgt, zugleich aber schon vergeistigt, unendlich rührend und faßlich dem Geist, durchsichtiger, als der Lebende war. Diese wenigen sind, abseits von den durch Blutsbande ihm nächst Verknüpften, seine eigentlichen Hinterbliebenen.

Indem sie an ihn denken, trauern sie ihm nach, aber sie wühlen nicht in den Erinnerungen, durch die sie mit ihm verknüpft sind. Es ist ihnen, als hätten sie immer geahnt, wie wenig die Zeitlichkeit, die er mit ihnen teilte, wirklich sein Zuhause war, und daß er einen Weg nicht minder geheim und höchstpersönlich, als den wir ihn jetzt haben gehen sehen, schon öfter und immer in seinen höchsten Stunden betreten habe. Sie spüren in der erhöhten Besinnung, in der das irreduktible besonderste Wesen des Toten sie durchströmt, ganz genau das Element von Abwesenheit, das stets seiner Gegenwart beigemischt war, und indem sie ihre zerstückten Erinnerungen mit aller Kraft zusammenfassen, die Besonderheit seiner Gebärden mit der Einbildungskraft durchdringen, sich in seinen Blick versenken, der tief, fast tierhaft scheu und von unsäglicher Bedeutsamkeit war, offenbart sich ihnen oder ahndet ihnen ein geistiges Schicksal der besondersten Art, das der Menschen wenig bedurfte, in der Gegenwart nur ein völlig zufälliger Gast war, unberührt von vielem, ja unberührbar vom meisten, um von einem um so gewaltiger und ausschließlicher berührt und an sich gerissen zu werden.

Dieses eine war das Verborgene und Ewige der Natur. Das Individuum, das wir mit Augen sahen, war für den Geist, der in ihm hauste, nur ein Ausgangspunkt. Was viele an ihm kannten, was die Welt für seine Person halten mochte, die Schwere, die sich erst langsam löste, das Zögernde, das Zerstreute, die halb schüchterne, halb verachtungsvolle Haltung gegen die Menschen, die zuweilen hervorbrechende, fast trunkene Kühnheit, die völlige Unberührtheit von der ungeheuerlichen Skepsis der Epoche, das Kindhafte, nun Scheue, nun Freche — dieses ganze, kaum zu dechiffrierende Äußere war nichts als die dunkle Rückseite eines nach innen zu geordneten magischen Kräftekomplexes. Die Materie, die ihn schwer und dumpf umfing, gab ihm Sinne von großer Stärke: aber sie rissen ihn nicht nach außen. Die stärkste Sinnlichkeit, die einen andren leidenschaftlich dem Dasein verkettet hätte, war ihm zu einem innern Zweck verliehen. Das Organ, mit dem er kühn in die Natur eindrang, war vergeistigte Sinnlichkeit mehr als reine Intellektualität. Menschen dieser Art sind einsam, aber es kommt ihnen kaum zum Bewußtsein: der sich einsam fühlt, ist auf einer Ebene mit dem Menschen; sie sind auf einer andren. Ein Mensch dieser Art lebt, stirbt — man steht an seinem Grabe, und es ist fast niemand da, der ihn gekannt hätte; aber der Gedanke leuchtet auf, er möge mehr gelebt haben als uns faßlich ist und, in höchsten Stunden, in sich zum voraus das nicht zu Tötende kennengelernt haben, welches sich vom Toten abzuscheiden hatte.

Er wußte von früh an sehr stark, worauf es für ihn ankam. (Die Schlüssigkeit hierüber ist das Kennzeichen des bedeutenden Menschen.) Noch fast ein Knabe, behandelte er die Welt mit Gleichgültigkeit. Er glich öfter einem, der kaum mehr hier ist, oder einem nur zu vorübergehendem Aufenthalt Zurückgekehrten. Sein Auge hatte dann etwas Fliehendes; andere Horizonte als die, auf welche hier sein kindhaft-neugieriger, fast belustigter Blick fiel, schienen sich nach innen zu spiegeln. Er wußte sich selber irrational, nicht hierhergehörig, und mit der Intuition des Verwandten erfaßte er das Einmalige, den Aspekt eines Dinges, der nicht wiederkommt, das zwischen den Dingen Schwebende, die unerwarteten Verbindungen, die geheimen Reflexe. Aus ihnen, aus dem scheinbar Unverwertbaren, baute er sich seine Wirklichkeit auf, die in seinen kühnsten Stunden wie ein Turm emporwuchs und die Sterne berührte, indes die wechselnden Mythologien der Theorie wie Wolken sich um ihn bewegten, sie, die stets den schöpferischen Geist in rhythmischem Wechsel bald zu hemmen, bald zu fördern bestimmt sind.

Das Innere seiner Sinne war lebendig wie nur im schöpferischen Künstler; man darf sagen, daß sie sich zu einem umfassenden Lebenssinn vereinigten. Durch diesen kommunizierte er tief mit der Erscheinung und empfing in ihr das Universum. Er war einer der ganz seltenen Menschen auf Erden, denen ihr Beruf ein völliges Glück verleiht: denn er wußte, daß es ihm in höchsten Augenblicken von unmeßbarer Dauer gegeben war, unendliche Gedanken zu denken. Die Stunde, in der er an dem Glück dieser Augenblicke gezweifelt hätte, kam nicht. Er hatte sich mit dem Unendlichen berührt, in einer grenzenlos wandelbaren, aber unzerstörbaren Realität sich selber gefunden. Ich würde mich zu sagen getrauen: er habe sein Selbst wahrgenommen, auf einem unzerstörbaren Throne sitzend. Aber ohne anthropomorphische Bildlichkeit sprechen die Gesetze der Erhaltung der Kraft, der Erhaltung der Energie die gleiche Ahnung aus, die den geheimnisvollsten Ahnungen der Religion nicht widerspricht. Er war ein Träumer, und für ihn bedurfte es keiner Beglaubigung, daß er eine jenseitige Küste betreten hatte. Er trug diese Beglaubigung in sich als das Nachgefühl einer höchsten sinnlich-seelischen Lust. Aber eine Fügung wollte es, daß er von einem dieser Ausflüge das „Relais für undulierende Ströme“ mitbrachte und, fast als eine Nebensache, den Schatz des menschlichen Wissens bereicherte und der die Sinnenwelt unterwerfenden Technik etwas Bleibendes zu schenken hatte.

BLICK AUF JEAN PAUL

1763—1913

GEHT der Blick hundertfünfzig Jahre nach rückwärts, so trifft er den Lebensanfang dieses Dichters, der einst den Deutschen so teuer war, geht er um ein Jahrhundert zurück, seine volle Gewalt und überschwengliche Berühmtheit, ein halbes Jahrhundert, seine Geringschätzung und drohende Vergessenheit. Aber auch heute lebt sein Werk noch fort, wenn es auch nur ein dämmerndes Halbdasein ist. Ein wesenhaftes, geistiges Leben, in der Sprache ausgeprägt, ist niemals völlig abgetan, und wie eben in der Überlieferung eines großen Volkes alles da ist, „Stärke und Schwäche, Keime, Knospen, Trümmer und Verfallenes neben- und durcheinander", so sind auch diese Werke da, und wenn der Blick auf sie fällt, scheinen sie widerzublicken und den Betrachtenden zu binden mit der Zauberkraft, die von jedem Leben ausgeht und ihm verliehen wurde zum Ersatz dafür, daß es ein Einmaliges, Nichtwiederkommendes ist.

Wer sich aber einlassen will mit diesen seltsamen Lebensgängen und barocken Zusammenfügungen, die zu durchlaufen unseren Großeltern so leicht und süß schien, dem widersteht das Ganze, und ihn verwirrt auch das Einzelne. Die Zusammenfügung ist lose, die Handlung zugleich dürftig und sonderbar, die Gestaltung schwach. In einem war dieser Dichter, den die Mitwelt den Einzigen nannte, den ein Herder über Goethe stellte, groß; herrlich nennt ihn der strenge Grillparzer in diesem einen: im Abspiegeln innerer Zustände. Uns aber ist zuerst auch in diesem einen das Überschwengliche befremdlich, bis das Seelenhafte und trotz allem Wahre uns überwältigt. Vielleicht ist uns dieser Überschwang darum so fremd, weil wir heute in einem anderen Überschwang, diesem entgegengesetzt, befangen sind. Das in Freude und Wehmut ausschweifende Ich ist selten unter uns, desto häufiger ein dumpfes, beschwertes, ängstlichselbstsüchtiges Wesen. Das Aufgeschlossene, die grenzenlos gesellige zarte Gesinnung ist uns verloren, statt dessen sind wir in die Materie zu viel und zu wenig eingedrungen, das allseitig Bedingte zieht uns in einen trostlosen Wirbel — das doch im geheimen auch allseitig frei ist, erkennten wir es nur so tief —, wir sind wahrhaftig jene „Anachoreten in der Wüste des Verstandes, auf denen schwer das Geheimnis der Mechanik liegt". Solchen Wechsel schaffen die Umstände der Zeit, die für das Ganze das sind, was für den Einzelnen die leibliche Verfassung. Die geistigen Ab- und Ausschweifungen wechseln von Geschlecht zu Geschlecht, aber auch ihr Rückstand und Bodensatz, das Gewöhnliche und Alberne, das, worin die Naivität und Beschränktheit einer Zeit liegt, wechselt bis zur Unbegreiflichkeit; darum gibt es kein Fern und Nah bei der Betrachtung der Vergangenheit, alles ist schwankend und unmeßbar, das Geistige in dem Individuum von 1830 uns ganz nahe, das Fratzenhafte der Epoche uns ganz fern; daß auch unsere eigene Zeit den Nachlebenden ein solches Gesicht zeigen wird, müssen wir einsehen, ohne es begreifen zu können.

Jean Paul teilte seine Gemälde in die *italienischen* und die *niederländischen*; eine dritte Weise, die *deutsche*, stellte er dazwischen, worin er beide zu verbinden suchte. In seiner italienischen Manier sind die großen Romane abgefaßt, in denen es um hohe Gegenstände und die großen Verknüpfungen des Lebens geht und die das Entzücken seiner Mitlebenden bildeten; in der niederländischen und deutschen die kleinen Gemälde der wehmütig-vergnügten Anmut und des dürftigen, eingeschränkten Lebens, worin auch für unseren Sinn neben dem Barocken das Zarte, Tiefsinnige und Unerwartete fast nicht zu erschöpfen ist. Den großen Romanen aber, „Titan“, „Hesperus“, deren Namen selbst die Geringschätzung der Jahrzehnte nicht völlig haben klanglos machen können, waren mehr oder minder lose jene unvergleichlichen Stücke eingefügt, die wahrhaftige Gedichte sind und die in einer Blütenlese zusammenzustellen immer wieder von solchen versucht werden wird, deren Sinn dem Schönen in der Dichtkunst aufgeschlossen ist. Denn wessen Geist das Schöne überhaupt erfaßt, der kann auch nicht an irgendeiner Art des Schönen stumpf vorübergehen. Diese Gedichte, ohne Silbenmaß, aber von der zartesten Einheit des Aufschwunges und Klanges, sind die Selbstgespräche und Briefe der Figuren, ihre Ergießungen gegen die Einsamkeit oder gegen ein verstehendes Herz, ihre Träume, ihre letzten Gespräche und Abschiede, ihre Todes- und Seligkeitsgedanken; oder es sind Landschaften, Sonnenuntergänge, Mondnächte, aber Landschaften und Mondnächte der Seele mehr als der Welt. Die deutsche Dichtung hat nichts hervorgebracht, das der Musik so verwandt wäre, nichts so Wehendes, Ahnungsvolles, Unendliches.

Bald ist es ein tönendes Anschwellen der Seele in einem erhabenen Traumgesicht, bald die Mittagswehmut oder die Beklommenheit der Dämmerung; es ist ein Zittern, ein Auseinanderfließen in träumende Ruhe, oder die Unendlichkeit einer letzten Begegnung, eines letzten Augenblicks, die Ahnung des Einganges der Welt und die vorausgeahnte Seligkeit des Vergehens.

In diesen Gesichten und Ergießungen ist die *Ferne* bezwungen, der Abgrund des Gemüts, den von allen Künsten nur die tönende ausmißt; in den niederländisch-deutschen Gemälden aber oder den Idyllen, wie man sie wohl nennen muß, ist es das *Nahe*, das mit einer unbegreiflichen Kraft seelenhaft aufgelöst und vergöttlicht ist. Auch diese kleinen Dichtungen, der „Siebenkäs", der „Quintus Fixlein", der „Jubelsenior" und vor allem das „Leben des vergnügten Schulmeisterlein Maria Wuz in Auenthal", sind fürs erste nicht leicht zu lesen. Hier gleichfalls ist in einer barocken Weise alles zusammengefügt und durcheinander hingebaut, alles ist Anspielung und Gleichnis, neuerfundene Wörter und absonderliche Kunstwörter, zusammengetragen aus der Sternkunde und Anatomie, der Gartenkunst oder dem Staatsrecht wie der Kochkunst; aber zwischen dem allen dringt etwas hervor, das wahre Poesie ist, vielleicht noch seltener und kostbarer als jene Ahnungen und Träume. Nach einer erhabenen Ferne strebt in Träumen und halben Träumen etwa auch ein zerrissenes und zweideutiges Gemüt, aber um das völlig Nahe in seiner Göttlichkeit zu erkennen, dazu bedarf es eines vor Ehrfurcht zitternden und zugleich gefaßten Herzens, denn eben weil es das Nahe und überall dicht an uns Herangedrängte ist, so überwächst sichs schnell mit der Dunkelheit des Lebens, geht wieder hin, wie nie geboren. So ist es mit dem Unsagbaren zwischen Eltern und Kindern, zwischen Mann und Frau, auch zwischen Freunden und miteinander Lebenden. Hier bedürfte es einer beharrenden Spannung des Herzens, der aber der Mensch ebensowenig fähig ist wie eines beständigen Gebetes. Nur in Aufschwüngen vermag er sich zu einem grenzenlos innigen Anschauen zu erheben, wo dann Groß und Klein, Vergänglich und Beständig als leere Worte dahinterbleiben. Die Jean Paulschen höchsten Momente sind dieser Art. Sie heften sich immer an das Kleine und Alltägliche; es ist in diesen idyllischen Erzählungen von nichts die Rede als von dem Gewöhnlichen der Leiblichkeit und der niedrigen Regungen des Geistigen, die fast wieder ins Leibliche fallen, den kleinen Eitelkeiten, Ängstigungen und Befriedigungen des Alltags. Der Leser hört viel von dem Zubehör der Kleidung, Bettzeug, Küchengerät und anderen Dürftigkeiten, womit vierundzwanzig Stunden des Alltags und der Raum zwischen Stubenwand und Fensterscheiben ausgefüllt sind. Aber dem Blick des Gemüts, der zart und gespannt genug ist, auf stummen Nichtigkeiten und Wehmut und Zärtlichkeit zu verweilen, steht ein redender Himmel offen, wenn bloß nur in einem alten Gesicht das Kindergesicht sich aufschlägt, worin das Unsagbarste uns auf die Seele fällt und Leben und Tod ineinandergehen. Diese beharrliche liebende Betrachtungskraft — von wie vielen vergeblich nachgeahmt, nicht nur dem zarten Stifter, sondern auch dem strengen Hebbel, dem witzigen Heine — trägt den Segen in sich, daß vor ihr wie das Häßliche so auch der Schmerz sich auflöst, ja die Nichtigkeit des Daseins selber sich vernichtigt: so wirkt sie, woran aller Schwung und Tiefsinn des angespannten Denkens scheitert: die kleine Wirklichkeit unseres Lebens liegt in diesen Dichtungen tröstlich da und umfriedigt.

Diese Bücher und die in ihnen webende Gesinnung mögen halb vergessen sein und allmählich noch mehr in Vergessenheit geraten, wie leicht möglich ist, es ist gleichwohl in ihnen etwas vom tiefsten deutschen dichterischen Wesen wirkend, das immer wieder nach oben kommen wird: *das Nahe so fern zu machen und das Ferne so nah, daß unser Herz sie beide fassen könne.*

GOETHES „WEST-ÖSTLICHER DIVAN“

Das Vortreffliche ist unergründlich, man mag damit anfangen, was man will. *Goethe*

DIESES Buch ist völlig Geist; es ist ein Vorwalten darin dessen, was Goethe das „obere Leitende“ genannt hat, und so ist etwas entgegen, daß es nicht ins Breite beliebt und verstanden sein könne. Freilich sind Worte daraus in jedermanns Munde und Stücke daraus durch die Musik in jedermanns Ohr, aber als Ganzes ist es, man kann sagen, wenig bekannt und in der Herrlichkeit seiner Zusammenfügung nicht von sehr vielen, dem Verhältnis nach, begriffen worden. Und doch ist es eine Bibel: eines von den Büchern, die unergründlich sind, weil sie wahre Wesen sind, und worin jegliches auf jegliches deutet, so daß des innern Lebens kein Ende ist. An diesem teilzunehmen aber bedarf es eines erhöhten inneren Zustandes, und nichts ist in unserer Zeit seltener geworden als auch nur die Forderung an uns selbst, diesen uns herzustellen.

Das Reine, Starke ist schwer zu fassen, eben um seiner Reinheit, um seiner Stärke willen. Das Bizarre fesselt den Blick, das schwächlich Gefühlvolle zieht uns hinüber, das Übertriebene drängt sich auf, das Leere noch und das Gräßliche haben ihre Anziehung: das Reine, Starke auch nur gewahr zu werden, bedarf es der Aufmerksamkeit. So auch unter den Menschen: ist nicht, um der Menschen Bestes und Reinstes in sich zu nehmen, ein erhöhter Zustand nötig, den wir Liebe nennen? Diese Worte führen die Dichter und die Halbdichter unablässig im Munde, ihre Geschöpfe sind mit ihm behaftet, aber sieht man näher zu, wieviel ist daran verworrene Begierde, ein düsteres selbstsüchtiges Trachten, ja ein Mißverständnis; wie selten ist der reine Blick, das bereite Herz, der aufmerksame Sinn? Wer ein Buch wie dieses, einen Geist, ein Wesen, genießen will, der sei auch da und mit der Seele da. Es haben sich an ihm viele versucht, und es nicht genossen; die innere Trägheit war entgegen, Verworrenheit, Unaufmerksamkeit, der Zwiespalt des eigenen Wesens. Gespaltenes will das Ganze nicht erkennen, ein Gegenwille tritt dann im dunkelsten kaum bewußten Bereich dämonisch auf, ein Urteil wird nicht reif, das Vorurteil wirft sich dazwischen. Ein solches Vorurteil haftet an diesem Buch, es ist platt und töricht, aber seit vielen Jahrzehnten beharrend; allmählich wird es weichen, denn das Vortreffliche hat Zeit, es bleibt in sich stets lebendig, und sein Augenblick ist immer. Das Vorurteil geht dahin, es habe sich Goethe, als ein im Herzen kühler alternder Mann, grillenhaft dem Fremden zu-, dem Nahen und Eigenen abgewandt und habe das orientalische Gewand wie eine Vermummung übergeschlagen, so sei dies Buch entstanden, woran alles fremd und seltsam, bis auf den Titel.

Diesem mit Streitgründen entgegenzutreten, ist schwer, denn um einen solchen Kampf auszufechten, müßte man sich auf eine andere Ebene begeben — eben wie für Goethes Vaterlandsliebe —, und jeder bleibt gern, wo er ist, mit denen, die ihm nahe sind, und denen, die er ehrt. Wer aber Gedichtetes zu lesen und durch den Buchstaben den Geist zu empfangen begnadet ist, der wird in diesem „West-östlichen Divan“ nichts von Vermummung gewahr werden, sondern nur von Enthüllung ohne jede

Schranke. Doch ist es ein anderes, ob ein Jüngling leidenschaftlich sein Herz entblößt, oder ob ein reifer Mann, lebend und liebend, sich völlig denen dahingibt, die ihn zu fassen vermögen. Des Jünglings Herz ergießt sich wie ein schäumender Bergstrom gegen die Welt, das ist ein Schauspiel, das jeder fassen kann; der Mann ist der Welt inniger, als sich sagen läßt, verbunden, und nicht anders vermag er sein Inneres preiszugeben, als indem er gleichsam vor unsern Augen, aufleuchtend in der Glut seines Herzens, aus den Dingen hervortritt und sogleich sich wieder in die Dinge hinüberwandelt. Ein höchster durchgebildeter Bezug zu den Menschen, ein weitumgreifender Blick über alle Weltgegenstände sind männlich: scharf zu trennen, innig zu verbinden ist dem Mann gegeben. Dem Jünglinge gehts um alles und um nichts; daß er zu geben und zu nehmen wisse, und *wie* zu geben, *wie* zu nehmen, ist des Mannes Sache. Der Jüngling stürmt dahin, oder er liebt und starrt und stockt; sich lebend und liebend im Weitergehen zu behaupten, wird vom Mann verlangt. Dem Jüngling steht es gut an, daß er neun Zehnteile der Welt nicht gewahr wird: der Mann muß *allem* seinen Mann stehen, und noch die Vergangenheit fordert ihn hinaus: das unabsehbare Gegenwärtige aber wirft sich auf ihn wie ein verworrener Traum, der reingeträumt werden muß, ein wüster Schall, der zum Ton sich runden muß. So ist die Beschwerde groß, ein Mann zu sein: dafür nimmt er den größten Lohn dahin: der höchsten allseitigen Bewußtheit. Der Jüngling trägt sein Herz in Händen, aber sein Sinn ist dumpf; dem Greis geht alles dahin wie in einem Spiegel; der Mann allein ist wahrhaft im Spiel, und wie er ganz im Spiel ist, so ist er sichs ganz bewußt. Dieses ruhmreiche Geschick des Mannes tritt in den zwölf Büchern von Blatt zu Blatt hervor. Im „Buch des Sängers", „Buch Hafis" ist es Selbstbehauptung, männlich, kühn, großmütig, rauh und mild; im „Buch des Unmuts" Abwehr, Zurechtweisung, mutig, stark, ja derb; im „Buch der Liebe", „Buch Suleika" Hingabe, herrlich, schrankenlos, bis ans Mystische, Unfaßliche reichend; im „Schenkenbuch" Vertrauen unnennbarer Art zwischen Älterem und Jüngerem; im „Buch des Paradieses" höchstes Anschauen eigenen Wertes, Verklärung erfüllten Geschickes; in den Büchern der „Sprüche", der „Betrachtungen", der „Parabeln" letzlich zarteste Weltklugheit, Adlerauge und gelassene Hand, wie des Teppichknüpfers, vor dem Ungeheuren, Verworrenen.

Dies alles ist einer fremden Welt angenähert oder zwischen ihr und uns in der Schwebe: alles ist doppeltblickend, und eben dadurch dringt es uns in die Seele; denn das Eigentliche in uns und um uns ist stets unsagbar, und doch ist dem Dichter alles zu sagen gewährt.

Soll ich nun, unter so vielen herrlichen, die Gedichte nennen, auf denen vor allem die Seele ausruht, immer wieder zu ihnen zurückkehrt, und durch welche sie, wie durch Tore, irgendwo hinzudringen meint, wo ihre eigentliche Heimat ist, so sind es vielleicht diese zehn: im „Buch des Sängers" das erste gleich „Hegire", worin die Wunderwelt nicht sowohl des Orients als einer großen weltliebenden Seele sich aufschlägt; dann jene „Talismane", wahrhaft ewigen Gehalts, „Im Gegenwärtigen Vergangnes", dies unvergleichliche Lebensgedicht, worin, aus einer deutschen Landschaft heraus, das Weiseste leicht und lieblich gesagt ist; endlich ‚Selige Sehnsucht‘. Im „Buch Hafis“ von denen, die ‚An Hafis‘ überschrieben sind, das zweite, das anfängt: ‚Was alle wollen, weißt du schon, Und hast es wohl verstanden‘, worin in Strophen unnennbarer Magie die Liebe mit der Welt, Weisheitsausspendung mit glühend reiner Lust verflochten sind, wahrhaft vier Elemente in eins gemischt; im „Buch des Unmuts“ das erste: ‚Wo hast du das genommen? Wie konnt es zu dir kommen?‘ Im „Buch Suleika“ jenes ‚Wiederfinden‘, das in der Dichtung das gleiche ist, was eines von Beethovens reinsten Geschöpfen in der Musik; im „Buch des Schenken“ die ‚Sommernacht‘; im „Buch des Paradieses“ ‚Berechtigte Männer‘, im „Buch des Parsen“ ‚Vermächtnis altpersischen Glaubens‘. Hat man aber eines dieser Gedichte betreten, so ist eine magische Grenze überschritten; man wähnt sich am Rande und ist doch schon im Kreise, ist schon in der Mitte. Ja, nicht nur diese auserwähltesten Gedichte, ein jedes auch von den kleineren, oft nur vier Zeilen aneinandergereiht, wird das gleiche bewirken, wo nur der Sinn gesammelt und hingegeben auf ihnen ruht. Denn ein solches Buch ist Leben, und erhöhtes Leben. Goethes Jünglingsgedichte fliegen uns durch die Seele wie Musik, in „Hermann und Dorothea“, im „Meister“ ist das Dasein wie in festen, von innen erhellten Bildern vor uns hingehalten, so ist auch der „Faust“ eine Bilderfolge, freilich eine magische; hier aber, im „West-östlichen Divan“, sind wir, wie nirgends, mitten in den Bereich des Lebenden gestellt. Der Jüngling begehrt zu leben, der Greis erinnert sich, gelebt zu haben, und jedem dieser Alter ist wieder eine Gewalt verliehen, die einzig ist. Aber der Mann allein ist wahrhaft der Lebende. Er steht wahrhaft in der Mitte des Lebenskreises, und der Kreis hält ihm die Welt gebannt. Nichts flieht vor ihm, wie er vor nichts fliehen kann. In der kleinsten Handlung ist auf das Größte Bezug, das überwunden Gewähnte tritt unversehens wieder hervor, das Vergeudete wie das Vergewaltigte wird gewaltig und meldet sich an, eigener Falschheit entrinnt man nie wieder, jedes Vergangene wirft den dünnen Schleier von sich und zeigt sich als ein ewig Gegenwärtiges. Jegliches führt jegliches herbei, denn in jedem Sinn ist alles in den Kreis geschlossen, dem Gemüte müßte es fast schwindeln, wie es gewahr wird, daß des Schicksals wie der Menschen Gunst erworben und verscherzt wird auf demselben Wege, daß das Leben ein unaufhörliches Wiederanfangen ist und ein unaufhörliches Wiederzurückkommen. So geht es uns in diesem Buch, wie es uns draußen im eigenen Bereich ergeht: wir meinen uns frei im Unendlichen zu bewegen, doch sind wir immer in die Mitte unseres Lebenskreises gebannt, und der Ring des Horizontes ist mehr als ein bloßer Augentrug. Aber dem dies widerfährt, dem wachsen die Kräfte, und es ist, als ob wiederum der Kreis ihn stärke. In seinem Herzen erneuert sich unablässig das Göttliche: wie dies geschehen, dies ist recht eigentlich, wenn man auf ein Unaussprechliches mit einem Wort hindeuten darf, der Inhalt dieses Buches. Das Buch ist in manchem Augenblick in mancher Hand, und wir sind nicht in jedem Augenblick fähig, Hohes zu fassen; aber es liegt in uns, daß wir dies, und noch mehr, fassen können.

RAOUL RICHTER, 1896

Zu Ende Juli abends gewahrte ich in der Andrianschen Villa, die sonst verschlossen war, ein offnes Fenster und sah einen jungen Mann sitzen, der, sich selber am Klavier begleitend, ohne Noten leidenschaftlich in die Dämmerung hineinsang. Ich erkannte ihn für den gleichen, den ich tags zuvor hatte im Regensturm mit starken schnellen Schritten am See entlanggehen sehen, gleichfalls leidenschaftlich, stoßweise vor sich hinsingend. Einige Tage später, als ich in einen bäuerischen Wirtsgarten trat, saßen einige mir Befreundete an den Tischen; sie winkten mich hinzu; als ich nahe war, erkannte ich, daß dieser Fremde unter ihnen war, ein Dunkler, Mittelgroßer, Breitschultriger, der sich erhob, als ich hinzutrat: es war Richter. Sein Vortreten war lebhaft, der Händedruck schnell und stark, der Blick sehr schnell und fest auf mich gerichtet; so auch jedesmal im Gespräch, dazwischen aber vor sich hin ins Leere oder nach oben mit einem zeitweiligen Zurückwerfen des Kopfes. Beides, Aufmerksamkeit und Sichverlieren, völlig scharf geschieden, beides kraftvoll; aus der einen in die andre Stellung der Körper jäh geworfen, desgleichen die Drehung des Auges jäh, daß das Weiße stark aufleuchtete: hier erkannte ich sogleich den im Dunkel stoßweiße vor sich Hinsingenden wieder.

Ich fühlte ihn älter als mich; er wars, wenn auch nur um wenige Jahre, die aber in der ersten Hälfte der Zwanziger bedeutend sind. Seine Aufmerksamkeit war mir wohltuend, etwas Festes, Bestimmtes an ihm zog mich an. Es war der erste Jüngling norddeutscher Geistesbildung, der in meinen Gesichtskreis trat. Ich hörte, er wäre vor kurzem beträchtlich krank gewesen; aber ich begriff, er war nun ganz gesund, und reifer, als wenn er etwa die Prüfung dieser Krankheit nicht mitgemacht hätte. Wir waren unser mehrere, alle nahe den zwanzig, gesellschaftlich und durch andre Umstände war er sogleich an uns angeschlossen; doch blieb er ein Bestimmter für sich, der Fremde, der Reifere, der Ältere. Ich besuchte ihn, er erwiderte den Besuch, freute sich des Quartiers, das ich bei meinen Bauern innehatte, die mir, mitten zwischen ihren Schlafstuben, eine Kammer eingeräumt hatten. Ich mußte ihm zeigen, wo ich nachts, unter einer morschen Treppenstufe den Türschlüssel zu finden gewohnt war; der alte Apfelbaum, dessen Zweige eine ganze Seite des Hauses beschatteten und an alle die kleinen viereckigen Fenster rührten, der Laufbrunnen: alles gefiel ihm überaus wohl; er nickte dem Baume zu; es war, als ob er zufrieden das alles wiederfände nach einer langen Abwesenheit. So auch in der freien Natur, wenn wir miteinander gingen. Wir stiegen einmal durch einen Tannenwald steil hinan; dann wurde es gemächlicher: kleine Wiesen, von hohen Bäumen eingeschlossen, schöne, stille Waldplätze nacheinander, auf dem dritten stand eine Hütte für die Holzmacher ganz aus Baumrinde, mit einer niedrigen Tür; ein Bursch kam daraus hervor und schloß sich uns an, er erzählte allerlei im Gehen: wie sein Bruder, der Bergarbeiter war, in einen dreizehn Meter tiefen Schacht hinabgestürzt sei und nur wie durch ein Wunder lebendig geblieben, und wie der

Fehler bei den Beamten liegt, die verstünden nichts und verlangten das Unmögliche, es seien Fremde; wäre aber einer ein Hiesiger, so hätte er gleichwohl kein Einsehen, sei wie die andern, geizig, befehlshaberisch nach unten, duckmausig und falsch nach oben, das sei einmal so, wenn einer ein Amt habe, darum möchte er keines, wenn man ihn gleich in eines einsetzen wollte. Dann von der Jagdherrschaft, wie der junge Graf ein großer Sparmeister sei, meinte, er könnte es mit fünf Jägern richten, wo sonst ihrer neun im Revier gewesen; die andern entlassen ohne viel Federlesens, darunter auch seiner Schwester Mann mit fünf kleinen Kindern; so seien die Menschen: wenn sie reich seien, wollten sie noch mehr haben. Der große, schöne, hochgewachsene Bursch redete in allem freiweg, aber ganz ohne Zorn oder Anklägerei; man fühlte, ihm war bei seinen zwanzig Jahren das Leben lieb, und er wußte sich nichts Bessers als Heu- und Holzmachen oder Treiben auf der Gemsjagd, den Sonntag das Wirtshaus oder die Schießstätte.

Richter machte ihn völlig zutraulich durch das wenige, was er einwarf, ihm war rein und gut zumute allem Menschlichen gegenüber. Ich blieb hinter ihnen zurück, es wäre mir lieber gewesen, wir gingen nun allein; der Abend fiel ein, die Sterne leuchteten zwischen den Bäumen auf, diese Stunde ging mir über alles, ich hätte tief ins Dunkel hineinmögen, zugleich aber auch ins Freie hinaus, übers Tal hin, wie das jetzt eigentümlich dalag, jeder Baum für sich, jede Hütte, jeder Heustadel wie in der Kirche. Wir kamen auch an eine Waldblöße, der Bursch trennte sich von uns und lief senkrecht hinab durchs Krummholz, wir sahen hinüber auf dunklen Wald, hinunter ins Seitental, der Augenblick, wo Tag und Nacht sich verschränken, war vorüber, das Licht schon kalt, ich sogleich verdrossen; der ganze Spaziergang war mir zuwider, alles so gleichgültig, ich hätte lieber allein in meiner Kammer sitzen mögen und auf den Laufbrunnen horchen oder in einem Buch lesen. Wenn ich nicht das Überschwengliche empfing, war ich enttäuscht, in mir, um mich alles so hohl und spitz, das Liebesgefühl erstarrt. Die Bäume standen so hölzern da, eine Wolke hing grau, träg ins Tal hinein, es war nichts. Ich war wie ein Spieler, der alles auf einen Wurf setzte: es ging mir immer um eine Trunkenheit, die ohne Namen war, oder um nichts. Richter war ruhig, heiter und erfüllt, sein Blick ging hinüber zu den Wäldern, hinab ins Tal, dann hinauf, wo bald die ersten Sterne kommen mußten. Im Hinuntersteigen kam ihm ein Gespräch auf die Lippen, oder er wählte es, weil er fühlte, wie mich die Einbildungskraft zwischen Zuviel und Zuwenig jäh herumwarf: er sprach, wie der reifende Mensch die Fülle über die Überfülle stellen lerne, die fromme Zufriedenheit über die schweifende Sehnsucht. Sein Gang war schnell unterm Reden, sein Blick selten auf den Weg, sondern vor sich, auf ein Etwas hin, zuweilen fast starr. Er sprach für mich, aber nicht eigentlich zu mir. Es war, als ginge er immer hastig auf ein Licht los, das er innerlich gewahr wurde.

Einen andern Nachmittag begleitete er mich nach Hause. Über einen Wiesenweg kamen meine Hausleute daher, gekleidet wie am Sonntag und jedes eine brennende Kerze in der Hand. Es war hinterm Salzberg jemand aus der Freundschaft gestorben, und sie gingen pflichtgemäß die Nacht im Sterbezimmer durchzubeten. Die drei Gestalten, der alte Mann, die noch jugendliche Frau, seine Tochter, und das hochaufgeschossene Enkelkind, wie sie so eigentümlich in der Dämmerung an uns vorüberschritten, eines hinter dem andern, und wir zur Seite traten und sie uns grüßten, doch anders als sonst: mir war ehrerbietig zumute. Jedes hielt die Kerze ernst und feierlich, als wäre es sein eignes Lebenslicht, das Mädchen Romana ging voraus, sie war sonst ein Kind, jetzt erschien sie als eine Jungfrau; der Alte ging als letzter, seine starke Greisenhand schloß sich fest um die Kerze: er ging mutig-ernst, die Frau, seine Tochter, gottergeben, die Enkeltochter ahnungsvoll. Mir war, sie gingen alle auf ihr Grab zu, aber nichts von Bangigkeit, nur feierlich schön, den Weg alles Lebens. Das Geheimnis der Lebendigen riß mächtig durch mich hin, die Reinheit erschütterte mich, wie von solchen Menschen das Leben gelebt wird. Ich hatte dreifaches Heimweh in mir: nach der unschuldigen Jugend, nach der Mitte des Lebens und nach dem erfüllten Greisenalter; ich hätte mögen in ihnen allen zugleich sein und stand doch nur seitwärts am Wege. Die Lichter entfernten sich, es war noch nicht Dämmerung, aber eine trübe, lichtlose Stunde, alles war weit, leer, fremd. Richter war still, wir stiegen aufwärts. Er sprach von der Reinheit, wie sie überall sein könne, nicht bloß bei den Einfältigen; wie es sich darum handle, überall zum wahren Anschauen vorzudringen, das Entmischte zu erblicken, das von einem göttlichen Kontur umrissen ist. Ich fiel ein von der Reinheit der Jahreszeiten, und wie ich mich zuweilen grundlos sehnen müsse, von der einen in die andre: wie im Winter Eisblumen zuweilen das ganze Glücksgefühl des Hochsommers in die Seele stießen, oder wie ich mich heute nacht habe unerklärlich sehnen können nach dem Einfallen des Föhns in einer Februarnacht, daß ich meinte den Schnee zu hören, der von den Bäumen tropfte, unter die Felswand rieseln, den Bach befreit aufrauschen in ungewissem Licht, und wie dies meiner Seele nahe gewesen sei, die träge feuchte Sommernacht aber, die mich umgab, weit weg und fast unwirklich. Er erwiderte nichts, aber ich fühlte den Widerstand in seiner Seele, daß ich weiterschweife von einem zum andern wo er das Gegebene anschaute und die Grenzen achtete und liebte. Ich fuhr fort: wie immer das Ersehnte so rein scheine, und immer die Sehnsucht nach rückwärts, nach dem als Kind Erlebten, daß mir alles Schöne nur war, als erinnerte es mich an ein Früheres, und die Sehnsucht nach dem Unendlichen, daß ich mich in den Schmerz mit Wollust versenken könne, ja selbst in unwahren und geträumten Schmerz, weil ein Unendliches sich offenbare. Ich fühlte, er duldete und verstand mich, ohne mir mit dem Gefühl nahe zu sein; er sprach nichts aus, leise wandte er das Gespräch: daß es zweierlei Reinheit gäbe und ein Doppeltes in uns nach dieser zweifachen Reinheit suche, verschieden nach den innern Lebensstufen, und daß auf der reifern Stufe das Reine erkannt werde als das Wesentliche und das, was allein Bestand habe. Er verfolgte das weiter, wie die Reinheit immer fest gegründet, erworben und erkämpft werden müsse, wie sie nicht im gestaltlos Großen und Vagen gesucht werden dürfe, sondern wie sie im Kleinsten beruhe, im Einzelnen, im Nichtschwanken, Nichtmischen, Nichtvermischen, in der Zucht und unablässigen Lebendigkeit des Herzens. Er sprach von den hohen gereinigten

Begriffen, dem wahren Tempelschatz der Menschheit, von der Reinheit des Erkannten, der Reinheit der Begrenzung. Wie alles durch Kampf und Leiden erworben und erlitten werden müsse; freilich sei alles namenlos bedingt und verhäkelt, aber zugleich doch so frei, so erfüllt und begnadet: wie schließlich der Geist alles zusammenhalte in der lebendigen Reinheit. Er führte das noch weiter aus; ich spürte wohl, daß er vom wirklichen Leben redete, von der Mannhaftigkeit, und daß er auch auf die bleibenden Lebensverhältnisse hindeutete, an die nichts in mir dachte; daß er zwischen zwei Altern stand und vor ihm schon Ehe und Vaterschaft lagen. Ich schwieg; das Tageslicht war nun auch hier oben weg, aber die Farbe trat unsäglich hervor an jedem Ding, an dem Laub der Buchen, der Rinde; andre Stämme, die an der Erde lagen, waren geschält, wie nackt; nicht tot, nicht lebendig, sondern zwischen beiden. Das Wasser floß jetzt neben uns hin, ohne Wirbel, leuchtend tiefes Grün; in mir war ein traumartiges Aufnehmen von alledem. Wir kamen einen Abhang hinunter, da stand ein einsames Bauernhaus; aus dem einen kleinen viereckigen Fenster fiel ein Licht über die Wiese hin, dann schob sich ein Schatten davor, das Licht verschob sich, erlosch dann für eine kurze Weile. In den wenigen dürftigen Zeichen fiel mich das Ganze des Menschenlebens an, die vier Wände, das niedrige Dach über dem Kopf, das Drinnen und Draußen, das Eingeschlossene, das Erbärmliche, das Wunderbare. Ich erkannte dann das Haus, es gehörte zweien Brüdern; der eine war ein Großer mit einem Kropf und schiefgestellten bösen Augen in dem ganz runden kleinen krummnasigen Gesicht. Dieser war unmäßig geizig; dem jüngern Bruder, der schwachmütig und plump war, lud er Grummet auf, daß ihm fast das Kreuz brach, spannte ihn ein wie einen Zughund, fütterte ihn mit den Abfällen; diese hausten hier allein miteinander, gleichwohl fiel der Schein jetzt wieder sanft und herrlich aus der Kammer wie von einem Stern. Alles, was vorüberkam, und was in der Ferne war, blickte mich an; ich kann es nicht anders sagen: lauter Leben trat aus sich heraus, alles löste mich auf, ein leises, bängliches Gefühl mischte sich ein, aber nur kaum, es war nur die Ahnung der Überfülle, wie bei einem Gefäß, das überzulaufen droht. Richter ging vor mir, er sang vor sich hin; ich konnte die Worte nicht verstehen, mir schien, es waren Goethesche Verse, der Klang war mutig und leidenschaftlich-hoffnungsvoll, es war, als hätte er sich in einen Kahn geworfen und fuhr, seines Zieles sicher, durch die Nacht dahin, indessen ich in dunklen Wellen unterging.

Den letzten Abend kam er spät nachts, klopfte an mein Fenster, ob ich noch wach wäre und in Kleidern: „Kommen Sie“, sagte er, „ich muß Ihnen meinen Baum zeigen, die uralte Riesentanne überm See. Sie sehen sie diese Nacht in ihrer ganzen Größe oder nie.“ Er führte mich steil bergauf, der Wind strich durchs nebelfeuchte Krummholz hin, es war ein gewaltiges Wehen über dem Wald; nirgends ein Riß im Gewölk, doch das Mondlicht überall durchgesickert. Richter war belebter, aufgeregter, als ich ihn je gesehen hatte; daran, daß er mich jetzt geholt hatte, erkannte ich, daß er mir sehr wohlwollte. Er klomm schweigend und rasch voraus, als fürchtete er, etwas Großes zu versäumen. Nun waren wir lotrecht über dem See, ich fühlte es. Ich zog mich durchs Krummholz aufwärts, wollte ihn einholen, da trat er selbst zurück, hielt mich am Arm: der riesige Baum stand uns entgegen. Unter uns ging der Sturm, der See schlug laut an sein Ufer, überall floh nachtfarbenes Gewölk schnell dahin: aber der Baum regte keinen Ast, und an dieser einen Stelle, durch irgendwelches Gewände geschützt, schien die Gewalt der erregten Atmosphäre nur dazu da, um das milde Licht stärker und stärker anwachsen zu lassen, als würde es aus fernen Räumen unablässig herangetrieben. In eine mit jeder Sekunde wachsende Helligkeit reckte der Baum schweigend seine Riesenäste, er regte sich nicht und schien gerade darum in einem gewaltigen Tun begriffen. Es war heller und heller geworden: aus der einen Nacht trat eine andre, schönre hervor. Ich sah auf Richter hin: sein Gesicht war verändert, daß ich es kaum erkannt hätte, sein Auge irgendwo — so mußte es sein, wenn er allein ging und sang.

Als wir unten waren, auf einem Weg, im Tannenwald, dessen Zweige sich im Wind bewegten, alles schwarz und weiß, sagte er zu mir: „Wenn Sie in einer Nacht allein dort oben stehen werden, gedenken Sie meiner. Denn man muß allein dorthin: die Nacht, dieser Baum und der einzelne Mensch. Ich verabschiede mich heute von Ihnen, es war unser letzter Spaziergang.“ Ich entsinne mich nicht, daß wir mehr als dies gesprochen hätten. Wir traten in sein Zimmer, er zündete eine Kerze an. Ich fühlte, er hätte ans Klavier treten mögen, das aufgeschlagen war, aber er tat es nicht. Er atmete stark; an seinem Gesicht waren noch Spuren der Veränderung, aber schwächer als oben, angesichts der Tanne. Sein Blick nicht mehr irgendwo, aber auch nicht ganz irdische Festigkeit, Aufmerksamkeit, sondern mehr von innen erhellt und bewegt. Er wandte sich, ging im Zimmer auf und ab, trat ans Fenster. Auf einem Tisch lag ein aufgeschlagenes Buch, das Licht der Kerze fiel hell auf die weißen Blätter. Ich kannte das Buch: es war Hölderlins „Hyperion“. Eine Stelle war mit Blei bezeichnet: „Glaube mir, du hättest nie das Gleichgewicht der schönen Menschheit so rein erkannt, hättest du es nicht so sehr verloren gehabt.“ Richter trat heran, sein Blick ruhte auf mir mit einem unbestimmbaren Ausdruck: es ist in solchen Augenblicken, als träte das Seelenhafte aus uns heraus, umschwebte uns, würde berührbar. — Er sprach dann von der Zukunft, von dem, was in uns würdig werden müsse und würdig bleiben zu einem höchsten Amt: Vaterschaft.

Vor meiner Seele stand der Baum und die Art, wie er mich hinaufgeführt hatte, mir dies zu zeigen und zu hinterlassen, wie ein Vermächtnis. Ich fühlte das kaum Deutbare, Unauflösliche in alledem, und wie sich unsre ganze Begegnung und Freundschaft in dieser Stunde zusammenfaßte. Er geleitete mich hinaus, nahm eine Kerze mit, mir bis an die Haustüre zu leuchten. Die Bäume rauschten leise, der Himmel hatte sich völlig verdunkelt. Wie er die gekrümmte Hand vors Licht hielt, mir den Schein auf den Weg zu werfen, ich mich noch einmal wandte, ihm ins Gesicht zu sehen, wir beide so allein, über der Kerze die grenzenlose Finsternis, sein Blick noch einmal auf mir, sorglich, etwas vom Vater in seinem Blick, etwas von der Vaterschaft, die von jedem Ältern zu jedem Jüngern geht, da trat in beiden ein unnennbares Gefühl hervor, ganz plötzlich: beide, ich weiß es, fühlten beide — jeder sah sich und den andern dastehen, Gestalt gegen Gestalt, jeder spürte den Gebenden und den Empfangenden, das Geben und das Empfangen, und das ganz außerhalb seiner selbst, das ganze geisterhafte Geheimnis daran und die Finsternis darüber, und so sagten wir uns Lebewohl.

APPELL AN DIE OBEREN STÄNDE

DAS Ungeheure betäubt jeden Geist, aber es ist in der Gewalt des Geistes, diese Lähmung wieder von sich abzuschütteln. Unsere Lähmung von uns abzuschütteln, um das geht es jetzt. Das völlig Unfaßliche ist Ereignis geworden; wir erlebens und fassen es nicht, werden es durchstehen, und es wird gewesen sein, wie ein dunkler Traum, durch dessen Finsternisse doch Gottes Licht hinzuckte, Gottes Atem hinwehte, fühlbarer als in öden, stockenden Jahren, die wir zuvor zu ertragen hatten.

Aber jetzt gilt es weiterzuleben, während dies Ungeheure um uns sich vollzieht. Es gilt, zu leben, als ob ein Tag wie alle Tage wäre. Es gilt, sich zu ernüchtern — daß wir nüchtern werden könnten, ist eine Gefahr. Aber gefährlich ist es und frevelhaft, von Erregungen einzig leben zu wollen und für Erregungen. Gefährlicher wäre es und frevelhafter, in der Absonderung das Ungeheure, das heute Wirklichkeit ist, vergessen zu wollen, an Behagen, an eigensüchtigen Genuß, und wäre es selbst geistiger Art, zu denken. Hier sind Skylla und Charybdis. Aber dazwischen führt ein Weg.

Die schöne Berauschung ist das Kind des hohen Augenblicks; von ihr haben wir gekostet, und sie wird uns wiederkommen, in glorreichen und in leidvollen Stunden: aber wir dürfen mit ihr nicht unseren Alltag aufschmücken wollen. Schön war das Jauchzen der Mädchen, der Kinder, die Greise mit Früchten und

Blumen in der Hand, von der Salzach bis an den Dnjestr, der jetzt das Blut von braven Männern trinkt; schön ist der scheue, ehrfürchtige Blick, mit dem Frauen und Knaben dem Verwundeten folgen, einem der *Unseren*, wenn sie ihn vorbeifahren sehen, oder er geht, einer von vielen, in der Straße an uns vorüber, blaß und mit einem Blick, aus dem das unsagbare Erlebnis zu uns spricht; aber nicht schön ist es, wenn Hunderte sichs zur trägen, schlendernden Gewohnheit machen, vor den Häusern zu stehen, wo man sie hinbringt, um die Bahnhöfe zu lungern, und sich aus dem Ungeheuren einen Feiertag zu machen. Die draußen haben keinen Feiertag, und so ist auch Werktag für uns, Werktag und wieder Werktag, bis zu dem großen Feiertag, wo sie wieder heimkommen und wir ihnen zujubeln werden, daß es bis ans Gewölb des Himmels hinaufschlägt.

Wir wollten helfen, wir wollten alle mithelfen, wir streckten unsere Hände hin, wir hielten unsere Herzen hin, alle Frauen, alle Kinder wollten helfen; alles geriet außer Rand und Band, jeder verließ seinen Posten und das war menschlich und recht und schön. Aber jetzt muß jeder zurück auf seinen Posten und dem Werktag geben, was des Werktags ist. Wir haben Geld hergeschenkt, und es war viel und war doch wenig; es wäre kindlich zu glauben, daß das alles ist, was uns zu tun oblag: man spürt doch, jeder in seinem Herzen, daß das noch wenig war. Und der Bahnhoflabedienst, und die Liebesgaben, und die tausend anderen Dinge, sie sind alle schön — aber sie sind nicht alles. Und das Warten von einem Zeitungsblatt zum andern ist begreiflich — aber nicht produktiv. Und es handelt sich darum, produktiv zu sein, jeder auf seinem Posten. Aus sich herauszuholen, was herauszuholen ist, jeder auf seinem Gebiet, darum handelt sichs.

Unser sind drei Millionen, die stehen jetzt im Felde, und heute oder morgen holt jeder von ihnen, jedes einzelne von einer Mutter geborne Menschenkind das Übermenschliche aus sich heraus, bei Tag und Nacht, in Sumpf und Wald, im Sand, im Lehm, im Kalkgestein, hungernd und im Feuer, dürstend und im Feuer, schlaflos und im Feuer. Das tun die. Und unser sind zwölf oder fünfzehn Millionen, die auf dem Acker arbeiten, und die haben in diesen Wochen geschafft und geschafft, und haben die Ernte eingebracht, mit den alten Männern unter ihnen und den halbwüchsigen Mädchen und den Kindern; und so werden sie die Hackfrüchte heimbringen, und sie werden den Wein heimbringen, und sie werden das Getreide in die Mühle bringen, und sie werden die Saat säen fürs kommende Jahr. So tun die, was an ihnen ist.

Und unser sind zwölf oder fünfzehn Millionen, die arbeiten in den großen Betrieben, und sie finden vielleicht weniger Arbeit, als sie leisten möchten, und da fehlts an Baumwolle und dort an Kohle, und da an Hanf, und dort an schwedischen Erzen und dort an Zylinderöl für die Maschinen, das uns Amerika liefert; aber dieses Ganze wird im Gang bleiben, der Staat erzwingts, die allgemeine Not erzwingts und sie werden sich durchbringen oder wir werden sie durchbringen, so oder so, es muß sein.

Aber es handelt sich noch um anderes, das uns obliegt, uns allein, gerade uns, uns in den großen Städten, uns in Wien vor allem. Da ist unser Schneider, da ist die Putzmacherin, da ist der Wäscheladen, da ist die Federnschmückerin; sie wollen leben. Der Posamentierer und der Lederarbeiter wollen leben. Der Buchhändler und sein Gehilfe wollen leben. Fünftausend Menschen oder siebentausend, die bereit sind, Abend für Abend zu unserer und unserer Frauen Unterhaltung zu geigen und zu flöten, zu mimen und zu singen, und die wir sonst nur schwer entbehren konnten, wollen leben. Und es ist an uns, daß wir leben und sie leben lassen. Dies „leben Lassen" hat jetzt eine verzweifelt ernste Bedeutung bekommen. Wenn wir sie nämlich nicht leben lassen, so werden sie ernste Schwierigkeiten haben, überhaupt weiterzuleben.

Der wohlhabende, ja nur der besitzende Mittelstand hat jetzt vor allem diese eine Aufgabe: zu leben und leben zu lassen. Zu vielen Zeiten hätte es ihn geziert, ein wenig bedürfnisloser zu sein, nur nicht zu dieser jetzigen. Im Augenblick, wo der äußere Markt abgeschnitten ist, aus Enge des Herzens und Dürre der Phantasie den inneren zu paralysieren, wäre Wahnsinn oder ein wenig schlimmer als Wahnsinn.

Nur sehr bedingt ist jetzt das Verkleinern des Hausstandes anzuempfehlen, nur sehr bedingt der Verzicht auf das Überflüssige. Man hat vielfach so gern, so gedankenlos über seine Verhältnisse gelebt; nun tue man es gedankenvoll. Ostentation, sonst so abstoßend, jetzt wird sie hoher Anstand. Was sonst leeres Getue war, die Pflichten der Geselligkeit, nun *sind sie etwas*. Was früher Anmaßung war und Vorwegnahme, jetzt wird es zur Pflicht. Jedes muntere Wort erfüllt jetzt eine hohe Pflicht, jeder Witz ist jetzt eine kleine

Tat. Die Autos sind bei der Armee, die Pferde sind bei der Armee, aber die behaglichen Häuser sind geblieben, und es werden nicht die schlechtesten Musikabende und Geselligkeiten sein, zu denen man wie im Vormärz zu Fuß geht. Die Bravsten sind bei der Armee, aber es bleiben die Witzigen, die Gelehrten, die Erfahrenen. Es gilt zu leben und leben zu lassen. Man wird diesen oder jenen Saal, in dem wir Beethoven zu hören pflegten, mit Verwundeten belegen und ihm dadurch für alle Zeiten zu seinem Adel noch einen Adel verleihen, aber es werden andere Säle bleiben, und wir werden in Konzerte gehen, wie wir ins Theater gehen werden: um unsere, genau unsere Pflicht zu erfüllen. Denn es ist unsere Pflicht, genau an dem Punkt, wo das Schicksal uns hingestellt hat, Schwierigkeiten aus dem Weg zu räumen. Dadurch, ja auch dadurch helfen wir denen, die für uns siegen und sterben. Wo nicht, so lassen wir sie erbärmlich im Stich; denn es gibt keine andere Pflichterfüllung als wie auf dem angewiesenen Posten.

In Augenblicken wie dieser, den wir durchleben, gibt es kein gleichgültiges Handeln. Jeder ist vorgerufen, auf jedem ruhen, ohne daß er es weiß, tausend Blicke. Jetzt ist jeder mutig oder feige und also gut oder böse. Und gegen den Feigen, den Bösen ist jedes Mittel recht. Niemand steht heute gegen niemand in diesem weiten Reiche, nicht Nation wider Nation, nicht Klasse wider Klasse. Aber jeder Böse, jeder Feige muß fühlen, daß er diesen Gottesfrieden bricht. Diese Zeilen schreibt nur ein Einzelner, aber es gibt keinen Einzelnen, wo die Not allgemein ist, und wie stets, im Drang, der Entschlossene den Unentschlossenen niederschlägt, wird auch das Mittel gefunden werden, den zu strafen, der böse handelt. Hier versagen die Gesetze, und das Dickicht der sozialen Ordnung scheint auch dem frevelhaft Selbstsüchtigen noch Schutz zu gewähren; aber das Außerordentliche findet einen außerordentlichen Weg, und den Bösen wird eine unerwartete Strafe ereilen.

Unser sind drei Millionen, die heute und morgen ihre Pflicht tun werden bis zum letzten Atemzug. So seien denn nirgends, in keinem Winkel, ihrer auch nur ein paar hundert, die sich gegen die allgemeine Pflicht vergehen. Man würde sie aus dem Winkel hervorziehen und strafen müssen.

BOYKOTT FREMDER SPRACHEN?

WIR stehen in einem Kampf, wie die Welt ihn nie gesehen hat, einem Kampf mit Nägeln und Zähnen, einem Kampf auf unbestimmte Dauer, und zum Kampfmittel wird alles: die letzte Silbermünze im Schrank wie das letzte Schrapnell, die lügenabwehrende Feder wie das Bajonett, der Telegraph wie der Steinhaufen im Gelände. Und so soll es sein: denn nur aus dem fürchterlichsten Ernst kann das Neue geboren werden.

Hier geht alles ineinander: die höchste leibliche Anspannung von Hunderttausenden wird zu Geist, erhebt sich zur Idee, und jede Maßregel des Geistes, jede Errungenschaft des Gehirns greift körperhaft gewaltig in das Ringen um Tod und Leben ein. Jedes Tun wird furchtbar wirklich. Der Konstrukteur eines Lastenautomobils, der Gutsbesitzer, der im letzten Dezennium durch künstlichen Dünger und intensive Bewirtschaftung den Ertrag seiner Domäne zu verdreifachen wußte, sie kämpfen mit der Kraft ihres Gehirns jetzt mit in der Front: sie schieben sich helfend, todabwehrend in die Reihen unserer Kämpfenden.

Aber auch jede verkehrte Maßregel, jeder Mangel an Voraussicht, jede Albernheit des Einzelnen hat in diesen Tagen ein furchtbares Gewicht. Wieder und wieder muß es gesagt werden: es gibt in diesen Tagen kein gleichgültiges Handeln. Wer nicht richtig handelt, handelt falsch. Wer feige handelt, handelt böse.

Wer selbstsüchtig handelt, handelt böse. Und die Dummheit, auch die gutgemeinte Dummheit wird zum Verbrechen.

Allgemein ist der erbitterte Wunsch, Frankreich und England zu vergelten, was sie in diesen Tagen uns, auch uns, nicht nur dem Bundesgenossen, angetan haben. Frankreich schickt uns auf Grund eines lügnerischen Vorgebens seine Flotte in die Adria. Das verblendete und verbrecherische Bündnis Englands mit Japan wirft uns die fünf sibirischen Armeekorps an den Hals, die sonst in Asien gebunden wären. Sie begehen auf dem Gebiete des internationalen Kreditwesens gegen uns Dinge, wie sie kein Kriegsutopist je in einem seiner Romane vorausgeahnt hätte. Der Wunsch nach Vergeltung, nach augenblicklicher, fühlbarer Vergeltung ist so allgemein als heftig. Aber diese Vergeltung muß den Händen der Männer anvertraut bleiben, welche mit der Technik einer solchen Retorsion vertraut sind. Sie sind unsere Artilleristen. Sie müssen für uns schießen. Man kann mit einem der heutigen Küstengeschütze über den Kanal schießen. Aber es wäre bösartiger Dilettantismus, Handbomben nach England werfen zu wollen: sie würden drei Schritt vor uns zu Boden fallen und uns selbst die Beine wegreißen.

Jede Boykottbewegung ist eine zweischneidige Waffe. Sie bedarf der Führung von den allerzentralsten, allerinformiertesten Stellen. Wenn wir heute blindlings die englischen und französischen Warenlager boykottieren, welche unsere Kaufleute vor Monaten eingeführt und mit ihrem guten Geld bezahlt haben, so schädigen wir damit niemand als die Unsrigen, also uns selber, denn wir, das Land, die

Armee, der Staat sind heute wie niemals ein Leib. Törichter aber als der Boykott der Warenlager wäre der Boykott der Sprachen; ein Verbrechen an der eigenen Kraft, dort, wo sie am heiligsten und unantastbarsten sein muß: an der nachwachsenden Generation.

Die Universalität der deutschen Bildung, das Wissen um die anderen, gerade darin liegt heute für uns die stärkste Bürgschaft des endlichen und endgültigen Sieges. Manches ist uns versagt, was anderen Völkern gegeben ist; aber dies ist uns gegeben, daß wir ringsum erkennen, was ist, daß wir mit reinem Auge auch das Fremde, das Feindliche noch unverzerrt in uns widerspiegeln. Auch heute noch, in diesem finstersten Augenblick, ist in deutschen Seelen ein reineres Erkennen englischen und französischen Wesens, als in tiefstem Frieden dem Engländer und Franzosen je gegeben war, deutsches Wesen zu durchblicken. Sie vermochten, in Haß oder Ehrfurcht, immer nur dies oder jenes zu erfassen, das Volk Bismarcks oder das Volk Beethovens, niemals beides in einem. Im Deutschen aber durchdringen sich zwei Elemente, und in den gleichen Tiefen der Volkskraft wie Krupp, der die Panzerforts zertrümmert, und Zeppelin, wurzeln Kant und Herder; Kant, der, ohne den Fuß je auf Englands Boden gesetzt zu haben, dem Besucher, als das Gespräch auf die große Brücke von London kommt, das Konstruktive dieses Bauwerkes so auseinanderzulegen wußte, als wäre er der Ingenieur dieses Brükkenbaues in eigener Person, und Herder, in dessen Seele der Geist fremder Länder aus den Gebilden ihrer Sprache sich offenbarte, beide ewig zu deutschem Besitz.

Unseren Kindern die fremden Sprachen sperren, das, gerade das hieße ja Franzosen und Engländer aus ihnen machen. Idiotie, nach dem eigentlichen Stammsinn diese Fremdwortes, heißt nichts weiter als Selbstbeschränktheit. Idiotie ist die hervorstechendste Eigenschaft unserer westlichen Feinde. Maurice Maeterlinck fragte mich einmal, als ich ihm von der Herrlichkeit und von der Verschiedenheit der Landschaften unseres Vaterlandes sprach, „ob es in diesen Ländern denn auch Eisenbahnen gäbe“. Ein französischer Minister, Tischnachbar unserer früheren Botschafterin, der Gräfin Hoyos, fragte diese, ob sie sich als Ungarin nicht gerade darum besonders wohl in Westeuropa fühle, weil sie da die Freiheit genieße, ohne Schleier und unbeaufsichtigt auf der Straße herumzugehen. Und Freycinet erwiderte eine Einladung des gleichen Botschafterpaares zu einem Landbesuche in Ungarn mit den Worten, er freue sich, das schöne Land und die herrlichen Moscheen, von denen er viel gehört hätte, kennenzulernen. Dies ist französisch. Deutsch aber ist es, wenn heute ein Direktor der Deutschen Bank als Sachverständiger zum Okkupationsheer nach Belgien berufen werden kann, um aus seinen genauen Kenntnissen des fremden Landes über das Ausmaß der Kriegskontributionen inappellable Vorschläge zu machen, und deutsch ist es, wenn inmitten des Brandes von Löwen preußische Offiziere die Zeit, die Lust und den Antrieb in sich fanden, aus der brennenden Kathedrale die Meisterwerke des Roger van der Weyden und des Dierick Bouts zu retten. Denn deutsch ist es, die Wesenheit anderer Völker zu erkennen, die Kenntnis ihrer Kunstdenkmäler und ihrer Geschichte ebenso in sich zu tragen wie den Überblick ihrer materiellen Hilfsquellen und ihr Terrain. Dies ist deutsch und soll und wird deutsch bleiben. So wahr wir in diesem Kriege mit unserem besten Blute nicht Schwächung und Idiotie, sondern den höchsten Rang unter den Völkern gewinnen und bewahren wollen.

Der Träger aber jeder wahren Kenntnis des Fremden ist der Besitz der fremden Sprache. Mit dieser Waffe wollen wir unsere Kinder ausrüsten, noch eifriger als unsere Generation durch die Vorsorge unserer Eltern mit ihr ausgerüstet wurde. Auf einem größeren, so Gott will, auf einem freudigeren Kampfplatze als wir werden unsere Kinder den Kampf des Lebens auskämpfen. Stärker als wir werden sie in Weltprobleme hineingezogen werden. Und sie werden, wie ihrer Muskeln und Nerven, der fremden Sprachen bedürfen. Gehen diese Dinge so aus, wie sie ausgehen sollen und müssen, so wird Frankreich von seiner weltpolitischen Stellung abdanken, aber um seiner historischen Stellung willen, deren Niederschlag die Weltgeltung seiner Sprache ist, auch um seiner unzerstörbaren geistigen und merkantilen Kräfte willen wird es nicht aufhören, eines der wichtigsten Volksgebilde in der Welt zu bleiben. Es wird, so Gott will, nicht mehr der Bankier Asiens und des Krieges sein, sondern der Bankier Europas und des Friedens, ja vor allem der Bankier Deutschlands und seiner kolonialen Expansion, und unser Bankier und der unserer Expansion, die man mit Fug und Recht eine koloniale, wenn auch innerhalb Europas, benennen darf. Die französische Sprache wird der nach uns lebenden Generation nicht unwichtiger zum Leben sein als der heutigen, sondern noch wichtiger, und in einem ganzen neuen Sinne wichtig.

England aber, wie immer es aus diesem Kriege hervorgeht, und vielleicht geht es nach harten Entscheidungen als Deutschlands Alliierter hervor, umspannt mit seiner Sprache die Welt; und seine Sprache wird der Schlüssel bleiben, mit dem man ihm Teile selber dieses Weltbesitzes abringen wird. Auch ist Englisch die Sprache Amerikas. Und wer wäre kurzsichtig genug, seinen Kindern die sperren zu wollen?

Nicht das Studium des Englischen und Französischen aufzugeben, sondern sich mit doppeltem Eifer dazu zu drängen, darum handelt sichs; und womöglich neben einer unserer slawischen Landessprachen noch das Italienische dazuzunehmen. Denn Italien, mit seiner leidenschaftlichen Expansionslust, mit den sechzig Millionen Menschen, die es in einem Menschenalter haben wird, Italien als die aufblühende unter den lateinischen Nationen, bedarf der Beachtung in jedem Sinne; kein besseres Mittel aber, der Welt überlegen zu bleiben, ist dem deutschen Wesen verliehen, als dies: daß es die Welt erkenne.

*

Wie jede Torheit, hätte auch diese, der Boykott der lebenden Sprachen, neben ihren verderblichen großen Folgen eine kleine und nicht minder verderbliche, unmittelbare Folge. Diese soll hier ausdrücklich mit Namen genannt werden, damit niemand Unkenntnis der Sachlage vorschützen kann, wenn er, blindlings handelnd, Unheil ausstreut und die höchste Not vermehrt. In die Tausende der bravsten Töchter unseres Mittelstandes sind Lehrerinnen der lebenden

Sprachen, insbesondere der französischen. Die Anstellung in den Bürgerschulen ist kein Definitivum. Dies tritt erst nach zehnjähriger ununterbrochener Verwendung an der gleichen Schule ein. Inzwischen sind diese Lehrerinnen, neben dem spärlichen Häuflein der Privatschulen, ausschließlich darauf angewiesen, daß sich Schüler und Schülerinnen der Bürgerschulen in genügender Zahl — die lebenden Sprachen bilden keinen obligaten Lehrgegenstand — zum Sprachunterricht melden. Es wird denen, die als Eltern und Vormünder hier zu entscheiden haben, bekannt sein, aus welchen Ständen sich diese Sprachlehrerinnen rekrutieren, und daß es nicht gerade die Töchter von Bankdirektoren und Großindustriellen sind, welche diesen harten und ehrenvollen Weg gewählt haben, um dem Haushalt einer verwitweten Mutter oder eines überlasteten Vaters zu Hilfe zu kommen. So wird jeder wissen, wen er, abgesehen von seinen eigenen Kindern, durch eine törichte und blind leidenschaftliche Maßregel schädigt.

DIE BEJAHUNG ÖSTERREICHS

Gedanken zum gegenwärtigen Augenblick

IN diesen Blättern hatte der österreichische Gedanke durch ein Dezennium seine Heimstätte, und zwar als Gedanke, nicht als Phrase. Eine politische Individualität trat hier scharf hervor, die nicht nur ihre Begabung geltend zu machen wußte, sondern, was weit seltener ist, Charakter und Willenskraft vindizierte. Hier wirkte eine Reihe geistiger Potenzen, die alle dem gleichen Ziele zustrebten. Hier wurde zehn Jahre hindurch eine Katze eine Katze genannt, das Unangenehme nicht verschleiert, auf Versäumnisse hingewiesen, das Wünschenswerte und Nötige postuliert und damit jenes Maß von Notorietät, zugleich auch jenes Maß gelegentlicher Anfeindung erzielt, ohne welches das Hervortreten einer wirklichen politischen Gesinnung, und sei es selbst einer in hohem Sinn konservativen, zugleich in hohem Sinn fortschrittlichen, innerhalb einer Welt des politischen Scheines und der bloßen Routine undenkbar ist.

Die Gesinnung, welche in diesen Blättern hervortrat und mit einer zähen Leidenschaftlichkeit vertreten wurde, deren Ton nur einem durch die Phrase verdorbenen Ohr kalt erscheinen konnte, hat heute ihre Heimstätte in den Taten der Armee. Der Staat, dessen Unglück es war, seinen historischen Schwerpunkt verloren und einen neuen noch nicht definitiv gefunden zu haben, ist für die Dauer der weltgeschichtlichen Krise dieser Sorge enthoben; sein Schwerpunkt ist das österreichisch-ungarische Heer.

Hierin liegt die außerordentliche geistige und darum politische Fruchtbarkeit dieser Situation — man vergißt allzu oft, daß Politik und Geist identisch sind: Österreich-Ungarn bejaht sich in dieser Situation, wenn auch unter Schwierigkeiten. Schwierigkeiten aber sind nur für eine ungeistige Auffassung schlechthin etwas Böses, zu Vermeidendes. Stagnierende, chronische Schwierigkeiten legen sich freilich beklemmend auf alle Herzen, aber die grandiose, krisenhafte Schwierigkeit ist nichts als ein gewaltiger Antrieb zu Leistungen. „Wo nicht genügend vorausgedacht wurde", sagt Goethe zu Eckermann, „werden oft um so höhere menschliche Großheiten und Leistungen hervorgerufen." Das ist unser Fall und hier tritt uns nach langer Verschleierung wieder einmal das Produktive der Taten hervor. Die Analogie mit 1683 drängt sich auf und stärkt das Herz: der Anstoß jener einen großen Defensivtat schuf uns eine Kunstblüte, die so ausgesprochen österreichisch ist, daß man, den engeren Wortsinn vergessend, sie national nennen möchte, eine Blüte des Wohlstandes, die mehr als ein Jahrhundert durchdauerte, eine innere Stärkung und Wiedergeburt ohnegleichen. 1683 ist der Beginn einer Welle, die erst unter Maria Theresia ihre volle Wellenhöhe erreicht, sich unter Josef II., scheinbar noch höher steigend aber schon zerstäubend, überschlägt. Die Hoffnung, unartikuliert, nirgend zum Schlagwort erniedrigt, aber im Innersten ahnungsvoll lebendig, daß uns Ähnliches zum zweiten Mal beschieden ist, liegt allem, was heute geleistet wird, ja jedem Gedanken, der gedacht wird, zugrunde und gibt der allgemeinen Seelenstimmung den Auftrieb, der aus wahrhaften Volkstiefen kommt und von der intellektuellen Mittelschicht weit mehr empfangen und reflektiv zersetzt wird, als daß er von ihr ausginge.

Die Bejahung Österreichs dringt aus der vegetativen Grundschicht der Völker in die geistige hinauf; das Schwierige ist, daß sie dabei unversehrt bleibe, denn sie hat dabei die gefährliche mittlere Sphäre zu passieren, wo man — nicht mehr Volk, und kaum noch Individuum im höheren Sinne — nur daran denkt, „wie man sein eigenes Selbst bemerklich mache und es vor der Welt zu möglichster Evidenz bringe“. Auch hier geht gegenwärtig von der Armee nicht nur eine vorbildliche, sondern eine schlechthin umgestaltende Kraft aus. Die in der Armee vorhandene politische und zugleich sittliche Einheit — diese beiden Begriffe vereint zu finden, überrascht die Zeitgenossen eines gesunkenen routinemäßigen politischen Betriebes — ist heute nicht bloß ein Symbol, sondern eine Realität. Die Armee ist seit dem Tage ihrer Mobilisierung das stärkste Phänomen politischen Lebens, das in diesem Doppelreich geleistet wurde, soweit die Erinnerung aller derer zurückgeht, die heute in der Mitte des Lebens stehen. Ihre Existenz umschreibt sich völlig mit den Begriffen der Leistung und des Achtungswerten, beide in unbedingtem Sinne genommen. Somit ist sie das gerade Widerspiel aller sonstigen politischen Phänomene, welche die Generation, die heute zwischen Fünfunddreißig und Fünfzig steht, jemals erlebt hat. Denn diese realisierten ausnahmslos nur in bedingtem Sinn das unter dem Begriff „Leistung“ zu Erfassende und waren höchstens nur in bedingtem Sinne achtenswert. Die edlere Natur aber, des Einzelnen wie ganzer Völker, strebt nach dem unbedingt Achtenswerten und verliert auch die Kraft zur Selbstachtung, wo sie auf die Dauer um sich und außer sich keinen Gegenstand der Achtung findet. Offene, zähe Feindseligkeit selbst innerhalb eines Ganzen, Gruppe gegen Gruppe, Partei gegen Partei, hat nichts Vergiftendes; aber die Achtung der Parteien voreinander ist die Grundlage aller wahren Politik. Das Schiefe aber und Giftige entsteht, wenn einer im anderen die Macht anerkennt, aber nicht Wort haben will, daß er sie anerkennt, sich vor dem anderen wohl fürchtet, aber nicht Wort haben will, daß er sich fürchtet. Dieser verklausulierte und hinterhältige Zustand war zu lange der unsere. Er ist es nicht mehr. Ein ungeheueres meteorologisches Phänomen hat die Atmosphäre verändert, in der wir atmen — und auf immer: denn nichts kehrt wieder, das einmal dahingegangen ist.

Ein kaum übersehbarer Zustand, wie der gegenwärtige, wird mit mehr Glück und mehr Berechtigung von denen beurteilt, die das vierzigste, als von denen, die das sechzigste Lebensjahr erreicht haben. Er verlangt, um richtig erkannt zu werden, den mutigen Blick dessen, der noch viel vor sich hat, den Ernst, der ins Ganze geht, den Sinn, dem Ganzen etwas zu liebe zu tun.

Die völlig Gereiften sehen mit ermüdetem Blick eine ewige Wiederkehr; und wirklich, manches von dem Österreich von 1830, dem Österreich von 1860 ist noch da, ist immer wieder da. Aber die Mischungen sind anders, die Möglichkeiten andere. Die Schwierigkeiten außen und innen scheinen immer wieder die hergebrachten, aber das Gegebene ist auch immer ein zu Veränderndes; alles Drohende läßt sich zersetzen durch Auffassung und Gesinnung. Feindliche Formeln stehen der noch unartikulierten, ungefundenen eigenen Formel gegenüber; aber feindliche Formeln sind der Umgestaltung fähig, Schlagworte können modifiziert werden.

Das Lebensgefühl, das bei uns aufstrebt, ist vielmehr das Lebensgefühl eines jungen, als eines absterbenden Organismus. Mit dem Material, das wir sind, wird jedenfalls gebaut werden; warum wollten wir nicht bauen? Der Krieg, den wir führen, ist ein Verteidigungskrieg. Aber der Geist, der unsere sechs Armeen beseelt, ist auch politisch genommen weit entfernt von bloßem Defensivgeist. Es ist unbewußter Geist, es ist Gesinnung, in Leistung umgesetzt: denn in der wahrhaft hohen Politik, in der Politik großer Zeiten gehören Geist und Gesinnung unauflöslich zueinander. Wollte man aber diesen Geist irgendwie charakterisieren, in seinem naiven Wagemut, seinem unbedingten Drang nach vorwärts, so geht er weit über den Geist der Pflichterfüllung hinaus: er hat etwas Eroberndes.

Geist und Sittlichkeit, von einem Punkte so mächtig ausgestrahlt, greifen um sich und die Stimmung hinter dieser Armee hat etwas morgendliches Mutiges, etwas nicht völlig nur Europäisches, sondern darüber hinaus, etwas in hohem Sinn Koloniales, mit dem Hauch der Zukunft Trächtiges. In einer ähnlichen Verfassung drang das kaiserliche Heer, in welchem Eugen von Savoyen als Oberst ritt, das befreite Wien im Rücken lassend, gegen Osten und Süden vor, nicht völlig nur Soldaten, sondern Conquistadoren und Eroberer der Zukunft. So kehrt denn in der Tat alles wieder, aber nicht so enggespannt, wie die Bedenklichen und Zaghaften meinen. Ein Staat wie dieser, von den höchsten Mächten gewollt, entzieht sich nicht seiner Schickung: und immer wieder auf sich nehmend, was ihm auferlegt ist, gewinnt er darüber, wie der einzelne Mensch, die immer verschärfte, immer vergeistigte eigene Miene, Siegel und Inbegriff eines nicht verächtlichen, nicht würdelosen Daseins unter den Lebenden.

UNSERE FREMDWÖRTER

DIE Zuschrift eines Unbekannten, daß ich mich unserer Fremdwörter annehmen sollte, überraschte mich durch ihre gute Fassung. Der Schreiber brachte das Sittliche in diese Frage, und man darf es und muß es in der Tat überall hineinbringen. Er nannte die Hetze auf die fremden Wörter ein pöbelhaftes Vorgehen; es wird schwer sein, ihm in allen Fällen nachzuweisen, daß dieser Ausdruck zu scharf ist. Wie immer die einzelnen Anstifter einer solchen Aktion aus ihrer Gesinnung heraus verfahren zu müssen glauben, es kann jedenfalls stets in zweierlei Weise verfahren werden, mit Würde und würdelos, mit Vernunft und albern. Wer sich mit dem Bestand einer Sprache zu tun macht, wird zu allererst den Beweis zu führen haben, daß er diesen Bestand überhaupt kennt, daß er ahnt, welche geistigen Güter hier zu respektieren sind.

Gibt mir einer einen Zettel in die Hand, auf welchem anstatt Programm Vortragsfolge steht, so werde ich nichts gewahr als einen Versuch am untauglichen Objekt und einen erstaunlichen Mangel an deutschem Sprachgefühl. Reihenfolge ist ein schönes deutsches Wort. Vortragsfolge dagegen ein abscheuliches; im Klang häßlich, wie niemals die alten gutgebornen Zusammensetzungen, ist es ein zusammengestoppeltes Kunstwort heutiger oder gestriger Mache. Was soll uns dies als Ersatz für das halb so kurze, nett und scharf dastehende: Programm, das doch im übrigen —

muß man dies sagen? — kein französisches Wort ist, sondern ein griechisches, und mit den Griechen und Römern liegen wir ja wohl nicht im Kriege. Wenn aber das Wort Programm schon glücklich hinausgedrängt wäre, wie stünde es mit dem, was dieses Programm ja erst ankündigt, dem *Konzert*, und wie mit dem, woraus dies Konzert besteht, der *Musik?* Wir haben freilich neben dieser die *Tonkunst*. Aber es wirkt, wenn man ehrlich sein will, von diesen zwei Worten das Fremdwort als das gewachsene, das herzliche, das eigentlich *deutsche* Wort, dagegen das andere ein wenig kalt und künstlich. Wem kommt es ungezwungen in den Mund, von deutschen Tonkünstlern zu reden, wenn er schlechthin oder auch gehobenen Tones von deutschen Musikern reden will? Und der Ersatz für *musikalisch*? Sollen wir sagen und schreiben, daß die Deutschen ein der Tonkunst geöffnetes Volk sind?

Das Leben der Sprache, der deutschen, ist zart, dabei rastlos. Aus *Musik* leitet sie sich *musikalisch* ab, daneben aber, mit ganz anderem Sinn, etwa *musikhaft*. Neben den eigengewachsenen Trieben aus dem gleichen Grundwort hält sie immer auch das einmal aufgenommene und eingebürgerte Fremdwort fest und wahrt ihm eine zarte, aber bestimmte Schwebung des Sinnes: so läßt sie neben „Empfindlichkeit“ und „Empfindsamkeit“ doch auch noch das dritte „Sentimentalität“, fortlaufen, und eben dadurch wird sie zur reichsten aller Sprachen. Ihr Geist ist ein aneignender und gerade dann am schrankenlosesten im Aneignen, wenn er sich am stärksten fühlt. Niemand gebot unumschränkter über ihren Reichtum als Goethe; und niemand war unbedenklicher im

Gebrauch von Fremdwörtern. Sein Darstellungsstil in der Jugend ist verschieden von dem im Alter, sein Gesprächsstil von seinem Briefstil; aber in dem einen wie in dem andern wimmelt es von „statuieren“ und „sentieren“ und „sekretieren“ und tausend anderen Borgwörtern, zum Teil solchen, die, in der schöpferischen Laune des Augenblicks aus dem Gefüge einer fremden Sprache herausgerissen, nur für diesen einmaligen Gebrauch genau die vom Sprechenden gewollte Nuance des Ausdrucks hergeben. Denn je höher ein deutsches Individuum steht, desto schärfer geht seine Intuition aufs Einzige, dessengleichen nirgends zu finden ist. Französisch ist Gemeinsprache und hat den Zug auf Verständigung; Deutsch ist Individualsprache und hat den Zug aufs Einmalige, jenseits aller Kommunikation. Ich glaube nicht, daß das Fremdwort „karterieren“ bei irgendeinem deutschen Autor außer bei Goethe vorkommt, und ich glaube nicht, daß es bei Goethe öfter vorkommt als an einer einzigen Stelle, eben jener Stelle einer Aufzeichnung oder eines Gesprächs, die mir vorschwebt. „Karterieren“ ist abgeleitet von dem griechischen καρτερεῖν, das so viel heißt als „stark sein, aushalten, ausharren“; Goethe gebraucht es von einer seiner Lieblingsfiguren, der Ottilie in den „Wahlverwandtschaften“. „Ottilie“, sagt er, „muß karterieren“. Es stand ihm, dem großen Meister der deutschen Sprache, eine starke Zahl deutscher Tätigkeitswörter zur Verfügung, um diesen seelischen Bezug auszudrücken: aber er wählte das griechische Wort und verlieh ihm für einen Augenblick das Gastbürgerrecht; es schien ihm, muß man sich sagen, prägnanter, einmaliger.

Aber Goethes Handeln ist in diesem wie in jedem anderen Punkt durchaus Geist, durchaus Takt. In der Konversation gebraucht er mehr Lehnwörter als in den Briefen; in der höheren Darstellung treten sie noch stärker zurück, es wäre denn, daß die wissenschaftliche Terminologie sie verlangte; in den poetischen Produkten waltet die allerzarteste Unterscheidung. Mephistopheles braucht reichlich Termen und Fremdwörter, Faust sparsamer, Gretchen gar nicht.

Den Gegensatz, den diametralen, zu Goethes larger Manier bildet überraschenderweise die Schreibart eines österreichischen Dichters: unseres Stifter. Er meidet die Fremdwörter durchaus, und es ist seltsamerweise noch nicht oft hervorgehoben worden, daß es eben diese mit Festigkeit durchgeführte Enthaltung ist, die seinem Stil das Besondere, Gereinigte, zart Feierliche gibt. Seine Beharrlichkeit, den einfachsten Gebrauchswörtern auszuweichen, wenn sie fremden Ursprungs sind, entspringt einem Streben seiner Seele, dem Gewöhnlichen und dem Niedrigen, Unreinen, Gemischten nie und nirgends Gewalt über sich zu verstatten. Seine Darstellung bekommt dadurch etwas rührend Umständliches, jezuweilen Zauberhaftes oder auch Ermüdendes, und er entgeht der Gefahr nicht ganz, dort, wo er nicht unmittelbar zur Seele spricht, zu ermüden und preziös zu wirken. Nirgends, wie bei Goethe, die unendliche Abstufung; schlägt man eine Seite Stifters auf, so ist man immer in der gleichen zarten, bezaubernden Sprachatmosphäre, ob es sich um eine Herzensergießung oder um die Beschreibung eines Möbels handelt. Diese mit zartem Eigensinn durchgeführte Manier ist eine grundsätzliche Reaktion: es ist die Flucht aus dem Bunten ins Abgedämpfte, aus dem Vielfachen ins Einfache, aus dem Schlampigen ins Zuchtvolle. Der Mann, der dies gereinigteste Deutsch schrieb, war ein Österreicher, ein Landsmann und Zeitgenosse von Raimund und Nestroy. Die Sprachatmosphäre, die ihn umgab, war die unsrige, die bunteste, gemengteste, die es im deutschen Sprachbereich gibt — oder gab. Denn wir sind in diesem Punkt vorwärtsgekommen oder ärmer geworden. Grillparzer, der in einer „höheren" Sprache dichtete, aber die Sprache des Volkes liebte und kannte wie einer, würde vermutlich dem letzteren von beiden Ausdrücken den Vorzug geben. Die österreichische Umgangssprache ist auch heute ein Ding für sich; aber vor hundert Jahren war dieses Ding noch bunter und besonderer als heute. Es war sicherlich unter allen deutschen Sprachen die gemengteste; denn es war die Sprache der kulturell reichsten und vermischtesten aller Welten. Wir haben eine Diplomatensprache und wir hatten sie noch ganz anders; wir hatten und haben eine Militärsprache. Aber wir haben und hatten auch neben der bürgerlichen eine aristokratische Sprache und neben der Sprache der Innern Stadt eine Vorstadtsprache; und diese wieder ist nicht gleich der Sprache der Ortschaften rings um Wien, ganz zu schweigen vom flachen Lande. In den Vorstädten aber wieder hat es in früherer Zeit scharfe dialektische Sprachgrenzen gegeben, und so im Gesellschaftlichen, und ich würde mich getrauen, zu sagen, daß bis gegen die Mitte des neunzehnten Jahrhunderts hin in einer gräflichen Kammerdienerfamilie nicht ganz das gleiche Österreichisch gesprochen wurde wie in einem altansässigen Seidenweberhaus und daß dort wieder sprachliches Material im Gebrauch war, das in einer Gesangslehrerfamilie — von einer Offiziersfamilie nicht zu sprechen — nicht so ganz gang und gäbe gewesen wäre. Hinter allen diesen Abstufungen und Schattierungen stecken historische Wahrheiten, Geheimnisse der geschichtlichen Struktur und der Tradition. Was ein Schilderer Japans in einem seiner Bücher bewundernd hervorhebt, man könne einem Vorübergehenden, wenn er nur den Mund auftut, anmerken, zu welcher von siebzehn sozialen Schichten er gehöre, das gilt auch für Wien und Österreich, wenngleich sich hier vieles angeglichen und abgeschliffen, manches auch verfälscht hat. In diesem unserem Sprachbesitz steckt ein ganzer Wust von Fremdwörtern, aber es sind *unsere* Fremdwörter, sie sind bei uns seit Jahrhunderten zu Hause und so sehr die unseren geworden, daß sie darüber in der eigentlichen Heimat ihr Bürgerrecht verloren haben. Da ist zum Beispiel unser unglückliches *lavoir* oder „Lawor“, das man mit „Waschbecken“ übertragen mag, wenn man in einem österreichischen Gast- oder Bürgershaus durchaus unverstanden bleiben will; es hat keine Heimat mehr: dort, wo es herkommt, ist es heute durch *cuvette* verdrängt. Vermutlich wird es bei uns bleiben und auch dem jetzigen sprachlichen Sturm standhalten. Dieser wirft sich mit besonderer Heftigkeit auf die Küchensprache. Auch die zahllosen Entlehnungen des Sports und der Rasenspiele werden mit Wut angegangen, und hier mag ja viel Unnötiges und eine rechte Zuvieltuerei in der Mode gewesen sein, und eine gewisse Reaktion wird ja ihren Sinn haben. In den früheren Sprachschichten unseres Österreichisch ist fast alles, was sich auf Unterhaltungen bezieht, italienischen und spanischen Ursprunges. Ein österreichischer Bürger, wenn er den Vorsatz ausspricht, sich seinen Lehrjungen oder einen ungeratenen Sohn „solo zu fangen", ahnt wohl nicht mehr, daß er sich dabei eines sportlichen Kunstausdruckes bezieht, der auf die in Wien so geschätzten, von Herkunft spanischen und italienischen Tierhetzen zurückgeht. In diesen wurde zuerst mit der Meute gegen Stiere, Bären usw. gearbeitet; die Glanznummer zum Schluß war aber, daß ein besonders hervorragender Fanghund den Bären oder den Eber *solo* fing. Das Wort *grand* Hetz, für eine Gaudee, das unseren Großeltern vielleicht geläufiger war als der jetzigen Generation, ist die stehende Bezeichnung eines solchen Tierspektakels auf den Ankündigungen. Dieses *Grand* ist das italienische Adjektiv grande. (Die Hetzmeister waren fast durchwegs Italiener.) Ein ganz anderes *Grand*, unser unersetzliches österreichisches Substantiv für schlechte Laune, ist spanischer Herkunft und identisch mit jener geläufigsten spanischen hohen Titulatur. Der Bedeutungsübergang ist deutlich und amüsant. Eine spanische, eine vornehme Allüre war die, übellaunig zu sein. „Stolz und verdrossen", heißt es in Auerbachs Keller in bewunderndem Sinn von zwei distinguierten Fremden. Ein *Grand* war eine Persönlichkeit, die einen *fumo* hatte, ein dünkelhaftes, stolzes, *grandiges* Auftreten. An einer Stelle bei Nestroy hat sich eine dämmernde Ahnung dieses linguistisch-historischen Zusammenhanges erhalten. In „Liebesgeschichten und Heiratssachen" heißt es: „Ein spanischer Grand ist er, sagt der Schwager, und ich weiß nicht, wie man einen grandigen Spanier anredt."

War die Allerweltssprache so voller Fremdwörter, so war es die Militärsprache noch mehr. Und wie hätte sie, bei der Zusammensetzung, bei der Geschichte unserer Armee, anders sein sollen? Die Titulaturen, die Bezeichnungen der Truppenkörper und Abteilungen und die zahllosen Kunstwörter, die das einzelne der militärischen Aktion bezeichnen, vielfach auch die, welche sich auf das Terrain beziehen, waren und sind fremden Ursprungs. Aber sie sind organisch geworden, wie unsere Armee ein Lebendes, ein Organismus ist. Es ist symbolisch, daß der, welcher einer ihrer Gründer und vielleicht der allergrößte Österreicher ist, den wir haben, der Prinz Eugen, seinen Namen gewohnheitsmäßig in drei Sprachen unterschrieb und wohl ohne einmal in tausenden Malen zu denken, wie seltsam das war, was er da tat; er schrieb: *Eugenio von Savoye*. An die Fremdwörter der Armeesprache wagt sich der reformatorische Drang nicht heran. Aber der Speiszettel hat daran glauben müssen, und was sein Leben lang eine Sauce geheißen hat, heißt seit vorgestern „Tunke". Auch die verschiedenen Zurichtungen von gebratenem und gesottenem Rindfleisch führen, unter Vertreibung des Französischen, Bezeichnungen, die irgendwo in Deutschland heimatberechtigt und gebräuchlich sein mögen, hier aber einfach orts- und sprachfremd sind. Und dies, obwohl die Kunstsprache unserer Fleischhauer über alle die ganz hübschen, bezeichnenden und *österreichischen* Ausdrücke verfügt. Wozu also eine Tuerei durch eine andere ersetzen und die französische Speisenkarte durch eine norddeutsche? Meint man, dem Bundesgenossen auf diesem Gebiet Komplimente machen zu müssen, so sei gesagt, daß man hiedurch den Ernst dessen, was jetzt in der Welt vorgeht, herabwürdigt. Deutsch, dem Geist nach, ist dergleichen nicht; denn alles Nivellierende wird von einer flachen niederträchtigen Gesinnung eingegeben: daß Deutschland keinen Kasernengeist besitzt, das ist es, unter anderm, warum wir siegen. Es ist immer etwas Ungutes dabei, zumindest etwas vom Lakaiengeist, der gerne schnell den Herrn wechselt, wenn man meint, daß sich was Großes im Handumdrehen machen lasse. Wer sich so an der Oberfläche der Sprache zu tun macht, verrät, daß ihm wenig Ehrfurcht vor Tiefen innewohnt. Wer meint, es ließe sich da Vieles mit Wenigem machen, dem sollte gesagt werden, daß hier wie überall im Geistigen und Sittlichen Vieles und Großes aufgeopfert werden muß, um auch nur das scheinbar Geringe im historischen Bestand wirklich zu verändern. Was an Wortbeständen der Alltagssprache jetzt attackiert wird, ist ziemlich belanglos: das Streben danach ist Philisterei und nicht mehr, die meint, man inauguriere eine Epoche der Sprache wie einen Kegelklub. Wenn aber unter der gewaltigsten Erschütterung, welche die Welt gekannt hat, möglicherweise aus den Tiefen des deutschen Wesens manches emporsteigt, was lange verschwunden war — wenn Geistesworte höchster Art wieder eine ungeahnte erhabene Spannung annehmen, der Spannung vergleichbar, die ihnen um die Wende des achtzehnten zum neunzehnten Jahrhundert innewohnte, dann kann sich uns zu den ungeheuerlichsten Erlebnissen, in denen wir schon stehen, auch das Erlebnis fügen, daß wir in grandiosem Sinn eine neue Epoche der deutschen Sprache heraufkommen sehen.

WORTE ZUM GEDÄCHTNIS DES PRINZEN EUGEN

Geschrieben im Dezember 1914

> Wenn wir das Andenken großer Männer feiern, so geschieht es, um uns mit großen Gedanken vertraut zu machen, zu verbannen, was zerknirscht, was den Aufflug lähmen kann. Güterverlust läßt sich ersetzen, über andern Verlust tröstet die Zeit; nur ein Übel ist unheilbar: wenn der Mensch sich selbst aufgibt.
>
> *Johannes von Müllers Rede auf Friedrich den Großen*

GROSSEN Schwierigkeiten muß das Gemüt, wenn es sich nicht selber verlieren will, neuen und immer neuen Aufschwung entgegensetzen; die Kraft hierzu kann ihm nur der Geist verleihen. Wenn das Geschehen übermächtig und furchtbar wird und wie ein Gewölk über dem Meere sich aus dunklen Tiefen unablässig erneuert, das mit Opfern Errungene zeitweilig wieder dahinfällt, unsägliche Anstrengung vergeudet erscheint, wissen wir nicht aus noch ein. Unser Geist schweift angstvoll umher nach einem Sinn solchen Geschehens; auch über das Härteste könnte er sich beruhigen, wo er die höhere Notwendigkeit erkennte. Die Gewalt aber, die scheinbar gleichgültig über alle hinschreitet, ist zu stark für unsre Fassung; wahllos sehen wir sie die Einzelnen zu Tausenden und Tausenden vernichten, da müssen wir uns selber, die wir Einzelne sind, bis zur Vernichtung gedemütigt fühlen. Die Liebe selbst, in der wir erst wahrhaft leben, wird von einem unbegreiflichen Gedanken ins Herz zurückgeängstet, sie getraut sich nicht mehr, an dem Einzelnen zu haften, und doch behauptet sich auch in einer solchen Lage das Tiefste unsrer Natur, ein großes Wort vermag uns für Augenblicke aufzurichten, die Erzählung einer herrlichen Tat setzt alle unsre Kräfte in Bewegung. Nie sind wir würdiger als in dieser Verfassung, unsre Gedanken auf einen großen Mann zu richten.

Jetzt steht uns die Gewalt vor Augen, gegen die er sich zu behaupten hatte; wie er gerungen und womit er gerungen, wovon in gewöhnlichen Verhältnissen wir auch nicht die Vorstellung aufbringen, jetzt tritt es uns vor die Seele. Die Vergangenheit erscheint nicht als ein abgeschlossenes, friedlich daliegendes Bild, wir erkennen sie in steter furchtbarer Bewegung wie unsre eigene Zeit, und das Leben der Völker enthüllt sich uns als ein unablässiges Gegeneinander; nur in welchem Verhältnis sie als Gegner antreten und sich verbünden, wechselt. Wir sehen eine große, für ein Vierteljahrtausend entscheidende Epoche; Europa in Brand, und die Linie des Kampfes gezogen von Lille bis Belgrad, wie heute; aus diesen Kämpfen, erfahren wir, wird unser Österreich geboren. Wir sehen nicht, daß es geschehen konnte, nur daß es geschah; wir erkennen nirgend den vorgezeichneten Weg, nur daß immer alles unsicher, zerfahren und bedrohlich war, und daß einer es war, der das Mögliche schuf, wo keinem stumpferen Blick ein Mögliches vorher erschienen wäre; da wird unsre Brust frei, wir fühlen, was ein Mensch vermag, die Gewalt des Geistes hebt uns empor, wir vermögen eines Menschen Großheit zu erkennen und müssen ihn unbedingt lieben; so stehen die heutigen Preußen zu ihrem Friedrich, so wir Österreicher zu dem größten Österreicher, zu Eugen von Savoyen.

Zwischen ihm und uns liegt freilich ein Vierteljahrtausend; aber was soll uns dieser Schein? Der Materie ist auch der eben verflossene Augenblick unwiederbringlich dahin, ihrem dumpfen Reich müssen wir das ungeistige Walten vieler zurechnen, die noch vor Dezennien, vor wenigen Jahren, Lebende waren: der Geist kennt nichts als Gegenwart. Dem Geiste nach ist Prinz Eugen ein Lebender unter uns, seine Taten erneuern sich in diesen Kriegstaten unsres Geschlechts, und seine unverweslichen Gedanken sind das einzige politische Arkanum in einer ungewissen, zukunftsschwangeren Gegenwart. Die schöpferische Gewalt eines solchen Mannes ist ohne Grenzen, und ihren Wirkungen hat es nichts an, ob Generationen dahingehen, die nicht fähig sind, zu erkennen, wer die Fundamente legte, auf denen der Umkreis ihres Daseins ruht. Aber wenn sich die große Krise der Weltgeschichte erneuert, wenn in schweren Stunden das Gemüt der Denkenden mit Entschiedenheit verlangt, hinter dem Unzulänglichen, das als halbvergangenes Geschehen sich schwer auf die Seele legt, ein Höheres zu erkennen, dem es den Zoll unbedingter Ehrfurcht entrichten kann, wenn das Verworrene und kaum zu Entwirrende, die Zerfahrenheit und die wechselseitige Verschuldung durch einen Strahl aus höheren Welten gespalten werden muß, sollen wir dem Druck der Gegenwart standhalten, so tritt die Gestalt dieses Heros aus dem ehrwürdigen Dunkel, und Staunen durchfährt uns: jedes Atom an ihr ist lebendig.

Österreich ist das Reich des Friedens, und es wurde in Kämpfen geboren; es ist seine Schickung, daß es Gegensätze ausgleiche, und es muß sich in Kämpfen behaupten und erneuen. Der Mann, der diesen Staat aus dem Chaos in die Welt des Gestalteten zu rufen hatte, mußte ein großer Feldherr sein und zugleich der höchsten Staatskunst mächtig. So war Eugen: ein gewaltiges Jahrhundert hatte ihn geboren; unter den riesigen Söhnen jener Zeit, Richelieu, Wallenstein, Kurfürst Friedrich Wilhelm von Brandenburg, Wilhelm von Oranien, hebt sich auch seine Gestalt empor; in der unerschütterlichen Folge seiner Entschlüsse und der Gewalt, sie auszuführen, weicht er ihrer keinem, noch auch in der fortwirkenden, Jahrhunderte durchdauernden Großheit des Erreichten; durch die Reinheit und Redlichkeit seines Gemütes, den Reichtum und die Anmut seines Geistes bei so gewaltigem Tun ist er unsrem Herzen lebendiger und näher als irgendeiner jener andern.

Aus fremdem Land rief ihn sein Geschick hierher, so rief ein Jahrhundert später Frankreichs Geschick Napoleon von seiner Insel. Er war ein Fürstensohn und hatte über diesem eine fürstliche Seele; es war ihm eingeboren, daß er nur dem Herrn dienen konnte, der ihm das Höchste verkörperte. So kam er hierher und diente dem Kaiser und dem Reich. Er kam aus der Fremde, er hat die deutsche Sprache nie beherrschen gelernt, und er wurde ein deutscher Nationalheld; allezeit und auf allen Schlachtfeldern Europas haben Deutsche unter ihm gefochten; die verbrannte Pfalz und das verwüstete unterrheinische Land hat er gerächt; Straßburg und Metz gewann er wieder, wo nicht die sittlichen Kräfte — mehr als die kriegerischen — des erniedrigten, zerspaltenen Deutschland ihm versagten. Wien war des Römischen Kaisers Residenz; so kam Eugen nach Österreich, sich sein

Geschick zu suchen, und er schuf unser Geschick. Das Entscheidende lag in ihm; die Mittel, die Gelegenheiten bot das Glück. Ein Reiterkommando und eine große Epoche, dies war, was ihm gegeben war. Vor Wien lagen die Türken; Ungarn war ihr Land, die Erblande schutzlos. Von Westen her drohte ein Frankreich, wie es kühner, übergreifender nur einmal wieder dagestanden hat; nur ob er für sein Haupt oder für das des Dauphin die römische Kaiserkrone verlangen werde, war Ludwig XIV. im Schwanken; nicht über die Gestalt, die er Europa zu geben gewillt war. Ungarn und Polen waren zu vereinigen; an ihrer Spitze eine Herrschaft des Adels, ein gemeinsamer Reichsrat oder ein König, ein vasallisches Werkzeug von Frankreichs Thron dieser wie jener. Tirol kam an die Schweizer Eidgenossen zur Bildung einer „granitnen Neutralitätswand", österreichischen Heeren den Weg nach Italien zu verschließen. Beide Sizilien an Frankreich, die Barbareskenstaaten zerstört und kolonisiert, Ägypten französische Provinz. Wer denkt nicht bei einer so gewaltigen durchgreifenden Politik, bei dieser größten und aussichtsreichsten Bedrohung, welcher das Herz Europas jemals ausgesetzt war, an den heutigen Tag und erkennt die Staaten als ein Lebendiges und ihren Machtwillen als das Leben ihres Lebens? In diese Konstellation tritt ein großer Mann und gibt der Landkarte Europas für ein Jahrhundert eine genaue Zeichnung, für ein Vierteljahrtausend uns die großen Richtlinien des politischen Bestehens.

Mit neunundzwanzig Jahren war Eugen von Savoyen kaiserlicher Feldmarschall. Er schlägt sieben Hauptschlachten der Weltgeschichte; durch die Siege von Zenta, Peterwardein, Belgrad nimmt er den Türken für ewige Zeiten Ungarn ab; bei Höchstädt gewinnt er Bayern und Deutschland, bei Turin das obere Italien, durch Oudenarde und Malplaquet die Niederlande. Er ist der große Stratege seiner Zeit, der anerkannte Lehrer Friedrichs des Großen; einer der sieben Feldherren aller Jahrhunderte, deren Heereszüge Napoleon des Studiums der Nachwelt wert hielt. Keine Trägheit des Vorstellungsvermögens darf uns verführen, die Schlachten jenes höchst kriegerischen Jahrhunderts um der geringeren Zahl der Streitkräfte und des minder ausgebildeten Geschützes willen für leichter zu lösende Aufgaben zu halten, als es die heutigen Schlachten sind. In jeder Epoche drängt sich in solche Entscheidungen das Höchste an Forderungen zusammen, die an Menschen gestellt werden können. Immer gleich bliebe, wenn sie errechenbar wäre, die geheimnisvolle Kurve, in der sich das Verhältnis des schöpferischen Geistes zu den jeweils erlernbaren handwerkmäßigen Bedingungen und Umständen des Krieges ausspräche, und immer gleich selten und kostbar bleibt die Erscheinung des großen Heerführers. Eugens Schlachten zählen zu den blutigsten jener blutigen Epoche, seine Märsche zu den erstaunlichsten, seine Entschließungen in schwieriger Lage zu den kühnsten und erfolgreichsten, welche die Kriegsgeschichte kennt. Jede seiner kriegerischen Großtaten trägt den Stempel eines großen, wahrhaft ursprünglichen Geistes: der seinen Zeitgenossen kaum faßliche Alpenübergang bei Rovereto mit Reiterei und Geschütz, indes der Feind ihn am Ausgang der Veroneser Klause erwartet; bei Chiari das Herankommenlassen des überlegenen Feindes bis dicht an die Laufgräben; bei Höchstädt der Bachübergang in vollem feindlichen

Feuer; bei Malplaquet die unerhörte Wucht des entscheidenden Stoßes; bei Zenta das Erreichen des Feindes im Augenblick des Überschreitens der Theiß; der Handstreich von Cremona, und endlich Belgrad, die Tat aller Taten, wo der Belagernde, mit seinem durch Seuchen entkräfteten Heere vom überlegenen Entsatzheer umringt, selber zum Belagerten geworden, aus einer Lage, die jeder kleinen Seele hoffnungslos erschienen wäre, durch nichts als die Schwungkraft des Genius sich herausreißt, gegen sechsfache Übermacht nach zwei Fronten schlägt und zugleich den Besitz der Feste und den größten Sieg in offener Feldschlacht davonträgt. Mit diesem aber wird nur von einzelnen berühmtesten Taten einzelnes angemerkt; wie wäre es möglich, in Verfolg einer bloßen Rede, die an Großes erinnern, nicht es darstellen will, mehr als die Namen jener ruhmvollen Schlachten einzuflechten? Ruhmvoll, sie waren es, und Kindern gleich tragen sie die Zeichen des väterlichen Geistes an der Stirn. Und dennoch ist eines größer und seltener noch als die Feldherrntugend, mit der er vierundzwanzig Schlachten schlug: daß er die Weisheit hatte, die Schlacht und den Sieg einzig nur als ein Werkzeug politischen Vollbringens anzusehen und zu nützen. Es gibt solche unter seinen kriegerischen Aktionen, ja vielleicht sind es die mehreren, von welchen man nicht weiß, ob man sie mit mehr Recht zu den Kunstwerken der Strategie oder der hohen Politik rechnen soll. So war der Einfall von Italien aus in die Provence, so der ganze niederländische Feldzug. Der Krieg ist das Werk der Zerstörung; aber seine größten Meister sind über ihrem Werk; Alexander, Hannibal, Cäsar, Gustav Adolf, Friedrich, Eugen waren schöpferische Politiker über dem, daß sie große Feldherren waren. Eugen, der große Meister des Krieges, war der mäßigste und wirksamste Unterhändler des Friedens. Er schuf Bündnisse und wußte die Allianzen der Gegner zu sprengen. In einer Zeit der verschlagenen Kabinettspolitik ruhte in seinen Händen die diplomatische Vorbereitung der großen, auf weite Ziele eingestellten Aktionen. Wir haben seine Mémoires, seine Noten und Briefe. Mit der höchsten Klarheit ist darin die verworrene Gegenwart behandelt, mit der höchsten Voraussicht — seltenste Gabe, und gar in Österreich! — die Zukunft. Aus dem unabsehbaren Material seiner politischen Korrespondenz blickt uns ein Auge an, so feurig, so menschlich, so nahe, so gegenwärtig! Alles, wovon er redet, ist von heute. Denn was er redet, ist Geist, und was der Geist ergreift bleibt lebendig, denn er ergreift nur das Wesentliche. Wie aber wäre es möglich, hier sein geistiges Walten aufzurufen, wo auf alles bloß hingedeutet werden kann! Er erobert, und wo er erobert, dort sichert er; er gewinnt Provinzen mit dem Schwerte zurück und gewinnt sie auch wirklich. Unversehens blühen ihm unter schöpferischen Händen, und überall, aus kriegerischen Taten die Werke des Friedens hervor. Hinter seinem Heer geht der Pflug und im Walde die Axt des Kolonisten. Er besiedelt das verödete Kroatien, Syrmien, das Banat. Die Warasdiner Grenzer, die Banater Schwaben sind von ihm angepflanzt. Er rodet Dickicht aus, er legt Sümpfe trocken, er baut Straßen und Brücken. Sein Feldherrnstab, das Symbol der zerstörenden Kriegsherrschaft, befruchtet die Länder und weckt das erstarrte Leben auf. Er unterwirft und versöhnt, er vereint und leitet. Dies Heer, in dem zum erstenmal die Ungarn mit Österreichern Seite an Seite fechten, ist das Werk seiner großen Seele. Er gründet, wo er hinkommt, und was er gründet, hat Bestand. Triest ist sein Werk. Er baut, er schmückt, er veredelt, er beschenkt.

Was von ihm getan wurde, hier wäre es dürftig aufgezählt, aber dies sind nur Worte, die Schattenbilder der Taten. Den gedachten Grundriß seiner Taten zu entwerfen, schon dazu hätte es einer großen Seele bedurft — was aber gehörte dazu, sie wirklich zu tun? Ist etwas in uns, das sich aufschwingen kann, diesem Gedanken nachzukommen? Wir fürchten, nein; denn die Tat ist undurchdringlich, wahrnehmbar nur die Folge, das Geschehene. Aber großen Taten nachzudenken, ist dennoch fruchtbar, und ein Etwas bringen wir davon in unsre Seele, wenn wir uns mühen, und gewinnen Mut und eine unzerstörbare Ahnung des Höheren. Ein Heer zu führen und immer wieder zu führen, wie er es führte, zu Schlachten und neuen Schlachten, Belagerungen und neuen Belagerungen, neununddreißig Jahre lang. Es heraufzuführen von der Save in die Lombardei und wieder zurück durch Tirol nach Bayern und an den Rhein und wiederum hinab ins Banat und wieder herauf nach Flandern. Und dreizehnmal verwundet hinzusinken und wieder aufs Pferd, wieder ins Zelt, wieder in den Laufgraben. Und sein Adlerblick über alle diese Dinge, über das Heer und den Troß und die Artillerie und das Gelände und den Feind. Und ein winziges Stoßgebet vor dem Beginn der Aktion, dieses sein „Mon Dieu!" mit einem Blick zum Himmel, und dann das Zeichen „Avancez!" mit einer einzigen kleinen Bewegung seiner Hand. Er, der so viel von den Leiden des Krieges wußte! Von den zerschmetterten Leibern, dem Wehgeschrei der Verwundeten, dem furchtbaren Geruch des Schlachtfeldes, den Qualen der Packknechte, den Seuchen, den brennenden Dörfern, den greulichen Kämpfen in den Approchen, den Brandgranaten, dem Hunger, der Nässe. Dies alles immer wieder nach vorne zu bewegen, durch die einzige Kraft seines Willens. Und es am Leben zu erhalten, es mit Lebenskraft zu durchsetzen, es zu entlohnen, es zu nähren, es mit seinem Geist zu durchdringen, neununddreißig Jahre lang. Welche Arbeit des Herkules! Und der unabsehbare beständige Kampf nach rückwärts hin, gegen die Mißgunst, den Neid, die Torheit, die Unredlichkeit. Dies unabsehbare Durchgreifenmüssen, der Kampf gegen die Anciennität, „diese Mutter der Eifersucht, des Eigensinns und der Kabale"; der Kampf ohne Rast und ohne Ende gegen den amtlichen Dünkel, die Intrige, die dumme Verleumdung, die geistreiche Niedertracht. Eine Welt von Feinden vor ihm; welch eine Welt aber hinter ihm: aus einer Wurzel entsprossen, dem österreichischen Erbübel, aber in tausend Schößlingen auftreibend; die Wurzel immer die gleiche: Trägheit der Seele, dumpfe Gedankenlosigkeit, die geringe Schärfe des Pflichtgefühles, die Flucht aus dem Widrigen in die Zerstreuung, nicht Schlechtigkeit zumeist, aber ein schlimmeres, verhaßteres Übel, einer schweren dumpfen Leiblichkeit entsprungen — im Kampf mit diesem allen bis ans Ende und nie ermüdet, und Sieger und Schöpfer, Organisator der widerspenstigsten Materie — ein Mensch, ein großer, guter Mensch und in ihm verborgen das Geheimnis aller Geheimnisse: schöpferische Natur. Unversiegbar in ihm ist die Liebe zu diesem Österreich und in dieser Liebe der feste Punkt, von dem aus er die Welt aus den Angeln hob; und die Krone von Polen, der Herzogsmantel von Mantua zurückgewiesen aus dieser Liebe heraus. Eine fürstliche Seele, die in der Welt gesucht hatte, wem sie dienen könne, und die dann diente bis ans Ende.

Es ist alles, im großen, so verblieben, wie er es hinter sich ließ, denn die Staaten verändern nicht ihr Wesen, und zwei Jahrhunderte sind eine geringe Zeit in der Geschichte. Jung, rein und unversehrt sind heute noch die Völker, wie er sie mit dem Goldband seiner Taten zusammenband. Lange waren die Herzen von dumpfen, stockenden Zeiten gequält, bis zum Verzagen, nun sind sie betäubt vom ungeheuerlichen Geschehen; aber unerschöpfliche Hoffnung geht ihnen allen aus von dieser einen Gestalt: Eugen. Dies Österreich ist ein Gebilde des Geistes, und immer wieder will eine neidische Gewalt es zurückreißen ins Chaos; unsäglich viel aber vermag ein Mann, und immer wieder, im gemessenen Abstand, ruft ja die Vorsehung den Mann herbei, von dem das Gewaltige verlangt wird und der dem Gewaltigen gewachsen ist.

BÜCHER FÜR DIESE ZEIT

Zu gewöhnlichen Zeiten, aus denen wir durch das Geschick herausgehoben sind, ist es eher ein Zuviel als ein Zuwenig an Büchern, die in der Leute Hand und Mund sind, was das Hervorheben eines einzelnen Buches schwer macht. Eine innere Unlust: ein Wozu? und Wem auch? ist schwer zum Schweigen zu bringen. Die Veranstaltungen sind weitläufig, um beständig neu entstehende Bücher in Umlauf zu setzen oder ältere aus dem Bestand der eigenen und der anderen Literaturen herbeizuholen. Tausend Mühlen des Geistes sind aufgestellt, so müssen sie unablässig mahlen; die Aufmerksamkeit wird hin- und hergezerrt, aus dem Allgemeinen ins Einzelnste, aus dem Nüchtern-Platten ins Exotisch-Besondere. Das, was seiner Art nach selten bleiben müßte und von wenigen gekannt, wird gemein gemacht; jedem wird jegliches angeboten, ja nachgeworfen, wo doch für manche manches sich eignet, selten vieles für einen; was aber jeder aufnehmen sollte, das meint er längst ohnedies zu besitzen, streift daran vorbei und gedankenlos nach Neuem und wieder Neuem hin. Alles geht, der allgemeinen Rede nach, auf Bildung und Beseelung, sieht man aber zu, so geht alles auf Betäubung und Zerstreuung, ein ehrfurchtsloser Betrieb hält das Geistige feil, das seiner Natur nach freilich nie völlig entwürdigt, wohl aber um alle seine wahren Kräfte gebracht werden kann, und der einzelne verbraucht einen großen Teil seiner Kraft, sich dem verwirrenden

Handel zu entziehen, der beständig anlockt und den Begierigen noch unruhiger, den Ungefestigten noch zerklüfteter entläßt.

Gerät aber aus diesem Chaos eine ganze Nation in einen Zustand wie den jetzigen, so zeigt sich mit eins, wie wenige von den vielen Büchern, die sonst von Hand zu Hand gehen, eigentlich für die Allgemeinheit eine wirkliche Existenz haben. Es offenbart sich, daß die vielen Geistesprodukte, die so auf den Wellen des Tages mitschwimmen, alles mögliche an sich haben, nur nicht das, was eigentlich selbstverständlich sein sollte; ja, daß es den meisten schwerfällt, sich dies Selbstverständliche klarzumachen. Doch umschreibt sich dieses mit einem einzigen Wort: Gehalt, was aber in dem Worte liegt, das vermag nur die gereifte und geschulte Erfahrung auszuschöpfen oder die eingeborne und unverdorbene Divination: so kommen die gehaltvollsten Bücher allmählich wie von selber an die Jugend, ja an die Kinder, und gehen als ein fester Bestand von Generation zu Generation in dieser Sphäre weiter, während die Erwachsenen, halb aufmerksame, dünkelhafte und zerstreute Leser, sich wie von einer bösen Circe ins Platte und ins Absurde oder Närrische locken lassen, Generation auf Generation, auf immer gleichen, aber immer neu scheinenden Zickzackpfaden. Werden sie aber alt, so greifen sie zu den Büchern ihrer Jugend, halb suchen sie sich selber in den Büchern, halb das Große, das ihnen damals vor die Seele trat, und so kann es das Zimmer eines Siebzigjährigen oder eines Fünfzehnjährigen sein, wo man Schillers Dramen oder einen Roman von Walter Scott auf dem Fensterbrett findet.

„Inter arma silent musae" heißt ein Wort, das in seinem oberflächlichen Bestande wahr ist, in einem tieferen bezweifelt werden kann, und aus Goethe stellt sich ihm ein anderes entgegen: „Noch im höchsten Glück und in der äußersten Not bedarf der Mensch des Künstlers". Stanley, auf seinem viermonatigen Marsch durch den undurchdringlichen Urwald, saß nachts an seinem Lagerfeuer, um ihn das Gestöhn der Verhungernden und von Giftpfeilen Getroffenen, und las in Shakespeare. Man darf vermuten, daß in diesen vier Monaten seit August 1914 nicht weniger, sondern mehr, das heißt eindringlicher und ernsthafter in deutschen Büchern gelesen wurde als in irgendwelchen vier Monaten eines Friedensjahres. Nicht nur in Gebetbüchern, was selbstverständlich ist, und dort, wo Deutschland protestantisch ist, in der Bibel und im Gesangbuch, sondern auch in weltlichen deutschen Büchern und vielleicht am meisten in denen, worin sonst die Kinder und die Halberwachsenen lesen. Denn die Menschen sind gesammelter als in der beständigen Zerrüttung des einzig auf hastigen oder mühsamen Erwerb gestellten Lebens, und fähiger, das Gehaltvolle zu erkennen; sie sind in einem erhöhten Zustand und dem Geistigen zugänglicher. Sie greifen nicht nach diesem oder jenem angepriesenen Buch des Tages wie sonst, sondern nach einem, das sie schon kennen oder zu kennen meinen. Es geht mit ihnen wie den Kranken: das Neue ist ängstlich, das Fremde unerwünscht. Es ist nicht Ablenkung, was man sucht, sondern Sammlung, geistiger Trost. Man will nicht von sich selber fort, sondern tief in sich selber hinein. Den, der nach einem Buch langt, treibt die Ahnung, die Hoffnung, die

Gewißheit: es gebe in Büchern, einigen, den kostbarsten, die ein Volk besitzt, ein Refugium, ein Gefeitsein gegen alles, auch das Ungeheuerlichste der Gegenwart. Es gebe eine Tiefe, wo der Einzelne wie die Gesamtheit hinabtauchen könne und wissen: Du bist unzerstörbar. Dir kann nichts geschehen.

In welchen Büchern diese Tiefe zu suchen, entscheidet der Instinkt, der in einem solchen Augenblick das vermeintliche Verdikt der Bildung, die dürftige Übereinkunft der Mode zurückdrängt. Wie auf Verabredung griffen im ersten Monat des Krieges Hunderttausende der Deutschen nach *Bismarcks* „*Gedanken und Erinnerungen*". Dort war Aufklärung, Trost, Schutz, beinahe Geborgenheit. Nichts ist befreiter vom Druck der Materie als eine Kriegszeit; dies erleben wir, wir konnten es nicht voraus wissen. Vor der Kraft des Erlebnisses haben die Bücher freilich einen schweren Stand: das Scheinhafte, das Anspruchsvolle, das innerlich Ungute, das herzlos Grelle, das seelenlos Weitläufige und Getiftelte zergeht wie Zunder. Das Unwahre ist unerträglich, aber das scheinbar Geringe wird gewichtiger, das einfach Menschenhafte, das Elementare besteht glorreich.

Es gibt alte, kleine Bücher, die zum Teil Kinderlektüre sind, da und dort bruchstückweise in den Schullesebüchern weitergetragen, zum Teil fast vergessen: *Hebels* „*Schatzkästlein*" oder *Mösers* „*Patriotische Phantasien*". Wer ihrer eines aufschlägt, die eine oder andere Geschichte laut liest oder auch für sich, aber mit Sammlung, wird nicht betrogen sein, es sei denn, er sucht und erwartet anderes. Was er hier findet, ist nicht Spannung, nicht das Schildernde oder das Psychologische, aber menschlicher

Gehalt, eine simple Wahrheit der wichtigsten Lebensbezüge, ein reiner, scharfer Kontur. Es ist eine altväterische deutsche Welt darin, die Motive des Hasses und der Zerklüftung fehlen, es wird einem wohl, wenn man in diese Welt des achtzehnten oder frühen neunzehnten Jahrhunderts hineinsieht, denn sie ist rein und kräftig angeschaut, nicht verzierlicht und versüßlicht, wie die falsch-biedermännischen Familiengemälde aus den zwanziger und dreißiger Jahren. Es ist das Unzerstörbare im deutschen Volks- und Bürgerwesen, was uns hier entgegenblickt. Noch stärker, geheimer und tiefer in den *Hausmärchen* der *Brüder Grimm.* Dies ist freilich sonst das Buch unserer Kinder, die Geschichten vom „Dornröschen“ und „Schneewittchen“, von der „Frau Holle“ und vom „Froschkönig“ und viele andere gehören ihnen, aber daneben stehen in den vollständigen Ausgaben des Buches noch viele andere tiefe und schöne Geschichten, in denen das wahre Herz des Volkes darin ist, die wahre, scharfumgrenzte Wesenheit des deutschen Gemütes, das nichts Schwimmendes und nichts Schweifendes in sich hat, sondern etwas Verhaltenes, Maßvolles. Ich meine die Geschichten wie „Das Totenhemdchen“ oder „Die klare Sonne bringts an den Tag“ oder „Der arme Junge im Grab“ oder der „Machandelboom“ und andere, denen allen ich nichts im Bereich der deutschen Dichtung, die Gedichte Goethes eingeschlossen, an die Seite zu stellen wüßte.

Das Einfache, Wortkarge, in sich Geschlossene ist nicht jedermanns Sache. Es gehört ein bestimmter Sinn dazu, mancher will durch die kraftvolle Bewegung eines fremden Gemütes in die Höhe gehoben werden und sich des Druckes der schweren Zeit ledig fühlen: so rührt die große Seele *Schillers* heute an tausend Seelen, vieles an seinen *Dramen*, das abgeblichen schien, glüht heute von innerem Feuer, seine scharfgeprägten Sentenzen haben eine grandiose neue Wahrheit: er ist der Dichter der bewegten Zeiten, denn alles an ihm ist Bewegung, Aufschwung. Einer ging im Schwunge noch über Schiller hinaus, Goethe meinte, er ginge zu weit, schwinge sich in die Leere, doch war es nicht so, es war nur ein Hinüber, ein neuer unbefahrener Ozean, sein eigenes Gemüt. Ich rede von *Hölderlin* und seinem „*Hyperion*", dem Buch der einsamen, mit dem Schicksal ringenden Seele. Es ist ganz Zartheit und Adel des Herzens, und doch ist eine Riesenkraft des deutschen Gemütes darin, die Adlerflügel ausspannt, und es wundert mich nicht, daß ich in Briefen gesehen habe, daß von deutschen Männern und Jünglingen aus den Schützengräben in Flandern nach diesem Buch verlangt wird. Wie könnte aber wirklich dem Volk irgendein böses Geschick nahekommen, dessen Söhne mitten im Tode und in dem Wirken des Todes nach dem Reinen, Hoheitsvollen als nach der Nahrung für ihre Seele verlangen?

Der „Hyperion" ist ein leidenschaftliches Buch und doch strömt Beruhigung von ihm aus, es zerrüttet nichts, sondern sammelt und hebt das Gemüt, so geht es uns heute auch mit dem anderen großen Buch der Leidenschaft, dem „*Werther*". Den Zeitgenossen war es ein gefährliches Buch, es soll mehr als ein Leben auf dem Gewissen haben, und Goethe hat sich gegen die Vorwürfe, die ein Engländer ihm hiefür machte, in großartiger Weise zur Wehr gesetzt; uns ist diese Seite des Buches ferner, die pathologische

Wirkung gleitet von uns ab, das dargestellte Seelenleiden ist mit solcher Kunst mit dem Leben und Wandel der unzerstörbaren Natur verflochten, wie in keinem Buch der Weltliteratur, so wird es für uns ein die Seele hinaufstimmendes Buch, und wo die gleichzeitig Lebenden sich den Tod einsogen, trinken wir reine Freude und Lebensmut.

Die gleiche Kraft waltet in allen Selbstdarstellungen Goethes: wie der eine zum „Werther", wird der andere zu „*Dichtung und Wahrheit*" greifen, hier ist die Darstellung statt jenes berauschenden Hinflutens eine ganz andere, eine solche Dichtigkeit des geistigen Gewebes, eine solche Fülle des Inhaltes wird nur den nicht beschweren, der schon vertraut ist. „Aus meinem Leben" wie den „Werther" wird keiner heute zum erstenmal lesen, aber aus beiden tritt dem beängstigten Gemüt entgegen, was weder zerstört werden noch verlorengehen kann.

Schriftliche Aufzeichnungen auch von gewöhnlichen Menschen haben eine eigene Gewalt; es enthüllt sich von jedem eine geheime Seite, zugleich berührt uns das Volksverwandte und wieder beruhigt uns das Gewahrwerden eines Wesenhaften, Bleibenden. So getraue ich mich, neben Goethes Aufzeichnung der eigenen Schicksale die eines gewöhnlichen Mannes aus der gleichen Zeit zu setzen, des Schweizer Bauern, der sich selbst der „*Arme Mann in Toggenburg*" nannte.

Solche Zeugnisse deutscher Menschen über ihr Erlebtes und Erlittenes, wobei das, was sie darzustellen nicht im Sinne hatten, die Tiefe und Lauterkeit ihres Gemütes, zuweilen herrlich hervortritt, hat Gustav Freytag in seinen „*Bildern aus der deutschen Vergan-*

genheit" zusammengestellt, Jahrhundert an Jahrhundert und den ganzen Kreis deutschen geschichtlichen Lebens, wozu im alten Sinne auch das österreichische gehört, umfassend. Damit hat er ein wahrhaftes Volkslesebuch geschaffen und, wenn ich so bestimmt urteilen darf, meines Erachtens das schönste deutsche Geschichtswerk, das es gibt; solche Zeiten wie die unseren sind es, die viele Werte bestimmen um der geistigen Gewalt, die ihnen innewohnt: so meine ich auch, daß Freytags schönes Buch in dieser Zeit an allgemeiner und tiefer Geltung wiederum gewinnen wird. Ihm zu bezeugen, daß er nicht nur im Zusammenstellen dieser Dokumente für viele Generationen etwas Großes und Glückliches geschaffen hat, sondern daß er auch ein Geschichtsschreiber im großen Sinne war, dazu würden — gäbe es nicht viele Stellen gleich hohen Wertes — allein die zehn oder zwölf Seiten der Einleitung zum dritten Bande (zur Darstellung des Dreißigjährigen Krieges) hinreichen.

Das bleibende Wesen eines großen Volkes — zu dessen Größe und Schickung es gehört, daß es ein schwer zu erkennendes Volk ist und Verkennung immer wird tragen müssen —, dies deutsche Gesamtwesen tritt nach seinen vielen Kräften, die doch ineinanderhängen wie Ringe einer magischen Kette, in den Gedichten rein und rührend hervor, wenn wir sie nebeneinanderstellen von Paul Fleming und Gerhardt bis zu Eichendorff und Lenau oder bis zu den Neueren, mit uns Lebenden, mit Goethe in der Mitte. So auch tritt es in der Kette seiner älteren Erzähler hervor, Goethe und Jean Paul, Kleist, Eichendorff, Brentano, Arnim, Hauff, Gotthelf, Keller, unserer beiden: Grillparzer und Stifter, und der wenigen anderen, die sich diesen anreihen lassen. Was mir von diesen das Schönste dünkte, habe ich vor zwei Jahren in vier Bände zusammengetragen und ein deutscher Verlag hat das Buch auf den Markt gebracht. Es war in den letzten Jahren oft etwas Beklommenes in der Welt, und zu Stunden konnte man, ohne daß es sich mit Händen greifen ließ, das ahnen, was nun gekommen ist. In einer solchen Stunde war mir, als müßte ich diese schönen Dinge zusammentragen; ich dachte der Freunde so verschiedener Gemüts- und Geistesart, verstreut über das große Deutschland, alle in so verschiedene Geschäfte und Geschicke verstrickt, die Sehnsucht nach dem Einigenden war groß, mir war, es gäbe doch ein Haus, wo alle zusammenkommen könnten, mir war, als schmückte ich dieses Haus, wenn ich schöne, zum Teil so berühmte und doch halbvergessene deutsche Erzählungen zusammentrüge.

Die Aufnahme von seiten der großen Menge war verschiedenartig; der eine sagte: er habe das in den gesammelten Werken der Dichter im Schrank stehen, ich sage: darum, daß er es da hat, kennt er es nicht und wird es nie kennen; der andere sagte: er brauche es nicht, er habe das und jenes vor Jahren gelesen, ich sage: dann weiß er nicht, was es heißt, ein schönes dichterisches Gebilde besitzen — heute ist die andere Zeit gekommen, die damals nur bang geahnt werden konnte, das Unruhige und Wählerische tritt zurück, für den heutigen Tag scheint mir dies Buch gemeint und von irgendeiner Macht gewollt gewesen zu sein. Mit mir hat dies wenig zu tun, das deutsche Geisteswesen ist reich genug, daß es hätte hundert andere aufrufen können, statt daß ich zufällig zusammengebracht habe, was das Lieblingsgut vieler ist — auf einen oder zwei hinaus wäre ihre Wahl wohl die gleiche gewesen.

So setze ich den letzten Absatz der Einleitung zu diesen gesammelten deutschen Geschichten hieher, es bezeugt, daß nichts ins Geschehen tritt, ohne daß er sich angekündigt hätte, daß aber das Geistige als ein Tröstendes, Beschützendes allezeit uns umschwebt, nur daß wir in der Not ganz anders darauf achten als in gesicherten, selbstzufriedenen Zeiten.

„Alle diese Geschichten sind wie Gesichter, aus denen kein kalter, gottfremder Blick uns trifft. Es sind liebevolle Gesichter, die zu unserer großen Freundschaft gehören: mit diesem Wort nennt das Volk ja die Verwandtschaft, wie sie sich zu feierlicher Gelegenheit, Geburt und Tod, in einem Hause zusammenfindet. In den reifsten, bedeutendsten Gesichtern tritt der Familienzug am schärfsten heraus, und überfliegt man diese bedeutenden Deutschen, so sieht man, daß Verwandte einander gegenübersitzen. So kommen sie den heutigen Deutschen zur Weihnacht ins Haus, ein liebevoller Zug von Männern, eine Frau auch darunter, im weißen Kleid, mit tiefen dunklen Augen: die Zeiten sind ernst und beklommen, vielleicht stehen dunkle Jahre vor der Tür. Vor hundert Jahren waren auch die Jahre dunkel, und doch waren die Deutschen innerlich nie so reich wie im ersten Jahrzehnt des neunzehnten Jahrhunderts, und vielleicht sind für dies geheimnisvolle Volk die Jahre der Heimsuchung gesegnete Jahre."

WIR ÖSTERREICHER UND DEUTSCHLAND

Es darf, auch in dem heutigen sehr ernsten Zusammenhang, ausgesprochen werden, daß Österreich unter den Ländern der Erde eines der von Deutschen ungekanntesten oder schlechtest gekannten ist. Österreich liegt Deutschland so nahe und wird dadurch übersehen. Es mögen auch innere Hemmungen im Spiel sein; sie bestehen zwischen den Staaten wie zwischen Individuen: Befangenheiten, Trugschlüsse, vitia der Aufmerksamkeit und der Auffassung. Es ist das besondere Schicksal des heutigen Deutschen, nach allen Seiten zugleich schauen zu müssen. Der Blick des Engländers von seiner Insel her gegen den Kontinent ist einfach, zusammenfassend-hochmütig. Frankreich sieht er verhältnismäßig am genauesten, so früher auch Holland, solange es ihm wichtig war, Deutschland dahinter nebelhaft, Österreich überhaupt nicht. Auch die französische Situation ist vergleichsweise einfach: Jahrhunderte hindurch durfte sich der französische Blick unter Zuhilfenahme einer gleichbleibenden Ideologie nach vier Seiten einstellen: gegen Spanien, das stammverwandt, religionsverwandt, aber politisch feindselig war, gegen England, den Erbfeind und Nebenbuhler um die Weltherrschaft, gegen die Niederlande, stammesfremd, religionsfeindlich und politisch feindlich, und gegen das Römische Reich: politisch ungestalt, halb ehrwürdig, halb verächtlich, Objekt des Angriffs, aber nicht der Feindseligkeit. Mit der Wiedergeburt Deutschlands als Staat, von

1866 angefangen, wurde diesem Blick nach Osten eine erhöhte Wichtigkeit, vor der alles andere zurücktrat, und eine neue Ideologie aufgedrungen, die sich niemals fixierte und dadurch gefährlich wurde.

Der geistige Blick der Deutschen war im Mittelalter nach Süden, vom sechzehnten Jahrhundert an nach Westen gerichtet. Die Ablenkung nach Südosten, durch die zwei Jahrhunderte währende Türkengefahr, blieb rein politisch und hatte verhältnismäßig geringe Kraft über die Phantasie des Volkes. Das höhere Schauen bleibt, wo nicht nach innen oder nach den Sternen, nach Westen fixiert: auf Frankreich und England. Man denke an so verschiedene Individuen wie Lessing, Lichtenberg, Friedrich den Großen, Gluck, Herder, Wieland, schließlich Goethe, trotz der Allseitigkeit seines Schauens. Ungeachtet dieser vornehmlichen Einstellung des Blickes auf den Westen blieb die geistige Kraft übrig, mit den skandinavischen Ländern des Nordens in einem wahrhaften Kontakt zu bleiben und schließlich dem Nachbar im Osten eine kaum zu berechnende Quantität von Kulturkraft abzugeben — gegen deren Aufnahme, von Peter dem Großen bis zum Juli dieses Jahres, unter anderem dieser Krieg reagiert. In den letztvergangenen Dezennien traten der Ferne Osten, Nord- und Südamerika, der afrikanische Kontinent mit Macht ins Blickfeld, für Österreich blieb immer weniger Zeit und Aufmerksamkeit übrig. Die geographische Nähe, die Stammesverwandtschaft mit dem einen der großen Volkselemente Österreichs, die scheinbare Gemeinsamkeit der geistigen Kultur schien von dem Grade von Aufmerksamkeit zu dispensieren, den umgekehrt gerade diese Umstände besonders hätten verschärfen müssen. Es ging mit Österreich wie mit einem Verwandten, den man im eigenen Haus überm Hof wohnen hat, ohne sich darüber Rechenschaft zu geben, wie wenig man ihn kennt. Man kannte allenfalls die Alpenländer und ihre bajuvarische Bevölkerung, und man kannte Wien. Wien ist das den Diplomaten und den Zeitungskorrespondenten geläufige Beobachtungsfeld für österreichisches Wesen. Und doch ist nichts unrichtiger und nichts bedenklicher, als wenn man „Wien" für „Österreich", „wienerisch" für „österreichisch" substituieren würde. Seit Bismarcks Tod hat Deutschland keinen eminenten Kenner Österreichs aufzuweisen. Das geistig bedeutendste Buch über Österreich ist von einem Engländer, W. Steed, geschrieben; die bedeutendsten, gewissenhaftesten Arbeiten über die südslawische Frage stammen von einem Schotten: Watson-Seton. Den Büchern der Slawen Kramař und Masaryk über die Probleme der österreichischen Slawen, dem Buch des Franzosen Louis Eisenmann „Le compromis Austro-Hongrois", einer fleißigen und tiefgehenden Arbeit, hat die reichsdeutsche politische Literatur nichts an die Seite zu setzen.

Die Grundlage für eine neue und fruchtbare Betrachtung Österreichs müßte den denkenden Deutschen daraus sich ergeben, daß sie sich entschlössen, Österreich weniger als ein Erstarrtes und Gewordenes, denn als ein Werdendes und sich Verwandelndes anzusehen. Alles Lebendige ist ein Werden, und die Staaten sind hierin den Individuen gleichzustellen. Jedes Individuum hat seine Geschichte, und diese führt zu Formungen und Bindungen, wie die Geschichte der Staaten; zugleich aber besteht ein ewiges Flüssigbleiben, ein Ineinander der nacheinander folgenden Geschehnisse: denn das innerliche menschliche Geschehen ist schwer deutbarer, geheimnisvoller Natur. Alles, was je da war, ist immer noch da; nichts ist erledigt, nichts völlig abgetan, alles Getane ist wieder zu tun; das Gelebte tritt, leise verwandelt, wieder in den Lebenskreis herein. So ists im Leben des Einzelnen, und der reifende Mensch wird es gewahr, daß nichts für immer hinter ihn tritt, sondern alles im Kreise um ihn verharrt; so im Leben der Völker und Staaten: hier lehren erhöhte Augenblicke es erkennen. Immer wieder kommen Lagen, wo das in der Geschichte abgespiegelte Gewordene so ist, als hätte es sich nicht vorlängst vollzogen, sondern geschehe heute vor unseren Augen. Und wirklich ist eine solche beständige Gegenwart das wahre Attribut des geistigen Geschehens: wer, indem er einer Fuge von Bach mit Hingegebenheit folgt, wird sich im Innersten nicht sagen: dies ertönt in diesem Augenblick zum ersten Male, und wer sieht den Federstrich in einer Handzeichnung Rembrandts, wofern er ihn wirklich sieht, anders als den zuckenden Blitz, der vor seinen Augen den Himmel durchläuft?

Österreichs ganzes Dasein ist erschlossen, wenn man mit belebtem Blick die ganze deutsche Geschichte als Gegenwart erfaßt. Die Kühnheit und Gefährlichkeit der germanischen Besiedlung über eingesessenem slawischem Volk: dies ist unsere politische Gegenwart in Reichsrat und Landtag. Unsere Landkarte, wahrhaft verstanden, mit den urslawischen Orts- und Bergnamen mitten in scheinbar deutschem Land, wie da und dort etwa ein Ortsname wie „Stoder“ auftaucht, das nichts anderes ist als stodor, das slawische Wort für Ödnis — diese unsere Landkarte ist der wahre Kommentar zu unseren inneren notwendigen und aus der Lebenswurzel selbst mit hervorspringenden Schwierigkeiten, die wir tragen müssen, wie wir unser Leben selber tragen. Das Mittelalter, die geistliche Besiedelung, den Lauf der Donau abwärts von Passau an, die Stifte als geistige Zentren und große Grundherrschaft: ist Wahrheit und Gegenwart. Die hussitische Kriegsfackel und wie sie in tschechischem Blut und tschechischer Erde ausgetreten wurde, ist ein Erlebnis des tschechischen Volkes, das heute dem Empfinden so nahe und näher ist, ich wage es zu sagen, als die napoleonischen Kriege. Der Dreißigjährige Krieg, mit allem was er entschied und beschied, ist unser österreichisches Erlebnis katexochen. Die Abwehr der Türken, die große Tat gegen Osten, die sich heute erneuert, ist in einem Sinne volle Gegenwart: sie hinterließ uns das Patrimonium des kaiserlichen Heeres, das in seiner einzigartigen Besonderheit unter anderen Umständen als denen der grandiosen Zusammenfassung aller mitteleuropäischen Kräfte gegen einen asiatischen Feind nie hätte die Struktur annehmen können, die es von Prinz Eugen über Radetzky bis auf den heutigen Tag bewahrt hat. Maria Theresia und ihr Sohn, in der oft gegensätzlichen aber zuweilen auch übereinstimmenden Linie ihres großgesinnten Wirkens, sind uns beide Gegenwart: sie stehen unter uns und kämpfen unsere inneren Kämpfe mit, als Lebendige. Sieht man Österreich so, als den einen Teil des alten deutschen Imperiums, worin alle Kräfte der deutschen Geschichte lebendig und wirkend sind, so ergibt sich für die Deutschen: Österreich ist kein schlechthin Bestehendes, sondern eine ungelöste Aufgabe. Vieles, was in dem 1870 begründeten neuen Reich seine Lösung nicht finden konnte, und doch deutsche Aufgabe war, inneres deutsches Leben, ein Wirkendes, von der Schickung gewollt, soll und wird hier gelöst werden.

Österreich ist die besondere Aufgabe, die dem deutschen Geist in Europa gestellt wurde. Es ist das vom Geschick zugewiesene Feld eines rein geistigen Imperialismus. Denn es bedarf nicht der Einmischung der deutschen politischen Gewalt, wohl aber der beständigen Beeinflussung durch den deutschen Geist. Österreich muß als die *deutsche Aufgabe in Europa* wieder und wieder erkannt werden. Das *Besondere* der Aufgabe muß wieder und wieder erkannt werden. Denn Österreich bedarf ohne Unterlaß des Einströmens deutschen Geistes: Deutschland ist ihm Europa. Der Geist aber kann nur hinwirken, wo er erkennt. Was wir Österreicher von Deutschland beständig verlangen müssen, ist das Reinste seiner geistigen Kraft. Ein Reinstes aber kann von Staat zu Staat, wie von Individuum zu Individuum, nur unter einer hohen Spannung gegeben werden. Wo uns Deutschland ein Minderes gibt, als sein Höchstes und Reinstes, wird es uns zu Gift. Das Höchste deutschen Lebens, unter einer hohen Spannung gegeben und genommen, ist auch für unsere Slawen, ob sie es in verworrenen und getrübten Zeiten Wort haben oder nicht, Leben des Lebens. Und dies an sie zu geben sind wir ihnen schuldig.

Es ist viel von dem Alten in Österreich die Rede, und wir sind reich an Altem und Ehrwürdigem. Als ich einem rein empfindenden Deutschen die Stätten an der Donau zeigte, deren kaum eine ist, die nicht im Nibelungenliede und gleich-alten Denkmälern ihren Adel erweist, sagte er: „Dies ist so ehrwürdig wie der Rhein, und dazu nirgends durch die Gegenwart verdorben." Aber zugleich ist in unserem Volkstum, dem deutschen wie dem slawischen, unmeßbar viel Junges und Unverbrauchtes, und hier wieder klingt der Begriff eines europäischen Amerika an. Im besondersten Sinne schreibe sich der deutsche Geist, der kühn und erobernd ist, zu Taten erwacht und doch an alten Träumen hängend, über jedes Tor, das nach Österreich führt: „Hier oder nirgends ist Amerika."

Österreich ist gegen Osten und Süden ein gebendes, gegen Westen und Norden ein empfangendes Land. Wir empfingen von den Deutschen wieder und wieder einströmendes Volksgut, von den Zeiten der Przemysliden, die Sachsen und Bayern hereinriefen, bis zu Kaiser Joseph II., der die Schwabenzüge ins südliche Ungarn schickte. Wir empfingen den größten Österreicher, nicht aus Deutschland, aber doch aus dem Westen: Eugen von Savoyen. Die Geschichte der geistig großen Deutschen, die kamen und gingen, oder kamen und blieben, wäre lehrreich zu schreiben. Lessing hatte kommen sollen und kam nicht. Heinrich von Kleists österreichischer Aufenthalt war kurz: aber er fiel mit einem unserer großen Augenblicke zusammen, und die Erhebung Österreichs von 1809 schlug Funken aus einer großen deutschen Seele. Goethe betrat unser Land im böhmischen Gebirg und durchquerte das tirolische Gebiet: er kam nicht, um Österreich zu suchen. Um Österreich zu suchen, kamen Friedrich Schlegel, Zacharias Werner, Gentz. Sie waren deutscher Geist, aber nicht das Höchste und Reinste deutschen Wesens, und sie waren nicht, was wir brauchten. Was sie im geistigen Tausch gaben und nahmen, war nicht unter der höchsten Spannung des Gemüts gegeben und genommen. Ein Name fällt in die andere Waagschale und wiegt alles auf: Beethoven. Es haben ausländische und inländische Biographen es als einen Zufall hinstellen wollen, daß er sich hierher verlor, und damit uns das Höchste genommen, das wir von Deutschland je empfingen, Deutschland das Höchste, das es uns je zu geben hatte. Und dennoch hatte Deutschland gerade uns dies Geschenk zu geben. Es war das einzige große Geistesgeschenk, das wir wahrhaft empfangen konnten, denn wir hatten es mit Blut von unserem Blut vorausbezahlt: mit dem Blut Haydns und Mozarts. So kam Beethoven, lebte hier und starb hier. Unser tiefstes Bewußtsein rechnet ihn ohne Wanken zu den Unseren. Um ihn hat sich das Tiefste, Wahrhaftigste an innerem Leben gesammelt, das dieser deutsche Stamm herzugeben vermag. Der Begriff einer Schutzgottheit, im antiken Sinne, wird lebendig. Man ahnt, was es den Alten gewesen sein mag, das Grab eines Heros, einer großen, leidensvollen, von den Göttern gezeichneten Seele in ihrem Stadtbereich zu wissen. Die Zusammenstellung des Namens Beethoven mit dem des Prinzen Eugen mag bizarr erscheinen. Beide zusammen repräsentieren, unter sich geschieden wie der klare Tag von der tiefen heiligen Nacht, das Höchste, was Österreich von Europa empfangen und sich verlangend zu eigen machen konnte: aus dem Westen den

Typus der Geistesklarheit, Tatfreudigkeit, unbedingter Männlichkeit; aus dem Norden die deutsche Seelentiefe. Beides steht über dem, was es aus seinen eigenen, wenngleich gehaltreichen Tiefen ans Licht zu stellen vermöchte.

AUFBAUEN, NICHT EINREISSEN

Es soll in dieser Neujahrsstunde nicht von dem Schweren die Rede sein, das uns umgibt, sondern von Hoffnungen und ihrer Begründung. Nie war die Schönheit Österreichs gewaltiger hervortretend als im August 1914, und nie wurde diese Schönheit von Millionen Herzen reiner und stärker aufgenommen. Dies war nicht Landschaft neben Landschaft, Tal in Tal übergehend: es war ein lebendig Ganzes: das Vaterland. Als die Eisenbahnzüge, mit Kränzen geschmückt, angefüllt mit den Hunderttausenden singender junger Menschen durch das reiche, strahlende Ungarn hin gegen die Karpathen rollten, da wurde es für die Hunderttausende Wahrheit, daß uns von Ungarn keine Grenze scheidet: was eines Reiches Grenze bedeutet, das lehrt erst der Krieg. Innerhalb der Grenzen heiligt er den Boden und was sich über ihn erhebt, und es ahnt uns, daß er es ist, der den Wohnstätten der Menschen, indem er sie von fern oder nah bedroht, ja indem er sie zerstört und wiederzuerstehen zwingt, ihre eigentliche Beseelung gibt. Die eigene Geschichte verstehen wir und erleben sie wieder, und es ist uns wie der gestrige Tag, daß die Basteien Wiens den asiatischen Ansturm abwehren mußten, wie heute der Karpathenwall ihn abwehrt. Die Basteien sind nicht mehr, und ein Gürtel von Wäldern und Wiesen umschließt nach einem Jahrhundert des Friedens die Stadt. Ja wir dürfen aus den Lehren der Geschichte die Hoffnung schöpfen, daß diese Stadt an Schönheit gekräftigt und gekräftigt im Erhalten des überkommenen Schönen in die neue Zeit hinüberwachsen werde.

Der wahre Baugeist ist der Geist eines glücklichen Krieges. Wir wissen es, denn einem solchen Geist verdanken wir alles entscheidende Schöne unseres Stadtbildes. In den Dezennien nach dem großen Türkenkrieg ist das prächtige, eigentümliche Wien entstanden, von welchem die Älteren unter uns, ja selbst die im mittleren Lebensalter Stehenden haben Stück um Stück wegbrechen sehen. Sollen wir es aussprechen, was wir uns von dem schöpferischen Geist erhoffen, der nach einem glücklich überstandenen Kriegsgewitter aufwehen wird: so ist es die besonnene und mutvolle Erhaltung des ehrwürdigen Bestehenden ebensosehr als ein edleres und würdigeres Gepräge des Neuen. Denn auch zum Erhalten des ererbten Guten gehört Mut und ein lebendiger Aufschwung der Seele; nichts erhält sich von selber, auch nicht das von den Altvorderen aus Stein und steinhartem Mörtel Aufgerichtete; es muß beständig gewahrt und verteidigt werden, und das kann nicht in einem dumpfen mutlosen Sinn geschehen, sondern es bedarf der inneren Wärme gerade so wie die kühne Begründung des Neuen. Es ist nicht der Drang nach Nutzen und raschem Erwerb allein, der uns in den letzten Dezennien an Schönheit verarmt hat, sondern eine unglückliche, unsichere geistige Verfassung, eine Zerfahrenheit des öffentlichen Sinnes. Ein glückliches Lebensgefühl ist erhaltend, so wie es unternehmend ist. Wo das Neue ohne rechten Mut, ohne rechten Glauben begonnen wird, da wird das Alte mit schlaffem Sinn und treulos dahingegeben. Wen die

Lebenskraft durchströmt, der fühlt sein Dorf oder seine Stadt wie ein Lebendiges, und wer stark lebt, der liebt und ehrt die Toten und ihr Werk. Diese war die Gesinnung des Toten von Sarajevo, es war ein harter und willensstarker Mensch, in einem Lande, wo viele verbindlich und schwankend sind; er hatte Gewalt und Geist, diese beiden, welche Goethe „die notwendigen Eigenschaften" nennt, und er richtete sie mit Beharrlichkeit auf die Erhaltung des Schönen und Ehrwürdigen in den alten Landstädten und Märkten. Über vielem Kostbaren hat er die Hand gehalten, in Salzburg wie in Steyr, in Dalmatien wie in der Wachau. Er tritt nicht in dieses neue Jahr hinein, aber es treten viele noch Jüngere wie er nicht über diese Schwelle. Auch von ihnen, so schlichte Seelen sie waren, geht eine Gewalt und ein Geist aus. Die Dörfer und Märkte und Landstädte haben sie aufwachsen sehen und haben sie hinausgeschickt, und sie kehren nun nicht mehr heim. Ihre Namen werden, von Dorf zu Dorf, von Stadt zu Stadt, auf steinernen Tafeln eingegraben, in der Kirchenmauer überm Friedhof oder an der Wand des Rathauses, viele Menschenalter überdauern; und von diesen guten, treuen Söhnen, die irgendwo in fremder Erde schlafen, wird eine veredelnde und erhaltende Kraft beständig über der Heimatstätte schweben, eine sanfte, unwiderstehliche Abwehr roher Neuerung und sinnlosen Zerstörens. Denn es liegt allem Geschehen, auch dem scheinbar materiellsten, ein geistig Bewegendes zugrunde. Das große leidensvolle Erlebnis sammelt und reinigt die Gemüter, unwillkürlich lernt der verworrene Sinn wieder die bleibenden Güter von den scheinhaften unterscheiden. Das Neue muß freilich kommen, und an allen Stellen der Erde und da und dort muß es tausendfach das Alte verdrängen; aber wie dies geschehe, darin spricht sich entweder ein reiner Volksgeist aus oder ein erniedrigter, verwirrter, der die Ehrfurcht nicht mehr kennt. Die Welt des Barock hatte keinen Schlüssel mehr für die gotische Welt, aber es war so viel anständiger Sinn in ihr, daß sie ihre Bauwerke in einer möglichen Weise neben ihre früheren setzte, und aus so grundverschiedenen Elementen entstanden neue, abermals harmonische Stadtbilder. Ein mächtiges Fabrikswerk, das eine Wasserkraft nützt, kann freilich der Verderb einer Landschaft sein; aber auch eine Einfügung, die, wo man ihren Sinn erfaßt, zum notwendigen Bestandteil, ja endlich zum Schmuck des Ganzen wird. Ob dies oder jenes eintrete, darüber entscheidet nur scheinbar der einzelne Kapitalist und seine Beauftragten; in der Tat ist die Kraft der Individuen auch zum Albernen und Bösen nur gering, und die Entscheidung liegt immer bei der Allgemeinheit. Die Baugesinnung einer Landschaft aber, wie die einer großen Stadt, ist nichts als ein Teil der sonstigen Gesinnung: wo diese klar und rechtlich ist, mutig, selbstbewußt, aber zartsinnig, der Ehrfurcht nicht verschlossen, da werden die Friedhöfe Zeugnis geben wie die Alleen, der Ortseingang wie die Brücken, das Feuerwehrhaus wie der einzelne mit Verstand geschonte alte Grenzbaum oder Mauerrest aus alten Zeiten.

In Wien sind wir dann durch schlechte Zeiten gegangen, schlimm fürs Erhalten und unerfreulich fürs Aufbauen, wenn der gesamte Geist schwach und zerfahren war. Wo etwas Starkes aufsteht, dem folgt der allgemeine Sinn. So wars mit Luegers schönem

Werk, der Gartengründung. Solche Unternehmungen scheinen für den Augenblick fast zu weit, zu kostspielig, sie finden Tadler, und der Entwurf, auch wenn er von dem Manne herkommt, der die größte Geltung hat, wird beschnitten und von seiner durchgreifenden Kühnheit herabgebracht. Aber was bleibt, hat doch einen großen Zug, und ein solches Werk ist für alle Zeit getan; das Kleine und Halbe aber muß immer wieder neu getan werden, dadurch wirds für die Allgemeinheit wie ein Sieb, worein sie ihr Wasser gießt. Im Neuen, wo eine große Stadt ihr Leben ausbreitet, vom offenen Land Besitz ergreift oder ihre gegeneinandergewachsenen Teile miteinander verbindet, da muß alles ins Große gehen, klare, simple Linien, die Dimensionen mächtig, aber nicht unmäßig, so wie die jeweilige Macht des Lebens gerade in dieser Stadt sie mit starkem Verkehr zu erfüllen vermag. Hiefür ist das Paris des Zweiten Kaiserreichs für immer ein Vorbild: hier ist alles grandios, zum Ziele strebend, dem Sinn einleuchtend. Das Gefühl, in einer wohlgebauten Stadt herumzugehen, erfüllt den Fremden von der ersten Stunde an. In diesem Sinn aber hatten schon die Könige gebaut und so fügt sich Epoche an Epoche dem Geist nach, und die Stadt ist einheitlich, obgleich die verschiedenen Zeiten aus ihr sprechen. Einen so eigentümlichen inneren Kern wie Wien hatte Paris nicht, ein solches historisches Hauptquartier, das zugleich die wichtigsten Kirchen, unzählige Paläste und Tausende der alten und charaktervollen Bürgerhäuser enthält, wie unsere Innere Stadt. Einen solchen Besitz durch die Zeiten durchzutragen und die Pflicht seiner Erhaltung mit den Forderungen der Zeiten übereinzubringen, erfordert freilich wiederum jene beiden „notwendigen Eigenschaften“, Gewalt und Geist, die bei einem regierenden Herrn oder einem starken Bürgermeister eher zu suchen sind als bei einer schwankenden, von den Schlagworten der Zeit dahin und dorthin getriebenen, selbstsüchtigen Allgemeinheit. Nicht eigentlich durch böses Tun wird Selbstsucht verderblich, sondern durch Nichtverstehen; und wo Ehrfurcht und Liebe gering werden, dort hat das dümmste Schlagwort mehr Gewalt als die gesunde Vernunft. Einer alten Stadt ist es angemessen, daß der lebendigste Verkehr in ihr nicht geradlinig hinflutet, sondern durch tausend krumme Adern sich drängt, die Durchhäuser und Höfe hinzunimmt, und so mit Hin und Her und Kurz und Quer genau dasselbe Resultat gesteigerten pulsierenden Lebens erreicht, viele mit Vielem in Verbindung setzt und tausend Waren an den Mann, tausend Verkäufer zu Gewinn bringt, wies in neuen Straßenzügen sich in strahlenförmigem Zug des Verkehrs, über Kilometer hin, mit Straßenbahn und Hochbahn und Tiefbahn vollzieht. In diesem Sinne war und ist mit einem köstlichen historischen Baugebilde, wie die „Innere Stadt“ es ist, zu verfahren. Was jahrhundertelang einem ungeheuerlichen Verkehr gedient hat, kann ihm in den Grenzen, die der neuzeitliche Gesundheitsdienst zieht, noch auf Menschenalter weiterdienen im gleichen Sinne, den auszurotten man das ganze Gebilde in Grund und Boden stampfen müßte, und dient ihm um so leichter, als es heute um Zehntausende von Wohnenden erleichtert ist. Wer aber mit dem zweifelwürdigsten, hohlsten aller Schlagworte, wie „Zeit ist Geld!“ oder „Der Verkehr über alles!“, dem eigentlichen Lebensgedanken dieses Stadtkernes zu Leibe geht, sinnlos quere Straßenzüge durch das uralte lebensvolle Häuserwerk durchtreiben will, der dient, wo nicht dem niederträchtigen Eigennutz, allenfalls dem gleich niederträchtigen Unverstand. Eine Stadt ist ein Leben; ihre Schönheit und ihre Kraft sind eins. Ihre Straßen, ihre Plätze sind Glieder eines Lebendigen, und wenn einer den Donner-Brunnen vom alten Mehlmarkt wegstemmen will und ihn irgendwo hinsetzen, in eine Sackgasse, an einen Strunk von halboffenem Platz oder mißförmigem Square, weil er dort „Ruhe hat", so handelt ein solcher an einem wahrhaft heiligen Lebendigen so wie eine mörderische Hand, die ein Herz ausschneidet oder ein Auge herausstemmt.

Es ist vieles zerstört worden, aber vieles ist noch da, und noch ist der von den Altvordern eingeprägte Sinn des Ganzen erkenntlich, noch sind die Teile nicht so zerworfen, daß das Ganze entseelt wäre. Die Ahnung, daß das Leben einer Stadt wie jedes Leben an ein Übersinnliches gebunden ist, daß ihr Weiterlebenkönnen, ihre Kraft, eine Heimstätte zu sein und eine Hauptstadt, gebunden ist an die Erhaltung ihrer baulichen Würde, die nichts anderes ist als das sinnfällig gewordene tiefste Denken und Fühlen der Väter und Vorväter, diese Ahnung, mehr als Ahnung, diese lebendige Ehrfurcht muß zurückkehren, und ihre Träger werden keine anderen sein, als die heute im Felde stehen. Denn die Ehrfurcht wohnt bei den Mutigen wie die Liebe; Charakter versteht den Charakter; wer dem Tode ins Auge gesehen hat, der erkennt das Leben und weiß es zu ehren und zu hüten. Die Geprüften, die Mündiggewordenen werden sowohl hart und fest als zart und duldsam sein. Vor ihren Augen wird das ehrwürdige Alte aufleuchten und das anständige Neue bestehen. Der Gegensatz der Zeiten, wo er sich rein und ehrlich, ohne Heuchelei und ohne Grimasse ausspricht, wird ihnen erträglich, ja behaglich sein. Nur das Charakter- und Gesinnungslose, das Verwaschene und dabei Freche wird ihren geprüften Seelen unleidlich erscheinen. Sie werden nur ein Element der Allgemeinheit sein, aber durch ihr sittliches Gewicht das führende, ohne es selber zu ahnen. An sie, die für den Bestand des heilig Alten ihr Blut hingegeben haben, wird das Alte, wo es ehrwürdig ist, seinen übersinnlichen stummen Appell richten. Das Neue aber, wo es zwischen das Alte hinein muß, wird sich der geläuterten Baugesinnung unterwerfen, mit der die Hunderttausende zurückgekehrter Männer, ohne es selbst zu wissen, durch ihre bloße Gegenwart unter uns die Allgemeinheit erfüllen werden; und das Gefühl für Bescheidenheit und Würde, für die Unterordnung des Einzelnen unter den Geist des Ganzen, für ein sinn- und charaktervolles Nebeneinander wird dem Baucharakter des neuen Wien das zurückgeben, was auch in schwächlichen Epochen, wie der Ferdinandeischen Zeit, unter einer noch lebendigen Zucht, einer sich noch zusammenhaltenden Gesinnung den Bauherren und ihren Beauftragten wenigstens niemals ganz abhanden gekommen war: den baulichen Anstand.

DIE TATEN UND DER RUHM

Es ist gesagt worden, daß man nach diesem Kriege nicht mehr von den Helden und von den Taten der Griechen und Römer sprechen werde, sondern von denen der Unsrigen; daß an die Stelle der Schlachten von Marathon und Plataä die Schlacht am San und die von Limanowa treten würde; daß Miltiades und Epaminondas zehnfach von unseren Gruppenführern, ja Regimentskommandanten überstrahlt seien, daß Hunderte von einfachen Offizieren mehr geleistet hätten und Schwierigeres als Leonidas, und daß ein einziger Monat des Karpathenkampfes mehr Heldentaten enthalte als alle Punischen Kriege zusammen. Man hat hinzugefügt, daß es nun die Sache der Schule sein werde, in ihrem Geschichtsunterricht hieraus das Fazit zu ziehen und die Namen und Bilder dieser nahen Heldenwelt an Stelle jener fernen in die jungen Seelen einzugraben.

Alles dieses ist wahr: in diesen nahen Taten ist ein Element unbedingter Hingabe, unbedingten, fast unbegrenzten Ausharrens, das jene fernen gar nicht kennen. Auch sind die Leistungen größer, schrecklicher. Es ist in unseren Kämpfen etwas Wildes, Barbarisches, das Grausen vor der Natur ist überwunden, es wird mitten im Winter, mitten im Gebirg geleistet, was nach allen Regeln der Kriegskunst als das schlechthin Unmögliche galt; damit aber verflicht sich das höchst komplizierte Kunstmäßige im Zusammenhange der Massen, im Ineinandergreifen der Mittel; die Werkzeuge der Zerstörung sind so fürchterlich geworden, daß, was durch sie erreicht wird, nicht mehr dem legitimen Kampfmittel von Mensch zu Mensch gleichsieht, sondern dem unfaßlichen Wüten der Natur gegen ihre Geschöpfe. In dem allen halten Hunderttausende der Unseren stand und vollbringen tagaus, tagein mitten in diesem Chaos Taten des Mutes und der Ausdauer, deren Fülle uns überwältigt, und doch ist es nicht der zehnte Teil ihrer Taten, von dem überhaupt Kunde zu uns dringt. Wir folgen diesem Geschehen mit Angst und Sorge, mit Glück und Stolz, denn die einzelnen sind unsere Brüder, unsere Freunde, die engsten Landsleute, es sind die Unseren. Zugleich aber blicken wir auf diesen beispiellosen Vorgang mit einer elementarischen wortlosen Ergriffenheit, wie auf ein ungeheures Naturphänomen, welches sich vor unseren sehenden Augen vollzieht, worin unmeßbare Naturkräfte sich vergeuden, unbekümmert, ob ein Zeuge da ist, ihrer zu achten. Die beständige Gewißheit, daß sich dort von Tag zu Tag, von Nacht zu Nacht mehr und Größeres abspielt, als wir jemals zu erfahren und in uns aufzunehmen imstande sein werden, dies beständige Gefühl der Unzulänglichkeit einer stets gespannten Teilnahme ist eine der völlig neuen Erfahrungen, die unser Geschlecht zu machen hat. Die Gefühle, welche sich über diese Dinge in unserer Brust erheben und mischen, sind zu vielfältig und zu unentwickelt, zu elementarisch und zu verflochten, als daß wir sie auseinanderbringen können; hier geht es uns ähnlich wie beim Anblick des gestirnten Himmels, der auch mit Gefühlen, die sich nicht vergeistigen lassen, uns anrührt: hier wie dort ist ein gleiches Element: die unmeßbare Größe, deren wir gewahr werden, verwirrt und überwältigt unser Gemüt.

Ein Gefühl aber ist diesem allen nicht beigemischt: das der Vergänglichkeit. Daß dies, was mit solcher Gewalt uns umklammert, diese grandiose Gegenwart, dies mehr als eiserne Geschehen, dahinfallen könnte und vergessen werden, das ist ein Gedanke, der uns kaum anwandelt. Wie denn auch? Irgendein König Leonidas hielt einmal mit dreihundert Lanzen in einem Bergpaß den Ansturm eines barbarischen Heeres auf; dies war vor dritthalbtausend Jahren, und sein Name ist unvergessen, seine Gestalt steht vor uns, ja die witzige Antwort ist uns überliefert, mit welcher er den Herold abfertigte, der ihn aufforderte, sich zu ergeben. Dies ist nicht mehr als ein Teilchen von dem, was jetzt geleistet und getragen wird, und die Geschichte hat es überliefert. Wie könnte sie versagen, auch nur ein Bruchstück dieses jetzigen ungeheuerlichen Geschehens weiterzutragen von Geschlecht zu Geschlecht, wenn dieses Bruchstück mehr an Heldentum enthält als Marathon und Platää, Leuktra und Mantinea mitsammen?

Und dennoch müssen wir uns sagen: dies kann geschehen. Denn was die Geschichte weiterträgt und was die Schule aus ihr schöpft und den Seelen der Nachgebornen einprägt, das sind nicht die Taten selber, die ja vor Gott unzerstörbar und unverwelklich sind, aber für uns in ihrer nackten Wahrhaftigkeit, in ihrer stummen Majestät wie schwer faßbar, wie selten sichtbar, sondern was die Geschichte weiterträgt, das ist der Ruhm, der Leumund, den die Taten bei den Mitlebenden genossen haben, die Zeugenschaft, die

Ausschmückung, die Verstümmelung, der Bericht, die Chronik, die Anekdote. Ungeheures ist dahingesunken, aber eine Gebärde, ein Zug ist geblieben; ein Wort, ein Witz haben Flügel bekommen und den Abgrund der Jahrtausende überflogen. „Um so besser, so werden wir im Schatten kämpfen.“ Diese Antwort des Leonidas an den persischen Herold, der Ort, wo sich dies abspielte, das Tor der Thermopylen, der schöne Eingang aus Thessalien nach Griechenland, dann sein Königtum, sein spartanisches Königtum: die Überlieferung, daß er und seine Dreihundert sich gesalbt und über den schönen ehernen Harnischen mit Blumen sich geschmückt hatten — dreihundert Lanzen, welche schöne ebenmäßige, den Sinnen faßliche Zahl gegenüber den Myriaden von Barbaren —, aus diesem allen setzt sich dieser unverwelkliche Ruhm zusammen, dieses unvergängliche Bild des kühnen, witzigen Königs dort im Engpaß zwischen Berg und Meer: es ist eine echt griechische Unsterblichkeit, eine Unsterblichkeit, an welcher der Geist, die sinnliche bildende Phantasie ebensoviel oder mehr Anteil haben als der Heldenmut. Denn die Tat und der Ruhm sind zweierlei, und niemand wußte dies besser als die Alten. Der Ruhm ist freilich nur der Schatten, den die Tat wirft, aber damit sie ihn werfen könne, muß einer eine Fackel entzündet haben. Die Alten waren ruhmsüchtig, und so schufen sie viel Ruhm. Sie wußten, daß die Tat selber noch nicht den Ruhm verleiht, auch nicht die größte, auch nicht eine Kette ungeheurer, die Welt erschütternder Taten. Darum weinte Alexander, als er das Grabmal des Achilles besuchte, und rief aus: „Du Beneidenswerter, daß du einen Homer gefunden hast, deine

Taten für die Ewigkeit aufzubewahren!" Das ganze Altertum hindurch war die Unsterblichkeit der Tat etwas Rundes, Konkretes, unvergleichlich anders, als sie es für die Menschen der mittleren und neueren Zeiten jemals sein konnte. Als Pelopidas dem Epaminondas seine Ehe- und Kinderlosigkeit vorwarf, antwortete dieser: „Ich hinterlasse eine Tochter, die Leuktrische Schlacht, welche mich nicht nur überlebt, sondern ewig leben wird." Dieses Wort, so natürlich und schön im Munde eines antiken Königs, hätte im Munde jedes späteren Menschen ich weiß nicht was für einen prahlerischen und schielenden Charakter. Nur in der ruhmsüchtigen Antike ist die Tat des Herostrat möglich und die Seltsamkeit, daß er durch seine Tat auch wirklich erreichte, was er erstrebte. Ruhmsüchtig wie die Einzelnen waren die Städte, die Völker. Im Augenblick, wo sie in die Schlacht zogen, opferten die Lakedämonier den Musen, damit ihre Taten würdig verzeichnet würden, denn sie hielten es für nichts Gemeines, sondern für göttliche Gunst, daß eine schöne Handlung den Zeugen fände, der ihr Dauer und Ruhm verleihe. Diese Ruhmbegierde war so allgemein, sie schien so selbstverständlich, so sehr ein Zug der menschlichen Natur, daß die, welche ihr entgegenreden, wie Chrysippus und Diogenes, schon bloß durch dies eine als Sonderlinge und bizarre Angreifer des Allgemeinen erscheinen. Und erst als ein Ausdruck des geheimen starken Gegensinnes, den jede starke geschlossene Welt in sich trägt, tönt das Wort des Epikur „Verbirg dein Leben" in die sich auflösende antike Welt hinein.

Es gibt keinen schärferen Gegensatz zu jenen Lakedämoniern, welche auf dem Punkt, eine Schlacht zu liefern, den Musen opferten und von der Gunst der Götter einen beredten Zeugen ihrer Taten erflehten, als die Gesinnung, mit welcher die Tradition dreier Jahrhunderte die k. u. k. Armee erfüllt hat. Hielten jene ruhmsüchtigen Seelen ihre Taten begierig, beinahe angstvoll dem Ruhm entgegen, so ist ich weiß nicht welche edle Stummheit, ich weiß nicht welche Geringschätzung des lauten, wortreichen Ruhmes unter den vornehmsten Überlieferungen unseres Heeres. Betrachten wir die Figuren unserer großen Heerführer, Prinz Eugen, Laudon, Erzherzog Karl, Schwarzenberg, Radetzky — so ist ihren so verschiedenen Mienen dennoch einer wie der anderen dieser stoische Zug eingeschrieben, dieses Auf-sich-beruhen-Lassen des Geleisteten, diese Ablehnung, beinahe Geringschätzung der Geschichte. Ich nenne es einen stoischen Zug — oder wie ja das Christentum in dem stoischen Element das edle Vermächtnis der Antike in sich aufgenommen hat — einen christlichen Zug. Das erhabene Wort des Apostels Paulus „Unser Ruhm ist das Zeugnis unseres Gewissens" könnte die Umschrift jeder Denkmünze sein, die auf einen unserer großen Heerführer geschlagen wäre, und wenn ich irgendwo für ein so unantikes, so hohes und besonderes Seelenverhalten das poetische Sinnbild zu finden hätte, so fände ich es in einer Strophe des Ariost, worin er ein gewisses Verhalten seines Roland schildert, ein christlichheldenhaftes und dabei weltabgewandtes Verhalten, für welches die Antike den Schlüssel nicht gehabt hätte:

„. . . Ich glaubte, daß den Rest dieses Winters hindurch Roland Dinge vollbrachte, die des Gedenkens wohl wert wären, aber bis heute sind sie so geheim geblieben, daß es nicht meine Schuld ist, wenn ich sie nicht erzähle, denn stets war Roland eher bereit, schöne Taten zu tun, als sie zu verkünden, und nie ist eine seiner Heldentaten in der Leute Mund gekommen, es sei denn, daß sie zufällig einen Zeugen gehabt hätte.“

Dies ist aufs Haar das Verhalten, das in unserem Heere Tradition geworden ist. Dies ist die Gebärde, mit welcher von je die Führer dieses Heeres es der Geschichte überließen, ihren Leistungen ein würdiges oder ein unwürdiges Denkmal aufzurichten.

Anders waren die Alten: sie wußten, das Glück tut viel, und „nach der Laune mehr als nach der Wahrheit, hebt es ein Ding ans Licht und läßt das andere im Dunkel“, aber sie taten das ihrige, um das Glück zu verbessern, und den gleichen Weg sind unter den Neueren die wahrhaft ruhmbegierigen Völker gegangen. Jenen Lakedämoniern, welche mit Flötentönen die Gunst der Musen herbeiriefen, haben die Franzosen nachgeahmt, und nicht immer erbaten sie erst von der unsicheren Gunst der Götter den beredten Zeugen ihrer Taten. Napoleons Legende verdankt seiner Feder vielleicht ebensoviel wie seinem Schwert. Aber auch die Preußen sind ein ruhmbegieriges Volk, und auch darin gleichen sie den Spartanern, mit denen man sie oft zusammengestellt hat.

Sie leisten das Große, ja sie nehmen wieder und wieder mit kühner Seele das Ungeheure auf sich, aber stark und durchgreifend wie ihr Tun ist auch ihr Gefühl von sich selber, ein Wissen um den eigenen Wert hebt sich heraus, die Geschlechter überdauernd, und aus der Mitte des eigenen Volkes rufen sie sich immer wieder den beredten Zeugen der eigenen Taten hervor. Sie dürfen es getrost der Geschichte überlassen, ihre Kriegstaten aufzuzeichnen, denn es ist die glorreichste Kette von Taten, deren ein neueres Volk sich rühmen kann: aber sie wissen mit klarem, scharfem Sinn dem Bau, den die Geschichte aufführen soll, den Grundriß vorzuzeichnen. Die Nachlebenden können ja die Fackel des Ruhmes nicht weitertragen, wenn sie ihnen nicht brennend übergeben wird, und jede Legende wird von den Mitlebenden geschaffen. So waren es seinerzeit die Mitlebenden, voll freudigen Glaubens an sich selber, welche die Legende des Marschall Vorwärts schufen. Heute ist eine andere Legende im Entstehen, Tausende weben an ihr, und ein ganzes Volk jubelt ihr zu: große Taten sind geschehen, und wie sie geschehen waren, so folgte ein Bericht, er folgte schnell und war geschaffen, die Einbildungskraft zu entzücken. In ihm war das Bild des tausendgliedrigen Geschehens vereinfacht zur wuchtigen, auch dem gemeinen Verstande faßbaren Tat. Vom Einzelnen gerade da und dort ein Zug, vom Gelände so viel als der Phantasie vonnöten; es war so verfahren, wie die volkstümliche Ballade verfährt, höchst simpel und höchst kunstvoll, es war nichts als Wahrheit und Bericht, aber es war darin der Legende und der Geschichte vorgewaltet. Es war nach dem Schöpferischen der Tat dem Schöpferischen des Geistes sein Platz eingeräumt. Sooft der Donnerkeil des großen Geschehens niederfuhr, so erschütterte er nicht bloß die Seelen, sondern er erhellte für einen Augenblick mit geistigem Glanz die Welt. Die Schlacht, kaum geschlagen, wurde geistig nachgeschaffen, und nun erst war sie für die Geschichte da, denn diese ist wie ein Strom, in welchem die Taten selber dumpf und schwer untersinken, indessen er ihre geistgeschaffenen Spiegelbilder auf seinem Rücken dahinträgt.

Auch wir müssen von der Gunst der Götter den Ruhm erbitten, wir bedürfen seiner für Österreich, und wir müssen ihn für Österreich wollen: denn wer den Ruhm seiner Taten nicht wollte, der würde bezeugen, daß er an seine Taten, ja an sich selber nicht glaubt. Auch wäre es nicht wahr, wollte man denken, daß Eugen und Karl und Radetzky den Ruhm gering achteten, darum weil ihre Relationen einen unnachahmlichen Geist stolzer Bescheidenheit atmen. Es war in ihrer Haltung etwas Naives ebenso wie etwas höchst Vornehmes, jedes Buhlen und Werben war ihrer Seele fremd und verächtlich, und sie glaubten, daß es genug an der Ehre sei, um die ihre großen Seelen beständig rangen, die ihnen aber in den Taten allein zu wohnen schien, und daß der Nachruhm dieser eigentlichen höheren Ehre gehorsam nachfolgen müsse. Auch waren die Heerestaten jener Tage, verglichen mit dem ungeheuerlichen Geschehen der unseren, wie faßlich, wie leicht zu übersehen, fast glichen sie mehr jenem heroischen Abenteuer an den Thermopylen, jener kleinen großen Schlacht von Marathon. Die heutige Schlacht aber bedarf der geistigen Schöpfung, um für die Phantasie des Mitlebenden erst zu entstehen, ja am meisten für den Mitkämpfer selber. Denn für alle, die darin verstrickt waren, ist es ein wüstes chaotisches Geschehen, und nur wenige, die höchsten Führer, lesen die geheime Chiffrenschrift und erkennen Geist und Notwendigkeit.

Zur Seele aber spricht nur der Geist; wo die Seele Geist und Notwendigkeit erkennt, da wird ihr wohl; wo diese fehlen, umfängt uns die Kette ungeheuer-icher Begebnisse mit dumpfer Betäubung. Seit sieben Monaten rast die Zeit dahin und scheint auch wieder tillezustehen. Was im Oktober oder im Dezember geschah, es steht vor uns, als wäre es gestern geschehen, und ist doch so völlig vergangen, unerreichbar fern. Es ist ein Gelebtes, und doch hängt es noch an uns mit lebenden Fäden. Es ist geschehen, und noch ist es nicht Geschichte. Noch ist es unserem Herzen zu nah, immer wieder nehmen wir es unter Leiden in uns auf, kämpfen dagegen an, wie gegen ein Gegenwärtiges. Aber es ist im Begriffe, Geschichte zu werden, und wir ahnen, daß einst nachlebende Geschlechter mit ehrfürchtigem, aber ruhigem Herzen darauf hinschauen werden. Aber ob das, was sie gewahren werden, der Stätte eines unheimlichen Bergsturzes gleichen wird, oder einem aus Quadern getürmten Tempel, das hängt davon ab, bis zu welchem Grad vergeistigt sich das Bild dieser gigantischen Verteidigungstaten in die Seelen der Mitlebenden eingraben wird.

GRILLPARZERS POLITISCHES VERMÄCHTNIS

Feldmarschall Radetzky und sein Sänge
Gelten in der Not, allein nicht länger
Grillparze

IN bedrängten Epochen wird der denkende Öster reicher immer auf Grillparzer zurückkommen un dies aus zweifachem Grunde: einmal, weil es in Zei ten, wo alles wankt, ein Refugium ist, in Gedanken zu seinen Altvordern zurückzugehen und sich bei ihnen die in der Ewigkeit geborgen sind, des nicht Zerstör baren, das auch in uns ist, zu vergewissern; zum andern, weil in solchen Zeiten alles Angeflogene un Angenommene von uns abfällt und jeder auf sich selbst zurückkommen muß; in Grillparzer aber, de eine große Figur ist und bleibt — so wenig er ein heroische Figur ist — treffen wir von unserem reine österreichischen Selbst eine solche Ausprägung, da wir über die Feinheit und Schärfe der Züge fast er schrecken müssen. Nur unser Blick ist sonst zuweilen unscharf, ihn und uns in ihm zu erkennen. Die Not der Zeiten aber schärft den Blick.

Grillparzer war kein Politiker, aber neben Goethe und Kleist der politischeste Kopf unter den neueren Dichtern deutscher Sprache. Liest man eine seiner politischen Studien, etwa die über den Fürsten Metter nich, so ergibt sich, mag man ihm recht geben oder nicht, das Gefühl seiner Kompetenz, ja dieses allenfalls schon aus dem berühmten Resümee dieser Cha rakteristik in sieben Worten: „Ein guter Diplomat aber ein schlechter Politiker". Neben einer solchen kompetenten Behandlung des Politischen erscheint das, was gelegentlich ein so bedeutender Zeitgenosse wie Hebbel politisch äußert, eher nur als die geistreiche Anknüpfung eines Außenstehenden, Ideologie; doch bleibt es wenigstens stets gedanklich wesenhaft; wogegen die meisten politischen Äußerungen gleichzeitiger Dichter in Vers und Prosa ins Gebiet des bloß Rednerischen, in höherem Sinn Gehaltlosen gehören und darum den Tag nicht überlebt haben. Eben darum aber galt Grillparzer den sukzessiven Schichten seiner Zeitgenossen kaum als politischer Kopf; wo die anderen Jungdeutsche, St. Simonisten, Liberale, Republikaner oder was immer Großartiges und Allgemeineuropäisches waren, war er Österreicher und gewissermaßen Realpolitiker. Wo die andern ins Allgemeine gingen, sah er das Besondere; er erfaßte das Bleibende, auch im Unscheinbaren, seine politischen Erwägungen sind immer gehaltvoll. Seine Tadler, wie Goethes Tadler, wollten ihn zeitgerechter: er war auf das Wirkliche gerichtet. Die Gegenwart bringt immer einen Schwall von Scheingedanken auf, aber des Denkenswerten ist wenig: er dachte das Denkenswerte. Man wollte von ihm die allgemeine politische Deklamation, er sah vor sich eine politische Materie, die ihn anging, die einzig in ihrer Art war, dieses alte lebendige Staatsgebilde, sein Österreich.

Dieses liebte er und durchdrang es mit scharfem, politischem Denken; aber er liebte es nicht, sich unter die politische Kleie zu mengen, so war er den einen zu fortschrittlich, den andern zu reaktionär, den Ämtern schien er kühn und bedenklich, von der andern Seite gesehen kalt und an sich haltend; für die, welche allein politisch zu leben meinten, war er bei Lebzeiten ein toter Mann: nun ist freilich er lebendig, die anderen tot.

In den Studien, den Epigrammen und Gedichten ist ein reichliches politisches Vermächtnis, ein größeres in den Dramen. Seine großen durchgehenden Themata waren diese: Herrschen und Beherrschtwerden, und Gerechtigkeit. Diese abzuwandeln, schuf er eine Kette großer politischer Figuren: den Bancban und seinen König, Ottokar und Rudolf von Habsburg, Rudolf II., Libussa. Man hat eine Gewohnheit angenommen, diese Seite seiner Welt über dem Zauber seiner Frauenfiguren zu übersehen, aber in einer schöpferischen Natur verschränkt sich vieles, und wer das Große einseitig betrachtet, verarmt nur selber.

Politik ist Menschenkunde, Kunst des Umganges, auf einer höheren Stufe. Ein irrationales Element spielt hier mit, wie beim Umgang mit Einzelnen: wer die verborgenen Kräfte anzureden weiß, dem gehorchen sie. So offenbart sich der große politische Mensch. Vom Dichter ist es genug, wenn er die Mächte ahnt und mit untrüglichem Gefühl auf sie hinweist.

Für Österreich kommen ihrer zwei in Betracht, die von den politischen Zeitideen nur leicht umspielt werden, wie Gebirg und Tal von wechselnden Nebelschwaden: der Herrscher und das Volk. Zu beiden von den Zeitpolitikern nicht immer klar als solche erkannten Hauptmächten stand Grillparzers Gemüt und Phantasie in unablässiger Beziehung. Ihn trieb ein tiefer Sinn, sich wechselweise in beide zu verwandeln: er war in seinem Wesen Volk und war in seinen Träumen Herrscher. In beiden Verwandlungen entwikkelte er das Besondere, Starke, Ausharrende seiner österreichischen Natur.

Vielleicht darf man hier zwei Gestalten etwas überraschend zusammenstellen: Rudolf II. und die Frau aus dem Volke im „Armen Spielmann", die Greislerstochter. Beide zusammen geben symbolisch Grillparzers Österreich. Sie sind beide von starker und tiefer Natur, geduldig, weise, gottergeben, unverkünstelt und ausharrend. Beide sind sie scheu und gehemmt; beide bedürfen sie des Mediums der Liebe, um von Menschen nicht verkannt zu werden, aber mit Gott und der Natur sind sie im reinen.

Man spricht nicht selten von einer gewissen Kunstgesinnung, wofür L'art pour l'art das Schlagwort ist und die man mit lebhaftem Unmut ablehnt, ohne sich immer ganz klar zu sein, was darunter zu verstehen ist; aber man darf nicht vergessen, daß eine ähnliche Gesinnung auf allen Lebensgebieten sich beobachten ließe, überall gleich unerfreulich: der Witz um des Witzes willen, das Geschäft um des Geschäftes willen, das Faktiöse um des Faktiösen willen, die Deklamation um der Deklamation willen. Es gibt ein gewisses L'art pour l'art der Politik, das viele Übel verschuldet hat; in die politische Rhetorik um der Rhetorik willen ist der Dichter, der als Politiker hervortreten will, zu verfallen in ernster Gefahr. Grillparzer war viel zu wesenhaft, um dies nicht scharf von sich abzulehnen; die Laufbahn Lamartines oder etwa die Aspirationen der Professoren und Dichter, die in der Frankfurter Paulskirche laut wurden, lockten ihn nicht. Eine einzige Anknüpfung an das praktische politische Leben wäre seiner Natur möglich gewesen: im persönlich-dienstlichen Verhältnis zu einem schöpferischen

Staatsmann, zu Stadion. Wo nämlich am politischen Fachmann jene freundlich glänzende Seite hervortritt, wo er Weltmann und Philosoph wird wie Prinz Eugen und Friedrich II., wie Kaunitz und de Maistre, da ergibt sich die Möglichkeit, daß er auch andere produktive Kräfte ins Spiel setze als die rein politischen. So entsteht Kultur: als ein Bewußtwerden des Schönen in dem Praktischen, als eine vom Geist ausgehende Verklärung des durch Machtverhältnisse konstruktiv Begründeten. So hat Goethe Kultur definiert: „Was wäre sie anders als Vergeistigung des Politischen und Militärischen?"

Hier war für Grillparzer die Konstellation nicht glücklich: er war zu unreif, als eines solchen Mannes wie Stadions Blick auf ihn fiel; später, als die schwere Krise von 1848 ihn für einen Augenblick im reinsten Sinne zum Politiker machte und zu einer ephemeren geistig-politischen Macht erhob, war er überreif. In den dazwischenliegenden Jahrzehnten hatte man ihn nicht gerufen. Es fehlt in Österreich selten an geistigen Kräften, öfter an dem Willen, von ihnen Gebrauch zu machen.

Grillparzer geht aus dem alten Österreich hervor und ragt in das neue hinein; er steht mitten zwischen der Zeit Maria Theresiens und unsrer eigenen. Sein Charakter, der hierher und dorthin paßt, beiderseits als ein lebendig zugehörendes Element, gibt uns den Begriff eines unzerstörbaren österreichischen Wesens. Man hat die spezifisch österreichische Geistigkeit gegenüber der süddeutschen etwa oder der norddeutschen oder der schweizerischen öfter abzugrenzen gesucht. Der Anteil an Gemüt, an Herz wird eifersüchtig bestritten; dieser geheimnisvollsten höchsten aller

Fibern, zu der alles sich hinaufbildet, vindiziert jedes Volk eben die Eigenschaften, welche ihm, seiner Natur nach, die kostbarsten scheinen. Es ist nicht die dunkle Tiefe, durch welche das österreichische Gemüt den Kranz erringt, sondern die Klarheit, die Gegenwart. Der Deutsche hat ein schwieriges, behindertes Gefühl zur Gegenwart. Sei es Epoche, sei es Augenblick, ihm fällt nicht leicht, in der Zeit zu leben. Er ist hier und nicht hier, er ist über der Zeit und nicht in ihr. Darum wohl ist bei keinem Volk so viel von der Zeit die Rede, als bei den Deutschen; sie ringen um den Sinn der Gegenwart, uns ist er gegeben. Dies Klare, Gegenwärtige ist am schönsten im österreichischen Volk realisiert, unter den oberen Ständen am schönsten in den Frauen. Dies ist der geheime Quell des Glücksgefühls, das von Haydns, Mozarts, Schuberts, Strauß' Musik ausströmt und sich durch die deutsche und die übrige Welt ergossen hat. Dies Schöne, Gesegnete würde ohne uns in Europa, in der Welt fehlen.

Dies ist auch der Seelenpunkt in Grillparzers dichterischen Werken, wodurch sie sich als österreichische hervorheben. Aber alle anderen Seiten des österreichischen Wesens sind an ihm nicht minder wahrnehmbar: zu diesen dürfen wir die natürliche Klugheit rechnen, die naiv ist, den Mutterwitz ohne einen Zusatz des Witzelnden, welches als ein von Natur Fremdes neuerdings hinzugetreten ist oder hinzutreten möchte; eine völlige Einfachheit, wovon der oberste Stand sich den Begriff der Eleganz ausgeprägt hat — der sich mit dem tieferen der Vornehmheit kaum berührt; dann eine gewisse Kargheit und Behinderung des Ausdrucks, das Gegenteil etwa der preußischen Gewandtheit und Redesicherheit: jenes lieber zu wenig als zu viel zu sagen, war bei Grillparzer bis zum Grillenhaften ausgebildet; in der Tat sagt er meistens mehr, als es auf den ersten Blick scheinen mochte. Im Ablehnen von Phrasen nicht nur, auch von neu aufkommenden Wörtern und Bildungen war er unerbittlich; das Übertreiben in Worten war ihm das wahre Symbol der um sich greifenden Schwäche und Liederlichkeit. Zum Schlusse nenne ich den österreichischen Sinn für das Gemäße, die schöne Mitgift unsrer mittelalterlichen, von zartester Kultur durchtränkten Jahrhunderte, wovon uns trotz allem noch heute die Möglichkeit des Zusammenlebens gemischter Völker in gemeinsamer Heimat geblieben ist, die tolerante Vitalität, die uns durchträgt durch die schwierigen Zeiten und die wir hinüberretten müssen in die Zukunft. Von ihr war in Grillparzer die Fülle und ganz unbewußt, sein Österreichertum hatte nichts Problematisches. Seinem innersten Gemüt, dem Leben seines Lebens, der Phantasie standen die slawischen Böhmen und Mährer nahe, wie die Steirer oder Tiroler; er polemisiert gegen Palacky, aber wie formuliert er seinen Vorwurf: daß er allzu deutsch sei, allzu weit von deutschen Zeitideen sich verlocken lasse. Daß Böhmen zu uns gehört, die hohe, unzerstörbare Einheit: Böhmen und die Erblande, dies war ihm gottgewollte Gegebenheit, nicht ihm bloß, auch dem Genius in ihm, der aus dieser Ländereinheit von allen auf Erden seine Heimat gemacht hatte. Schillers Dramen spielen noch in aller Herren Ländern, die Grillparzers eigentlich alle in Österreich. Die griechischen haben ihren Schauplatz nirgends, es geht in ihnen das

Heimatliche im zeitlosen idealisierten Gewande, von den andern haben vier den Schauplatz auf böhmischem und erbländischem Boden, eines in Spanien, das in gewissem Sinne zur österreichischen Geschichte dazu gehört, eines auf ungarischem. Der Kontrast zwischen slawischem und deutschem Wesen, verkörpert in Ottokar und Rudolf von Habsburg, tut niemandem weh, denn es ist das glänzende, dämonisch kraftvolle, aber unsichere slawische Seelengebilde mit ebensolcher gestaltender Liebe gesehen wie das schlichte tüchtige des Deutschen, der auf Organisation und Dauerhaftigkeit ausgeht. Die dunkle Drahomira, die so lange in den Räumen seiner Seele wohnte, aber nie ans Licht trat, und die helle Libussa, das späteste Kind seiner Phantasie, sind beide mit slawischem Wesen liebevoll durchtränkt, und Hero, die Wienerin Hero, ist nicht ohne einen Tropfen jähen slawischen Blutes.

Er klagte und tadelte, aber er schuf und liebte; sein Österreich ist so groß, so reich, so natürlich und das „Austria erit" in seinem Munde eine Selbstverständlichkeit. Er war ein Spiegel des alten, des mittleren Österreich: wenn das neue in ihn hineinsieht, kann es gewahr werden, ob es nicht etwa ärmer geworden ist, ob wir nicht etwa an Gehalt verloren haben und an Seelenwärme. Ob, wenn schon sein Tadel auch uns zu treffen vermag — doch auch sein Lob noch immer gerechtfertigt ist — und für wen? Sein Stolz, sein Zutrauen noch immer begründet — und auf wen?

GEIST DER KARPATHEN

Erst allmählich, vielleicht erst nach Jahren, wird man die Größe des hier Geleisteten ermessen können. *Schweizer Bericht*

Wie vom Alpenübergang Hannibals, wie von Alexanders Märchenzug nach Indien, so wird man in fernen Zeiten von der siebenmonatigen Karpathenschlacht reden.
Schwedischer Bericht

ALLMÄHLICH, wie die Monate hingehen, ist es, als ob sich doch schon für uns Lebende das Gesicht dieses Krieges enthüllen könnte, nicht die vorgehaltene Larve eines schlangenschüttelnden Medusenhauptes, deren Anblick das Blut in den Adern erstarren läßt, sondern sein wahres ewiges Gesicht, das die kommenden Jahrhunderte sehen werden. Allmählich wird alles, was von Monat zu Monat geschehen ist, aus dem Späteren verständlich, daß es geschehen mußte und nach der Notwendigkeit geschehen ist, und wir fangen an zu ahnen, wie völlig das Frühere unter dem Zwange des Späteren stand, das hereindrängen wollte. Daß wir uns dem Heranfluten des größten Heeres, das die Welt gesehen hat, entgegenwarfen, um das Herz Europas gegen den tödlichen Stoß zu decken, daß wir dann zurück über die Flüsse gegen Westen mußten, wieder vor an den San, wieder zurück ins Gebirge, und daß sich das Größte, Entscheidende endlich an und auf dem bogenförmig gegen Osten gekrümmten Bergwall der Karpathen vollziehen mußte, so wie einst an den Wällen Wiens die asiatische Welle brandete und zurückging, dies alles erscheint uns heute notwendig. Es ist, als hätte dies alles nicht anders geschehen können und an keiner anderen Stelle der Welt, und als hätte der Geist, der sich hier offenbaren mußte, genau alle die Umstände zu seiner Offenbarung nötig gehabt, die sich nur hier zusammenfanden, um die Kette der schwersten Prüfungen zu bilden, welche je über ein Kriegsheer verhängt wurde. Dieses Terrain, welches das Äußerste auferlegte, die schwere Not, der verzweifelte Ernst, den hier die Natur über Menschen, kämpfende, bei Tag und Nacht miteinander ringende Menschen brachte, die Jahreszeit, der nasse stürmevolle Herbst, der harte Winter, der wilde Nachwinter, die Froststarre, das Wasser, die lehmige Erde, die sich in Klumpen an die Füße hängt, der mannshohe Schnee, das vereiste, glatte Gelände, der Sturm, die Einsamkeit, die endlosen Winternächte, der von Geschossen zerfetzte splitternde Wald, die verschütteten Tunnels, die in den Fels geklemmten neuen Feldbahnen, die Notbrücken, die Pioniere bis an die Brust in eisigem Wasser stehend, die weggesprengten Bergkuppen mit feindlichen Batterien und Stellungen auf ihnen, die improvisierten Panzerzüge, die Geschütze, von Menschen an Seilen auf die Berge hinaufgezogen, es ist, als könne man heute nichts von allen diesen Dingen mehr wegdenken.

Aber auch jenes andere läßt sich nicht wegdenken, das in so vielen Briefen und Tagebüchern immer wiederkehrt, die Erhabenheit der Natur mitten in und über all diesem Geschehen: die gestirnten Winternächte, die schweigenden verschneiten Buchenwälder, die stillen Bergkuppen im Frühlicht und jenes

Aufgehen des Morgensternes in der eisigen klaren Luft, groß und zauberisch hier so wie nie und nirgends sonst, wie ein Signal, ein Feuerzeichen, immer wieder jene schwere Stunde zwischen Nacht und Tag heranführend, die mehr Blut hat fließen sehen als irgendeine andere von den vierundzwanzig. Nichts, was in diesen Monaten aus Hunderten von knappen Berichten sich unserer Seele eingegraben hat, läßt sich von diesem ungeheuersten aller Kriegserlebnisse ablösen. Nie wird von den Namen all der Karpathenflüsse der Schicksalsklang abfallen; wenn wir Dunajec hören werden oder Biala, Ondawa und Orawa und Laborcza, Ung oder Stryj, so wird in uns im Tiefsten etwas erbeben, das vor diesem Kriege nicht da war. Wir sprechen diese Namen aus und wir fühlen, daß sie in uns, nicht wir in sie, das Erhabene legen, das wir nur in vergangenen Zeiten zu suchen und zu ahnen gewohnt waren. Dies gegen Osten gekrümmte Waldgebirge, dieser östliche Bergwall der Monarchie ist durch ein ungeheures Geschick zu einer heroischen Landschaft ohnegleichen geworden. Tal um Tal, Schlucht um Schlucht, sie waren der Schauplatz, auf dem der Krieg sich seine Helden erzog. Hier wurde aus einer bloßen Masse von Soldaten ein Heer, das kriegsgewohnteste, unüberwindlichste, das seit den Tagen des Prinzen Eugen unter dem Doppeladler gefochten hat. Hier gab es jene Improvisationen, die aus Haufen von Landstürmern, von huzulischen Bauern, von Gendarmen und Zollwächtern ruhmreiche Kampfgruppen machten, deren Taten in schweren Wochen die Herzen höher schlagen ließen. Hier geschah diese Auslese, wie kein General sie vollziehen kann, sondern nur das eiserne Geschick, hier diese

Verschmelzung vieler zur harten, kühnen Einheit.

Hier standen sie nebeneinander — aber nun stehen sie nicht mehr, sondern stürzen sich wie Frühlingsgießbäche den östlichen Abhang hinab gegen den Feind — diese kleinen und großen Heere, deren Namen wir so sehr lieben gelernt haben: Gruppe Roth, Gruppe des Erzherzogs Josef, Gruppe Arz, Gruppe Szurmay, Gruppe Hoffmann, Gruppe Pflanzer — Namen nur, aber wieviel mehr als Namen unseren Herzen. Zehn oder zwanzig Namen, aber sie beschwören die Hunderttausende für uns herauf, die keinen Namen haben. Alle diese Arbeiter des Krieges, diese Naturmenschen. Stumm haben sie es geleistet, wie andere Arbeit. Es ist unmöglich, das Wirkliche davon auszusagen, und auch sie selber vermögen nicht das Wirkliche davon auszusagen. Die Nacht verschlang den Tag, der Tag die Nacht. Sie waren da und harrten aus. Zuerst war Oktober, November, dann kam Limanowa, dann Weihnacht unter blutigen Kämpfen, Neujahr unter blutigen Kämpfen, die Offensive Ende Januar, die endlose Märzschlacht, die furchtbare Osterschlacht. Sie lagen im Schnee, schliefen mit dem Gewehr im Arm, ließen ihre Toten unbegraben neben sich im tiefen Schnee — denn sie hatten keine Zeit, sie zu begraben — und harrten aus. Sie blieben bei der gleichen Arbeit, sieben Monate lang. Bauern und Arbeiter sind sie, und sie sind nicht gewohnt, aufzuhören, bevor ihre Arbeit zu Ende getan ist. Es ist unmöglich, sie alle vor sich zu sehen, aber doch kann man ihrer viele vor sich sehen, Kohlenarbeiter, Bergleute, Eisenbahner, Metalldreher, Buchdrucker; Holzhauer, Waldbauern, Weinbauern, Heger, Pferdehirten,

Fuhrleute, Tischler, Almer, Schmiede, Schlosser, Bräuknechte, Wagner, Sattler, Fleischhauer, Finanzer, Gendarmen. Und da sind ihre Offiziere; der blutjunge, eben ausgemusterte Leutnant, und der Hauptmann mit leicht angegrautem Haar, der nie zuvor in langen Friedensjahren ganz er selbst war und erst in diesem Kriege ganz er selbst geworden ist, und der aus Mexiko zurückgekommene Ingenieur, der dort Straßen gebaut hat, und der aus Rumänien zurückgekommene Elektrotechniker; und der Gerichtsbeamte, der Stationschef, der Kleinstadtkaufmann, der Schullehrer, der Geometer, der Musiker, der Notariatskandidat, der Bezirkskommissär, der Chemiker, der Finanzrat, der Sparkassebeamte, der Fabrikant. Und bei ihnen ihre wundervollen Priester, ihre wundervollen Ärzte.

Es ist unmöglich, über das Wirkliche dessen, was sie durchgemacht und geleistet haben, auszusagen, aber dennoch läßt sich die Kette der Wirkungen ahnen, durch welche jenes Ungeheure zustande kam. Sieben Monate, zweihundert Tage und Nächte — und das unsagbare Ausharren, das heldenhafte Vor, immer wieder, und das heldenhaftere Zurück, diese siegreichen Rückzugsgefechte, dies innerliche Überlegenbleiben im scheinbaren Unterliegen;
Geduld, kostbarer als Mut; das Scherzen, das Singen, das Nahrungsuchen, das Brückenbauen, das Austreten des Weges, das Anseilen der Geschütze, das Wegschleppen der verwundeten Kameraden über vereiste Hänge: und über dem allen jenes unaufhörliche Gebet von Männern: Ich will;
das Einandervorreißen der Gruppen, das Gewahrwerden der bedrängten Nachbargruppe, das Sichver-

lassen aufeinander, das Gefühl des Umgriffenwerdens, und doch aushalten, immer wieder;
und das Einzelne, tausendfach: das Einanderablösen am Maschinengewehre, der Leutnant, der aufrecht im Feuer die Munitionskiste nach vorne trägt, der Divisionär, der nur als letzter von allen seinen Leuten zurückgehen will, der alte Landsturmmann, der verblutend weiterfeuert mit den Patronen aus dem Gürtel des Toten neben ihm;
und jener Zugsführer, der, selber verwundet, durch den San schwimmt, seinen schwerverwundeten Oberstleutnant im Arm, in der anderen Hand die Regimentsfahne; und jenes Sterbegebet des bosnischen Moslims, von niemandem gehört als dem kaiserlichen Prinzen, der die Zweige eines Gebüsches auseinanderbiegt, und darin den einsamen Moslim findet, der seine Sterbelieder singt;
und der Zuruf der Stürmenden an die Stürmenden neben ihnen, der Kroaten an die „mit den Blumen", der Bosnier an die Kärntner, der Salzburger an die Wiener, und das Niedersinken der betenden Tiroler auf der erstürmten Magiera;
welche nie auszusagende Vermischung von Angst und Mut, von Lust und Qual in der Brust von so vielen Tausenden von Männern; welche übermenschlichen Gefühle; welche Schule für einmal und für immer; welche dämonische Erhöhung des Daseins, welche nie auszusagenden Ahnungen; welches beständige „Näher, mein Gott, zu dir!"; welche ungewußte Heiligung und Wiedergeburt; welche Darbringung ihrer selbst und welche ungewußte Erhöhung ihres Wertes für einmal und für immer!

Welche Schule, die sie durchgemacht haben; welche Beurteilung der Kameraden, der Vorgesetzten; welcher Geist, der aus ihnen geboren ist und sie nie mehr völlig verlassen kann; welche Macht des Gemütes über sich selber, so groß, daß vor ihr auch Tod und Geschick sich gebeugt haben.

Wo ist noch Platz für Kleinmut, wenn diese zurückkommen? Welche Macht, welcher Glanz der Gegenwart umschwebt sie nicht — welche Kraft, alles zu erneuen!

Wie wesenlos ist vor diesem die Vergangenheit, alles Verworrene, Dumpfe; nirgends ist ein Platz für Klauseln, für Hintergedanken. Mit ihnen geht ein Geist, vor dem das Wesenlose nicht besteht.

Man möchte sich fragen: Wohin mit soviel Mut, wenn wieder Friede sein wird? Soll dieser Geist, der aus den Tausenden hervorbrach, in Bescheidenheit zurück in die Ackerfurchen, zurück in die Wälder? Zurück in die Glashütten, an die Webstühle, in die Salzwerke, an die Maschinen, aufs Rübenfeld, in die Werkstatt? Er wird es, aber es wird ein Überschuß bleiben, stark genug, um das Leben dieser nächsten Jahrzehnte zu durchleuchten und zu erhöhen. Hier ist Saat der Edelsten, die sich ausstreut über das geliebte, mit so viel Blut erkaufte, unberührte Land. Sie werden zurückgehen an die Maschine, zurück zum Pflug; aber sie werden nie mehr die dumpfen Sklaven der Maschine sein, und über dem Feld, das sie pflügen, wird ein Geist die Flügel schlagen, der uns alle segnen wird.

Wer dem Äußersten ins Auge gesehen hat, wird mäßig und stark sein, gut und segnender Weisheit voll; in Tausenden der Tausende ist uns eine ungeheure Kraft gegeben: sie ruht auf ihnen, sie wohnt bei ihnen; sie ist heilig; Lehrer, Priester, Volksvertreter, Obrigkeit, diese vor allem sind gerufen, ihrer zu wahren: wehe, wer sie vergeudete!

UNSERE MILITÄRVERWALTUNG IN POLEN

MITTEN in der harten Arbeit des Krieges wird seit vielen Monaten von uns ein Stück Friedensarbeit geleistet, und, wie alles Tüchtigste bei uns, ganz im stillen, ohne daß jemand davon weiß, sozusagen, als ob es selbstverständlich wäre: die Verwaltung der von unseren Truppen besetzten Gebiete von Kongreßpolen. Das Etappenoberkommando, welchem die Etappen sämtlicher Armeen des russischen wie des serbischen und italienischen Kriegsschauplatzes unterstehen, findet neben dieser seit elf Monaten nicht aussetzenden Riesenarbeit noch die Zeit, mit militärischen Organen ein Gebiet, das heute so groß ist, wie Mähren und Schlesien zusammen, das sich aber an seinem Rande von Woche zu Woche vergrößert, zu verwalten, zu retablieren, in diesem Gebiete die Wunden des Krieges zu heilen, das ökonomische, soziale, ja sogar das geistige und politische Leben einigermaßen wieder in Gang zu bringen, kurz, mitten im Kriege und mit den Kräften und Faktoren, welche der Krieg ins Spiel setzt, an Stelle des Werkes der Zerstörung das Werk des Friedens nach seinen drei Hauptrichtungen zu setzen: Erhalten, Wiederherstellen, Neues Aufbauen. Eine ähnliche Kulturarbeit im größten Stil haben unsere Bundesgenossen im Westen geleistet. Die unsrige hat sich mit geringeren Mitteln auf einer ärmeren Basis das gleiche Ziel gesteckt. Wie es erreicht wurde, dürfte — mit Veränderung des zu Verändernden — hinter dem Resultate dort drüben nicht zurückstehen. In einem

Punkt vielleicht, dem Eingehen auf Sprache und Geist des Volkes, um dessen Gebiet es sich handelt, der rechten Gewinnung des Zutrauens, dürfte das Bild, das unsere Gebiete der Betrachtung vorweisen, das glücklichere sein.

Das von den k. u. k. Truppen okkupierte und einer heute bei aller Improvisation doch geregelten Verwaltung anvertraute Gebiet reicht von der Krakauer Landesgrenze im Süden bis über Piotrkow im Norden, vom preußisch-schlesischen Grenzgebiet im Westen bis zum Bergland von Kielce im Osten. Die Vorstellungen über russisch-polnische Landesgebiete, welche im Hinterlande verbreitet sind, ermangeln der Klarheit und Richtigkeit. Man vermutet einsame Sandwüsten, abwechselnd mit traurigen Sümpfen; beide Terrainformen kommen in der Tat streifenweise vor, was nicht hindert, daß es sich im großen und ganzen um eines der sehr dicht bevölkerten, sehr ressourcenreichen Gebiete Europas handelt, um ein Gebiet von ehrwürdiger Vergangenheit, großer Zukunft und höchst respektabler Gegenwart. Das von uns okkupierte Gebiet enthält im Kreise Dombrowa eines der ertragreichsten Kohlenbecken Europas, dessen Kohle hinter der preußisch-schlesischen um ein sehr Geringes zurücksteht, der unserigen (der des Ostrau-Karwiner Reviers) an Qualität überlegen ist; es enthält in einigen Kreisen Ackerboden, gleichwertig dem besten der Hanna, 160.000 Hektar hochwertiger Waldungen, das ist so viel als die Hälfte des ganzen staatlichen Waldbesitzes in Galizien, die reichen Kupfergruben im Bergland von Kielce, Galmei im Kreise Olkusz, es ist reich an größeren Ortschaften, nicht arm an Eisenbahnen, hat aber ein quantitativ und qualitativ unzulängliches Straßennetz. An Naturschönheit steht es hinter Galizien zurück, an natürlichen Reichtumsquellen ist es ihm überlegen.

Dieses Land hatte stückweise, wie die Armee vorging, heute diesen Streifen, morgen jenen, die vom Etappenoberkommando hervorgerufene Militärverwaltung in ihre Obhut zu nehmen. Dreimal hin und zurück war der Krieg über das unglückliche Land gegangen; beim letzten Zurückgehen hatten die Russen nicht nur an Wegen und Stegen zerstört, was von der gründlichen Zerstörung durch die Armeen Hindenburg und Dankl noch übrig war, sondern sie hatten auch alle Hilfsmittel weggeschleppt, auf welche eine einzurichtende Verwaltung sich stützen könnte: alle Gesetzbücher, alle Akten der Behörden, Gerichte und Gemeinden, alle Grundbücher. Was man übernahm, war im rechtlichen Sinne kein Land, sondern ein Chaos. Man hatte, gemäß den Satzungen des Völkerrechtes, nach dem im okkupierten Lande geltenden Gesetz zu amtieren, und es war nicht möglich, dieses Gesetz zu verschaffen; der vom Etappenoberkommando berufene Forstrat beispielsweise mußte das russische Forstgesetz und die Vorschriften des russischen Jagdschutzes durch die Bibliothek der Akademie der Wissenschaften in Krakau auftreiben lassen, ehe er landesgemäße Verfügungen treffen konnte. Und das Land war voll Menschen, über die dieses Chaos hingegangen war und die leben wollten. Dazu in dem erregten, aufgewühlten Lande eine fieberhafte, ihrer eigenen Ziele ungewisse politische Agitation; die Atmosphäre aller großen Krisen; widerstreitende Interessen überall; zweifelhafte Elemente da und dort, Komitees, Tagungen, Organisationen unklaren

Zweckes; Angeberei, Spionage und Gegenspionage; im Umkreis der großen Industrieorte das Räuberunwesen endemisch; beim Bauern der Viehstand dezimiert, der Boden zerstampft, die Ackergeräte vielfach zerstört oder verschleppt; in den Industriekreisen die Arbeit eingestellt, die Bevölkerung hungernd; dazu die Bahnen und Brücken zerstört, vorne die eigenen Armeen und der Feind, nach hinten zu die Zufuhr durch unsere eigenen und des Deutschen Reiches Ausfuhrgesetze gesperrt. Dies ungefähr war die Situation, als unsere Militärverwaltung das Land zu übernehmen hatte. Heute ist das Land angebaut, die Eisenbahnen laufen, die vorhandenen Straßen dienen der Landwirtschaft und dem Handel, und es entstehen täglich so und so viel Kilometer neuer Straßen; es herrscht Ordnung und Sicherheit, die Arbeitslosigkeit ist gering und niemand hungert; der Gesundheitszustand ist über jede Erwartung, Infektionsspitäler, Isolierbaracken wurden bereitgestellt und stehen leer. Man spricht von Herkulesarbeiten: hier ist eine geleistet worden und in aller Stille und Bescheidenheit.

Eine glückliche Hand war am Werk; zunächst in der Wahl der Kreiskommandanten. „Menschen, keine Maßregeln" scheint bei der Konzeption dieser Verwaltung der leitende Gedanke für das Etappenoberkommando gewesen zu sein. Es sind keine Bureausoldaten, sondern Truppensoldaten, diese Herren Obersten, die man an die Spitze der Kreise gestellt hat. Keiner von ihnen, so viel ich weiß, der nicht längere oder kürzere Zeit an der Front gestanden hätte. Man hat aus dem reichen Reservoir begabter, lebendiger Menschen geschöpft — hätte man dreimal so viele Kreise zu besetzen gehabt, das Material wäre zu finden.

In der Armee Pflanzer, um nur einen Namen zu nennen, dürften einige Gouverneure, die nie gouverniert haben, einige Kolonisatoren, einige schöpferische Kreischefs und brauchbare Distriktskommandanten stecken. Denen, die man ausgewählt hatte, gab man das Gefühl, daß man ihnen vertraute, das Gefühl: die Leistung wird, wo sie sich einstellt, gebilligt. So ergab sich das Zutrauen nach oben, das Gefühl der Festigkeit, mitten in einer so problematischen Situation, in so unklar abgegrenzten Kompetenzen. Kein Geist der Anciennität, sondern der Brauchbarkeit. Die Direktiven, wenige und klare: Ordnen, nicht reglementieren; das Gegebene schützen; auf dem Vorhandenen weiterbauen. Wenig Akten schreiben, allenfalls telephonieren; vieles schnell entscheiden und für die Entscheidung einstehen. Die Macht, die in die Hand des Kreiskommandanten gelegt ist, ist notwendigerweise eine sehr große, seine Befugnisse sind sehr weitgehend. Sein Wort in vielen und folgenreichen Dingen muß sein: „Ich verfüge — ich befehle." Aber die Freudigkeit, zu verantworten, steht dahinter. Wo die Wichtigkeit groß ist, stellt sich Haltung ein, die fern ist von jeder Wichtigtuerei.

Jeder Kreiskommandant ist in seinem Kreise oberster Herr und Stellvertreter des Monarchen; er entscheidet in politischen wie in militärischen Dingen; das Organ der politischen Behörde, der Zivilkommissär, ist ihm beigegeben und unterstellt. Der Kreiskommandant ist oberster Gerichtsherr; er entscheidet über Leben und Tod; er ist Militärkommandant und Bezirkshauptmann in einer Person; er ist der Chef der Steuerbehörde und der Schulbehörde, wie er der Sanitätschef ist. Er ist die Paßbehörde, wie er die

Gewerbebehörde ist. Ihm obliegt die Sorge für alles, strikte für alles. Er hat sich um die Sicherheit zu kümmern, wie um die Ernährung, um den Anbau, um den Forst, um die Spitäler, um die Gefängnisse, um die Straßen. Die Organe des Kultus wenden sich an ihn, und er hat zu entscheiden, was gedruckt werden darf. Wieweit er den Reiseverkehr zuläßt, wieweit er ihn unterbindet, liegt in seiner Hand; hier streiten politische Vorsicht und der Wille, das ökonomische Leben zu fördern; er muß abwägen, entscheiden und die Verantwortung tragen. Aber es treten Aufgaben an ihn heran, die an den normalen Verwaltungsapparat nie herantreten. Die Bevölkerung hungert, fünfzehn-, zwanzigtausend Menschen hungern, und er muß ihnen Kartoffeln schaffen; wo er sie herbekommt, ist seine Sache; er hat sie endlich beisammen, er will sie durch Offiziere an die Verteilungsstellen bringen, die er da und dort im Kreise errichtet hat; dazu braucht er Waggons, über welche eine andere Stelle verfügt, vielleicht eine deutsche Stelle, deren Gesichtskreis von ganz anderen Interessen des Truppendurchzuges, des Munitionsnachschubes beherrscht ist; wie er sich an dieser Stelle die Waggons erwirkt, die er braucht, damit ihm seine Dörfer nicht verhungern, das ist seine Sache. Oder die Ernte steht vor der Tür; seine Bauern haben zu wenig Sensen, es fehlt ihnen an Bindegarn; er muß zehntausend Sensen und so und so viele Meterzentner Bindegarn schaffen; Ausfuhrverbote stehen entgegen; wie und woher er sich die Sachen schafft, ist seine Sache. In gewissen Situationen wird er naturgemäß ein Vertreter österreichisch-ungarischer Interessen nach außen sein; er steht vor Aufgaben, die nur mit sehr viel Takt und diplomatischem Geschick zu lösen sind. Andere Situationen machen einen Finanzmann aus ihm: die Bauern in seinem Kreise haben zu wenig Pferde, zu wenig Kühe; aber sie haben Geld, sie haben vor allem Requisitionsscheine; diese sind in russischer Währung ausgestellt, zum Teil; für den Rubel gilt ein Zwangskurs, der dem Bauern zu niedrig ist: daraus ergeben sich Probleme, die gelöst werden müssen, mit Verstand, Gerechtigkeit und Lebenssinn gelöst werden müssen, denn hier geht es um das tausendfache Geäder des Lebens, das nicht unterbunden werden darf. Hier muß eingegriffen werden, und das mit Entscheidungen, die sofort Realität werden, nichts mit Akten; Maßregeln, die irgend woher generell getroffen waren, müssen mit dem vollen Mut der Verantwortung gemildert, vielleicht aufgehoben werden. Hier darf die Verantwortung nicht von einer Stelle der anderen zugeschoben werden: das ist das Besondere, das Gesunde, das Vorbildliche dieses improvisierten Apparats.

Eine Situation ganz besonderer Art hat aus einem Landesschützenoberst einen Gewerken und Kaufmann von amerikanischen Dimensionen gemacht. Er hatte die Kohlenwerke zu übernehmen, welche von den Deutschen im Augenblick des Rückzuges an die Warthe gesprengt worden waren; vielleicht um einen Augenblick zu früh gesprengt und zerstört — wer kann das nachher beurteilen? —, jedenfalls mit deutscher Präzision zerstört. Es liegen da Maschinenbestandteile aus Stahl von Meterdicke, mitten entzweigerissen. Der Preis für einen oder den anderen solchen Bestandteil stellt sich auf dreißig- oder vierzigtausend Mark. Sie mußten beschafft werden und schnell, denn alles kam darauf an, die Werke schnell wieder arbeitsfähig zu machen. Sie arbeiten alle wieder seit Dezember, seit Februar. Der Oberstkreiskommandant ist ein Industriekapitän erster Größe geworden. Seitdem er die Maschinen repariert hat, hält er die Direktoren der Werke, Belgier, Franzosen, Russen, an, den Betrieb aufrechtzuhalten; so sorgt er für die Arbeiterschaft; er übernimmt um die Gestehungskosten die geförderte Kohle und handelt mit ihr. Die Herren sind Stabs-, verwundete und erkrankte Frontoffiziere, kaum einer darunter, der nicht das Signum laudis auf der Brust trägt, sind zum Teil wieder geworden, was sie in Zivil waren: Bergfachleute, Kaufleute, Industrielle. Es geht neben dem Militärischen, dem Richterlichen, dem Politischen um einen Betrieb von Millionen (Hunderten von Millionen aufs Jahr gerechnet), und zur Bestreitung alles dessen ist eine Handvoll Menschen da. Die Möglichkeit, es zu leisten, liegt darin: es werden keine Amtsstunden gehalten. Für jede Angelegenheit jedes Ressorts, Bestellungseinlauf, Waggonbeschaffung usf. ist der Chef zu jeder Stunde vom frühen Morgen bis in die späte Nacht zu sprechen. Niemand wartet, keine Entscheidung hängt, kein Brief bleibt liegen. Es ist das Verhalten des Krieges angewandt auf eine Friedenstätigkeit, und — was ebenso merkwürdig berührt — das Expeditive und Praktische des industriellen Geschäftslebens durchgeführt von Offizieren, die kriegsdienstlich an diese Stelle befohlen sind. Es tut mir leid, diese Kreisverwaltung und die Herren, die in ihr tätig sind, nicht mit Namen nennen zu dürfen. Aber sie haben es nicht notwendig; es gibt eine Armeeberühmtheit, die ohne ein geschriebenes oder gedrucktes Wort erworben wird, einzig durch Tüchtigkeit; dieser Kreis ist armeeberühmt. Nirgends ist das Ineinandergreifen der Kräfte, welche verwalten und restaurieren, regieren und beleben sollen, glücklicher realisiert; nirgends wird klarer und deutlicher gegenüber dem besetzten Lande die „Fürsorge eines guten Hausvaters" an den Tag gelegt, welche das Römische Recht dem zur Pflicht macht, dem ein Gut anvertraut ist. Aber dieser Geist ist der durchgehende in allen besetzten Kreisen. Es ist der unverwüstliche, traditionelle, gute Geist unseres Heeres: in welchem jeder Tüchtigste von Dezennium zu Dezennium gewohnt war, mit unzureichenden Mitteln das Brauchbare zu leisten, mit seiner Person zu bezahlen, was der mangelhaft dotierte Apparat schuldig bleibt. Der Deutsche schöpft aus dem Vollen; er erntet die Frucht durchdachter Vorbereitung, beständig großer Mittel. Bei uns bleibt vieles der Improvisation überlassen; aber wir sind auch Improvisatoren. Improvisation ist Gabe des Lebens und verbreitet Leben um sich; wir dürfen uns ihrer nicht schämen. So wie die Natur aus jeder Schwäche eines ihrer Geschöpfe gelegentlich eine Stärke zu machen versteht, so ist es uns in dieser Krise ergangen; auch eine Armee ist ein naturhaftes Geschöpf und die Kunstgriffe der Natur kommen ihr zustatten.

Es kommt eine andere traditionelle Gabe hinzu: die Gabe unserer Armee, mit Menschen allerlei Erdreichs leben zu können, wie sie selber aus Elementen allerlei Erdreichs zusammengesetzt ist. Ihre Sprache sprechen, das ist noch nicht alles, doch ist es viel; noch anderes kommt dazu, eine gewisse Generosität des Herzens und jenes kaum zu Definierende, das doch im Zusammenleben der Nationen so schwer wiegt: Takt. Mehr als den Deutschen ist es uns gegeben, mit Fremden zu hausen: als Nachbarn, als Herren, als zeitweilige Verweser, als Freunde, wie immer. Hier liegt eine Tradition von vielen Jahrhunderten vor, die ins Blut gegangen ist. Aus ihr ziehen wir in Polen große Vorteile. Die Elemente sind verschieden und — darüber sollten keine Fiktionen festgehalten werden — keinem ist es unter den Russen unbedingt schlecht gegangen, wenn auch keiner ist, der nichts im Laufe der Dinge bei uns gewinnen könnte. Unter diesen Elementen: Bauern, Edelleuten, Stadtleuten, Industriellen, Juden, bewegen sich die Organe unserer Verwaltung, Offiziere und Soldaten, mit mühelosem Takt. Sie gewinnen, und das ist das Große und Vielversprechende: sie gewinnen, ohne zu werben. Ihr Verhältnis zum katholischen Klerus, dem Träger alles geistigen und Gemütslebens in einem tieffrommen Lande, ist das beste, ohne jede Gewolltheit. Die frommen Mönche von Jasna Gora stehen mit ihrem „Herrn Kommissär", einem k. u. k. Hauptmann und Kriegssoldaten erster Qualität, dem Regenten der kleinen Enklave, die inmitten deutschen Gebietes den berühmten Wallfahrtsort bei Czenstochau mit schwarzgelben Pfählen umschließt, im allerbesten Verhältnis des rückhaltlosen Zutrauens, und als die Kreiskommandanten, umgeben von ihren Offizieren, in einem Spalier von k. u. k. Truppen hinter dem Baldachin der Fronleichnamsprozession herschritten, hat in mehr als einem Landstädtchen der polnische Priester an den Stufen des vierten Altars den Segen des Himmels auf diese Männer und ihre Waffen und auf den, der über sie gebietet, herabgerufen. Wo dies geschah, ist es spontan geschehen und es bedeutet nichts Geringes; denn um dies zu wagen, muß sich der Priester mit seinen Pfarrkindern eins wissen, muß wissen, daß er aus ihren Herzen spricht, nach einer sechsmonatigen Besetzung, mit allen Lasten, die sie naturgemäß der Bevölkerung auferlegt.

Diese Militärverwaltung tut viel für Österreich-Ungarn: moralisch, was hier so viel ist wie politisch und materiell; viel, und — wir hoffen es — Bleibendes.

ÖSTERREICHISCHE BIBLIOTHEK

Eine Ankündigung

Es sind heute über hundert Jahre her, 1809, da war für Österreich ein großes Jahr, in dem es, wie heute, seine schlummernden, ihm selber verborgenen Kräfte sich regen fühlte und das Gefühl seiner großen Schickung wieder einmal in ihm aufwachte, da stand an mächtiger Stelle ein bedeutender Mann, dessen Angedenken heute auch bis auf den Namen verklungen ist, Philipp Graf Stadion, der mit einem großen und feurigen Blick die Dinge zu überschauen verstand: ihm war Österreich ein Lebendiges, eine Heimat nicht nur, reich an Schätzen und Kräften, sondern auch ein Vaterland, nur allzu wenig seiner selbst bewußt und nicht genug durchdrungen mit dem edlen Stolz und Glauben an sich selbst, der eine Kraft der Auserwählten ist; in seinem Herzen sprach er das Wort nach, das kurz vorher Schiller, der alles Große kannte und ehrte, in die Welt hinausgerufen hatte: „Der Österreicher hat ein Vaterland und liebts und hat auch Ursach, es zu lieben"; er wollte dem Wort eine größere Stärke geben, dem Lieben das Erkennen an die Seite setzen, und er begründete „Vaterländische Blätter", eine periodische Zeitschrift aus Österreich und für Österreich, ein Unternehmen, das für den damaligen Zeitpunkt neu und groß gedacht war. Nicht so gedächtnislos sollte Österreich sein, daß es bei jeder Wendung des geschichtlichen Lebensweges die aus dem Auge verlor, die in früheren Geschlechtern in ihm Großes gewirkt und gewollt hatten, und nicht so dumpf und unbekannt mit sich selber. Es sollte durch solch eine periodische Zeitschrift „sowohl eine nähere humane Verbindung unter den Provinzen der Monarchie als auch ein Zusammenwirken vieler voneinander entfernter, an der öffentlichen Wohlfahrt teilnehmender Männer“ gestiftet werden, und es war die Hoffnung ausgesprochen, daß selbst das Ausland, vor allem das deutsche, durch die Erscheinung eines solchen Blattes zu einem höheren und reineren Begriff von Österreich würde geführt werden können.

Der Herausgeber der „Österreichischen Bibliothek“, von welcher in diesem Augenblick die ersten sechs Bändchen in den Buchhandlungen ausliegen — denen eine zweite und dritte Serie schnell folgen wird —, war sich nicht bewußt, so völlig in die Fußstapfen eines bedeutenden und mit Unrecht vergessenen österreichischen Staatsmannes zu treten. Er war in den Vorarbeiten zu seiner bescheidenen, ihm aber im gegenwärtigen Zeitpunkt nötig erscheinenden Unternehmung begriffen und entwickelte den Plan und Grundriß da und dort einzelnen „an der öffentlichen Wohlfahrt teilnehmenden Männern“, als ihm durch die Güte eines Gelehrten die Ankündigung jener „Vaterländischen Blätter“ durch die von Stadion beauftragten Herausgeber vor Augen kam und er innewerden mußte, daß er nur im Begriffe stand, nachzutun, was ein anderer mächtigerer Mann vor hundert Jahren geplant und unternommen hatte. Aber es muß ja im Bereich des Lebenden alles immer wieder aufs neue getan werden, Geschlechter gehen in Halbheit hin, und dann muß eines wieder seine ganze Kraft auf den gleichen Punkt richten wie die Urahnen.

Österreich hat in diesen Tagen seine Kraft gezeigt und vor der Welt wieder offenbar gemacht, daß es *ein Wesen* ist, denn nur von einem wesenhaften, unteilbaren Leben kann große Kraft ausgehen. Es ist, als ob dieses Wesen alle hundert Jahre einmal sein Gesicht zeigen dürfe, dann bleibt an dieses schöne Angesicht nur eine dumpfe Erinnerung, die sich mehr und mehr umschleiert. Freilich, es ist auch in den Zwischenzeiten ein Etwas da, das uns zusammenhält, es bleibt ein Verbindendes in der dumpferen Sphäre des Lebens, von Leib zu Leib, von Herz zu Herz, von Landschaft zu Landschaft, ein Ungreifbares und doch Starkes. Aber in der freien Sphäre des Geistigen soll nur das Trennende hervortreten. Es ist als wollte jeder Teil mit Gewalt vergessen, daß er gesendet ist, ein Teil zu sein, und daß in dieser Sendung seine Auserwählung liegt. Um so viel ärmer geht in diesen Zwischenzeiten unser Dasein dahin, um so viel mehr tritt der wahre Strom des Lebens zurück, um so viel weniger haben wir Anteil an den höchsten Gütern des Lebens, das ja nicht nur ein naturhaftes sein soll, sondern darüber hinaus ein wahrhaft menschliches, geselliges, ein politisches, das um sich selbst wissen soll und ebenso in die ahnungsvolle Vergangenheit die Wurzeln strecken als in der Gegenwart seinen Platz behaupten. Uns aber ist das wahre durchdringende Gefühl unserer Gegenwart und die mächtige Ahnung der Vergangenheit, und daß sie beide eins sind — ja das, was allein menschenwürdig ist: der Glaube an uns selber, alles das ist uns nur in schweren Schicksalsstunden gegeben, es muß wieder und wieder einem bösen, finsteren Geist, der uns niederhält, mit einer Schüssel Blutes abgekauft werden. Es ist, als ob ein Aderlaß immer wieder uns den Kopf freimachen müßte, daß wir erkennen und lieben können. Ein solcher ist über uns gekommen, nun ist Österreichs Antlitz für uns wieder hervorgetreten. So gut wirds den anderen Völkern! Den Schweizern strömt frei ihr Blut durch die Adern, und in Vergangenheit und Gegenwart gedenken sie des Gemeinsamen, obgleich sie verschiedene Sprachen reden, so aber auch in dem großen amerikanischen Staat denen, die aus vielen Völkern zu *einem* Volk gemischt sind und vielfältigen Blutes doch *eine* Erde lieben und unter ein kaum hundertjähriges Gesetz sich mit Freude schmiegen. Unser Schicksal aber ist härter, unsere Sendung besonderer: uralter europäischer Boden ist uns zum Erbe gegeben, zweier römischer Reiche Nachfolger sind wir auf diesem, das ist uns auferlegt, wir müssen es tragen, ob wir wollen oder nicht: heilig und schicksalsvoll ist der Heimatboden!

Nun ist er noch heiliger geworden, denn wir haben Tote ohne Zahl in ihm eingesenkt, die ihr Blut um Österreich vergossen haben; zugleich aber sind die Toten, die seit langem unter der Erde ruhten, uns lebendig geworden; nie waren die Geschlechter, verstreut über Jahrhunderte, einander so geisterhaft nahe, und was sonst ein bloßes Wort war, ein Lippenglaube: daß, wer wahrhaft gelebt hat, nicht völlig vergehen kann, daß es ein Unzerstörbares gibt der Taten und der Geister und eine stete Gegenwart der Toten, das ist nun als eine offenbare Wahrheit in die Herzen geflossen, und unsere großen Altvordern sind heute bei uns, Maria Theresiens Antlitz ist auf uns gerichtet, des Prinzen Eugen Falkenauge sieht uns an,

Vater Haydn ist da und spielt mit halberstarrten Greisenfingern sein „Gott erhalte“ — aber werden wir sie halten können über diese Geisterstunde hinaus?

Wer liebt, der begehrt immer mehr zu lieben, wer erkennt, den verlangt es immer tiefer zu erkennen, vor nichts graut ihm, als daß er verlieren könnte, was ihm so unentbehrlich ist: so soll die Liebe zum Vaterland sein, so unersättlich: keine herrliche Tat, kein edles österreichisches Gesicht dürfte ihr verlorengehen — was aber ist uns nicht alles verlorengegangen, wen haben wir nicht dahingleiten und zu einem bloßen Namen werden lassen und einem Schatten! Was tun dagegen die Preußen nicht für ihre Größten — ich rede nicht von einem Friedrich allein, den Buch auf Buch verherrlicht, dessen geringsten Ausspruch, dessen mindestes Zettelchen lebendige Ehrfurcht am Lichte erhält —, auch für ihre Blücher und Moltke, auch für andere, deren Taten minder volkstümlich, deren Bild minder scharf geprägt in der Seele der Nachfahren haften möchte: einen Yorck, einen Stein, Gneisenau, Boyen, die sie dennoch lebendig halten, ja die Namen nicht bloß, sondern das ganze geistige Bild. Bei uns aber — wo ist die wahrhaft volkstümliche Darstellung der großen Kaiserin? Wo auch nur der Versuch, die Ahnung ihrer rastlos wirkenden Geisteskraft den Lebenden zu vermitteln? Band neben Band stehen ihre Resolutionen im Staatsarchiv, ein ungeheures Konvolut, dem leiblichen Auge schon eindrucksvoll; schwindelnd aber, es auszudenken, daß dies gelebtes Denken ist, wesenhaftes Denken, Befehlen, Wollen, Aufbauen, Umbauen — nicht ein Entwurf, nicht eine Frage, nicht eine Mahnung, woran nicht das große Herz ebensoviel Anteil hätte als der gewaltige Verstand. Solch ein Phänomen des Geistes — auch dem kalten und fremden Beobachter müßte dies nicht minder merkwürdig sein als Friedrichs, als Goethes Korrespondenz, als der zweimannshohe Stoß geschriebener Noten, den Schubert hinter sich ließ — was aber muß es sein — was müßte es uns sein, die wir Österreicher sind! Aber es schlummert im Archiv wie in der Kapuzinergruft. Und Prinz Eugenius, als Staatsmann nicht minder groß wie als Feldherr — sein Haus steht unter unseren Häusern, sein ehernes Denkmal erhebt sich auf dem Burgplatz, ein Soldatenlied trägt seinen Namen dahin, aber wird auch er, wurde nicht in den letzten trüben Dezennien auch er immer mehr und mehr zum Schatten? Freilich, sein Geist war so stark, er hat da und dorthin die Spuren vorgegraben, die unbewußt alles beste Wollen und Denken bei uns immer wieder geht, sie führen über Triest aufs Meer hinaus und führen donauabwärts — ob wir wollen oder nicht, wir müssen, wofern wir uns nicht aufgeben, um die Vollstreckung seines Testaments ringen, er ist unser großer Lehrmeister, er und der gewaltige Strom, um den wir hausen, zwei große unzerstörbare Kräfte. Er hat eine Einigung mit Ungarn geahnt, wie sie nun wirklich geworden ist, da Tiroler-, Kroaten- und Ungarnblut vereint am Isonzo fließt wie am Bug, ihm stand ein Deutsches Reich vor der Seele, stark durch seine Volkskraft, jedem Frankreich und England gewachsen, dies alles hat er kühn und ganz ausgesprochen, aus Hunderten seiner Briefe blitzt es auf und ergreift das Herz: wundervolle Bewältigung der Gegenwart und Ahnen der Zukunft; seine Falkenaugen trugen ein Licht in sich von der Sonne, der er immer zugewendet war; sein Lebenslauf ging nach Osten und Süden, seine Schlösser baute er gegen Osten und Süden, den doppelköpfigen Adler trug er gegen Osten und Süden — wo andere ahnen, sah er klar, wo er sah, da war auch ein Weg, sein Erkennen war schon Wollen, sein Wollen schöpferisch auf Jahrhunderte hin. So groß war dieser größte Österreicher, daß er auch als legendenhafter Schatten noch stark ist, von seinem bloßen Namen strömt Glauben und Zuversicht aus — aber wie ist seine leuchtende Spur überwachsen von Vergessenheit, wie sollen unsere Kinder, unsere Enkel eine Ahnung empfangen, wer er war, wenn kaum die Lehrer viel von ihm wissen, alles sich verdröselt, alles herab und herab sich stimmt zur matteren Überlieferung, zum armen Lippenglauben an die gewesene Größe? Das ist Maria Theresia, das ist Eugen. Und wie ungelohnt erst stehen die anderen im Schatten, die vielen: Erzherzog Karl, die reine schöne Fürstenseele, und Schwarzenberg und Kaunitz und die beiden, Stadion und Radetzky selber — der Greis Radetzky hat seine Legende, der Mann ist kaum gekannt; nur Andre Hofer ging ganz und gar in ein Gedicht über und damit ins Blut des Volkes, und so ist er da und lebt von Geschlecht zu Geschlecht und steht heute im Felsgeklüft hinter seinen Standschützen und schaut ihnen über die Schulter.

Die Gebildeten haben ihre Bibliotheken, und wer viel Zeit hat, kann den Arneth aufschlagen; solls aber immer beim Arneth bleiben, so sind wir arm; das Volk, das mehr ist als wir — und zu dem wir uns gehörig fühlen müssen, wenn wir nicht verlorengehen wollen —, das Volk will großer Männer und großer Taten Andenken lebendig dahintragen in seinen

Legenden und Liedern, in seinen Anekdoten und Redensarten, dies sind ihm die goldenen Fäden im Gewebe des Daseins. Wo ihm große Männer nicht nahe sind nach Zeit und Ort, da behilft es sich mit guten: so lebt die Legende von Erzherzog Johann in der Steiermark fort.

Aber das Gewebe des Daseins hat zahllose Fäden und jeder hat eine tiefe und starke Farbe und in ihrem Miteinander vermögen sie aufzuglänzen wie ein Stück starken golddurchsponnenen alten Brokats. Es gibt ja nichts im Bereich des ganzen Menschenlebens, wovon nicht eine geistige Spur wäre und ein geistiges Licht. So ist von allem Reden, das die Leute verrichten bei der Arbeit und bei ihren alltäglichen Freuden und Bedrängnissen, nur die Hälfte ein zweckhaftes Reden, die andere, vielleicht größere Hälfte hat keinen nennbaren Nutzen. Sie will aus Leid und Lust eine Art von geistigem Schmuck bereiten, ein Spiegelndes, das über dem Wirklichen schwebt. An allem Tun und Leiden, auch am dumpfen Sichabmühen haftet der Geist, so reden die Holzknechte vom Holz und die Salzknechte vom Salz und die Bergleute vom Berg, und dieser an den Dingen und Mühen selber haftende Geist ist der wahre nahrhafte, wer ihn aufsammeln könnte, der hätte viel. Unzählige unbewußte Kräfte wirken im Halbdunkel in dem Reichtum unseres Lebens, es ließe sich über sie alle reden, aber schöner reden sie selber: so ist auch das Kostbarste zwischen den Menschen und den Österreichern insbesondere das Unausgesprochene, und das was ausgesprochen wird, ist nicht immer das Beste.

Die Stimme der Landschaft wird in den Liedern gehört, den schönen deutschen und slawischen, die das Volk singt, aber auch in den Märchen und den Sagen, die an den einzelnen Tälern und Ortschaften haften. Das Innere des Volkes wird redend in seinen Bräuchen und Sprüchen, seinen Redensarten für den Alltag und seinen ehrwürdigen Formeln für die Feierstunden und die Todesstunde. Aber auch die Bauweise ist ein Redendes für den, der ihre Sprache aufzufassen versteht, aus der die Stimme vieler aufeinanderfolgender Geschlechter ertönt. Von diesen allen gibt es Nachrichten, spärliche oder reichliche, so auch von den Gewerben und Künsten, wodurch der Geist, der scheinbar in lauter stummen Formen schweigend geworden ist, wieder die Augen aufschlägt und uns umschwebt, und in einer rechten „Österreichischen Bibliothek" müßte der Berg redend werden und das Wasser und der Wald, das steirische Erz wie das hallstättische Salz und das böhmische Glas, der Karpathenjäger müßte den Mund auftun wie der Adlerschütz im Tiroler Gebirg, die Pechhütte wie das Kohlenflöz. Nicht, was da und dort ein Gebildeter über ein Ding oder über die Zusammenhänge der Dinge gesagt hat, müßte den eigentlichen Kern dieser Bibliothek ausmachen, sondern es müßte in ihr zusammengetragen werden, was an tausend Stellen dem Leben selber entfließt, wie Harz den angeschnittenen Bäumen. So fließen die alten Sprüche und Handwerksbräuche aus dem Leben selber und die Volkslieder und die Soldatenlieder, aber Mozarts Musik gehört freilich nicht minder hierher und Lenaus Liebesbriefe ebensogut wie der großen Maria Theresia Handbillette an ihre Kinder und an die Erzieher ihrer Kinder, an ihre Generale und an die Staatsmänner. Die Stimme der alten Zeit muß hier hörbar werden aus den Stadtchroniken, wie wir ihrer haben von St. Pölten und von Steyr, oder aus der Chronik des Landes Böhmen vom alten Hagecius, und eine zarte einzelne Stimme wie jener Marianne Willemer darf nicht fehlen, die aus Linz gebürtig war und deren Lieder so schön waren, daß Goethe sie als Suleikas Lieder in sein herrlichstes Buch aufnahm. Hier gehört ein schlichtes Familien- oder Hausbuch hinein, wie die Hausväter oder Hausmütter in den vergangenen Jahrhunderten führten, gleich wie die Weisheit von halbvergessenen großen Männern: der Magiergeist eines Theophrastus Paracelsus muß hier wiederum aufglühen und die seelenhafte Weisheit eines Amos Comenius ihr mildes Licht werfen: Nachricht und Spuren vom früheren Wandel unserer Glaubensboten und heiligen Männer dürfen sich kreuzen mit blutigen Ruhmestaten unserer Heere; hier stehen nach Recht alte Nachrichten von Handel, Wandel und Gewerbe neben Auszügen glorreicher Regimentsgeschichten; der Raimund und der Nestroy neben dem Abraham a Santa Clara; das geistige Vermächtnis des Nikolaus Cusanus, Abtes zu Brixen, neben den Tagebüchern Feuchterslebens und den Briefen Billroths. Hier tönen die frommen reinen Stimmen der böhmischen und mährischen „Brüder", und es gibt keinen Mißklang, wenn neben ihnen aus der Selbstbiographie des Erzherzogs Karl die reine strenge Seele eines habsburgischen Prinzen herausspricht.

Vermöchte man dies und noch viel mehr zusammenzutragen, so könnte eine Bibliothek entstehen, welche den Namen einer „österreichischen" verdiente. Was hier versucht wird, ist nur der Anstoß; bei einem Unternehmen dieser Art ist der Plan, der

Gedanke, die Bemühung des Herausgebers nur wenig, die Aufnahme, die Anteilnahme der Zeitgenossen ist alles. Eine Bibliothek dieser Art wird hier entstehen oder sie wird nicht entstehen. Entstünde sie, sie würde auch dem Höchstgebildeten gehören, aber nicht nur dem Höchstgebildeten allein; sie würde allen gehören, die Österreich lieben.

Es ist etwas Stummes um Österreich, es ist vieles da und dort, worauf Worte nur selten hindeuten, etwas Wesenhaftes, Unverbrauchtes, wovon in großen Stunden große Kraft ausgeht. Manches davon ist zu Zeiten Musik geworden. Die Musik kommt immer an ihr Ziel, das Wort irrt leicht ab. Aber auch in Worten wird ein Inneres tönend, und aus jedem der Büchlein, von denen hier viele nebeneinander gestellt werden sollen, dringt ein Seelenton. Aus ihnen allen zusammen, wenn einer mit liebevollem Horchen sie in eins zu hören vermöchte, erklänge jene selten in der Welt gehörte Stimme: die Stimme Österreichs.

PRINZ EUGEN DER EDLE RITTER

DIE Heranwachsenden, und nicht nur sie, können in der Liebe zum Vaterland nicht bestehen ohne die Legende. Sie steht zwischen Geschichte und Poesie und in dieser Sphäre bleiben dem Volke und der Jugend die großen Gestalten der Geschichte lebendig. Instinkt und bewußter Wille halten bei allen Völkern die Überlieferungen dieser Art neben den wissenschaftlichen aufrecht. Anekdotenbücher, Kinderbücher, Bilderbücher über Friedrich den Großen sind ebenso leicht zu finden wie über Heinrich IV. oder Jeanne d'Arc, über Blücher, wie über Nelson oder Sir Francis Drake. Sehr überraschenderweise ist es kaum möglich, ein Bilderbuch zu finden, welches das Leben und die Taten unserer großen Kaiserin, das Leben und Sterben Andreas Hofers, die Schlacht und den Feldherrn von Aspern oder den von Novara und Mortara verherrlicht. Aus dieser Erwägung ist, ohne den vorhergehenden Auftrag des Verlegers, das vorliegende Buch entstanden. (Es erscheint in den nächsten Tagen bei L. W. Seidel & Sohn.) Sein Gegenstand ist die Legende vom Prinzen Eugen, dem größten Österreicher, in zwölf erzählten und gemalten Bildern. Auf den Einwand, daß die Wiege dieses größten Österreichers in fremdem Land gestanden, gibt die Geschichte, deren Verwirklichungen großartig und nicht simpel sind, die Antwort: Napoleon, das große Phänomen der neueren französischen Nationalgeschichte, war ein Italiener, der größte englische König, Wilhelm III., ein Holländer, und der zweitgrößte Beherrscher, den das russische Reich jemals hatte, eine deutsche Frau.

Prinz Eugen von Savoyen kehrt dem französischen Königshof den Rücken

Prinz Eugenius von Savoyen, den das Lied den edlen Ritter nennt, ist auf fremder Erde aus fremdem, fürstlichem Blute entsprossen, an einem Österreich feindlichen Hofe in fremder Denkart aufgezogen worden, und nach menschlicher Voraussicht mußte es sein Beruf werden, gegen Habsburg Dienste zu tun, sei es als Krieger, sei es als Diplomat und Staatsmann, vielleicht in geistlichem Gewande. Es war anders über ihn bestimmt: seine Falkenaugen trugen ein Licht in sich von der aufgehenden Sonne: sein Lebenslauf ging nach Osten und Süden. So war ihm bestimmt, an die Gestade des gewaltigen Stromes zu kommen, an dem wir wohnen; und er mußte unsere Fahne mit dem doppelköpfigen Adler nach Osten und Süden tragen, und noch als er starb, hat er uns einen letzten Willen hinterlassen, der uns nach Osten und Süden weist, dort unsere Schickung zu erfüllen, die bei der Gründung des Heiligen Römischen Reiches Deutscher Nation durch Karl den Großen uns zugeteilt worden ist. Niemand hat klarer als er unseren Weg erkannt und niemand uns um unserer Schickung willen tiefer geliebt, mit jener Liebe, die in Werken und nicht in Worten redet, als dieser Fremde, und darum führt er nach Gottes sichtbarem Willen den Namen des größten Österreichers. Er hat die Spur vorgegraben, die unbewußt alles wahre Wollen und Denken bei uns wieder geht: sie führen donauabwärts und führen übers Meer hinaus. Er hat Österreichs Heer geschaffen, das gleiche lebendige, vielsprachige, das heute in Litauen und Beßarabien, an der Save und am Isonzo kämpft und siegt, und hat mit ihm in sieben der folgenreichsten Schlachten seines Jahrhunderts den Sieg erfochten; und er wiederum hat eine Einigung mit Ungarn geahnt, wie sie nun wirklich geworden ist, da Tiroler-, Ungarn- und Kroatenblut am Isonzo fließt wie am Bug. Prinz Eugen verbrachte seine Jugend an dem Hofe des französischen Königs Ludwig XIV., bei dem sein Vater als Kommandant der Schweizergarde und Statthalter einer Provinz in Diensten stand. Als Eugen achtzehn Jahre alt war, ging er zu dem König und verlangte, er solle ihm eine Kompagnie Reiter geben, die wolle er befehligen und dem König damit nach den Kräften, die er in sich fühle, dienstbar sein. Aber weil Eugen von kleiner Gestalt und zartem Ansehen war, so hatte der König sein Gutdünken, er habe ein Geistlicher zu werden und kein Soldat. Danach schlug er die Bitte ab. Als man später den König fragte, warum er einem jungen Prinzen aus erlauchtem Hause eine so bescheidene und dringende Bitte nicht gewährt habe, sagte der König: „Die Bitte war bescheiden, aber der Bittsteller nicht, nie hat jemand gewagt, mir mit zwei Augen wie ein zorniger Sperber so ins Gesicht zu starren." Als dies bekannt wurde, fragten den Prinzen seine Freunde, warum er dem König so unbescheiden ins Gesicht gesehen habe. „Sollte ich ihm nicht scharf ins Gesicht schauen", gab Eugen zur Antwort, „da ich doch sehen mußte, ob er tauge, mein Herr zu sein oder nicht, und danach in einem Augenblicke für mein Leben mich entscheiden mußte. Nun weiß ich, daß er nicht taugt, so will ich denn nicht anders wie als Feind mit dem Degen in der Faust sein Land wieder betreten. Mir ist nicht bange, daß ich nicht in dieser Welt einen Herrn fände, dem ich mit Lust und in Treue dienen könne.“ Er meinte aber den Kaiser Leopold, Römischen Kaiser Deutscher Nation aus dem Hause Österreich, von dem er viel vernommen hatte als von einem großmütigen und frommen Monarchen, und sogleich machte er sich auf und reiste an den Hof des Kaisers.

Prinz Eugen ficht vor Wien im kaiserlichen Heer und hilft die Stadt befreien

Eugen fand den Kaiser nicht in seiner Residenzstadt Wien, denn diese war von einem ungeheueren Heere der Türken unter dem Großvezier Kara Mustapha belagert. Dies war das Jahr 1683, eines der dunkelsten und schicksalvollsten in Österreichs Geschichte, wie kein so dunkles und schicksalvolles wiedergekommen ist bis 1914. Im gleichen Augenblick war in Wien am kaiserlichen Hoflager die Unglücksbotschaft eingetroffen, daß sich Straßburg im Elsaß, die uralte freie Reichsstadt, hatte den französischen Waffen ergeben und ihren ehrwürdigen Schlüssel einem Minister Ludwigs XIV. ausliefern müssen, als zugleich von Osten her die ungarischen Aufständischen, mit dem Türkensultan verbündet und vom französischen König mit Gold und Waffen unterstützt, durch die Pässe des Waagtales in Mähren eindrangen, türkische Reiter aber, Spahis und Tataren, in ungezählten Schwärmen von der Leitha bis zur March hinauf auftauchten, als Vorhut eines Heeres, wie es damals keine Macht der Welt außer den Türken aufstellen konnte. An die dreimalhunderttausend Mann führte Kara Mustapha herbei und ihnen hatte der kaiserliche Feldherr, Herzog Karl von Lothringen, kaum den zehnten Teil entgegenzustellen. So mußte er hinter die Donau zurück, mußte Wien, in das er eine Besatzung von zwölftausend Mann geworfen hatte, fürs nächste seinem Schicksal überlassen, um die Verstärkungen aus dem Reich und aus Polen abzuwarten. Da stand Nacht für Nacht um Wien ein Feuerkreis, der reichte von der Leitha bis Baden und Mödling und bis an den Kahlenberg. In dieses schreckensvolle Österreich hieß Eugens Schicksal ihn den Einzug halten. Zu Linz an der Donau hielt der Kaiser sein Hoflager. Eugen trat vor ihn, und als er seine Augen zu ihm erhoben hatte, wußte er auch, daß dieser der Herr sei, dem er mit ganzem Herzen dienen könne und für den er, tue es not, sein Leben lassen wolle, und ehrfurchtsvoll bat er, im kaiserlichen Heer Dienste nehmen zu dürfen. Der Kaiser nahm die Bitte des jungen fremden Prinzen gnädig auf und vertraute dem Neunzehnjährigen nicht bloß eine Kompagnie Reiter an, wie der König von Frankreich sie ihm abgeschlagen hatte, sondern ein schönes kaiserliches Dragonerregiment. Dieses Regimentes Inhaber war Eugen durch volle zweiundfünfzig Jahre; es ist das gleiche, das noch heute und auf ewige Zeiten seinen Namen führt, das Dreizehnte Dragonerregiment, das in diesem Kriege wiederum auf russischem und galizischem Boden besonders glorreiche Taten zu Pferde und zu Fuß, in der Attacke und in der Verteidigung vollbracht hat. In der großen Schlacht, durch welche Wien gerettet und das Türkenheer vernichtet wurde, ritt Eugen unter den Reiterscharen, die der Markgraf Ludwig von Baden führte, von den

Abhängen des Kahlenberges herab auf den Feind ein, durchbrach die feindliche Aufstellung der Janitscharen, hieb Geschützmannschaften nieder und drang mit einer Handvoll Reitern gar in die türkischen Laufgräben bis dicht unter die Mauern der Stadt. Dann bahnte er sich eine Gasse zurück durch das Türkenlager und plötzlich zwischen brennenden Zelten und umgestürzten Pulverwagen, eingepferchten brüllenden Viehherden und flüchtenden Türken reckten sich Hände ihm entgegen, und unter dem fürchterlichen Schlachtenlärm drang das Ave Maria aus der Kehle von mehr als hundert knienden Menschen: das waren die weggeschleppten Greise, Frauen und Kinder von Perchtoldsdorf, denen der junge Oberst Prinz Eugen der Befreier wurde an diesem glorreichen Tage.

Prinz Eugen siegt bei Zenta über den Sultan

Nun fluteten die Türken zurück und die kaiserliche Armee folgte in jahrelangen glorreichen Kämpfen immer tiefer nach Ungarn hinein und endlich über die Save ins eigentliche Türkenland. Da konnte Eugen zeigen, daß noch mehr in ihm steckte als ein tapferer Reiteroberst oder ein General über drei- oder viertausend Mann, daß ein großer Feldherr in ihm lebte, einer, der alles in seiner Seele vereinigte, was für dieses gewaltige Amt nottut: den Mut und die Vorsicht, die Wissenschaft und die Geistesgegenwart; einer, der das Gelände mit einem Adlerauge überschaut, die Massen gegeneinander abwiegt, den richtigen Augenblick wie mit zauberischer Witterung wahrnimmt und, wenn es nottut, die eigene Person für Hunderttausende in die Waagschale wirft und so das Gleichgewicht herstellt. Dieser Mann trat den Türken gegenüber, da war er wirklich der Herr des Feldes: wo er den Feind hinhaben wollte, dorthin lockte er ihn. Als ihm durch seine Späher und Kundschafter, deren er viele hatte und die er vortrefflich zu nutzen verstand, angesagt wurde, daß die Türken auf Schiffsbrücken über die Theiß zu gehen gedachten, da war er zur Stelle, nicht zu früh, daß sie hätten drüben bleiben und sich verschanzen können, nicht zu spät, daß sie alle auf dem diesseitigen Ufer vereint gewesen wären, sondern ganz genau zur richtigen Stunde, da packte er sie von vorn mit Fußvolk und ließ mit schwerem und leichtem Geschütz in die hineinarbeiten, die aus einem verschanzten Brückenkopfe hervorströmten, seitwärts aber, flußabwärts, erspähten seine scharfen Augen eine Furt, durch die schickte er Reiter und Fußvolk dem Türkenlager in die Flanke, den Pferden ging das Wasser bis an den Hals, die Fußgänger hängten sich an die Schweife und Mähnen, aber sie kamen durch und brachen von der unbewachten Seite ins Türkenlager ein: da gerieten auch die vorderen in Verwirrung und zumal die auf der Brücke, so schlug er sie aufs Haupt und warf ihrer fünfzehntausend in die Theiß, daß sie ertranken. Am anderen Ufer saß der Sultan in seinem Zelt bei einer prächtigen Mahlzeit und hatte Musik, die spielte hinter dem Vorhang, und ehe die Mahlzeit vorbei war, meldeten ihm seine Vertrauten, der Flußübergang sei nun gelungen und drüben hülle eine Staubwolke alles ein, das beweise, wie mutig seine Janitscharen und seine tatarischen Reiter gegen den

Feind losrückten, da lachte er und schloß die Augen im Vorgefühl seines großen Sieges und ließ die Ketten herbeibringen, zehn Wagen voll eiserner für die Mannschaft, silberne für die Generale und Obersten und eine dünne goldene für den kleinen kaiserlichen Feldmarschall. Indem fuhr ein mächtiger Windstoß daher und warf den Vorhang des Zeltes auf, die ungeheure Staubwolke am anderen Ufer tat ihre Flanke auf und zeigte die Türken, Reiterei und Fußvolk, in der Flucht, wie sie gegen das steile Ufer hingedrängt wurden und zu Tausenden hinabstürzten, da sprang der Sultan auf und wie ein Rasender schrie er auf, in das Geschrei seines geschlagenen Heeres und das Gebrüll der Geschütze hinein, er bleckte die Zähne gegen den Himmel und ihm war, als sehe er da einen riesigen doppelköpfigen Adler, der mit den Schwingen schlug, daß alle Türkenzelte zusammenstürzten, und aus seinen Fängen in einemfort Feuer auf das Türkenlager hinabwarf. Da verfluchte der Sultan sein Leben und mit dem goldenen Kettlein, das er in der Hand hatte, wollte er sich erwürgen. Die wenigen Getreuen, die er noch hatte, die liefen zu ihm, brachten ihn zu sich, warfen den Mantel eines Janitscharen über ihn und in dieser Verkleidung flohen sie mit ihm, vier Mann hoch, auf einsamen Wegen durch Sümpfe und über Berge ins Türkenland zurück.

Prinz Eugen baut Schlösser und Paläste

Über Wien südlich steigt eine sanfte Anhöhe auf: da ragte zu alten Römerzeiten die große Zitadelle Fabiana. Eben auf dieser Höhe ließ sich Eugen von einem der besten Baumeister seiner Zeit, mit Namen Lucas Hildebrand, seine Sommerresidenz, das Belvedere, erbauen. So stand auf dem alten Kriegshügel, von wo die römischen Adler gegen Osten Wacht gehalten hatten, wiederum das Gezelt eines Feldherrn: an dieses sollte nach des Baumeisters Willen der Palast gemahnen, wenngleich er aus Steinen aufgerichtet war anstatt aus Plachen und Stangen und mit Kupfer eingedeckt anstatt mit seidenen Teppichen wie jenes Zelt des Kara Mustapha, das die Wiener hatten der Löwelbastei gegenüber vor dreißig Jahren mit bebendem Herzen aufrichten sehen. Betrachtet man aber diesen leichten sommerlichen Bau genauer, so tritt jenes geahnte fürstliche Prunk- und Lustgezelt hervor, wie es vor der Seele des Baumeisters gestanden haben mag: in der Mitte das Hauptzelt, die beiden Flügel nochmals jeder in einem runden Zelt endend, von dessen leichtem vergoldetem Dach deutlich die Zeltschnüre mit Quasten als steinerne Ornamente herabhängen. Hier sollte der Feldherr eine kurze Ruhe finden zwischen Kriegszug und Kriegszug. Die Stadt seines Kaisers, dem er glorreich und gehorsam diente, sollte sich vor den Fenstern seines Ruhegemaches ausbreiten und der uralte ehrwürdige Dom zu ihm hinaufgrüßen. Das gewaltige Treppenhaus, die hellen Säle sollten von Bildern erfüllt sein, die seine Taten verherrlichten, von Statuen, die in ihrer allegorischen Sprache von seinem Ruhm und seiner Größe, seiner Weisheit und Bescheidenheit redeten: so wollte es der Geist jener Zeit, in der alles, was im Menschen und in der Welt vorging, zu bedeutungsvollen Bildern wurde, alle Bildwerke aber und noch die Ornamente im Knauf eines Schwertes oder in der

Klinke einer Türe in einer geistigen Sprache redeten. Noch einen zweiten Palast besaß Eugen in Wien, seine Winterresidenz in der Himmelpfortgasse. Diese ist überreich geschmückt mit Statuen und halberhabenen Bildern: noch die Füllungen der Tore tragen schöne Bilder und alle stehen sie in Bezug untereinander und verherrlichen das Haus Savoyen, aus dem Eugen entsprossen war. In diesem Palast war auch die berühmte Bibliothek aufgestellt, an welcher Eugen durch Jahrzehnte gesammelt hatte. An sie reihte sich die Sammlung der Kupferstiche; hier hatte Eugen die Gesichter aller seiner merkwürdigen Zeitgenossen zusammengebracht, desgleichen der bedeutenden Männer aus früheren Zeiten, und sein Auge, das in den Zügen der Menschen zu lesen verstand, durchlief diese Sammlung wie die Seiten eines aufgeschlagenen Buches. Aber wie er in allem ein mächtiger und das Große wollender Mensch war, in seinen Taten und Entwürfen, in dem, was er von sich verlangte und was er für Österreich begehrte, so war er auch als Bauherr, und so war ihm an jenen beiden Palästen nicht genug, denn er baute nicht, um ein Haus zu haben, sondern um des Bauens willen und um seiner Natur zu genügen, die schöpferisch, nicht zerstörend war, und so ließ er noch am einsamen Ufer der March, gegen Osten gewendet, das schöne Schloß Hof errichten, er baute ein Schloß zu Petronell und eines zu Deven im Preßburgischen, und seine Schlösser zu Hainburg gestaltete er um und hinterließ der Reichshauptstadt wie dem flachen Lande die Denkmäler seines großen Sinnes in seinen Häusern wie in der Erinnerung seiner Taten.

Eugen gibt seinem Verwalter eine gute Lehre

Der Prinz Eugen hatte eine eigene Art, Menschen anzusehen, die merkte sich der König Ludwig von Frankreich sein Leben lang, aber auch ein geringerer Mann: das war der Verwalter des Schlosses Hof an der March, das der Prinz Eugen gebaut hatte mit schönen Freitreppen und Terrassen bis an den Fluß hinab und mit Teichen und Springbrunnen, mit Stallungen für hundert Pferde und Bewohnung für eine Dienerschaft, wie sie einem großen Fürsten und Herrn ziemte. Diesen Bau betrieb er, als hätte er nichts anderes vor, wie dieses Schloß zu beziehen. Tausende arbeiteten bei Tag und sogar nachts beim Schein von Pechfackeln und mauerten die Terrassen auf und gruben die Wasserleitungen oder faßten die Teiche ein, und immer neue Partien von Arbeitern ließ der Prinz einstellen und hieß seinen Zahlmeister, auf die Kosten nicht achten. Damit hatte er aber ganz anderes im Auge als seine Bequemlichkeit oder daß er vor anderen großen Herren damit prunken wolle, wie schnell er ein Schloß aus dem Nichts hervorzaubern könne: sondern es war dieses Jahr ein Miß- und Notjahr im ganzen Marchfelde und nicht das erste, sondern schon das dritte solche, aber das bitterste, und da kam es dem Prinzen auf eines an: den Leuten Verdienst zu schaffen; darüber redete er aber zu niemandem. So wußte auch der Oberverwalter nicht, was der Prinz im Auge hatte, wenn er oft von Wien hinausgeritten kam und immer neue Arbeiten anbefahl, dort eine steingefaßte Auffahrt für sechsspännige Wagen, da eine haushohe Stützmauer gegen die Wasserseite hin, und befahl, man solle die Arbeiter einstellen, soviele ihrer nur zuströmten, von der Hainburger oder von der Mistelbacher Seite her oder auch von drüben aus dem Slowakischen. Eines Tages, als er wieder vom Pferde gestiegen war und sich vom Verwalter, der links und einen Schritt hinter ihm ging, über die Bauplätze und durch die Parkanlagen begleiten ließ, wo alles von Spaten klirrte und von Hämmern dröhnte, da sah er gleich, daß an einer Stelle, wo vergangene Woche ihrer fünfzehnhundert oder mehr an der Arbeit gewesen waren, jetzt nur etwa fünfzig schaufelten und karrten, da fragte er den Verwalter: „Wo habt Ihr die Leute hingeschickt, die hier an der Arbeit waren?“, worauf der Verwalter sagte: „Melde gehorsamst, diese Partie habe ich entlassen, die brauche ich jetzt nicht mehr.“ Daraufhin sagte der Prinz: „Meint Er, ich brauche Ihn? Meint Er, man brauche einen Menschen in der Welt? Wenn Er meint, Er dürfe die Menschen verhungern lassen, *die man nicht braucht*, so sage Er mir, wer Ihn und mich vor dem Verhungern schützen soll!“ Und gab diesem Manne, bevor er ihm ungnädig den Rücken kehrte, einen seiner gewissen Blicke, aber einen von den schärfsten. Da verwandelte sich diesem die Miene von amtlich lächelnder Devotion und Wichtigkeit in eine graue Armesündermiene und das Ganze schlug sich ihm derart in die Beine, daß er sich nur mit Mühe bis in seine Verwalterswohnung zurückschleppen konnte; dann mußte er sich ins Bett legen und seine Frau mußte ihm einen Lindenblütentee kochen und acht Tage lang durften die Kinder im ganzen Hause nur auf Socken gehen, denn dem Verwalter drehte sich sein Schlafzimmer vor den Augen mitsamt den Pelargonientöpfen am Fenster und dem grünen Kachelofen, und das alles von dem Blick, den ihm sein Herr gegeben hatte, und dem Ton, wie er das Wort „brauchen“ ihm ins Gesicht geworfen hatte.

Prinz Eugen will aus den Deutschen ein Volk in Waffen machen

Das große Deutschland war damals kein einiges machtvolles Reich wie heute, es hatte zwar dem Namen nach seine Einheit, daß man es Heiliges Römisches Reich Deutscher Nation nannte, und der Kaiser zu Wien aus dem habsburgischen Erzhause war sein gekröntes und gesalbtes Oberhaupt, aber es war keine Einheit der Kraft und dem Wesen nach, sondern ein vielköpfiges zerfahrenes politisches Wesen und mit hundert Herren über sich, die da und dorthin ihren Sinn stellten, bald dem Kaiser zu Wien gehorchten, bald mit den Franzosen oder den Engländern oder den Schweden sich verbündeten und in ihrer Selbstsucht und Ohnmacht aus Deutschland nichts anderes als den Tummelplatz und Kriegsschauplatz für ganz Europa machten. Den Dreißigjährigen Krieg, an dem freilich die Franzosen und die Spanier, die Schweden und die Wallonen teilgenommen hatten, der aber vor allem ein Krieg der Deutschen gegen die Deutschen war, hatte ein Friede beendet, den alle Glocken des großen deutschen Landes einen Monat lang einläuteten; aber es war kein gesegneter Friede: er machte die Fremden, Franzosen und Schweden, zu Gliedern des Heiligen Reiches und bestellte sie zu Wächtern und Bürgen des bestehenden Zustandes. So waren sie Wächter darüber, daß Deutschland seiner selber nicht mächtig werden solle, und Bürge dafür, daß es in sich zerklüftet und zerspalten bleibe. Und als der bestehende Zustand wurde einer besiegelt, in welchem ein allmähliches Herabsinken der deutschen Reichs- und Volksherrlichkeit seit den Tagen Kaiser Maximilians endlich sein Tiefstes erreicht hatte. So trübe Zeiten währten zu Eugens Ankunft schon über hundertfünfzig Jahre, sie sollten nach ihm noch hundertfünfzig Jahre dauern, bis eine neue Ordnung der Dinge das neue Deutsche Reich schuf, jenes, das heute mit uns verbündet ist in einem Bündnis von einer Festigkeit und Heiligkeit, dessengleichen die Welt noch nicht gesehen hat, weil die beiden Reiche wie zwei mächtige geschwisterte Bäume aus einem und demselben Wurzelstock hervorgewachsen sind. Die Lage der Dinge im Römisch-Deutschen Reiche, die Eugen mit seinen sehenden Augen wahrnahm, war niemandem so leid als ihm, denn die stärkste Seele empfindet das Verkehrte und Schmachvolle am stärksten. Er wußte, wo der Deutschen Schwäche lag und nannte sie mit Namen: „Das deutsche Übel." Damit meinte er die Uneinigkeit, die Eigensucht und Widerhaarigkeit der einzelnen Teile, die zu heilen es noch einer harten Schule und fast zweier Jahrhunderte bedurfte, und erkannte auch ihre Stärke: die herrliche unversiegliche Volkskraft. Auf seinen Feldzügen quer durch Deutschland an dem unteren Rhein hin lernte er Bayern und die Schwaben kennen, die Rheinländer und die Hessen; Anhalter und Brandenburger fochten in seinem Heer, er kannte die Deutschen: „Laßt mich einen Landsturm ausheben von zweihunderttausend deutschen Männern und ich will die Franzosen für immer über den

Rhein zurückjagen und Straßburg, Metz, Toul und Verdun zurückgewinnen!" so sprach er auf der Fürstenversammlung zu Mainz zu den deutschen Fürsten. Aber das Wort war zu früh geboren, so fand es kein Gehör. Aber unter die großen Deutschen muß dieser große Österreicher nicht allein um dieses Wortes willen, sondern um seiner Taten willen eingeschrieben werden nach Recht: denn es kann kein großer Österreicher Deutschland verkennen noch umgekehrt.

Prinz Eugen rät dem Kaiser, Triest zu einer mächtigen Hafenstadt auszubauen

Prinz Eugen kannte Österreich so, wie nie wieder ein Mann dieses große Reich gekannt hat. Er kannte alle Landschaften, denn alle hatte er auf seinen Kriegszügen durchritten, mehr als einmal, von Passau die Donau abwärts durch Ober- und Niederösterreich, Steiermark und Kroatien bis in die große fruchtbare Ebene im Süden Ungarns, bis hinab nach Siebenbürgen und tiefer hinab nach Bosnien. Nicht minder kannte er Tirol, unsere große, von Gott gebaute Bergfestung, und alle ihre Bollwerke und Zugänge. Überall war sein Zelt schon gestanden, im niederösterreichischen Hügelland, im Etschtal und im slawonischen Walde. Wenn er nicht mit seinem Heer durchs Land zog, so beugte er sich über Karten und Pläne und folgte mit den Augen dem Laufe der Flüsse und dem Streichen der Gebirge und sah im Geiste vor sich, welche Stärke oder welche Gefahr für Österreich darin lag, daß sie so und nicht anders verliefen, und in Gedanken zog er unsere Grenzen immer weiter hinaus und machte sie immer stärker. Die Flüsse und die Gebirge Österreichs waren ihm Bundesgenossen in künftigen Kriegen, die er in Gedanken voraus führte; über alles liebte er den Donaustrom und dies war sein Gedanke: daß alles Land, was dieser mächtige Strom auf seinem Weg zum Meer bespüle, Österreich untertan sein müsse oder mit Österreich auf Tod und Leben verbündet. Dies schien ihm die Lehre zu sein, die unser Strom uns gibt in seinem majestätischen Dahinfließen nach Süden und Osten. Nicht minder aber achtete er das große schöne Meer, das gegen Süden unsere große offene Straße ist, auf der wir Handel treiben sollen bis nach Asien und Afrika hinein. Daß nicht nur Spanien und Venedig, nicht nur England und die Niederlande auf dem Meere etwas bedeuten sollten, sondern auch Österreich, diesen Gedanken war er allein unter den damaligen Österreichern zu denken fähig. Denn Aller Gedanken hafteten an dem, was man für wichtig zu erkennen gewohnt war: an dem spanischen und italienischen Besitz des Erzhauses, allenfalls an der Abwehr der Türken und Niederwerfung der ungarischen Rebellen, weiter hinaus dachte niemand. Er allein hatte den großen, freien Blick, vor welchem das ganze Österreich dalag, herausgewachsen aus der Ostmark des Deutschen Reiches, ein mächtiges, aber eingeengtes Bollwerk: die Brücke der Völker vom Herzen Europas zum Orient hinübergespannt. Was es aber bedeute, gegen den Orient hin nicht nur den mühseligen Landweg übers Gebirge und durch feindselige oder zweideutige Völker zu haben, sondern die offene freie Straße, wie sehr Österreichs Leben dieses Fensters bedurfte, von wo ihm Luft und Licht komme: das sah er, denn er sah immer das Wesentliche. Sein Sehen aber war zugleich auch schon Wollen, sein Wollen war Tun. Er sah das Ziel, den Weg und die Mittel in einem. Dazu war ihm noch die Kraft gegeben, daß er die Gemüter der Menschen zu lenken verstand; ohne diese Kraft ist kein Staatsmann groß und schöpferisch. So lenkte er den Blick des Kaisers auf Triest und ebenso der Männer, die mächtig waren durch Rang, Macht und Reichtum. Er reiste selber mit dem Kaiser über Graz nach Süden und zeigte dem Kaiser das Meer, das heute Tausende unserer Schiffe befahren. Er ließ durch Männer, die auf ihn hörten, eine Orientalische Handelskompagnie begründen, derengleichen in den westeuropäischen Ländern in Blüte stand, und sein Werk war es, daß der Kaiser für Triest alles tat, wodurch es groß ward, so wie es heute ist und nach diesem Kriege immer mehr werden wird.

Prinz Eugen gewinnt in der kühnsten seiner Schlachten Stadt und Festung Belgrad

Eugen schlug die Franzosen, die in Italien eingefallen waren, das damals dem Hause Österreich gehörte, in vielen Schlachten, er schlug sie, als sie sich mit dem Kurfürsten von Bayern verbündeten, au bayrischem Boden, am Rhein wie in Flandern, nahm ihnen die Festung Lille weg und schloß endlich mi ihnen in des Kaisers Namen Frieden. Inzwischen waren die Türken wieder stark und begehrlicher geworden, so zog Eugen abermals donauabwärts. Er schlug sie bei Peterwardein, dann schloß er die Festung Belgrad ein und bezog um sie ein halbmondförmige

Lager zwischen Save und Donau. Indessen hatte der Türkensultan ein neues und gewaltiges Heer gesammelt und zog zum Entsatz seiner Festung herbei und lagerte sich in einem großen Halbkreis hinter Eugens Armee, so daß der Belagerer der Festung nun selber von dem Feind belagert war. Eugen hatte vierzigtausend Mann, von denen starben täglich über tausend am Sumpffieber hin; fast ebensoviel wie er selber hatte, waren in der Festung, der Sultan aber lag mit über zweihunderttausend hinter ihm. Die aus der Festung fielen aus wie wütende Hunde, die anderen schoben sich mit Laufgräben und Batterien immer näher an Eugens Heer heran, Zufuhr blieb aus, die Munition wurde knapp, den Offizieren und Soldaten sank der Mut. Das war die schwerste Prüfung, die Eugen und sein Heer jemals durchzumachen hatten. Da kam alles auf den einen Mann an. Abend für Abend ging er nach seiner Gewohnheit in einem unscheinbaren Uniformrock, nur von einem einzigen Offizier begleitet, in den Lagergassen umher, blieb hinter einer Zeltwand oder hinter einem Fuhrwerk stehen und horchte auf die Reden der Soldaten. Da hörte er eines Abends zwei miteinander reden; einer, der auf Krücken ging, sagte zu einem, der im Dunkel auf Stroh lag und sich nicht schleppen konnte: „Was bleibt uns jetzt übrig von unseren glorreichen Siegen am Rhein und bei Turin, als daß wir hier verrecken sollen wie Hunde" — und darauf sagte der andere: „Es bleibt halt nichts als die Hoffnung, die bleibt einem christlichen Soldaten immer." Da trat Eugen aus dem Dunkel hervor: „Nichts als die Hoffnung", fragte er scharf und seine Augen blitzten, daß es auf einmal heller wurde und man noch ein paar Husaren sah, die da lagen und schliefen auf wenig Stroh, den Tschako unter dem Kopf, — „ich meine, es bleibt kaiserlicher Armee allezeit etwas Besseres", und kehrte den Rücken. Was das Bessere war, das wurde in seiner Seele in diesem Augenblicke geboren und zwei Nächte später bei Tagesgrauen ins Werk gesetzt: das war, der Festung den Rücken kehren und wenige Kompagnien und Geschütze dort in den Gräben lassen, die nach dieser Seite achtgaben, und mit der ganzen Kraft, Infanterie, Reiterei und Artillerie, den übermächtigen Feind angreifen und seinen Halbmond durchstoßen. Dies hub an bei Morgennebel am ewig denkwürdigen 16. August des Jahres 1717. In fünf Stunden war es gelungen und der größte Sieg des damaligen Jahrhunderts gewonnen und die Festung zugleich. Von da an war durch kaiserliche Waffen und Eugens Genius die Macht der Türken als einer eigentlichen angreifenden, gegen das Herz Europas vorstoßenden Ostmacht für immer gebrochen, so wie es in diesen heutigen Tagen durch Gottes Hilfe mit der neuen halbasiatischen Großmacht, den Russen, geschehen ist, und, wie wir hoffen wollen, auf ewige Zeiten.

Die Soldaten singen zum erstenmal das Lied von ihrem Feldherrn

In Prinz Eugens Heer fochten Männer aus allen Völkern Österreichs, so wie sie heute nebeneinander fechten und stürmen: Niederösterreicher und Mährer, Salzburger und Egerländer, die treuen Kroaten und die frommen Tiroler, Männer aus dem windischen Lande, die man heute Slovenen nennt, und Furlaner, die im Görzischen wohnen, Steirer und Schlesier, Tschitschen und Huzulen, aber auch aus dem Deutschen Reich zogen viele unter dem Doppeladler mit: tapfere Schwaben und lustige Rheinländer und zähe baumstarke Pommern und Brandenburger, und dazu noch aus fremden Ländern viele: Irländer und Spanier und Wallonen. Diese alle vertrugen sich gut, denn es ist leicht, gute Kameradschaft halten unter siegreichen Fahnen, und viele von ihnen blieben in den Ländern, die sie den Türken abgewonnen hatten, und ihre Nachkommen sitzen noch heute da und der Name des Prinzen Eugen ist unter ihnen lebendig und geht vor aller Heiligen Namen. So war es auch in seiner Armee, da hätte kein Verbot sein dürfen, diesen Namen eitel zu nennen, denn er war beständig in der Soldaten Mund: sie redeten von seiner kleinen schmächtigen Gestalt und von seinem großen Mut, wie er da in die Bresche gesprungen war und dort sein Pferd ins dichteste Gewühl hineingetrieben hatte, wie es ihm gar nichts ausmachte, wenn eine Kartätsche dicht neben ihm einschlug, oder wenn eine Stückkugel dem Adjutanten, der gerade mit ihm redete, den Kopf wegriß. Sie wußten alle dreizehn Stellen an seinem Leib, wo er die Narben von schweren Wunden trug, und noch besser wußten sie alle Antworten, die er fremden Gesandten oder Parlamentären einmal gegeben hatte, und die Streiche, die er dem Feinde gespielt hatte. Sie trauten ihm zu, daß er die Furt in einem Flusse auf dreitausend Schritte gewahr wurde, wo kein anderer sie sah, und daß er mit seiner Nase unterm Karstboden die Quelle witterte; daß er seine Truppen mit Wagen und Geschützen ebensogut über einen gläsernen Tiroler Eisberg hinab in den Rücken des Feindes zu werfen vermochte als über einen zehn Meilen weiten slavonischen Sumpf; daß er, wenn es sein mußte, mit fünftausend Mann durch ein Rattenloch in eine Festung eindringen konnte, und daß einmal in der Belgrader Schlacht, wie die Not am größten war, er an zwei Stellen der Schlacht zugleich gesehen worden war: auf einem braunen Irländer, gelb gezäumt, bei den Artilleristen, denen er sagte, sie sollten noch zwei Vaterunser lang warten, der Nebel würde sich gleich heben, und im gleichen Augenblick auf einem Schimmel mit roter und goldener Zäumung an der Spitze der Kürassiere, mit deren erstem Glied er auf die Janitscharen einhieb. Wenn sie nicht von ihm selber redeten, so redeten sie von seiner Kleidung und dem braunen Rock mit den Messingknöpfen, den er am liebsten trug und wegen dessen sie ihn den kleinen Kapuziner nannten, von seiner Schnupftabakdose, von der es hieß, er nähme ebensoviel Tabak als feindliche Stellungen, oder von seinen Lieblingspferden. Wenn er etwas unternahm, so lachten sie im voraus, wie er es jetzt dem Feinde wieder zeige, und wenn er nichts unternahm, so lachten sie, wie er durch diese scheinbare Untätigkeit den Feind foppen wolle. Wenn er ihrer etliche eines Vergehens gegen die Kriegsgesetze begnadigte, so lachten sie, und wenn er etliche andere hängen ließ, so hatten sie auch ihren Spaß daran, denn er war allezeit der geliebte Feldherr. Einer aber unter ihnen, ein Trompeter beim Kürassierregiment Herberstein, der hatte eine hübsche Singstimme und verstand auch, was er sich ausdachte, in Reime zu bringen und dem eine Melodie unterzulegen. Der dichtete das

Lied „Prinz Eugen, der edle Ritter", sang es fünf Reitern, mit denen er auf Patrouille war, in einem Dickicht am Saveufer vor, und bald sang es die ganze Armee.

Prinz Eugen sieht oft im Geiste verborgene und zukünftige Dinge

Eugen hatte Augen, die vieles sahen, was andere Menschen nicht sehen, er sah auf Meilen die Schwächen in einer feindlichen Aufstellung oder die Furt in einem Fluß und er sah auch einem Menschen durch und durch, wenn er die Front abritt oder die Lagergassen abging, aber noch weiter konnte er bisweilen sehen, wenn seine Augen zu waren. Wie dies zuging, darüber hätte er auch seinem vertrautesten Freunde keine Auskunft geben können. Eines Abends trat er in den Laufgraben vor der Festung Lille, um das schwere Geschütz zu visitieren, da schloß er gerade für eines Augenblicks Dauer die Augen und lehnte sich gegen die Erdwand. Ihm war, er trete in einen langen gewölbten Gang, in diesem kam ihm seine Mutter, die er viele Jahre lang nicht gesehen hatte, langsam entgegen, in einem schwarzen Gewand, eine Nonnenhaube auf dem Kopfe, eine brennende Kerze in der Hand, den Blick streng auf ihn gerichtet. Als er die Augen wieder aufschlug, sprach er zu keinem darüber, aber er war nachdenklich und in sich gekehrt. Nach zwei Tagen kam Botschaft, daß seine Mutter an jenem Abend zur gleichen Stunde gestorben war. In späteren Jahren seines Lebens mehrte es sich, daß er für kurze Augenblicke seiner Umgebung entrückt war und an verborgenem Geschehen teil hatte. So ging er eines Abends im Herbst auf der Terrasse seines Schlosses Hof auf und ab, trat an das steinerne Geländer vor und sah hinaus auf die Niederung, die von einem schwachen frühen Mondlicht erfüllt war und in der der Flußnebel aufstieg und sich regte. Ein Teil des Nebels hob sich plötzlich und fing an, gegen Osten zu ziehen in vielen Streifen und Wölkchen, ein langer, langer Zug. Eugens Augen sahen auf dieses Schauspiel der Luft, immer neue Züge schoben sich nach, es war ein tausendfaches Drängen und Vorwärtswollen, auf einmal geschah in seinem Innern eine kleine Bewegung, nur so wie wenn ein Glas Wasser ausgegossen wird, da wußte er mit einemmal, daß er jetzt nicht bloß mit leiblichen Augen in die Ferne des Himmelraumes sah, sondern durch die Zeiten hindurch und daß diese Wölkchen und Streifen, die nach Osten drängten, wieder stockten und wieder hinglitten, in Wirklichkeit etwas anderes waren, nämlich ein ungeheurer Heereszug Österreichs, der sich zu irgend einer Zeit zutrug, in die seine Seele in diesem Augenblick entrückt war. Er spürte die ganze Kraft dieses Zuges nach Osten, die Seelen von Hunderttausenden, das Überwinden der Hindernisse, das Klirren der Waffen, er fühlte, wie Menschen und Tiere das Geschütz über vereiste Berge hinschleppten, er fühlte das tausendfache Rufen: Vorwärts, Österreich! Vorwärts! und den Hauch von Sterbenden. Dies war so groß, daß es ihn schauderte wie einen Knaben, aber er zitterte vor Glück, seine Seele schwang sich aus ihm heraus und flog diesem nach und schwebte durch eine Kette von brennenden donnernden Schlachten hindurch, vertraut wie ein Engel im Bereich des Himmels. Sein Leib blieb ganz still zurück, dort an die Steinbalustrade gelehnt mit offenen Augen, aber so starr und still, daß der Diener, der leise herzugeschlichen war, nicht herankam, er stand im Dunkel, als hielten ihn Fäuste, bis sein Herr wieder eine Regung tat und auf ihn zukam, als wäre nichts gewesen. Aber das Gesicht seines Herrn sah in dieser Stunde im Mondlicht so aus, wie dieser vertraute Diener es nie zuvor gesehen hatte und nie wieder sah.

Eugens letzte Tage und der Löwe im Belvedere

Jetzt saß zu Wien schon der dritte Kaiser seit jenem Leopold, an dessen Hof Eugen gekommen war, und allmählich war Eugen ein sehr alter Mann geworden, und sein Leib, der so oft auf Stroh und im Laufgraben einen erquickenden Schlaf gefunden hatte, war nun schwach und fand auch in einem schönen Himmelbett nur wenige Stunden Schlafes, und statt zu Pferde zu sitzen, fuhr er in einem großen Wagen mit sechs schönen Isabellen-Schimmeln. Aber die Pferde waren auch alt und gingen schläfrig, und der Kutscher, der auf dem Bock saß, schlief manchmal unterm Kutschieren ein. Hinten auf dem Trittbrett standen zwei Leibhusaren, die hatten mitgefochten bei Turin und Höchstädt, bei Oudenarde und bei Zenta und sie waren auch alt und machten im Stehen ihr Schläfchen, und erst wenn die Pferde von selber hielten, erwachten sie von dem Ruck und rissen den Wagenschlag auf, und davon erwachte dann der alte Prinz Eugen. Aber sein Geist war frisch und stark und er leitete die Konferenzen und empfing die Gesandten, und welcher Mann immer von Geist und

Ruf nach Wien kam, der war im Palaste Eugens willkommen. Und er sah Österreich klar vor sich und die Welt und wer darin Freund und Feind war und er, der sich zeitlebens mit der Erkenntnis der Menschen abgegeben und Generale und Minister, Soldaten und Priester durchschaut hatte, wandte jetzt seine klaren, wunderbar tiefen Augen auch auf die anderen Geschöpfe Gottes, und wie er vordem in seinem Palaste in der Himmelpfortgasse die größte Sammlung menschlicher Gesichter in Kupferstich angelegt hatte, so richtete er jetzt im Garten seines Schlosses Belvedere eine Menagerie aller seltenen und fremden Tiere ein. Da schenkten ihm fremde Monarchen ausländische Tiere, und der Sultan, dem er so viel Land weggenommen hatte, schenkte dem alten Feldherrn einen ganzen Käfig voll lustiger Affen, der König von Frankreich, den er so oft besiegt hatte, verehrte ihm einen afrikanischen Löwen. Dieser liebte seinen alten Herrn über alles und wollte von niemand anderem Futter nehmen als von dem Prinzen, er drückte sich an die Gitterstäbe und sah dem Fortgehenden jedesmal nach, so lange er konnte. Nicht alle Tage hatte Eugen Lust, bei den Affen und den Papageien und den Bären stehen zu bleiben, aber bei seinem Löwen blieb er jeden Abend stehen und sah ihm in die Augen, und der Löwe hielt seinen Blick aus und erwiderte ihn mit einem mächtigen dumpfen Tierblick voll Liebe. Da kam eine Zeit, wo Eugens Hand, mit der er die Gitterstäbe des Käfigs berührte, viel weißer war als früher und der Blick auf den Löwen noch anders als zuvor, und der Löwe brüllte stärker und klagender, wenn Eugen fortging. Endlich kamen drei Tage, wo der Löwe seinen Herrn nicht sah, er verweigerte alles

Fressen und lief unruhig im Käfig auf und nieder, von Zeit zu Zeit dumpf aufstöhnend. In der Nacht nach dem dritten Tage wurde er ganz ruhig und legte sich und blieb ohne Regung, aber seine Augen waren offen. Gegen drei Uhr morgens stieß er ein solches Gebrüll aus, daß der Tierwärter und seine Gehilfen im Bette auffuhren und hinausliefen in die Menagerie, nachzusehen. Da sahen sie Lichter in allen Zimmern des Schlosses, zugleich hörten sie in der Kapelle das Sterbeglöcklein und so wußten sie, daß ihr Herr, der große Prinz Eugen, zu ebendieser Stunde gestorben war.

Prinz Eugens Geist ist immer dort,
wo unsere Soldaten fechten und siegen

Prinz Eugenius, der edle Ritter,
Wollt dem Kaiser wied'rum kriegen
Stadt und Festung Belgerad;
Er ließ schlagen eine Brucken,
Daß man kunnt hinüberrucken
Mit d'r Armee wohl für die Stadt!

Als die Brucken nun war geschlagen,
Daß man kunnt mit Stuck und Wagen
Frei passiern den Donaufluß,
Bei Semlin schlug man das Lager,
Alle Türken zu verjagen,
Ihn'n zum Spott und zum Verdruß.

Am einundzwanzigsten August soeben
Kam ein Spion bei Sturm und Regen,
Schwurs dem Prinzen und zeigts ihm an,

Daß die Türken furagieren,
So viel, als man kunnt verspüren,
An die dreimalhunderttausend Mann.

Als Prinz Eugenius dies vernommen,
Ließ er gleich zusammenkommen
Sein' General und Feldmarschall.
Er tät sie recht instruieren,
Wie man sollt die Truppen führen
Und den Feind recht greifen an.

Bei der Parole tät er befehlen,
Daß man sollt die Zwölfe zählen
Bei der Uhr um Mitternacht:
Da sollt all's zu Pferd' aufsitzen,
Mit dem Feinde zu scharmützen,
Was zum Streit nur hätte Kraft.

Alles saß auch gleich zu Pferde,
Jeder griff nach seinem Schwerte,
Ganz still ruckt man aus der Schanz:
Die Musketier, wie auch die Reiter,
Täten alle tapfer streiten:
Es war fürwahr ein schöner Tanz!

„Ihr Konstabler auf der Schanze,
Spielet auf zu diesem Tanze
Mit Kartaunen, groß und klein,
Mit den großen, mit den kleinen,
Auf die Türken, auf die Heiden,
Daß sie laufen all davon."

Prinz Eugenius wohl auf der Rechten
Tät als wie ein Löwe fechten,
Als General und Feldmarschall;

Prinz Ludewig ritt auf und nieder:
„Halt't euch brav, ihr deutschen Brüder,
Greift den Feind nur herzhaft an!"

Prinz Ludewig, der mußt aufgeben
Seinen Geist und junges Leben,
Ward getroffen von dem Blei.
Prinz Eugenius ward sehr betrübet,
Weil er ihn so sehr geliebet,
Ließ ihn bringen nach Peterwardein.

Prinz Eugen, der edle Ritter,
Sah herab vom Himmelsgitter
In das grüne Bosnatal:
„Hei!" rief er: „Da gibts ein Schlagen,
Wie es war in meinen Tagen,
Glorreich, anno dazumal!"

„Halt't euch brav, ihr tapfern Brüder,
Werft den Feind nur herzhaft nieder,
Laßt des Kaisers Fahne wehn!
Ist mein Leib auch längst vermodert,
Zeigt der Welt, daß in euch lodert
Noch der Geist vom Prinz Eugen!"

„Laßt es blitzen, laßt es knallen,
Und die Helden, die da fallen,
Gehen all zum Himmel ein;
Petrus öffnet euch die Türe,
Ich begrüß euch, salutiere,
Sollt mir schön willkommen sein!"

(Die drei letzten Strophen sind um die Mitte des neunzehnten Jahrhunderts von Anton Langer gedichtet.)

ÖSTERREICHISCHE BIBLIOTHEK

Voranzeige der Bändchen 14—19
Vom Herausgeber

„Die österreichischen Lande im Gedicht"

DIE österreichischen Landschaften sind so schön, daß das Bewußtsein ihrer kettenförmig ineinander übergehenden Schönheiten ein gemeinsame Liebe Erregendes und Zusammenhaltendes zu allen Zeiten gewesen ist. Dazu kommt die Gliederung durch unsagbar mannigfaltige Berg- und Hügelzüge, Flußläufe und Täler, daß jeder Stadt, ja noch dem kleineren Dorf und einsamen Weiler ein eigenes, scharf geprägtes Dasein von Urzeiten her geschenkt ist. Auf der dumpfen aber heiligen Stufe allgemeinen Volksempfindens ist so die Liebe zu dem einzelnen Kronlande, worin jeder geboren ist, in ihm ausgewirkt, enger noch zu dem besonderen Gau oder Kreis; auf höherer Stufe löst sich dieses haftende Gefühl in der Dichtung, die mit Sehnsucht gleichsam sich der Heimat nochmals bemächtigen will und sich dessen versichern, was sie schon unverlierbar besitzt. Hier sind solche Gedichte nebeneinandergestellt von den älteren Dichtern bis auf die mitlebenden österreichischen deutscher und slawischer Zunge, dazwischen die der halbvergangenen Zeit, wie Stelzhamer, aus denen herrlich die Liebe zur engsten Heimat hervorgebrochen ist. Von den großen deutschen Dichtern, in denen das Betreten österreichischen Bodens schöne Dichtungen entzündet hat, worin das Landschaftliche verwoben, seien vor allen Goethe genannt, dann Eichendorff und Rückert.

Grillparzer, „Bruderzwist in Habsburg“

Dieses große Gedicht ist noch etwas anderes als es scheint, es ist ein Politikum ersten Ranges und als solches von unzerstörbarer lebendiger Kraft. Eine Gestalt wie die Rudolfs II. kann dreifach betrachtet werden: als ein dichterisches Gebilde nach den Gegebenheiten der Geschichte, als ein poetisch-autobiographisches Denkmal ihres Schöpfers, schließlich als eine symbolische Figur, von der aus die umgebende historisch-politische Atmosphäre zeitlos und ein Repertorium zeitloser politischer Weisheit wird.

Lenaus Briefe an Sophie Löwenthal

Es war diesem großen Dichter vom Schicksal auferlegt, sein Höchstes und Reinstes auch dichterisch in diesen leidenschaftlichen Briefen und Zetteln zu geben. Von der geliebten Frau selbst ist ein Wort überliefert, wodurch sie darauf hindeutet, sie fühlte hier die dämonischen Kräfte, welche berufen wären, die Tragödie zu schaffen, in der Sphäre des Lebens, wo sie nicht hingehörten, zerstörend am Werke. Hiemit ist gesagt, warum nachlebende Generationen sich dieser Briefe bemächtigen konnten und durften, als wären es Gedichte, die jedermann preisgegeben sind.

Prinz Eugen. Aus seiner Korrespondenz

Prinz Eugen ist und bleibt die große Figur der älteren österreichischen Geschichte, als solche auch der deutschen politischen Geschichte wesentlich und glorreich. Sein Feldherrnruhm ist groß genug, sein staatsmännisches Vermächtnis aber geht darüber hinaus. Der politische Begriff „Mitteleuropa“, die Expansion nach Südost, der Donaulinie folgend, scheinen

Konzeptionen dieser Stunde. In der Tat sind sie Wiederbelebung dessen, was vor zweihundert Jahren die Geburt seines Hirns und die Tat seines Schwertes war. Von ihm zu wissen, heißt in der Vergangenheit die Gegenwart aufsuchen und erkennen, daß in großen Menschen ganze Zeiträume ihren geistigen politischen Gehalt zusammenfassen.

„Deutsches Leben in Ungarn"

Aus den geschichtlichen und Kulturromanen von Müller-Guttenbrunn sind von des Verfassers eigener Hand hier Bilder aus dem Leben der Banater Schwaben herausgeschnitten, die lebensvoll und der Wahrheit getreu den Splitter eines deutschen Stammes, dem ungarischen Staatswesen einverleibt, in seiner eingeprägten Art unzerstörbar bis zum Barocken vorweisen. Eine „österreichische Bibliothek" umschreibt ihre Materie nicht nach den geltenden staatsrechtlichen Grenzen, ihre Begrenzungen sind wie die jedes rein geistigen Unternehmens schwebende, und in solche darf sie die vom Prinzen Eugen angesiedelten Schwaben des Donaugrenzlandes einbeziehen.

Walter von der Vogelweide

Walter von der Vogelweide ist ein gewaltiges Palladium des deutschen österreichischen Stammes. Seine Lieder und Sprüche adeln die herrliche Berglandschaft, der er entsprossen ist; die Landschaft wieder, uralt und kindhaft jung, in ihren Wäldern und stürzenden Wässern alterslos, auf ihren Gipfeln die reine Luft der Jahrtausende, in den Herzen ihrer Bewohner die Reinheit und Wucht jener älteren Zeiten, in ihren sprachlichen Wendungen quellhaft hm verwandt, bringt ihn uns nahe, verknüpft uns mit ihm, wie keiner der deutschen Stämme des Reiches mit einem seiner mittelalterlichen Dichter verknüpft ist. Wir wagen es, ihn in der Ursprache in aller Hände zu legen. Wer ihn laut liest, wird als nahverwandt gewahr werden, was der Augenleser sich mit den Schrauben und Rädern der Bildung erst mühsam herbeiziehen muß.

SHAKESPEARE UND WIR

Zum 23. April 1916

Es sind nun hundertunddrei Jahre her, daß Goethe seinen Aufsatz „Shakespeare und kein Ende“ veröffentlichte. Darin stellt er seine Ansicht von Shakespeare „als Dichter überhaupt“ und Shakespeare „als Theaterdichter“, welche beide er scharf auseinanderhält, dem enthusiastischen Betreiben der von Tieck geführten Romantiker gegenüber, Shakespeares Werke unverkürzt auf die Bühne zu bringen. Er lobt mit Nachdruck die Schauspielerbearbeitungen von der Art der Schröderschen, „welche sich ganz allein ans Wirksame halten und alles übrige wegwerfen“, und nennt es ein Vorurteil, das sich in Deutschland eingeschlichen habe, „daß man Shakespeare auf der deutschen Bühne Wort für Wort aufführen müsse, und wenn Schauspieler und Zuhörer daran erwürgen sollten“. Zum Schluß weist er darauf hin, nach welchen Grundsätzen man „Romeo und Julia“ für das Weimarsche Theater redigiert habe, ein Stück, dessen tragischer Gehalt beinahe ganz zerstört wird durch die zwei komischen Figuren Mercutio und die Amme. „Betrachtet man“, fährt er fort, „das Stück recht genau, so bemerkt man, daß diese beiden Figuren, und was an sie grenzt, nur als possenhafte Intermezzisten auftreten, die uns bei unserer folgerechte Übereinstimmung liebenden Denkart auf der Bühne unerträglich sein müssen.“ Es bedarf keiner Weisheit, auszusprechen, daß dem größten Mann hier von dem Geschmack der Nation widersprochen wird, der von Generation zu Generation immer deutlicher bis auf den heutigen Tag für die entgegengesetzte Richtung manifestiert hat. Aber, was Goethe zu wahren strebte: das Gehobene und Unvermischte auf dem Theater, auch diesem ist in anderer Weise eine Tendenz des Publikums treu geblieben und hat die hohe Geltung und Popularität der großen oder tragischen Oper herbeigeführt, welcher Goethe selber, als Schöpfer und Urteilender, nicht weniger geneigt war, der, von den vielen Singspielen und Halbopern zu schweigen, die gelegentlich aus seiner Feder kamen, an drei Epochen der großen dramatischen Musik als Dichter teilnahm, wenn er für Gluck die herrliche, Fragment gebliebene „Proserpina" dichtete, durch die Fortsetzung der „Zauberflöte" sich post mortem Mozart als Textdichter darbot und für seinen zweiten Teil des „Faust" einen Mann wie Spontini oder Meyerbeer als unerläßliche Gesellschafter — sofern das Werk aufs Theater sollte — herbeizuziehen sich vorsetzte. Dies aber beiseite, so ist auf der rezitierenden Bühne das Gemischte, wie es eben in Shakespeare grandios uns entgegentritt, zur unbestrittenen Herrschaft gekommen. Die Träger dieser erobernden Vorwärtsbewegung waren von Generation zu Generation ganz unzweifelhaft die großen Schauspieler, von jenen älteren, Schröder und Anschütz, herab bis auf die, welche unter uns, indem sie sich in Lear oder Falstaff verwandeln, etwas ihnen selbst Verborgenes ihrer Natur zu enthüllen und darzubringen verstehen. Von den beiden, die Goethe mit bestimmter Absicht antithetisch behandelte, dem „Dichter überhaupt" und dem „Theaterdichter", ist der letztere oder, um es anders zu sagen, von dem einmaligen Naturphänomen des größten Dichterschau-spielers Shakespeare ist das schauspielerische Element zu einer unvergleichlich großen um sich greifenden Macht innerhalb des deutschen geistigen Lebens ge-kommen, und wenn wir heute ein deutsches Theater in einem höheren Sinne besitzen, welches als eine Art Verwirklichung der von den großen Geistern des achtzehnten Jahrhunderts geträumten „deutschen Nationalbühne" gelten kann, so ist Shakespeare in zweifacher Weise für den Urheber dieses unseres Theaters anzusehen: einmal, wie es oft und einläßlich in bedeutenden Darstellungen ausgeführt worden ist als einer jener wahrhaftigen Schöpfergeister, die sich „keineswegs nach vollbrachtem Tageswerk zur Ruhe begeben, sondern fortwährend wirksam sind in höhe-ren Naturen, um geringere zu sich heranzuziehen" so hat sein Geist, in immer neuen Formen gleichsam indirekter Zeugung, uns vom „Götz" und der „Emilia Galotti" angefangen bis zu dem dramatischen Zauber-märchen Ferdinand Raimunds so ziemlich das meiste dessen hervorgerufen, was als höheres Repertorium den Bestand dieses deutschen Theaters ausmacht: zum zweiten aber, indem er von Individuum zu Indi-viduum und von Geschlecht zu Geschlecht immer das Höchste der schauspielerischen Begabung auf sich ge-zogen und dem deutschen schauspielerischen Dasein mit einer unauflöslichen Aufgabe zugleich ein geistiges Zentrum geschenkt hat. Der französische Schauspieler lebt, eine Generation auf die andere, das gesellschaft-liche Leben seines Volkes mit. Nicht so der deut-sche, denn die Nation hat selber kein ausgeprägtes, und die wertvolleren dichterischen Produkte ent-stammen nicht dieser Sphäre. Aber an Shakespeare hat sich das deutsche schauspielerische Dasein unter stets aufs neue problematischen Verhältnissen immer wieder emporgehoben, hier besteht im allseits Abgebrochenen, stets Traditionslosen sogar eine Art von Kontinuität. Der Schauspieler ist es, der die Herrschaft Shakespeares auf dem deutschen Theater unablässig ausgebreitet und vertieft hat, und ein Mann wie Reinhardt, der Schauspieler-Direktor, handelt ebenso unter geschichtlicher Konsequenz wie aus eigener Leidenschaft, wenn er, was Generationen von Schauspielern, zuerst im Wetteifer mit Garrick und Kemble, dann mit Salvini und Rossi, dem deutschen Theater einverleibt haben, zu seiner hohen Blüte und damit zu einem zeitweisen Abschluß treibt.

Der Schauspieler ist es, der nach und nach dem Publikum eben jenes Gemischte annehmbar gemacht hat, sowohl innerhalb jedes Stückes, wie innerhalb der Figuren; zunächst das Komische hart neben dem Tragischen, dann aber auch das Tragische im Komischen, eine Figur wie den Narren in „Lear“ etwa, oder das Melancholische im „Falstaff“. Und nur wenn diese Mischung, anstatt zu befremden, als Genuß empfunden wird, kann ein Stück wie „Was ihr wollt“ auf der Bühne bestehen, das in der Tat vor hundert Jahren, als die Romantiker es zuerst aufs Theater brachten, vom Publikum fallen gelassen wurde, jetzt aber in Wien, wie vor ein paar Jahren in Berlin, für eine Weile die erste Stelle im Repertoire einnimmt. Denn sein ganzer Reiz ruht auf einer solchen Mischung von derb-komischen, grotesken und ganz zarten Figuren, die zu einer Gruppe verbunden sind; eine ähnliche Gruppe ist Prospero und Miranda, Ariel und Caliban.

Das deutsche Theater, indem es sich Shakespeare ergab und ihm diente, hat auch wieder zu eigenem höchstem Nutzen gehandelt; die Möglichkeiten, die für den Schauspieler hier liegen, sind kaum auszuschöpfen und führen immer tiefer und höher. Hand in Hand mit der theatralischen Unternehmung ging die dramaturgische und sonstige gelehrte Betrachtung; die einzelnen Stücke, das, was man, mit einem Körnchen Salz, die Idee jedes einzelnen nennen kann, die Figuren in sich selber betrachtet und die Bezüge zwischen den Figuren, Hamlet mit Horatio, Brutus mit Cassius, Antonio mit Bassanio, die Landschaften, welche freilich Landschaften der Seele sind, und das, was man die Hintergründe und Ausblicke nennen könnte, alles dies ist an den Tag gebracht, analysiert, gesammelt und in Sammlung über Sammlung wieder gesichtet, verglichen, registriert usf. in infinitum. Einst trat diese Zauberwelt plötzlich an einzelne heran, und der Eindruck war überwältigend. So ist das Erlebnis Goethes. „Die erste Seite, die ich von Shakespeare las, machte mich auf zeitlebens ihm eigen, und wie ich mit dem ersten Stück von ihm fertig war, stand ich wie ein Blindgeborener, dem eine Wunderhand das Gesicht in einem Augenblick schenkt. Ich erkannte, ich fühlte meine Existenz um eine Unendlichkeit erweitert.“ Noch Ferdinand Raimund bekommt erst als reifer Mann den Shakespeare in die Hand, der ihn umwirft, und datiert von da an Epoche in seinem Leben. Das Glück, diese Welt dämonisch im schicksalsvollen Augenblick ins eigene Dasein hereinbrechen zu fühlen, müssen die darauffolgenden Generationen mehr und mehr entbehren.

Für sie ist Shakespeare immer schon da. Tausendfach ausgedeutet, wenn auch im Tiefsten unausdeutbar, liegen diese Gebilde zutage, die inneren Spannungen und die Strahlungen, die von ihnen ausgehen, sind aufgezeichnet und tabelliert. Alle Hilfsmittel zu einer beständigen Schwelgerei sind dem Heranwachsenden vorgerichtet, und heilig muß seine Scheu sein, wenn er zu einem höheren als schwelgerischen Verhältnis sich erhebt. Das Theater ruft ihn zu Shakespeare, sich schwelgerisch in Natur aufzulösen, wie der Schauspieler selbst sich auflöst; so ruft ihn leider auch der stets offene Musiksaal zu Beethoven. Der Reichtum unendlicher Bezüge, Hamlet und Ophelia, Macbeth und seine Frau, Coriolan und der Pöbel, Prospero und die Geister, Brutus und Cäsar, alles dies liegt am Tage, ist dem geistigen Sammelbesitz der Nation einverleibt. Höchst problematisch aber wird der Begriff des Besitzes, wo es sich um Geistiges handelt, ja es kann das Geistige seiner Natur nach in das alltägliche Dasein nicht einbezogen werden: denn es will und soll ja dieses Dasein aufheben. So kann ein zweideutiges Verhältnis entstehen, ein schlaffes und trübes Haben und Nichthaben. In der Jugend aber, von Geschlecht zu Geschlecht, ist ein heiliger Drang nach dem Unentweihten. Hier fällt den Generationen wahrhaftig ein verschiedenes Los. Die Jugend von 1770 wollte nichts als zu sich selber kommen, und in Shakespeare fand sie sich selber, die glühende Welt des Herzens und der Einbildung. Aus diesem beglückenden Verhältnis heraus sind Goethes obige Worte ausgesprochen. Eine andere Zeit wollte sich in die Welt auflösen, und ihr waren Shakespeares Werke das allermächtigste Lösungsmittel. Dieser

Generation, der romantischen, danken wir Schlegels Übersetzung, in der das fremde ungeheure Werk für uns nochmals aus der eigenen Sprache wiedergeboren ist.

Die heutige Zeit kennt keinen tieferen Drang, als über sich selber hinauszukommen. Der Lebende fühlt sich überwältigt durch die Gewalt der Umstände; das schweifende, schwelgende Genießen, das fühlt er, ist kein Ausweg, der Genuß zieht ihn nur tiefer in die Sklaverei hinein, und der Besitz unterjocht. Nach oben hin ist die Idee der Freiheit in den Äther entschwunden, nach innen zu die Idee der Tugend leer und wesenlos geworden. Begriffe, Namen verdüstern die Pfade des Lebens mehr, als sie sie erleuchten, die Handlung hat sich zur Begebenheit erniedrigt. Wo ist eine Offenbarung des Höchsten? Ebendort, wo Wirklichkeit ist, antwortet die innere Stimme, die untrüglich ist.

Menschen, zu allen Zeiten, suchen Wirklichkeit begierig, überall. Bei den Geistern und Gespenstern noch, unter deren Anhauch sich eine neue Seite ihres Selbst ihnen offenbart, im Krater der Wollust, ja am Spieltische, wie im Gebet und im Gedicht. Kaum geahnt wird die Wirklichkeit der Mitlebenden, ja noch geliebter naher Wesen, dem trägen Blick bleibt sie auch im Leiden noch verschleiert, bis sie uns plötzlich anweht: Ahnung, daß das Einmalige alles sei, nichts wiederkomme, nichts sich gleiche, alles im Augenblicke unendlich, ungeheuer, begrifflos, vor Gott ewig. In der Leidenschaft wird diese Sprache begriffen, so liegt in der Leidenschaft, nicht in der niedrigen, sondern der hohen, die eigentliche Weihe des individuellen Daseins. Nur in der geistigen Spannung der

Leidenschaft wird das Individuelle, das Einmalige wesenhaft: es ist das, wessen sonst der ruhig Hinlebende kaum gewahr wird. Dieses Einmaligen ist die Welt Shakespeares voll, nirgend sind die inneren Spannungen so wie in „Hamlet“, „Macbeth“, „Othello“.

In jeder seiner Figuren ist ein unsagbarer Bezug auf sich selbst, eine schauerliche und erhabene Konzentration. Die Einsamkeit dieser Leidenschaftlichen, jeder in seine Welt hineingebannt, dies und nicht mehr die wunderbare Vielfalt des glühenden Geschehens, nicht die romantische Uferlosigkeit des Widerspieles, bannt die Blicke einer neuen Jugend, der die Zusammenfassung und Erhöhung ihres Selbst über alles gehen muß. Und wenn Goethes Shakespeare der Geist ist, der die Welt durchdringt und keines ihrer Geheimnisse bewahrt, dem alles von den Lippen fließt, was bei einer großen Weltbegebenheit heimlich durch die Lüfte säuselt, was in Momenten ungeheurer Ereignisse sich in den Herzen der Menschen verbirgt, was ein Gemüt ängstlich versteckt, so wird einem anderen Geschlechte ein stummer Shakespeare entgegentreten, und er wird abermals wahr sein, so wahr als jener, „der die Geheimnisse des Weltgeistes verschwätzt“. Denn wo jedes Wort im ungeheuersten Bezug auf sich selber steht, alle Worte zusammen zu der Rune sich verbinden, die das Individuelle als das Einmalige ausspricht, nichts vom Individuum hinaus in die Welt weist, in die Geselligkeit der Begriffe, dort waltet etwas wie Stummheit, und mit dieser bannt sein unerforschlicher Geist ein neues Geschlecht, wie ein früheres mit der Magie schrankenloser Beredtheit.

Wie komme ich aber, indem ich in Gedanken Shakespeare und eine neue Generation zueinander halten will, dazu, das, was gemeinhin dunkel und trübe erscheint: Leidenschaft, und die reinen Gebilde der Kunst zusammenzustellen? In der Leidenschaft wie in der Kunst ist das Schöpferische wirksam: das vom höchsten, ersten Schöpfer Entsprungene, Hergeleitete, in den Geschöpfen, womit sie gegen das Chaos sich zur Wehr setzen.

ÖSTERREICH IM SPIEGEL SEINER DICHTUNG

ÖSTERREICH ist zuerst Geist geworden in seiner Musik und in dieser Form hat es die Welt erobert. Haydn, Mozart, Schubert, auch Strauß und Lanner, diese Namen sprechen für sich selbst, und vor Ihnen, die Sie Österreicher sind, brauche ich sie nur zu nennen, damit sie einen unermeßbaren Gehalt für Sie anklingen lassen. Die lieblichste Heiterkeit, Seligkeit ohne Ekstase, die Freudigkeit, fast Lustigkeit in Haydns Messen, ein Hauch von Slawischem, ein Glanz von Italienischem, in dieser aus der tiefsten Deutschheit geschöpften Musik, Deutschheit aber ohne Sehnsucht, ohne Schweifendes, Größe ohne Titanisches — diese Kriterien unserer Musik, die dann die Musik der Welt geworden ist, sind Ihnen gegenwärtig. Sie kennen alle die Anekdote, die der alte Zelter Goethe erzählte: Man habe den alten Haydn gefragt, warum denn seine Messen so fröhlich wären und nicht feierlich und getragen. Darauf habe er gesagt: Ja, wenn ich an den lieben Gott denke, dann bin ich doch lustig! Und Sie wissen auch, daß Goethe, als Zelter ihm das erzählte, über diesen Zug tiefster naturhafter Ingenuität die Tränen heruntergelaufen sind. Sie erinnern sich, wie Goethes Liedertexte in Schuberts Fassung ein — ich weiß nicht was — von höherer Volkstümlichkeit annehmen, und so ist Ihnen bei diesen bloßen Namen gegenwärtig und klar, wie das Lebenselement der Gebildeten, der Fühlenden um die Wende des achtzehnten zum neunzehnten Jahrhundert in Österreich Musik sein mußte, so wie es um die gleiche geistig hochgespannte Zeit in Deutschland Geistigkeit war.

In dieser Atmosphäre erwacht die österreichische Dichtkunst. In dieser Luft erwächst sie als ein eigenes Gebilde, als ein volkstümliches Gebilde auch in ihrem größten Vertreter, dem Kunstdichter Grillparzer, volkshaft um wieviel mehr in dem Schauspieler Raimund, in dem Schauspieler Nestroy, in dem Bauernsohne Anzengruber, in dem Waldbauernbuben Rosegger, in dem Böhmerwaldsohn Stifter. Denkt man an die stärksten Repräsentanten unserer Dichtkunst, so kann man von einer Poesie der Bauernsöhne sprechen und diese der Filiation der Pastorensöhne, die dem deutschen Volke so viel höchsten geistigen Besitz gegeben haben, entgegenstellen.

Auf dem Schoße der Wärterin, aus dem Textbuche zur „Zauberflöte", lernt Grillparzer lesen. Es gibt keine Zufälle, weder weltgeschichtlich noch individuell-biographisch. Dieser Text der „Zauberflöte", was für ein merkwürdiges Ding! Naiv, kindhaft, von späteren Bildungsepochen verachtet und doch unzerstörbar und doch einem Goethe würdig, daß er daran dachte, ja es auch durchführte, ihm eine Fortsetzung zu schaffen. Man möchte denken — und es ist ja sehr wahrscheinlich —, daß diese Wärterin, diese Amme, auf deren Schoß Grillparzer in dem Textbuche zur „Zauberflöte" buchstabieren lernte, halb oder ganz slawischen Blutes gewesen sei und daß von ihr Grillparzer etwas von dem Hauche der Sagen von Drahomira, von Herzog Krok und seinen Töchtern eingesogen hat, die lebenslang mit einem eigentümlichen Dämmerhauch halbbarbarischer Phantasie seine eigene Phantasie umschweben und nähren. „Meinen Werken merkt man es an, daß ich in meiner Jugend an den Geister- und Feenmärchen der Leopoldstadt mich ergötzt habe“, sagt dann Grillparzer selbst einmal, und in der Tat, es ist immer ein volkstümlicher Kanevas, auf dem das Beste, was er geschaffen hat, aufgestickt ist, es ist etwas vom Ritter-, Räuber- und Gespensterstück, vom dramatisierten Ammenmärchen in seinen Werken oder unter seinen Werken. Denken Sie nur an die „Ahnfrau“, die ein Gespensterstück ist, an „Traum ein Leben“, das ein veredeltes Spektakelstück ist, oder an „Libussa“, die eine Verwandlungs- und Zauberkomödie ist. Nun aber gar Raimund, und den Gebrauch, den er vom volkstümlich Derben und vom volkstümlich Allegorischen macht! Und Nestroy mit seiner ins Geniale getriebenen Vorstadtposse, Anzengruber mit dem eigentümlich melodramatischen Element, mit dem er sich von dem Stil des dramatischen Realismus, dem er doch Bahn gebrochen hat, wieder unterscheidet — wie da im entscheidenden Moment ganz unrealistisch eine Musik spielt — anderseits mit dem tief heiteren, volkshaften Element, mit dem er heikle Probleme, wie in den „Kreuzelschreibern“, umgoldet und beseelt. Diese Heiterkeit, die Mitgift des Volkes, das eigentümlich vergoldende Element der heiteren Geselligkeit, dies, ob es da ist oder nicht da ist, unterscheidet vielleicht vor allem Volkshaftes in Poesie von dem Bildungshaften. Und hier ergibt sich uns ein eigentümlicher Ausblick: ein größtes Gebilde unserer Bildungsliteratur, den „Faust“, als ein relativ armes zu sehen, arm nicht ganz ohne das Bewußtsein seines Schöpfers.

Was Goethe nicht in den „Faust“ hineinbringen konnte, das Wertvollste und Kostbarste, das Volkselement, ist das eigentlich Humoristische. Mephisto hat auf einem sehr hohen Niveau einen Anflug des geistig Humorvollen. Dort klingt es allenfalls an, aber ein wirklich kasperlhaftes Element, wie es jedenfalls ein ähnlich großer Dichter einer naiveren Epoche geschaffen hätte, war schon nicht mehr möglich. Die Volkselemente sind sehr mühsam herangebracht; umgekehrt könnte man bei Raimund die Bildungselemente als mühsam herangebracht empfinden und die höhere Sprache hat bei ihm etwas Ausgeliehenes, nicht unmittelbar an das Höchste der Bildungswelt Anschließendes. Stellen Sie anderseits Nestroy neben Kotzebue; die Posse Kotzebues ist spießbürgerlich-schal, darum früh welkend, die Nestroys volkshaft, unzerstörbar. Eine lokale Posse war überall vorhanden, in Berlin, in Dresden, in München, aber sie ist nirgends so hoch gekommen, anderseits ist das Bildungsdrama nirgendwo so durchsetzt mit volkstümlichen Elementen und dadurch beide einander nirgends so nahe wie hier. Eine Vereinigung beider die ja ein Ideal der dramatischen Produktion wäre, ist wirklich beinahe erreicht, einerseits auf der Bühne anderseits im Publikum. Es war doch damals ein wirkliches Theater da und man hat ein Schlagwort geprägt: Wien war eine Theaterstadt. Damals war es polemisch gemeint — heute können wir es als historisch gelten lassen. Es war innerhalb der deutschen Kultur ein wirklich lebendes, aus dem Volke gekommenes Theater, eine wirkliche Möglichkeit, alle Soziale, Geistige, Gemütliche Form werden zu lassen. Wie weit diese Möglichkeit hinaufgreift, davon könnte man — gar sehr cum grano salis allerdings — ein Exempel sehen in der Gestalt des Kaisers Franz, die ja ganz abgesehen von ihren historischen wirklichen Qualitäten und Mängeln in einer merkwürdigen Weise die Fähigkeit in sich trug, Legende zu werden. So könnte man vielleicht sagen, daß etwas in der Führung einer Figur wie Kaiser Franz, in seiner ganz bewußten Führung, von dem allgemeinen Sinn und Instinkt für das Theater und seine populäre Wirkungskraft ergriffen war. Denn es ist immerhin merkwürdig genug, daß Kaiser Franz, bis zu einem gewissen Momente seines Lebens sehr stark noch großherzoglich-toskanischen Gepräges, also fast romanisch, großer Herr des achtzehnten Jahrhunderts, ungefähr 1808, fast gleichzeitig mit dem Tiroler Volksaufstand, die Haltung, die sich später in der Figur des „guten Kaiser Franz" legendenhaft entwickelt, angenommen hat.

Diesem allgemein Volkshaften, das in ein wahrhaftes populäres Bühnenwesen mündet, steht etwas anderes gegenüber, und das ist die landschaftliche Bindung und Individualisierung des allgemeinen Elements. Der österreichische Dichter hat zum Hintergrunde seine Landschaft. Einen Deutschen kann ich mir viel eher gelöst denken vom Hintergrunde. Denke ich an Männer wie Kant, Hölderlin, Nietzsche, so ist der geistige Aufschwung ohnegleichen vor meinem Auge und ich könnte an der Höhe des Fluges die Deutschheit und das Aufgeflogensein vom deutschen Geistesboden erkennen, nicht aber das Gefieder. Ein österreichischer Vogel fliegt nicht so hoch, daß man nicht das Gefieder erkennen könnte. Das stetig Heimatgebundene gibt einen ganz entscheidenden

Zug in der dichterischen Individualität bei uns. Rosegger hat einmal gesagt: „Es gibt Kinder, die ins Leben hinausschauen und jeden Vorübergehenden freundlich anlächeln und dabei doch nie die Rockfalte der Mutter auslassen. So ein Kind bin ich, und meine Mutter ist die Steiermark." Das ist nicht nur hübsch, sondern auch sehr richtig. Ein Analogon ist im Deutschland des neunzehnten Jahrhunderts kaum mehr denkbar. Denken Sie das Wort: „Ich bin ein Kind, und meine Mutter ist Thüringen oder die Mark oder das Hessenland." So entsteht ein gewollter, nicht natürlicher Partikularismus (den ein naiver und bedeutender Genius von dem Range Roseggers auch nie begehen wird). Wir haben diesen Partikularismus, nicht der Fürsten, nicht des dynastischen Familienbesitzes, wie in Deutschland, sondern den Partikularismus des Landes gehabt, eines Landes wie Böhmen, wo ein unendlicher Teil der politischen Schwierigkeiten um die Einheit des Landes sich drehte, wie Tirol — denken Sie an die Bewegung, die eingesetzt hat, als es sich darum handelte, einer fremden Macht Teile von Tirol abzugeben oder nicht, sie ist kaum faßlich, wenn man nicht mit der unendlichen Vitalität dieses Landesbegriffes rechnet —, aber auch kleine Einheiten haben bei uns dies gute Eigenleben wie die Gottschee oder das Banat oder die siebenbürgische Sachsenschaft, die Kreise, Viertel, Gaue, ja die Wiener Vorstädte. Aus dieser sehr großen Lebendigkeit des Einzelgebildes geht der eigentümliche, dumpfe Widerstand bei uns gegen jeden Zentralismus, gegen den Josefinismus, gegen den Liberalismus der sechziger Jahre hervor. Diese Bewegung greift bei uns schwer über eine dünne Oberschicht hinaus und viele unserer Schwierigkeiten hängen damit zusammen. Der Partikularismus der Landschaften, Länder, Kreise, ja Städte und Vorstädte läßt sich natürlich noch viel mehr in den Individuen akzentuieren. Sehen Sie ein Wesen wie Stifter, Beamter, Schulmann, ziemlich anerkannter Schulmann, vom Ministerium gern verwendet, ein gewisses Analogon zum Züricher Stadtschreiber Keller, zum schwäbischen Pastor Mörike, wenn Sie wollen. Aber der Weg führt bei ihm, anstatt ins Soziale, durchaus ins Einzelne, ja Einsiedlerische. Sonderlinge, Zurückgekehrte, Resignierte sind seine Figuren: der alte Freiherr von Riesach in seinem Garten, der heimgekehrte Felix im Heidedorf, Brigitta auf ihrer Pußta, der Hagestolz auf seiner Insel. Eine naturnahe Beschäftigung, als Gärtner, als Landarzt, Maler, Altertümler, bindet sie wieder, betrachtende Fromme, an die Landschaft, von der das Leben sie abgelöst hat. Der Natur ist das letzte Wort überlassen, ein Regenschauer, ein Schneefall löst alles, das eigene Geschick wird an die Natur abgegeben. Ich kenne keine merkwürdigere Synthese als diese Stiftersche Frömmigkeit, die Synthese zwischen Christlich und Antik, eine eigentlich christliche Seelenhaltung mit einem antiken Naturkraftglauben, ein Gebundensein an die Natur, das ganz singulär ist, wenn Stifter seine Menschengeschicke, seine Novellen, die vollkommene Menschenschicksale enthalten, überschreibt mit den Namen „Bunte Steine“, „Bergkristall“, „Granit“, „Turmalin“. Bei einem Menschen von der Reinheit der Phantasie und des Gemütes wie Stifter ist das keine Manieriertheit, keine Ziererei. Mit diesen einfachsten Naturgebilden scheint das innerste Geschick seines Wesens etwas zu tun zu haben, er bindet sie daran und gibt sie an die Natur wieder ab.

Die Vielheit, die wir aus dem Eigenleben der Landschaft abgeleitet haben, hat noch einen Quell: in der Vielheit der sozialen Typen und in der Lebendigkeit, mit der unser Kulturleben den Reichtum der sozialen Typen des ancien régime bis tief ins neunzehnte Jahrhundert durchgetragen hat. Es waren hier sehr erhaltende Faktoren: der Klosterbesitz, die Gutsherrschaft, die Einzelbesiedelung, wie die Militärbesiedelung in den Zeiten Maria Theresias, Prinz Eugens, Kaiser Josefs. Noch vor wenigen Jahren — allmählich verwischt und nivelliert die Zeit ja alles — mag ein Mann sich durchaus als fürstlich Schwarzenbergscher Untertan, als Melker Stiftsuntertan gefühlt haben, nicht einfach als Niederösterreicher oder als Österreicher. Banater Schwabe ist Banater Schwabe, Grenzerfamilie ist Grenzerfamilie. Ein Analogon oder ein Fruchtbarwerden dieses starken Individualisierens haben Sie im Kriege gefühlt. Gebilde wie „Gruppe Pflanzer-Baltin" mit einer Buntheit, die unsere deutschen Bundesgenossen zuerst so überrascht hat und die ihnen dann allmählich verständlich geworden ist, das Huzulenpferd neben dem Pinzgauer, der Ruthene neben dem Steirer, die große Tüchtigkeit und Initiative des einzelnen Abteilungskommandanten, des einzelnen Pionieroberleutnants usw., das ist der Partikularismus des einzelnen, der sich bis zur höchsten Besonderheit in unseren größten Dichtern ausgelebt hat. Die stärksten Figuren Grillparzers sind zwei Einsame, der arme Spielmann und Rudolf II., die stärkste Figur Roseggers ist der einsame Waldschulmeister, Anzengruber hat seine einschichtigen Träumer und

Philosophen, Pichler seinen Hexenmeister auf der Berghütte. So haben Sie lauter Partikularismen, und das Ineinanderklingen derselben gibt die österreichische Gesamtatmosphäre, die als poetischer und reizvoller Weltzustand so bezaubernd auf die Romantiker gewirkt hat, die gleiche schwebende, vieldeutige, beziehungsvolle Atmosphäre, welche Grillparzer mit den berühmten Versen charakterisiert hat: „Man lebt in halber Poesie, gefährlich für die ganze". Das Alte und das Neue ist nebeneinander da, ist wirklich bei uns ein bißchen mehr da als anderswo. Wenn Sie am Rhein gefahren sind und bald darauf auf der Donau fahren, es ist wirklich, als wenn die Erinnerung an das Mittelalter auf der Donau unendlich viel mehr da wäre, weniger übergegangen, weniger ins Museum übergegangen wäre als am Rhein. Noch sind die Spuren germanischen und slawischen Urlebens unverwischter als irgend anderswo im eigentlichen Europa.

In einer Schrift von Viktor Hehn über das Salz und die alten Salzstraßen — das Salz ist ein großes, völkerbindendes Ding — lesen Sie vom Salzkammergut, von Hall, Hallein, Reichenhall, von Wieliczka und anderseits von Halle an der Saale. Da kommen Ihnen diese alten Dinge, bezogen auf unser Salzwesen, ganz wie von heute und ganz nahe vor, und es kommt Ihnen wirklich vor, als ob Dinge, wie die Pfahlbauten in Hallstatt, nicht gar so weit von uns wären. Beziehen Sie das aber auf Stätten wie Halle an der Saale, so erscheint es Ihnen durch den höchstveränderten Weltzustand distanziert. So naturhaft ist bei uns alles im Geschichtlichen. Aber auch in der Sittlichkeit könnte man bei uns von Naturhaftem sprechen, im Gegensatz zur Fundierung der Sittlichkeit in der höchsten Abstraktion, die schließlich in Kant wurzelt. Das sittliche Beispiel eines unverdorbenen Bauernstandes ist vielleicht bei uns der stärkste sittliche Faktor, so wie er dort ein sehr hochgefaßter philosophisch fundierter ist. Dieses beständige nahe Beispiel eines unverdorbenen Bauernstandes ist etwa das, was den Kern des Grillparzerschen Lebenswerkes mit seiner wunderbaren Reinheit ausmacht, wie sich denn in Grillparzer überhaupt — darum ist er auch eine repräsentative Figur — eine fast lückenlose Synthese unserer Elemente beisammenfindet: die Synthese von Alt und Neu — das historische Drama „Ein Bruderzwist im Hause Habsburg", das man heute als politisches Vademekum zitieren kann, wie viel näher, lebendiger dies als etwa die Atmosphäre von Schillers historischen Dramen —, die Synthese von Naiv und Reflektierend, die Synthese von Eigenbrötlerisch und Sozial, von Katholisch und Humanistisch, von Städtisch und Bäuerlich.

All dieses poetische Wesen ist wirklich, wenn man darin zu lesen und es zu deuten versteht, ein Spiegel, in dem die österreichische Idee sichtbar wird. Wie aber? Der Moment nötigt durchaus zu praktischem Austriazismus und nur zu praktischem. Was soll uns die Kontemplation? Wir sind von Taten umgeben und jeder in seinem Kreise zu Taten genötigt. Was soll uns die Poesie? Nun, ein Gemeinsames zwischen den Taten und der Poesie steht mir vor der Seele. Sie beide sind lügenlos, sie beide reden die Wahrheit. Die Taten werden richtbar, wenn es Abend wird, und die Poesie enthält die Wahrheit der Dinge und das Gericht über die Dinge. Die Poesie und die Taten sind die beiden Elemente, in welchen der innerste Gehalt einer Gemeinschaft sich auswirkt. Nicht ohne diese beiden Genien entsteht ein nationaler Mythos, nicht ohne die beiden ein gewecktes und reiches nationales Bewußtsein, worin ein Integrieren, ein Ineinanderweben aller Lebenselemente stattfindet, worin alle Gefühle schließlich zusammengefaßt werden, wovon uns das französische Nationalgefühl in seiner unsäglichen Verwobenheit, in seiner kühnen Synthese, in der Figuren wie die Jungfrau von Orléans, Ludwig XIV., Heinrich IV. und Napoleon wirklich zu einer französisch-legendenhaften Einheit verwoben werden, ein großes Beispiel aufweist.

Nur wo diese beiden Genien am Werke sind, entsteht ein nationales Pathos, eine nationale Sprache; so könnte ein berechtigter Austriazismus höheren Stils sich entwickeln. Eine nationale Sprache, sage ich und meine damit den adäquaten Ausdruck inneren Verhaltens, hervorgehend aus dem Urteil über sich selber. Haben wir ein Urteil über uns selber? Unstreitig! Aber vielleicht haben wir ein auseinanderklaffendes Urteil? Dem gemeinen Urteil fehlt es nicht an Naivität, wohl aber an Aufschwung, dem höheren vielleicht an Natur und dadurch an Autorität. Hier würde es sich darum handeln, das Natürliche mit dem Würdevollen zu verbinden. Vielleicht ist Ihnen nationales Pathos, in bezug auf Österreich gebraucht, auf den ersten Blick ein befremdendes Postulat bei so verfließenden Grenzen, als in welchen Österreich, der Faktor, von dem ich rede und unter dem ich nicht nur das deutsche Österreich, sondern mindestens den festen Kern der Erblande mit Böhmen verstehe, gefaßt werden will.

So lassen wir das Wort „nationales Pathos" einen Augenblick beiseite und sehen als Postulat an: die Spontaneität eines höheren Individuums; das, was für die Teile vorhanden ist, für die Kronländer, für die Kreise, für das Land Tirol. Dort überall ist eine gewisse Spontaneität gleichsam eines Individuums vorhanden, aber zweifelhaft wird sie für das Ganze um seiner fließenden Grenzen willen. Ein Zusammenhaltendes für dieses Ganze muß gedacht werden. Es kann nicht anders gedacht werden als in dem Begriffe, den — ich glaube nicht zu irren, daß es Ranke war — in den Dezennien einer schwierig werdenden politischen Begriffsbildung, in den zwanziger Jahren des neunzehnten Jahrhunderts, für den Nationalstaat postuliert hat: „einen Auftrag von Gott". Aus diesem Auftrage von Gott, aus der Sendung, resultiert für ihn die moralische Energie als staatenbildende Kraft. Der bloße Machtstaat, der nur auf Geld und Soldaten beruht, hat ihm keine Lebensfähigkeit.

Operiere ich hier mit diesem rein geistigen oder sittlichen Begriffe der Nation für Österreich, so scheine ich einen Provinzialismus, einen übertriebenen Partikularismus an den Tag legen zu wollen. Wo alles in der Welt auf Bindung hindrängt, scheine ich sondern zu wollen; wo der Begriff eines Mitteleuropa mit der größten Liberalität behandelt werden will und hier an eben dieser Bildungsstätte, an der ich jetzt spreche, des öfteren von einem beredten Manne behandelt wurde, scheine ich reaktionär und partikularistisch. Ich verwirre Ihnen die Einfalt der Gefühle und statuiere einen Dualismus dort, wo Sie in der Einheit der Sprache jede übrige Einheit mit dem großen deutschen Volke, wie es sich zum größten Teile im deutschen Nationalstaat verkörpert, verbürgt wissen wollen. Lassen Sie mich Ihnen da, wo ich diese heiklen Dinge berühre, die Überzeugung entgegenhalten, daß nur bei zarter Sonderung und reiner Ausbildung aller Begriffe eine Harmonie, eine wirkliche Harmonie erzielt werden kann. Der Begriff der Nation darf nicht überanstrengt werden. Wer ihn gebraucht, muß wissen, daß er keine scharfe Grenze der Anwendung hat, „sein ins Unendliche sich verlierender Hintergrund muß mitgedacht werden“. Ich darf mir hier keinen Geringeren als Bismarck zum Helfer für die Gewinnung dieser Begriffe herbeirufen, der in seinen „Gedanken und Erinnerungen“ es ausspricht: „das spezifische Wesen des deutschen Nationalgefühles äußert sich darin, daß es nur wirksam wird durch das Wesen der besonderen Nationalitäten, die sich bei uns auf der Basis des dynastischen Familienbesitzes gebildet haben“, und nochmals in den „Gedanken und Erinnerungen“: „Das Deutsche Reich beruht auf dem Dualismus der nationalen Motive.“

Dieser Dualismus des Gefühles: unsere Zugehörigkeit zu Österreich, unsere kulturelle Zugehörigkeit zum deutschen Gesamtwesen müssen wir uns zu erhalten wissen in der furchtbaren und kritischen kulturellen und politischen Situation, in welcher wir uns befinden. Ich sehe hierin keine Gefahr, denn das deutsche geistige Wesen, an welchem wir teilhaben, ist in seinem großen Reichtum, in seiner eigentümlich schicksalsvollen Natur auf Dualismen angelegt. Die Gefahr liegt im Gegenteil darin, daß die österreichische Auffassung vom deutschen Wesen nicht ins Enge gerate, daß sie nicht aus dem Mangel an Kraft, eine weite Synthese zu schaffen, scheinbar weit

Auseinandergehendes zusammenzufassen und zu integrieren, sich auf eine starre Formel festlegt, die sich zum Bismarckismus verhält wie der Alexandrinismus zur wirklichen Antike. Es kommt nicht darauf an, daß die Begriffe immer einfacher und handlicher werden, sondern daß sie möglichst viel vom höchsten Lebensgehalt einer Gemeinschaft in sich fassen. Jenes deutsche Wesen, welches einstmals die Welt eroberte, welches den Osten und den Westen durchdrang, welches seine Baukünstler, seine Kaufherren, seine Gelehrten, seine die Jahrhunderte durchdauernden Bauerngeschlechter über den Niederrhein schickte, über die Oder und donauabwärts, welches Handel trieb und erzog, erleuchtete und bereicherte, kolonisierte, ohne zu erobern, leitete, ohne zu regieren, deutsches Bauernwesen, deutsches Stadtrecht, deutsche Dome, deutsche Offizinen aufrichtete, wohin ist es denn hinübergerettet, wenn nicht in uns? Wo spiegelt sich am größten die alte Idee deutschen Wesens, im Deutschen Reiche offenbart, aber nie völlig verkörpert, wenn nicht in uns? Hier nahm sie ein für allemal Körper an. Daß wir sind und wie wir sind, was wir beanspruchen dürfen und was wir zu leisten haben, wie wir hier sitzen zwischen fremdsprachigen Völkern, und was wir diesen Völkern schuldig sind, um der Jahrhunderte willen und um des Ranges willen, den wir kraft unserer Sendung unter ihnen behaupten: das ist historisches heiliges deutsches Erbe.

In uns wie nirgends in der Welt tritt dem deutschen Volke das Produktive seiner großen Vergangenheit entgegen. Darum haben Schweden und Schweizer ausgesprochen: Wenn wir neben Deutschland stehen in diesem Kriege und nach diesem Kriege, erst dann sieht die Welt wieder Deutschlands anderes Gesicht.

Ja, diese Dinge sind nicht leicht und einfach. Sie sind nicht handgreiflich wie der Bukarester Chauvinismus und auch nicht so einfach wie das gesteigerte Nationalgefühl des Franzosen. Sie sind ehrwürdig und sie brauchen etwas Einsicht und Frommheit, Liebe zum auferlegten Schicksal, um sie erkennen zu wollen. Darum ist das letzte Wort eines geistigen Austriazismus ein schwer auszusprechendes, scheues und um dieser Wesensart willen sehr deutsches. Die harte, grelle Selbstassertion, der überhebliche Versuch, dem ehrwürdigen deutschen Wesen klipp und klar Grenzen zu geben, in Worte zu fassen, was deutsch ist, „den Genius der deutschen Jahrhunderte, der gegenwärtigen und zukünftigen, mit Namen anzurufen", ist undeutsch. Deutsches Wesen offenbart sich durch Bescheidenheit im Glück — bis zur Dumpfheit, bis zur Zerfahrenheit —, durch unbedingten Aufschwung im Unglück. Sich selbst zu bereden, ist ihm widerstrebend. Unsere geistige Haltung gegenüber dem deutschen Nationalstaate, von dem wir Unbegrenztes zu empfangen und dem wir Unschätzbares zu geben haben, ist deutlich vorgeschrieben. Es ist eine Haltung, der es an Würde und Schönheit nicht fehlen darf, die aus dem Gefühle der Ebenbürtigkeit, aus dem Bande der Familiarität und aus dem Zeichen unseres besonderen Schicksals, Charisma oder Stigma, Gnadenzeichen oder Leidenszeichen, wie Sie wollen, sich herleitet. Ein zartes, gereinigtes Selbstgefühl, weit entfernt von jeder Selbstgefälligkeit, ist seine Grundlage.

Unser kultureller Besitz ist uns heilig und wir wissen, was wir mit ihm in die Waagschale legen. Aber er besteht für uns nicht in ehrwürdigen Bauwerken und alten Ordnungen, in einer an glanzvollen Erinnerungen reichen monarchischen Aristokratie und auch nicht in der Buntheit unserer Landschaften und dem Reichtum ihrer Sitten. Wir wollen ihn tiefer und lebendiger fassen: Kultur ist uns kein Totes und Abgeschlossenes, sondern ein Lebendiges, das Ineinandergreifen der Lebenskreise und Lebenskräfte, des Politischen und des Militärischen, die Verbindung des Materiellen mit dem Sittlichen. Und weil bei uns nicht leicht über unsere Dinge gesprochen werden kann, ohne daß ein kleines Wort des Tadels einfließt, so könnten wir doch einmal von einem österreichischen Fehler sprechen, der sich durch Dezennien hingeschleppt hat, der so ganz und gar dem Wesen unserer größten österreichischen Figuren, der großen Kaiserin oder des Prinzen Eugen, widerspricht, dem Fehler, Politik und Verwaltung, Verwaltung und Kultur gesondert zu behandeln. Politik! Was ist diese eigentlich? Was ist sie, wenn nicht Verständigung über das Wirkliche, darüber, wo das Entscheidende wirklich zu finden ist, ob im Materiellen des Handels, der Industrie, im Geistigen des Glaubens, des Vaterlandsglaubens? Da schwingt der Pendel weit hin und her. Darüber, wo das Wirkliche zu finden ist, hat uns vielleicht der Krieg einen Fingerzeig gegeben. Das muß doch das Wirkliche sein, wo die größte, unbedingteste, innerste, lauterste Kraft ist. Sie ist beim Volke, das haben wir in diesem Kriege verstehen gelernt. Die Geistigkeit der Gebildeten, sie läßt sich mit einer Tafel vergleichen, auf der furchtbar viel gekritzelt und quergeschrieben und ausgelöscht und wieder darübergeschrieben ist. Die Geistigkeit des

Volkes ist eine wunderbare reine Tafel, auf der wenige Erkenntnisse mit reinen Zügen, die die Jahrhunderte durchdauern, eingetragen sind. Das Volk hat sich in dem ungeheuren Erlebnis dieses Krieges einige wenige neue Zeichen auf seine Tafel eingegraben. Alles, scheint mir, wird darauf ankommen, wie man diese Zeichen deutet. Groß wird die Verantwortlichkeit der geistig Mündigen sein, die die Aufgabe haben, dem Volke diese Zeichen zu deuten. In den Naturtiefen, in denen das Volk west, gleichwie in jenen dunklen Tiefen des Individuums, wo zwischen Geistigem und Leiblichem eine fließende Grenze aufgerichtet ist, dort ist nicht Reflexion und Erkenntnis, dort sind Wollen und Glauben zu Hause. Nur wollend und gläubig kann die österreichische Idee erfaßt werden, und ohne das Licht einer Idee werden wir den Weg, der sich jetzt vor uns auftut, nicht gehen. Es werden allerlei Arten von praktischem, sehr praktischem, radikalem, sehr radikalem, eingreifendem, momentanem Austriazismus notwendig sein und in Schwang kommen, aber die Erfassung der österreichischen Idee ist der geometrische Ort für alle irgend möglichen Austriazismen, und ohne einen Hauch von geistigem Universalismus kann ein zukünftiges Österreich weder gewollt noch geglaubt werden.

AUFZEICHNUNGEN ZU REDEN IN SKANDINAVIEN

HEUTE vor fünfundzwanzig Jahren stand ich vor Ibsen, den ein dreifacher Glanz, der Glanz des Großen, der Glanz der Verkennung, des Exils, — für mich der Glanz der ersten Erlebnisse umwitterte —: wofür ich einer Jugend, die in ihren ersten Erlebnissen steht, Dank abzustatten komme.

Lund: Kirche — Portal wie von St. Zeno in Verona: Verbindung eines lombardischen Löwen mit nordischem Drachen; — eigenes Blut (lombardische Meister, oberdeutsche Meister, Geist des sechzehnten Jahrhunderts).

Strindberg: änigmatische Kraft, — welche germanische Kraft? — ein bis zum Letzten Gehen: Kraft an sich, unbedingte Forderung an sich. Das Nordische sowie das nordische Ornament: in dem furchtbaren Chaos eine Art Ordnung zu schaffen. Das ganz einsame titanische Individuum, das zwischen sich und der Welt Ordnung setzen will.

Ibsen: „Brand“, die harte böse norwegische Natur, die harten kleinen und kleinlichen Menschen; aber der, welcher gegen sie stritt, auch ihresgleichen.

„Kronprätendenten“: hier war Geist Wort geworden. Das Durchbrennen des Bekenntnishaften auf rein geistigem Gebiet, Ringen mit Björnson um das Königtum der Idee. Der Skalde: das Männliche in einer schlaffgewordenen geistigen Atmosphäre, Hangen zwischen Frei und Unfrei. Gegen Determinismus, Nietzsche-Milieu.

Allmählich tiefer: „Brand“ und „Peer Gynt“, Ringen um den Begriff der Persönlichkeit. Das Gyntsche Selbst: dies Meer von Hoffnung und Genuß und Bangen = das Chaos. — „Peer Gynt“: lebe dich selbst (gegen: lebe dir selbst — alles oder nichts!) — Wahlspruch der Trolle: sei dir selbst genug! — das ertönte gefährlich verlockend in uns und um uns.

Absolute Hingabe Brands als absolute Selbstbehauptung. Freiwilligkeit die Wurzel der Persönlichkeit, — als ihre Kundgebung das Motiv der erlösenden Kraft der freiwillig abgelegten Beichte (Bernick, Rebekka West, Nora, Frau vom Meere, Asta). Der Wille als göttliche Kraft im Menschen, „daß du nicht kannst, wird dir vergeben, doch nimmermehr, daß du nicht willst“.

Das Ich als Träger der Gesetze, geläuterter Begriff der Persönlichkeit. Ibsen an Laura Kieler, „es kommt nicht darauf an, dies oder jenes zu wollen, sondern darauf, das zu wollen, was man unbedingt wollen muß, weil man ist, wer man ist, und nicht anders kann“.

Trübung fällt auf diese heroische Welt durch das Hereinragen, Hereindräuen des Überpersönlichen, Unfreiheit als Gesetz, versinnlicht durch die Erblichkeit als Heimsuchung: die Erbsünde als theologisches, kaum mehr naturwissenschaftliches Motiv.

Ich erblickte Kierkegaards geistige Miene: Werden was man ist, sich selbst wählen in gottgewollter Selbstwahl. Nicht die Wahrheit wissen, sondern die Wahrheit sein, nicht ausgehen von der Persönlichkeit, sondern hinstreben zu ihr. Germanischer Individualismus als Reaktionserscheinung gegen das neunzehnte Jahrhundert.

Vieles regte sich wie in einem vom Wind bewegten Nebel: Ihr Land war mir nicht groß und nicht klein, sondern gewaltig, denn ich erblickte es in geistigen Dimensionen und sah in eine geistige heroische Landschaft hinein. Daß dies von einem Lande zum andern ausgeht: hierin liegt Europa.

Wenn ich ins Geistige gehe, will ich Europa nicht verlassen, sondern im Gegenteil, ich will Europa mit der Seele suchen, wenn ich in diesem immer noch trauervollen, finsteren Moment meine Blicke nach vorwärts und aufwärts richte und Ihre Blicke dorthin führen will, auf die Idee dieses Krieges.

Das einzige Europa, — gibt es Europa? — die scheinbare Unkraft der Menschheitsidee für alle, welche glauben, Ideen tasten und greifen zu sollen, — aber „Europa"? — Das Heut (und das Hier: der Augenblick): es ist ein zwiespältiges Hängen zwischen alten und neuen Nöten. Vielleicht noch niemals ist eine Situation gewesen, die so viel Mut und Genialität, so viel Entschlossenheit und Geist, so viel Stärke und Liebe verlangt hat, wie das Heut.

Ermüdeter Persönlichkeitsbegriff, Goethes „Persönlichkeit" verbraucht, entwertet, flau geworden, journalistisch, trivial, bequem geworden, pöbelhafte Abgrenzung der einzelnen Selbstsucht. Persönlichkeit ist das Gegenteil, — das war ein Evangelium. Fraglichwerden der Person, Prüfung der Person am Überpersönlichen, ein Suchen nach einer Not aus einer Not heraus, — die Not: die Existenzberechtigung der Nation in Frage gestellt, damit ein ungeheures Prüfen, Läutern. Das Denken im Schützengraben: wer sind wir? — eine Stimme: die Idee der Ordnung gegen die Idee der Freiheit.

Jugenderlebnis: Persönlichkeit als Ziel. — Antwort des eigenen Schaffens (von sich sprechen als einem typischen Gebilde, Generationsexponent).

Dramatische Gebilde: Auseinandersetzung zwischen Individuen und Gesellschaft. Der dramatische Dichter und seine Figuren sind eins: innerlicher Schauspieler. Heraustreten der Person auf das Gerüst, wie hilfeflehend, Vertreter der Gesamtheit: vor die Menschen, für die Menschen. Der Chor = die Menge; die Maske des Gottes, die Figur, der für die anderen Leidende, in welchem das Leiden der anderen Gestalt wird: Einer, der den Prozeß der anderen mit Gott führt und mit der „Zeit". Diese Formel von den „Persern" des Äschylos bis zu den Dramen Kleists und Hebbels, bis zu den seltsamen Tragödien einsamer Marionetten von der Hand Maeterlincks. Gleichgültigkeit des Stoffes: eigenes Inneres oder Mythen und Sagen, Novellen und Historien wie bei Shakespeare.

„Elektra" und „Jedermann" schwer zu verbinden. Die eine hat abgestoßen, wen der andere anzog. Hier eine düstere prägriechische Welt, in der man Griechenland kaum wiedererkennen wollte, über ihr waltend der Fluch, der Blutbann. Der Verzicht auf das schönste Griechische, auf das Resultat. — Andererseits „Jedermann": der Totentanz wie in alten Kapellen, die einfachsten Motive: Mutter, Gebet, Lieder ... — ein altes Uhrwerk, gereinigt von Spinnweb, daß es wieder schlagen und seine Figuren hervortreten lassen kann.

Vielleicht läßt sich über den Abgrund dieser zwei Jahre hinweg betrachten, was gemeinschaftlich ist in diesen zwei Gebilden, — die Welt erkennbar geworden durch den Krieg, alles durchleuchtet ...

In beiden der Persönlichkeitsbegriff in Frage gestellt, der die Wurzel des Psychologisch-Dramatischen ist, — es ist sozusagen auf das Psychologische verzichtet. In „Jedermann“ ist die Person verallgemeinert, nur der Sünder oder die zu erlösende Seele ... Stück für Stück wird ihm alles Persönliche genommen, zuletzt das Geld.

In „Elektra“ ist die Person verlorengegangen, um sich zu retten. Sie ist der Vater (dieser ist nur in ihr), sie ist die Mutter (mehr als diese selbst es ist), sie ist das ganze Haus, — und sie findet sich nicht, „bin kein Kind, habe kein Kind, bin kein Geschwister, habe kein Geschwister“ ... Gebärende ohne Geburt, Nicht-Jungfrau ohne Brautnacht, Prophetin ohne Prophezeiung, — „ich bin das hündisch vergossne Blut des Königs Agamemnon“. — Sie ist die Vereinigung dieses Vaters und dieser Mutter: das Geschick ist sie, und sie ist das Geschick.

Stellung des Individuums vor die höchste Forderung: in beiden wird gefragt, was bleibt vom Menschen übrig, wenn man alles abzieht? — in beiden geantwortet: das, wodurch sich der Mensch der Welt verbinden kann, ist die Tat oder das Werk. In „Elektra“ steht die Tat und das Verhältnis zur Tat im Mittelpunkt: eine Untat wird durch eine Untat gesühnt, — und diese Sühne ist einem Wesen auferlegt, das darüber doppelt zugrunde gehen muß: weil sie als Individuum sich fähig hält und schon als Geschlecht unfähig ist, die Tat zu tun. Die Tat ist für die Frau das Widernatürliche (so schon Klytämnestra) —: das Vergessen des Beiles. Ihre Tat ist Mutter sein, — wie aber, wenn sie sich an dem vergeht durch Untat, welcher der Vater ihres Kindes ist?

Priesterin, die einzig heroische Existenzform der Frau, ist ihr verwehrt, — so ist sie aus der Bahn geworfen (drückt sich hier ein Zweifel aus an der eigenen priesterlichen Funktion? — das Priesterliche an der Figur der Vittoria: Besiegerin und Sühnerin des Verhängnisses, und Jokaste?) ... die einzig heroische Existenzform der Frau, Priesterin zu sein, — dies ist Elektra, aber ohne Tempel, ohne Ritus außer dem furchtbaren des Blutes.

Elektra, „der ist selig, der tun darf, die Tat ist ein Bette, auf dem die Seele ausruht“. — Zwischen ihr und der Tat liegt alles, auch ihre Individualität: sie meint kaum mehr Frau zu sein, spricht von sich wie von einer Toten — und vergißt das Beil, denn sie ist doch Frau.

Auch Klytämnestra an der Tat gemessen: sie sucht sich die getane Tat ungeschehen zu machen, das Eigentliche des Mordes zu vergessen, — da vollzieht sie eine Auflösung ihrer selbst, Ausstoßung aus dem menschlichen Bereich, Übergang ins Chaos.

Orest duldet die Tat: darum muß er tun, damit er leide, was er leidet, weil er tat. Orest tut und leidet die Tat, aber damit ist das Ende für Elektra gegeben.

Suchen eines Gesetzes oder einer Bahn über dem Persönlichen und außerhalb des Persönlichen. In „Elektra“ ist das Gesetz, das primitivste, strengste, schon da: der Inhalt ist Hingabe an das Gesetz mit bewußter Aufopferung der Person. (Plan eines „Orest in Delphi“.)

In „Jedermann“ bringt das vergessene Gesetz sich in Erinnerung, zart durch die Mutter, gewaltig durch Gottes Boten, und ergreift das Individuum.

Jedermann: Typus „Geld an der Seite". — Balzac: als Motor Geld; jeder gegen seine Überzeugung zu handeln fähig. Geld als Dämon. Der Gedankenschatten dieses Götzen: das ist die Mammonszene im „Jedermann".

Jedermanns Szene mit dem armen Manne, die Antwort „mit dem Schilling ist dein gebührend richtig Teil" — die Heuchelei, der Hohn des reichen Mannes, die Pflichten gegen den Besitz, das Klirren einer Kette, an welcher er die Welt zu halten meint! — Schuldknecht: „was gehst du mich an?" — der Aktionär, der verkommen läßt die in den Bergwerken, die in der Glasindustrie: ich? was hab ich damit zu schaffen? — „dein Name steht auf einem Schuldschein, der bringt mich in einen Kerker hinein". Die Teufelsantworten Jedermanns (so schlau wie später der Teufel). Szene Mammons: wer bist du, wenn ich dich lasse; ich war deine Kraft, deine Prahlerei, dein Rang, das war ich ... — Zusammenfallen Jedermanns.

Was war das für eine Zeit, in welcher so angstvoll diese Frage gestellt werden mußte nach dem Letzten, das bleibt, nach dem Blutig-Ernsten, nach dem sittlichen Fundament der Wirklichkeit? — mit anderen Worten: die Frage nach dem Sein gegenüber dem Werden; denn um das geht es, daß in einer Welt, in welcher alles in ein Werden gefaßt wird, der Dichter nach dem Sein fragen muß, nach der Bahn, dem Gesetz, dem Bleibenden, dem, was die heiligen Bücher der Chinesen mit dem Worte Tao bezeichnen.

Hypothese: wir haben nicht der Welt etwas für uns schon Feststehendes zu oktroyieren, sondern wir haben für uns und die Welt etwas zu gewinnen. Was

— einen neuen geläuterten Freiheitsbegriff (die „Idee von 1914“).

Gegenwärtiger Weltprozeß: metaphysische Angelegenheit; Schwierigkeit ihn überhaupt zu fassen, außer durch Taten. Die Produktivität der Taten. Nur Individuen kompetent.

Ringen um einen geläuterten Freiheitsbegriff. Schiller und die Französische Revolution, — jetzt Gegensatz zu dieser. Damals Tatwerdung der nackten Idee, jetzt Geburt der Idee aus der nackten Tat.

Beweis zu führen, daß das gegenwärtige äußere Verhalten nicht dem Zwange, sondern einem inneren Verhalten der Nation entspricht; analog die Idee von 1789 im Kampf, auch inneren Kämpfen, in Unbewußtheit gewonnen: — Nation unter den Qualen der Französischen Revolution — so jetzt die noch nicht formulierbaren Ideen von 1914. Das Frankreich der Revolution aus einem mit universalen und weltbürgerlichen Ideen durch und durch erfüllten Boden. Diesmal Deutschland die zentrale Nation im Kampf, der Feind der Menschheit.

Prädisposition des Deutschen, einen geläuterten Freiheitsbegriff aus sich zu gebären, — die vorzügliche Anlage zum Gehorsam. Der Staatsphilosoph Moser (Schrift von 1768) sieht das Hervorstechende des Deutschen im Gehorsam, des Holländers im Handeln, des Engländers in der Freiheit, Franzosen in der Ehre seines Königs. — Das Phänomen des preußischen Drills, seine physiologische Seite: leibliche und instinktive Weisheit darin, dem Furchtbaren dieser Epoche gewachsen zu sein. Kunst, seiner Affekte schrankenlos Herr zu werden. Ordnung. Der Befehl als Gottheit, der Kadavergehorsam, einst den Jesuiten, jetzt den Preußen vorgeworfen: nahezu Überwindung des Selbsterhaltungstriebes.

Vorbild: Übergang vom Titanismus zur Erkenntnis der Gesetzlichkeit bei Goethe (der Titanismus Goethes als Rousseauismus, romantisch gesehen). Schließlich Hineinnehmen des Individuums ins Gesetz, des Gesetzes ins Individuum, ohne Bezug auf die anderen, die Gesellschaft, ohne contrat social. Sich eines wissen mit Gottes Gesetz. Überwindung des Kausalreiches. Kein Kontrast zwischen Individuum und Gesamtheit: hier die Bürgschaft, daß es stimme.

Eine solche Überwindung des chaotischen Weltzustandes tut not. Rufe danach in der französischen Geistigkeit. Europäisches, ja Weltpostulat jetzt realisiert.

Unmöglich, sich hier anders als ablehnend oder gläubig zu verhalten. Gründe des Glaubens: Verhalten der entscheidenden Deutschen, deutsche Tiefe ...

Faßlichkeit der nationalen Individualitäten für das gesunde nationale Individuum Norwegen: Gebilde ihrer stärksten Individualitäten — der universale Sinn der Deutschen, — wo ist er hingekommen? „Je persönlicher desto überpersönlicher ist ein Wesen“ — solches Schillers Botschaft an die Lebenden. Herders Vaterländer, Humboldts Zögerungen, sich im Nationalbegriff zu beschränken.

Begriff der Sendung ein anderer als der des Zieles. Die Völker sollen mehr ihrer Sendung als ihrer Persönlichkeit eingedenk sein (Novalis). Alles wird darauf ankommen, wie wir als Generation den Begriff der Persönlichkeit erfassen: ob als Willkürzentrum oder anders.

Deutsche Hingabe an eine Sache. Ältere deutsche Kolonisationsform: österreichische Idee, nur in einer Sphäre geläuterter Ideen möglich. Wo ist der universale Gedanke, der in dieser politisierten Nationalidee mitschwingt?

Deutschland hat Menge; es fehlt an Masse der unverwerteten deutschen und deutschverwandten volkstümlichen Existenz (Heimatkunst: Ausdruck der Überanstrengung). „Österreich im Spiegel“: das Angesicht Maria Theresias, — das Mütterliche, Sorgen um Verschiedenes, nicht nach Grundsätzen, sondern nach Ur-Instinkten, weiblicher Mut, Mutter-Mut, auch ein höchster Mut. Gutmütigkeit, Barmherzigkeit, Frömmigkeit, Schlichtheit, Geschlossenheit der Natur.

Das Homogene des Österreichers (Graf—Fiaker), analog Bayern, Baden: demokratisch. — Bauernstand: nicht das Entmannende des Geldwesens, das die eigene Existenz, das Gefühl seiner selbst Auflösende, — „hier tritt kein anderer für ihn ein“.

Ein Seelenklima, das in Deutschland entschwunden, eben jenes locker-dichte Gewebe, innerhalb dessen die Lösung... Wo Deutschland überorganisiert, — hier eine Masse der unverwerteten volkstümlichen Existenz, Entgegentreten eines älteren Deutschlands ohne große geistige Krisen, knabenhaft.

Tief deutscher Versuch, gerecht zu werden, gerecht sein zu müssen, undialektisch, sozusagen musikalisch gelebt, stumm realisiert: es gibt eine immanente Gerechtigkeit und das Gute an dieser wird an den Tag kommen. Hier ist Spargut für die Zukunft, hier ist Vergnügung des Gefühls, hier ist Polarität und hier ist jene Gabe des Maßes.

Deutscher Sinn, nach einer Ordnung zu suchen, sich an einer Ordnung zu ergötzen, Ausblick so nach Italien, nach der Antike (diese als ewig: vergangen-zukünftig), in der Romantik nach Österreich, — Österreich als romantisches Land. Der Ausgleich zwischen Natur und Welt in Österreich mehr der Natur genügend. Das Auseinanderklaffen bei den Romantikern: der Begriff des Philisters, — der Philister als Träger der Mechanisierung, der Begriff Träger der gedanklichen Mechanisierung. — In Österreich ein Prozeß ausgelassen: der Bildungsprozeß (analog der Prozeß der intensiven Arbeit): die Mechanisierung des Geistigen (ihr Ansetzen im Liberalismus der sechziger Jahre). — Der Blick der Romantiker war wesentlich ästhetisch, der jetzige Blick wird ethisch sein: Prüfung im Innern, jener Blick, den dies Deutschland auf sich selber wirft, der männlich ernsteste Blick, der denkbar ist: eine Welt, die mit der Welt abrechnet. Furcht vor Maßlosigkeit.

Grillparzer, — er ist ein Spiegel: das Angesicht Maria Theresias; Weiblichkeit, Tochter des letzten Habsburgers und einer braunschweigischen Prinzessin; der Herrscher als wirkliche Macht: Gemütswärme, Erbweisheit, Majorat, mütterliche Sorge, Gewährenlassen, — Einheit von Poesie und Taten, hinter Grillparzers Poesie stehen politische Wirklichkeiten, Verbindung der Epochen durch ihn: Maria Theresia und wir.

Seelenklima — sich diesem hingeben, darin ein älteres Deutschland erkennen. Welcher deutsche Gedanke ist im Phänomen Österreich realisiert? junge Völker, — was brauchen sie? —: Schule. Wird Deutschland diese Schule sein? — Sendboten, Kolonisten, — welches Geistes? — es ist auferlegt, daß sie höchsten Geistes seien, je reiner deutsches Wesen in der Welt, desto hoffnungsvoller das Durchdringen der slawischen Völker, um deren Seelen es geht.

Freiheit und Gesetz: das Ringen um Begriffe. Kann das Gesetz zur Freiheit werden? — dies ist identisch mit höherem Begriffe der Persönlichkeit.

Goethes Gesetzesbegriff als Begriff der geläuterten Persönlichkeit. — Gegensatz zwischen Mensch und Welt bei Goethe in folgenden Formen: Kampf zwischen naturhaft-schöpferischem Ich und Gesellschaft („Prometheus", „Götz", „Werther"). Selbstbesessenheit, Konflikt unserer praktischen Freiheit mit dem notwendigen Gange des Ganzen.

Zweite Phase: Spannung zwischen menschlichem Schicksal und sittlichem Gesetz („Iphigenie", „Tasso"). Die Weimarer Jahre vor der italienischen Reise sind erfüllt durch Versuche, seiner selbst und der Dinge durch Selbstbeschränkung Meister zu werden; sie haben ihm gezeigt, daß er es nur durch Selbstgestaltung werden könne. In „Tasso" legt Goethe eine Beichte ab in dem Sinne, daß er sich seiner schönsten Begierden und Wähne, ja seines ganzen dichterischen Traumlebens als einer Sünde gegen den Geist der Wirklichkeit anklagt. In der Gegenüberstellung Tasso und Antonio liegt seine Gerechtigkeit, — nicht auf seiten eines der beiden.

„Tasso" und „Iphigenie": gemeinsamer Keim, daß Goethes Leben bestimmt ist vom Kampf oder Ausgleich zwischen dem leidenschaftlichen, sei es genialischen sei es schicksalsbeladenen Ich, und dem in der objektiven Welt wie im Innern des Menschen gleichmäßig gültigen Gesetz, sei es Natur- oder Sittengesetz. Iphigenie siegt mit Hilfe oder zu Gunsten des Sittengesetzes, Tasso geht in diesem Kampfe zugrunde. Tassos Untergang ist ein Sieg des Gesetzes, Werthers Untergang ein Sieg der Leidenschaft über das Gesetz, über jede Bindung, über die objektive Wirklichkeit. Werther wird zersprengt durch die übermächtige, siegende Leidenschaft, Tasso erstickt an ihr, da sie sich nicht — nicht einmal durch den Tod — entladen kann. Werther ist nur um sein physisches Dasein gebracht, Tasso um seinen Wert, seinen Sinn in der Welt, um sein metaphysisches Dasein. Die Geliebte ist zugleich Richterin, die ihn verurteilt. Dem Willen zur Macht trat in Goethe der Wille zum Maß gegenüber. In der Götz-Prometheus-Werther-Zeit triumphierte nicht die Selbstsucht, aber die Selbstbesessenheit, — jetzt steht fest, daß das Gesetz siegen solle.

Dritte Phase: „Wahlverwandtschaften". — Erläuterung des Gehorsambegriffes in den „Wahlverwandtschaften". Jetzt ist der Gedanke des Gesetzes über allem Einzelnen das Zentrum, um das er seinen Weltstoff gruppiert. Eben das war bei diesem Werk Goethes Wissen und Kunst, daß die Gesetze selbst bis zu einem vorher nicht gekannten Grad individuell sind, ins Individuelle hinabreichen, daß das Gesetzliche auch den Bereich dessen durchdringt, was man bisher dem Zufall oder der Wirkung als eigenen Raum zugeschrieben hatte. Gesetze sind ihm nichts Starres, worum Willkür und Zufall spielen und woran sie zerschellen, sondern dehnbar feine Kräfte, selbst Individuen und teilhaft jeder zartesten Bewegung der Seele und des Leibes, vom Zufall nicht durch Starre und von der Willkür nicht durch Enge unterschieden, sondern durch ihre Deutbarkeit aus einer gemeinsamen Mitte und durch ihre, wenn nicht in mathematischen Formeln aussprechbare, so doch in Sinnbildern architektonisch darstellbare Ordnung. Die Gesetze sind in den Menschen, die Welt ist ihre in menschlichen Gestalten und Begebenheiten manifestierte Ordnung. Eben diese Ordnung will Goethe in den „Wahlverwandtschaften“ auf einem übersehbaren Bild zeigen.

Bei Shakespeare ist der Mensch die Mitte, in den „Wahlverwandtschaften“ das Gesetz. Unter den Menschlichkeiten woran und worin sich das Gesetz kundgibt, fehlt nicht der Wille und die sittliche Kraft, aber sie erscheinen der Gesinnung des Werkes gemäß nicht schicksal-schaffend, sondern schicksal-tragend, leidend oder pflichtig.

Goethes Begriff von Naturgesetzlichkeit im Schicksal hebt die Freiheit nicht auf, — darum kein Schicksalsroman analog „Ödipus“. An Stelle des Sophokleischen Fatums und der Ibsenschen Erbsünde steht bei Goethe das immer bewegliche Leben, das nach geheimnisvoll innewohnenden Formkräften Raum, Charaktere, Beziehungen ausstrahlt und sich in diesen darstellt, selbst gesetzlich — d. h. sinnlich geordnet, aber nicht kausal oder logisch seine Ausstrahlungen bindend.

Wie kommt es zu dieser reifsten Phase? — aus der Frömmigkeit. Was heißt denn Frommsein als: einem Reineren Höheren Ungekannten sich freiwillig hinzugeben. Goethes Idee des Werdens schloß eine Idee des Müssens ein, und seine Idee der Form schloß eine Idee des Gesetzes ein. Seine Sittlichkeit ist aus religiös erfaßtem Natursinn abgeleitet. Gesetzesbegriff und

Schicksals- und Charakterbegriff nach Analogie des Verhältnisses Keim — Blüte — Frucht.

Gesetzlichkeit, ja Heiligkeit sind keine absoluten, von einem überweltlichen Gott ein für allemal aufgestellten Forderungen an das übernatürliche Ich, sondern es sind die Formen, in denen der Mensch seine eigene naturgegebene Idee auswirken muß: ihre Verletzung ist nicht Sünde im christlichen Sinn und zieht nicht Strafe nach sich, sondern ist selbst schon Strafe, Verhängnis, Leiden. Jeder Charakter schafft sich nicht sein Schicksal, er ist bereits sein eigenes Schicksal durch sein So-sein.

Goethe läßt uns von außen erblicken, was er von innen schaut, und er gibt uns das in der Dimension der Zeit, was er besitzt in der Dimension des Raumes: das Bild. („la présence de l'univers." Das Ich des Sterbenden.)

Die Seele seiner reifsten Figuren: Ottilie, bewußter als andere, ist ein Wesen, das sagt: ich stehe unter meinem eigenen Gesetz (= Übersinnliches und Persönliches in einem). Ottilie hebt durch Eingehen in das Gesetz die angeborene schmerzliche Spannung zwischen der Person und dem Überpersönlichen auf (— dies sei, was es wolle: Gott oder Welt, Sitte oder Fatum, Natur oder Staat). Sie wird bewußt eins mit ihm. Die erkannte und anerkannte Notwendigkeit = unbegrenzte Freiheit. „Das Gesetz nur kann uns Freiheit geben". — Lebensresultat des freiesten Geistes: „auf der höchsten Stufe gibt es keine Freiheit". (Persönliches = Überpersönliches, Hingabe = Freiheit.)

Sich eins wissen mit Gottes Gesetz, — neue Klarheit im Gesetz ist jetzt die Stimmung seiner Frömmigkeit; diese Klarheit ist zugleich Heiterkeit und Schwermut,

— Herrschaft des Geistes über das Dumpfe, Verzicht auf alle Hoffnungen, Wähne, Räusche des Ahnungsvollen.

Auf eine Überwindung des Kausalreiches läuft diese wie jede religiöse Auffassung hinaus. Auf neuem Wege, — wir wollen, folgen wir diesem Wege, nicht wie Kant den Geist als fälschende Zutat abstreifen und wieder hinter das Persönliche zurückgehen, um „Wahrheit" zu finden, sondern durch alle seine Unendlichkeiten hindurchschreiten bis ans Ende. — Ganz recht, daß das Ich unfrei ist, das materiegefesselte tierische niedere, noch schlummernde Ich, das noch in der Natur steckt und das einzige Erlebnis der Materialisten ist. Aber wo das Ich Persönlichkeit wird, wird es selbst Gesetz und unterliegt nicht mehr dem Schrecken des Seins und der mechanischen Unfreiheit. Wer keinem anderen Gesetz gehorchen muß als dem Gesetz seiner eigenen Person, ist frei. Der Wille ist der Persönlichkeit tiefster Grund, ist nicht dumpfer gestaltloser Trieb, sondern der eigentliche Beginn der übertierischen geistigen Tat. Voluntas superior intellectu.

Darum hat der höhere Mensch das Kausalreich niedergerungen, sein Leben ist beherrscht durch das Schicksalsgesetz seiner persönlichen Sendung, die er verwirklichen soll. — Planauswirkung. Ein Wort schwebt uns auf den Lippen: Karma. In der Tat, wir sind Asien, dem Urquell der Religionen, nahe.

Wird das Gesetz ins Individuum, das Individuum ins Gesetz hineingenommen, so ist wahrhaft das Kausalreich überwunden und eine neue Bindung löst den contrat social ab, denn es ist kein Kontrast zwischen Individuum und Gesamtheit.

Der geläuterte Freiheitsbegriff: in der Nation: Ordnung, — im Individuum: Gesetz, Karma.

Und dies sollte durch dieses Grauen, durch Stickgase und Minen, durch Luftkämpfe und Hungerkampf sich verwirklichen?

Erinnern Sie sich: was sich verwirklichte durch Septembermorde, Noyaden, Ermordung unzähliger Unschuldiger, Fouché in Lyon, Babeuf — die Blutlachen der Julirevolution, des Februar, die Gegenrevolution der Bourgeoisie ... eine Kette, ein Phänomen. Begriff der Nation damals geboren. Realisierung damaliger Tendenzen im heutigen Konflikt.

Begriff des werdenden Gesetzes, — die nicht formulierbaren Ideen von 1914. Wäre die Gegenwart nicht noch viel entsetzlicher, wenn sie keinen Sinn hätte! Nicht bloß eine Nation ist beteiligt, aber bloß eine ist Trägerin. Aber es muß ein gemeinsames Postulat sein.

Und dem ist so: Zustand, — zwiespältiges Hängen zwischen alten und neuen Nöten. Überlebtheit alles Alten, Erschöpfung, Auflösung, — etwas muß anheben, so unerhört, daß es uns alles Alte als fast philiströs erscheinen läßt.

Jedermanns Selbstgefühl wird gehoben von dem Gefühl, daß die Gesamtheit seiner bedarf. Darf er stolz sein auf die Gesamtheit, so wächst sein Stolz auf sich selbst. Keine Gesamtheit ist in diesem Punkte was eine Armee ist; dagegen muß zugestanden werden, daß die Vorstellung, dem System des kosmopolitischen Industrialismus zuzugehören, in der Brust zahlloser wertvoller Männer kein anderes Resultat aufrufen kann als das der Scham, einem solchen kollektiven Ganzen zuzugehören.

Durchaus der Ruf nach geistiger Autorität; diese aus dem Volk aufsteigend. Auch der roheste kindlichste Mensch würde gern geistiger Autorität gehorchen, wenn sie ihm nur fest und zuverlässig vorkäme.

Dies alles ist das Chaos, das einen Stern gebären will. — Hiezu tritt Eros. Leiden als aktives Prinzip, — so wie in der Gotik, in der vorhomerischen Welt ... das altgermanische Ornament, — das Leiden hat an ihm mitgeformt, als welches zur Vollkommenheit trägt. Das Unermeßbare was gelitten und getragen worden ist. Selbstüberwindung, tausendfache Besiegung des Todes, Vorwegnahme, bitterstes Niedertreten der Selbstsucht, ja des Selbsterhaltungstriebes, Auslöschen seiner selbst wieder und wieder.

Not, die durch größere Not sich läutern will. Jeder Einzelne in Allverwobenheit (Karma, Auswirkung, werdendes Gesetz, Sendung), — Zielgedanke: das Ich als Manifestation von Kräften, sowohl in seinen Leiden wie in seinen Taten, beide synthetisiert. — Welteroberung ist Icheroberung; Weltentfaltung durch das Ich. Dienen, Hingabe ... wem? — einem Höheren, das sich in der Person aussprechen will (Propheten des Alten Bundes). Geläuterter Begriff der Persönlichkeit: ein glühendes Kraft- und Liebeszentrum, Gleichgewicht, Selbstbeherrschung, Liebeskraft.

Der skandinavische Geist hat mitgeformt an diesem europäischen Menschen des Gesetzes. Sie sind berufen, beizutragen durch Ihre Kraft, zu glauben an geistige Werte, weil Sie intakt sind von niedrigem Kritizismus, weil Sie den Segen hatten, ein armes Land zu sein.

Europa wird durch Ihre Kraft, — man darf nicht zuschauen, man wird krank an dem, was man nicht gelebt hat. Darum müssen Sie leben, jetzt! — viel

Kraft und Mut und Glauben hineingeben in dieses Entstehende. Wie Sie Ihr Denken einströmen lassen, davon hängt viel ab: Sie sind Europa.

Darum, weil Sie Europa sind, ein verstehendes Europa, das mitfühlt mit dem, was das Herz Europas will — weil Sie in einer heroischen Geschichte die Kraft gehabt haben, in einem geistigen Kriege, entscheidend in das Schicksal Mitteleuropas einzugreifen, und Rußland zu okzidentalisieren, — weil Ihr unzerstörbares germanisches Wesen, so reich Ihre Zusammenhänge nach Ost und West sein mögen, in beiden Welten heimisch ist, dieser irdischen und der ungreifbaren, darum konnte ich zu Ihnen so sprechen, — konnte in diesem noch immer finsteren ungeheuren Moment der Weltgeschichte auf Ihren Wunsch zu Ihnen von geistigen und sittlichen Dingen sprechen, ohne Sie ungeduldig zu machen, — konnte, weil Sie, wie wir, trotz einer glorreichen Geschichte, ein junges hoffnungsfreudiges Volk sind, so zu Ihnen sprechen, wie wir alle nach Goethes Wort diese Weltkrisis anschauen wollen: vor uns das Licht und Finsternis im Rücken.

DIE IDEE EUROPA

Notizen zu einer Rede

> Da poi chè sotto il cielo cosa non vidi
> Stabile e ferma, tutto sbigottito
> Mi volsi e dissi: Guarda, in che ti fidi?
>
> *Petrarca*

DER Krieg als geschichtliche Krise, Ende der materiellen und ideellen Kredite:

Die Konventionen werden jählings auf ihre wirkliche greifende Kraft reduziert.

Der Weltzusammenhang enthüllt sich als kritisch gewordener großer Ausgleich der geistigen und Rechtsmächte;

alle zeitbeschränkten Denkformen,

alles in Form des contrat social Erschlichene bricht zusammen.

Analogien:

a) Ende des politischen Panhellenismus im Peloponnesischen Krieg

b) Ende des republikanischen Staatsrechtes als religio in der caesarischen Krisis

c) Ende der Kirche als einer allgemeinen Gewissenshut (praesidium conscientiarum) in der lutherischen Krisis.

Alles dieses alte Frömmigkeitsformen, die sterbend der Menschheit ihren transzendenten Gehalt gleichsam nochmals gebären. Daher ihr Tod immer ein furchtbares Ereignis.

(Alle Frömmigkeitsformen stammen aus Offenbarung, alle Konventionen aus dem geistigen Erlebnis von Individuen.)

Der Begriff Europa: Wir sind mit ihm groß geworden. Sein Zusammenbruch für uns ein erschütterndes Erlebnis.

Kritik des Begriffes: seine Unbedingtheit von jeher höchst prekär.

a) Einheit Europas keine *geographische* (wie etwa Australien) (Zerstückelung des eurasiatisch-afrikanischen Continents in Erdteile ein empirischer Behelf ohne Urteilswert)

b) Einheit auch keine rassenmäßige ethnische. Die weiße Rasse des Okzidents greift über Europa hinaus, fremde greift in sie hinein:

so läßt sich der Begriff nirgends verankern.

Sein Wesen ideologisch und spirituell: transzendent, er schichtet sich den Realitäten über, worin seine Ungreifbarkeit und Unangreifbarkeit liegt.

Sein Charakter: höchste Gemeinbürgschaft für ein heiliges Gut, dessen Benennung mit den Zeiten gewechselt hat.

Geschichtliche Analogien hiefür:

a) Gemeinbürgschaft der griechischen Städtestaaten als Amphiktyonen für Delphi

b) Roms und des römischen Imperiums für das gemeinsame Hellenische

c) der zu Volksstaaten emanzipierten Teile des Imperiums für Rom und den alle antike Zentrale beerbenden und in sich integrierenden Papat.

Zwischen jedem dieser Übergänge eine Krisis, ein entsetzliches und die Gewissen beängstigendes „Stirb und werde".

Phasen des Begriffes „Europa".

Erste: ursprüngliche, seiner kaum bewußt: der des in kirchlicher Denk- und Seelenform zusammengefalteten Okzidents.

(Gemeinbürgschaft der Christen gegen die Heiden, erlebt in den großen Predigten der Kreuzzugsjahrhunderte als eine missio, Sendung und Entsendung. Teilschaft aller Aufgerufenen an einem göttlichen Beruf: Ausbreitung einer als die höchste empfundenen hegemonischen Gesittung; als Aufbruch).

(NB. Durchquerung der Ideologie durch reale Krisen des staatlichen Egoismus: Friedrich II. und die Sarazenen, Revolutionierung Italiens gegen die Internationalisierung durch den Papat.)

Zweite Form des Begriffes: die der Renaissance.

(Gemeinbürgschaft aller an der *Latinität* der höheren geistigen Existenz beteiligten für Erwekkung und Bewahrung dieses grundlegenden Erbes. Antike Literatur als unsterbliche fortlebend gegenüber sterblicher neuerer gefaßt, Idealität und Sprache allen gemeinsam.)

Übertreten des gehüteten heiligen Gutes aus dem Raume des Glaubens in den des Wissens. (Doch trägt Wissen noch die emotionelle Farbe des Glaubens, gibt sich als Transzendenz und übernimmt das Pathos der *missio:* Ausbreitung der bonae artes.)

Zur civitas dei tritt die res publica litteraria.

Organ dieser Gemeinbürgschaft: international europäischer Briefwechsel. Publizität des Zusammenhanges.

Dritte und höchste Form des Begriffs: die deutsche Humanität.

Gemeinbürgschaft der gesitteten Völker für die Heiligkeit des Sittlichen als eines ungeschriebenen rein europäischen Kodex.

Das Heiligtum hat von neuem die Cella gewechselt.

Empfindung des Nationalen nicht nur als eines Beschränkten, sondern eines Unsittlichen.

Stellung Herders zur Germanisierung des Baltenlandes.

Herders Wort: „Kabinette können miteinander hadern, Staatsmaschinen gegen einander Krieg führen, Vaterländer nicht.“

Schillers Wort: „die Vaterlandsliebe eine heroische Schwachheit“,

Das unvollendete Gedicht „Größe des Deutschen“ (nach Lunéville 1801):

„Während der Brite nach Schätzen, der Franke nach Glanz lüstern späht, ist dem Deutschen das Höchste bestimmt: er verkehrt mit dem Geist der Welten.“

„Jedes Volk hat seinen Tag, doch der Tag des Deutschen ist die Ernte der ganzen Zeit.“

Novalis: „Deutschheit ist Kosmopolitismus mit der kräftigsten Individualität gemischt.

In energischer Universalität kann keine andere Nation gegen uns auftreten.“

Ihm ist alles Irdische und Geschichtliche nur ein Gleichnis oder ein Annäherungsmittel zum Unsichtbaren und Unendlichen.

Humboldt: An dem deutschen Nationalcharakter fand er groß und schön: daß er die naturhaften Schranken anderer Nationalcharaktere nicht kenne, sondern reiner und freier zum allgemein Menschlichen sich erhebe.

Goethes Haltung zur Französischen Revolution und zu Napoleon.

Chaque homme a deux pays, le sien et puis la France.

Zur Civitas Dei und Res publica litteraria tritt eine dritte schwebende Ideologie, die für naive Benennungen schon zu weit und zu tief ist. Europa — auch Natur (Rousseaus), auch Humanité St. Simons, Michelet.

Neues Pathos der Toleranz (an Stelle des früheren propagandistischen Pathos).

Zu dem heiligen Gute des Glaubens und Wissens tritt das Allerheiligste des Begreifens, Ertragens, Verzeihens.

Postuliert ist nicht Europa sondern namens Europa die Menschheit (namens der Menschheit göttliche Allgegenwart: Gott selber).

Der Begriff nicht unpolitisch, sondern antipolitisch, bewußt unweltlich.

Daher seine Durchquerung durch jede zur Selbstdurchsetzung verpflichtete nationale Energie. Daher auch seine leichte Benutzbarkeit durch kühlen und weltklugen Machtwillen: wie seinerzeit der Papst mit dem Begriff des in eine Gemeinbürgschaft verklammerten christlichen Okzidents schaltete.

XIX. Jahrhundert wirkt politische und ideologische Fassung aus.

Die Französische Revolution seit dem römischen Imperium die erste europäische Angelegenheit (geht auf Umgestaltung der Karte, Denkform, Verfassung), im napoleonischen Imperium teilweise erreicht.

Aus der Notwendigkeit, das Beharrende gegen die genial vergewaltigende napoleonische Skizze einer

Vereinheitlichung des europäischen Ländergebietes wieder auszugleichen, erwächst über die Zwischenstufen: Wiener Kongreß und Heilige Allianz der Begriff des europäischen Konzertes (in seiner englischen Fassung: europäischen Gleichgewichtes.)

Geringer geistiger und dynamischer Wert. Sein Entstehen nicht aus der Gewalt der Personen, sondern als Kompromiß zwischen Mächten d. h. nationalen Egoismen; Aufgabe nicht mehr schöpferischer und ausbreitender Natur, sondern:

hemmend — bewahrend
erhaltend — verbindend

„Europa" nicht mehr als Integrale über den einzelnen Komponenten empfunden, sondern als System der Lagerung der Componenten untereinander.

Weder Codex noch wirkliche Executive

Tragikomödie der europäischen Mandate,

Abspaltung der Westmächte im Krimkrieg,

Beginnende Unlust gegen dies Europa in den vornehmlich sein Deliberationsobjekt bildenden Resten der antiken Welt: sog. „Orient"; Balkanländer; Europa.

Die russisch-byzantinischen Ideologien eigentlich Abfall von Europa, Kritik der Kontinentalität und Vitalität des Begriffes (Dostojewskis Europa, Tolstois Europa).

Auch dieser politische Begriff niemals in die Gewalt einer Seele eingekehrt und aus ihr zurückgeboren. Gladstone etwa der höchste politische Ausdruck, den es seiner geringen Mächtigkeit nach finden konnte.

Er deckt sich mit der Pedanterie und Lehrhaftigkeit, aber auch der großartigen Mäßigkeit dieser typischen Mittelstandsnatur.

Dieser Begriff Europa rettet das Schicksal des Erdteils von Frist zu Frist.

Alte missio eingeschrumpft zum Begriff einer vom Zentrum aus regelnden, etwas schulmeisterlichen obersten Weltinstanz.

Reste der alten Universalität, Katholizität (etwas latent Heiliges).

Grundohnmacht in der Tatsache, daß nichts eigentliches mehr gegeben werden kann, außer Ware.

Die Religion Europas, die Humanität Europas waren unkäuflich gewesen, schwer zu geben, unendlich schwer zu nehmen, aber: aus dem Ganzen der Seele fließend, das Ganze fordernd, das Ganze gestaltend.

Gehalt des Begriffes im XIX. Jahrhundert nicht bereichert: nur konsolidiert, indem es alle die alten Formen in einem allseitigen Kulturbegriffe zusammenfaßt.

Er hat als solcher, wie alle Kulturbegriffe, relativ hohe und niedere Möglichkeiten: als die relativ niederste begreift er in sich das Musterbild und Modell der Weltwohlfahrt in technischem, hygienischem Securitäts- und sonstigem mechanischen Sinn.

Europa als einheitliches Zivilisationsgebiet;

verflacht; Deszendenz von großen und frommen Gedankenwelten schattenhaft spürbar.

Nirgend individuell erlebt: Utilitätscharakter, der sich dem Pathos der Person versagt.

Publikumsbedarf: gleitet in den Gemeinplatz über.

Reste seiner missio im zivilisatorischen Berufe mit dem Bleigewicht des Vaterlandes behaftet.

Diese Welt: es war die europäische Wirklichkeit vor dem Kriege.

Es war eine unerhörte Herrschaft über die Natur. Der alte Kampf mit der Natur schien ausgekämpft. Technisch ausgebeutet als der Sklave lag die Natur da, nicht als Dämon, als geheimnisvoller Lehrer, als gigantischer Feind. Die rasende Hast des Austausches, die praktische Abschaffung der Entfernungen — das Tosen auf London-Bridge — Hotels von Alpen bis Benares — Ozeandampfer, die als Resultat der gesamten Weisheit und Wissenschaft unserer Tage einen Fetzen Stoff über das Meer fahren für den Salon einer Modedame, Berge von überflüssigen Nachrichten in die Welt setzen durch Wunder von Tausendundeiner Nacht.

Dies nur als notwendiger Schritt der Weltauswirkung erträglich, aber unheimlich, wenn man den Herrn dieser Maschine sah.

Das tausendfache internationale Ich, dieses europäische Wesen, für das diese ganze Maschine lief — es war nicht gewaltig. Diese berauschende Eroberung des Geistes hat sein Leben nach innen umgestaltet mit der Gewalt einer Elementarkatastrophe. Sie hat uns fast mehr zermalmt als vordem unsere Ohnmacht gegen die Natur. Zauberlehrling, den seine Besen bemeistern. Ein unsäglicher Relativismus um ihn als schwindelnde kreisende Atmosphäre: die Sitten von heute und ehedem als *relativ* enthüllt, alles als ein Werden gefaßt, Wissenschaft, Kunst und Sittlichkeit selber in Frage gestellt. Eine verzehrende Ironie über all unser Tun gekommen. Eine Kritik, die alles ergriff, noch nach innen. Zweifel an der Möglichkeit, mit der Sprache etwas vom Weltstoff fassen zu können. Sprachkritik als Welle der Verzweiflung über die Welt laufend: als jene Seelenverfassung, die sich ergeben hatte, weil nicht Wahrheit sondern Technik das Ergebnis des wissenschaftlichen Geistes gewesen war.

In diese Welt hinein — die Dichter sind symbolische Träumer — zielt das Ringen um den Begriff „Tat“ in „Elektra“: alle Worte, die nur Schall sind, wenn wir das Ding in ihnen suchen, werden hell, wenn wir sie leben: im Tun, in „Taten“ lösen sich die Rätsel der Sprache.

Es war durch den Relativismus das Ich der Sklave der Zeit, des schwindelnden Vergehens geworden. Durch den Materialismus Sklave seines Körpers: das wunderbare Instrument der Freude, das lichtverwandte, geistdurchstrahlte, der Tempel Gottes war zu einem Gefängnis geworden, einem Kerker der Furcht. Beständige Todesfurcht in tausend Verkleidungen, Methusalemismus, Aberglaube des längeren Lebens, nichts Schlimmeres kennen als den Tod.

Ohne Scheu betete diese Welt die drei Götzen Gesundheit, Sicherheit und langes Leben an, Kultus der Sicherheit, des Behagens. Komfort ohne Schönheit. Die Natur als *Feind*, in den Krankheiten ihr Schlupfwinkel. Düsterer Fatalismus der Erbsünde — Erblichkeit.

Gefährlichste Einengung und Erniedrigung des Ich: Abhängigkeit jedes vom Gelde. Der verlarvte Einfluß des Geldes. Das Zweifelhafte der Taten. Charakteristisch, daß in der deutschen Sprache „handeln“ einerseits „tun“ bedeutet, andrerseits „Handel treiben“. Jedes Machtverhältnis in Geld umsetzbar. Geld der Knoten des Daseins, Träger der schwarzen Magie. Man sah jedermann in Geldsachen gegen seine eigene Überzeugung handeln. Stand auf alten preußischen Kanonenläufen „Ultima ratio regis", so stand vor dem Kriege „Ultima ratio" über den Geldschränken des europäischen Menschen. Maximale Zuspitzung und Ausbreitung des Verlangens nach Geld in unserer Zeit: Geistige Krankheit, ihr entspricht eine geistige Wachheit, eine Kontrolle auch dieses Phänomens.

Geld als allgemeiner Endzweck, wo es doch das allgemeine Mittel ist. Dies hängt so zusammen: die wirklichen Zwecke unseres Handelns vor uns vielfach verborgen: daß die Mittel zu Zwecken werden, rechtfertigt sich dadurch, daß im letzten Grund auch die Zwecke nur Mittel sind, — der Endzweck verhält sich zu den teleologischen Reichen wie der Horizont zu den irdischen Wegen.

Hat das Geld, fragte sich jener, der es ins Auge faßte, nicht die Kraft, sich an Stelle Gottes zu setzen? — und ihm tat sich ein seltsamer Gedanke auf, der abschreckend durch die Blasphemie und verlockend durch die Folgerichtigkeit war: der Gottesgedanke hat sein tieferes Wesen darin, daß alle Mannigfaltigkeit und Gegensätze der Welt in ihm zur Einheit gelangen, er ist die Ausgleichung aller Fremdheiten und Unversöhntheiten des Seins: daher umschwebt ihn Friede, Sicherheit, allumfassender Reichtum. Das Geld mehr und mehr Ausdruck und Äquivalent aller Werte, über allen Objekten wird es zum Zentrum, worin die fremdesten fernsten Gedanken einander berühren. Es entsteht das Zutrauen in seine Allmacht, uns jedes beliebige Einzelne und Niedrigere in jedem Augenblick gewähren zu können.

Besondere Eignung der Juden: seit Jahrtausenden gewöhnt, in *einem* höchsten Wesen Schnittpunkt aller einzelnen Interessen zu sehen — Gedanken: Schatten des Götzen, der über die ganze Erde fiel. — Kanonistische Erfassung der Gefährlichkeit: Verwerfung des Geldzinses.

Das völlig freie Ich Sklave des Mammons: englische Redensart: „he is possessed of ...". — Vor ihm, dem Sklaven Mammons, lag eine erniedrigte Wirklichkeit: keine magische Sprache von ihm zu dieser entseelten Welt. Tastbar — in Bewegung zu setzen durch Technik: durch Geld.

Man meinte einig zu sein über den Begriff: Was ist *wirklich*.

Jeder Umschwung, Politik, alle Philosophie, alle Kultur: eine neue Verständigung über den Begriff des Wirklichen. — Wirklichkeit des Überpersönlichen war verloren — oder nur repräsentiert durch Geld-Chaos.

Dumpfes Gefühl der Not. Hinstreben zu Asien als Zeichen der Zeit, anders als im achtzehnten Jahrhundert. Tolstois Grauen vor Europa, Romain Rollands Grauen vor dem Geldwesen. Tolstois Korrespondenz mit Chinesen: dem Land des Gesetzes, gegenüber der Exuberanz der Freiheit. Überwindung durch Außenstehen.

Lafcadio Hearn: das völlige Hinübergehen eines Europäers. Über die Linie: „merely to cross the concession line is almost the same thing as to cross the Pacific Ocean — which is much less wide than the difference between the races." Sein Blick vom anderen Ufer in „A Conservative". Grauen vor Europa, vor dem Individualismus, Mechanismus, Merkantilismus. Blick auf Asien: Paradies — das noch vorhandene, beginnliche unzeitliche, „zeitlose". Der

Markt — der Warentausch — das Brot — der Hausierer, der Minister, der anhält, mit seinen Dienern speist, Philosophen, die freiwillig Schmiedearbeit tun, während hohe Würdenträger an ihrer Schwelle warten, junger Student, der den hohen Beamten bittet, für ihn Flöte zu spielen. Reisekultur, der Pilger, der wandernde Mönch. Menschlicher Verkehr an Stelle des maschinellen, Funktionellen. Industrie und Kunstgewerbe. Die Schönheit der Dinge. Die einmalige Vision und die generationenlange humanisierende Kraft der Arbeit.

Diesem Asien, auf das es mit ergriffenem Blick hinstarrte, hat Europa symbolisch die Palme gereicht.

Selbstbewußtsein dieses Asien. Fand Ausdruck tausendfach; in Kakuzo Okakura „The Glory of Asia", „Ideals of the East". —

Hören Sie die Verurteilung des europäischen Wesens, um so zermalmender als sie würdevoll und ohne Polemik ist. Hören Sie, wie Asia sich aufrichtet, seiner Einheit bewußt, nur akzentuiert in seiner Zweiheit, nicht getrennt durch die ewigen Schneeketten des Himalaja: Bewußt seines erhabenen inneren Erbes, jener Erstgeburt des religiösen Denkens, „that common thought inheritance of every asiatic race, enabling them to produce all the great religions of the world and distinguishing them from those maritime people of the Mediterranean and the Baltic, who love to dwell on the particular and to search out the means not the end of life." (Ku Hung Ming.)

Das Stigma Europas: die Mittel, nicht das Ziel des Daseins zu suchen, über dem Werden das Sein, über der Scheinfreiheit das Gesetz verloren zu haben.

So die alte Not. Ein Chaos: eine Gefahr der Auflösung. Da kam die neue Not. Leiden als göttliches Prinzip.

Es kam maßloses Leiden. Selbstüberwindung. Tausendfaches Hinnehmen und Vorwegnehmen des Todes, Einstehen für sich selber. Das Unvertauschbare. Das Einmalige. Schicksal. Leiden und Tun in einem. Bitterstes Niedertreten der Selbstsucht, ja des Selbsterhaltungstriebes. Auslöschen seiner Selbst immer und immer wieder: dem Befehl gehorchen wie einer Gottheit, das Brandsche „alles oder nichts".

Ja es kam das Leiden, von dem Meister Eckhart, unser alter Mystiker, sagt, es ist das schnellste Tier das zur Vollkommenheit trägt. Stummes Dulden und Tun. Frömmigkeit. Idealismus und Realismus dagegen kraftlose Wörter: Gott erkennen im Wirbel der Technik. Urkräfte geweckt: das *Volk*, die heiligen gehaltreichen Tiefen, sie, für die das Leben ein ewiger Krieg war — durch sie, in ihnen eine Offenbarung des Nichtfaßlichen hinter dem Gegebenen: ein Etwas das wirklicher war als die Individuen.

Das Überpersönliche war wieder das Wirkliche. Alle diese Millionen brechender Blicke, brechender Herzen, dieses Meer von Blut und Tränen, brennenden Heimstätten im Osten und Westen, diese Großväter und Kinder neben den Landstraßen sterbend, diese Tiere noch: diese Allverwobenheit des Gegebenen ...

Eine neue europäische Idee: neue Wirklichkeit. Nicht eine Utopie, nicht eine Konfoederation, nicht die permanente Konferenz, obwohl alles dies kommen kann, — sondern ein neues europäisches Ich, ein geändertes Verhältnis des Ich zum Dasein, zum Geld. Sozialisierung des Staates: Realisierung von Tendenzen von 1830 jetzt.

Neue Wirklichkeit. Die Wirklichkeit besteht nicht nur aus konkreten Dingen, aus exakt Greifbarem: genau ebenso leben wir in einer Welt von Mysterien und ganz ungreifbaren allerwirksamsten Lebendigkeiten. (Konkret und Abstrakt: die Worte verschleiern vieles. Das höhere Erleben ist nicht abstrakt, nichts ist weniger abstrakt als was auf diese Wände gemalt ist.)

Hier kann nun der ermüdete und überanstrengte Begriff Europas wieder auftauchen. In Einzelnen. (In den Massen lebte er zum Schema vergriffen, zum Rechenpfennig geworden.) Individuen besitzen das noch ganz dumpfe Metall ohne Bild und Schrift und das große Individuum prägt es, — worauf es dann schlechter und schlechter nachgeprägt, unterteilt und mehr und mehr verbilligt umherzulaufen beginnt und der ewige Vorgang reif wird, sich zu wiederholen.

Es werden vereinzelte Individuen sein, eine stille Gemeinde, die schon da war, in denen die letzte Phase des Begriffes *Europa* sich verteidigt und vertieft. Von hier allein Europa als die geistige Grundfarbe des Planeten empfunden, das Europäische als der absolute Maßstab aufgestellt, das jeweilig Nationale immer wieder an ihm gemessen und korrigiert.

Unter diesen Figuren wird Nietzsche seinen Platz haben; vielleicht aber darf man sagen, daß sein Europäertum etwas Brüchiges hat, weil er sich auf Europa zurückzieht, statt sich zu Europa zu erweitern.

Der einzige tröstliche Ausblick bleibt die Idee, das erneute Erlebtwerden der Idee in ihrer alten Heiligkeit. Unzähligen Seelen ist Neues zugestoßen, es ist unausbleiblich, daß dem Kriege eine neue Epoche der Seele folgt, wie im Pietismus hinter dem Dreißigjährigen Kriege eine neue Welt der Seele entdeckt wurde. Gewalt der Individuen, in denen Geist sich offenbart; ein anderes Gewaltiges nicht erkennbar.

Wo könnte eine Hoffnung dieser Art laut werden, wenn nicht auf schweizerischem Boden, auf dieser hochgespannten Brücke zwischen Nord und Süd und West und Ost, in diesem alten Bollwerk der Freiheit, dieser alten Kampfstätte der Geister? Wo denn anders als hier, wo immer das aus der Menschenbrust offenbarte Ewige zuhöchst gegolten hat, wo nie der Götzendienst der Zahlen, der Masse getrieben worden ist — und aus welchem Mund könnte diese Hoffnung sehnlicher und glaubensvoller dringen als aus dem Mund dessen, der zu Ihnen redet, eines Österreichers.

Wer sagt „Österreich", der sagt ja: tausendjähriges Ringen um Europa, tausendjährige Sendung durch Europa, tausendjähriger Glaube an Europa.

Für uns, auf dem Boden zweier römischen Imperien hausend, Deutsche und Slawen und Lateiner, ein gemeinsames Geschick und Erbe zu tragen auserlesen, — für uns wahrhaft ist Europa die Grundfarbe des Planeten, für uns ist Europa die Farbe der Sterne, wenn aus entwölktem Himmel wieder Sterne über uns funkeln. Wir, nicht auf errechenbare Macht, nicht auf die Wucht des nationalen Daseins, sondern sehenden Auges auf einen Auftrag vor Gott gestellt, — wie sollten wir leben, wenn wir nicht glauben wollten, und was wäre des Glaubens würdiger als das Hohe, das sich verbirgt, und das Ungreifbare, das sich dem gebundenen Sinn, dem stumpfen Herzen versagt.

RUDOLF BORCHARDT

INDEM sich Rudolf Borchardt mehr und mehr an die deutsche Öffentlichkeit zu wenden beginnt, tritt zum erstenmal ein großes Publikum in Bezug zu einem Manne, mit dessen geistiger Potenz einige wenige seit einem Jahrzehnt zu rechnen gewohnt sind, mit dem eine nicht unbeträchtliche und sich ständig verstärkende Minorität seit etwa zwei Jahren als mit einem Starken in unserer geistigen Lebenssphäre zu rechnen sich gewöhnt hat.

Denen, die versuchen wollten, über diese neue Erscheinung sich durch die Auskunftsquelle des Buchhandels zu informieren, würde sich die überraschende Tatsache ergeben, daß eine Reihe von Schriften mit diesem Verfassernamen vorliegt, zum Teil mit ziemlich zurückgehenden Publikationsdaten: 1900, 1904 und 1907. Von diesen Schriften ist aber nur ein geringer Teil heute durch den Handel erhältlich, wofern er überhaupt jemals auf diesem Wege erhältlich war.

Der Versuch, diese Schriften erschöpfend zu charakterisieren oder auch nur einige davon beispielsweise zu umschreiben, kann hier nicht unternommen werden; nur eine Hindeutung soll gegeben sein. Unter dem Namen „Villa, eine landschaftshistorische Monographie“, erschien 1910 als Privatdruck eine nicht sehr umfangreiche Schrift, welche den wenigen hundert Menschen, denen sie je vor Augen gekommen ist, einen schwer zerstörbaren Eindruck hinterlassen hat. Ausgehend von der philologisch-archäologischen Interpretation — etwa wie ein Reallexikon des römischen Altertums den Begriff „Villa“ behandeln würde — ergab sich eine Untersuchung von schwer vergleichlicher Tiefe, Begriffsschärfe und Reichhaltigkeit der Anschauung. Man konnte sich an die außerordentlichen Schriften erinnert fühlen, welche wir Männern der früheren Generation, etwa Jacob Burckhardt, verdanken, und in welchen gelegentlich die philologische Intuition das eigentliche Wurzelelement ist; auch die Erinnerung an Schriften wie die von Viktor Hehn über „Das Salz“ mochte auftauchen. Andererseits war die Erinnerung an Nietzsche, nicht an den Aphoristiker, sondern an den großen Stilisten der philologischen Schriften, Entwürfe und Exkurse kaum abzuweisen. Über allem blieb der Eindruck einer geistigen Person, die einen fast exuberanten Reichtum mit einer großen Kraft verband, einer Kraft, die sich als konzentrierende oder definierende, als dialektische oder auch als moralische Kraft, an den schönsten Stellen als schlechthin poetische Kraft äußerte. Über die „Jugendgedichte“, die von Alfred Heymel für einen Freundeskreis publiziert wurden, und die vielen als das Schönste und Gehaltvollste erscheinen, das von Borchardt hervorgebracht wurde, kann hier nicht geredet werden; denn es ist schon mißlich, über Gedichte überhaupt zu *reden*, um wie viel mehr über solche, die in fast niemandes Hand sind.

Eine Rede, 1913 in Heidelberg vor einem akademischen Kreise gehalten, die Kunst und Gegenwart antithetisch und mit tiefstem strengstem Ernst behandelte und eine tiefe Wirkung übte, ist mir nicht bekannt geworden. Zu Beginn des Krieges, schon als

Kriegsfreiwilliger dem Heere angehörig, trat Borchardt an der gleichen Stätte vor eine ihm vertraute Hörerschaft und hielt die Rede, welche unter dem Namen „Der Krieg und die deutsche Selbsteinkehr“ seinen Namen weithin bekannt gemacht hat und in welcher viele eines der gehaltvollsten Erzeugnisse dieser deutschen Kriegs- und Entscheidungsjahre erblicken.

War in den früheren Schriften, über eine mit nicht gewöhnlicher Sprachgewalt vorgetragene bedeutende philologische Bildung hinaus, die innere Verfassung bemerkenswert, welche Sprachmaterial als Geist und Kultur, als Heiligtum empfindet, so offenbarte sich hier etwas, wovon man die Bezeichnung oft im Munde führt, dem man aber im Leben höchst selten begegnet: Weite des politischen Blicks und Tiefe der politischen Auffassung. Die Abrechnung Europas und Deutschlands, und Deutschlands mit sich selbst, war hier mit einer Kraft und einem Ernst geführt, von welchen Tausende sich in einer Weise berührt fühlten, daß von diesem Augenblick an als von einer neuen erkannten und gefühlten geistigen Macht gesprochen werden konnte.

Eine zweite Rede: „Der Krieg und die deutsche Verantwortung“, wandte sich nicht an die Allgemeinheit, sondern an eine Gruppe politischer Persönlichkeiten, an die sie als Ansprache unmittelbar gerichtet war. Eine bevorstehende dritte: „Der Krieg und die deutsche Krise“, von der ich höre, sucht das Ohr der breiten Öffentlichkeit und wendet sich an die Menge ohne andere Voraussetzung als die des geistigen Ernstes und der unbedingten Aufmerksamkeit, welche Goethe die „erste der Tugenden“ genannt hat.

MARIA THERESIA

Zur zweihundertsten Wiederkehr ihres Geburtstages

> Der Staat ist eine Allianz der vergangenen Generationen mit den nachfolgenden und umgekehrt.
>
> *Adam Müller*

DER großen Regenten sind wenige; über die Jahrhunderte hingestreut, geht es mit ihnen wie mit den Nägeln, die in einer Wand eingeschlagen sind: es scheint, als wären ihrer viele, denn sie geben der ganzen Wand ihr Muster; zieht man sie aber heraus, so ist es ein kleines Päckchen, das kaum die hohle Hand ausfüllt. Sieht man aus der Ferne auf sie hin, wie die Geschichte oder die Legende sie darstellt, so scheinen sie mehr und weniger als Menschen. Etwas Wunderbares ist um sie, aber leicht auch etwas Schauerliches und Dämonisches. Unheimlich ist es, wenn man die Relation ins Auge faßt zwischen ihnen und der Materie, die sie in Bewegung setzen: den Völkern. Hier erscheinen sie als Schöpfer und Unglücksbringer zugleich. Die Gewalt, mit der sie sich geltend machen, hat nichts Liebevolles mehr. Fast könnte man denken, daß sie auch in Haß umschlagen könnte. Zugleich erscheinen sie durch ihre Auserlesenheit wie gestraft, ja verflucht. Es sind etliche Frauen unter ihnen: Semiramis, Katharina von Rußland, Elisabeth von England. An ihnen kommt die furchtbare Last, „ein Individuum zu sein, in dem die Weltbewegung sich zusammenfaßt", auf eine andre Weise zur Kompensation: sie sind unfruchtbar als Frauen oder lasterhaft oder in andrer Weise ausgesondert. Zwischen dem, worin sie groß erscheinen, und dem andren ist eine Kluft, ein Widerspruch, der die Nachwelt beschäftigt. Gerade darin liegt es begründet, daß diese Gestalten in der Geschichte einen sehr scharfen Kontur gewinnen. Bei Maria Theresia ist nichts von alledem. Ihr Charakter als Frau geht in der vollkommensten Weise in den der Regentin über. Sie war eine große Herrscherin, indem sie eine unvergleichliche, gute und „naiv-großartige" Frau war. Das ist das Einzigartige an ihr. Hier ist die vollkommenste Rundung und gar kein Kontur. Darum ist es schwer, sie darzustellen, und sie wird für alle Zeiten das Fortleben ihres Namens der magischen Nachwirkung ihrer Natur verdanken, weit mehr als der Feder der Publizisten.

„Die großen Individuen," sagt Jakob Burckhardt, „sind die Koinzidenz des Verharrenden und der Bewegung in einer Person." Dieses Wort erscheint wie auf sie geprägt. Weil sie ein solches Individuum war, darum konnte sie Österreich begründen.

Am Beginne ihrer Regentschaft steht eine große, gefährliche Krise. Fast jede große Herrscherkraft muß in einer Krise durchbrechen. Zugleich war sie damals im Begriff, Mutter zu werden. Das Zusammentreffen dieser beiden Situationen, sich an einer historischen Krise als repräsentatives Individuum behaupten zu müssen und als Frau einem Kinde das Leben schenken zu müssen, diese Durchkreuzung des höchst Individuellen mit dem höchsten Natürlichen ist Maria Theresias Signatur. Immer wieder gab es Krisen, gefährliche und verworrene Situationen, denen zu Trotz sie ein ungeheures Maß von konstruktiver Arbeit leistet; die ruhigen Momente, die ein schwächerer Geist abgewartet hätte, kamen niemals oder waren sehr kurz; und sie ist sechzehnmal Mutter geworden. Das eine wie das andre nahm sie auf sich: mit Bereitwilligkeit, ja, mit Begierde. Die Begierde ging aus der Komplettheit der Fähigkeiten hervor, die in beiderlei Betracht unvergleichliche waren. Ihr Gebet war, Gott möge ihr für die politischen Geschäfte die Augen öffnen. Sie betete nur um die Entfaltung dessen, was in einem unvergleichlichen Maße in ihr lag. Mit diesem Gebet ging sie daran, aus den deutschen und böhmischen Erbländern ein Lebendiges zu schaffen. Sie folgte darin ihrem Genius, das dämonisch Mütterliche in ihr war das Entscheidende. Sie übertrug auf ein Stück Welt, das ihr anvertraut war, ohne Reflexion ihre Fähigkeit, einen Körper zu beseelen, ein Wesen in die Welt zu setzen, durch dessen Adern die Empfindung des Lebens und der Einheit fließt. In der Tat besteht eine völlige Analogie zwischen ihrem Verhältnis zu ihren Kindern und dem zu ihren Ländern. Die Briefe der Regentin und der Mutter sind dem Ton nach kaum auseinanderzuhalten: es ist dasselbe Maß von unermüdlicher Sorge darin, dieselbe ihr ganz eigentümliche Mischung von Autorität und Zartgefühl. Sie hatte Ehrfurcht vor dem Lebenden, mochte es aus ihrem Schoß hervorgegangen sein oder ihrem Geist die Form seines Daseins verdanken. Diese Ehrfurcht ist ein Teil ihrer wunderbaren und alles durchdringenden Frömmigkeit.

Nie ist irgendwo so reformiert worden: nie mit dieser Paarung von Kraft und großer Anschauung einerseits und Zartgefühl und Schonung anderseits.

Die politische Verwaltung, das bürgerliche und das kriminale Rechtswesen, die Finanzen, die militärische Organisation, der Unterricht, die Stellung des Staates zur Kirche, ein jeder dieser Komplexe mußte neu gedacht werden. Das starrende Einzelne, Beschränkte, Überkommene mußte in ein höheres Leben gehoben werden. Die in der Zeit liegende Idee mußte durchgeführt werden, aber mit einer unbedingten Schonung der Kräfte des Beharrens. Hierin liegt Maria Theresias historische Größe. Die großen Ideen der Zeit, die Ideen von Natur und Ordnung lagen beide in ihr verkörpert. Das bedeutete mehr, als wenn sie sie, wie ihr Sohn, nur mit dem Intellekt erfaßt hätte. Sie war eine große Herrschernatur, das ist mehr und etwas andres als ein noch so reiner Wille und ein noch so hochfliegender Geist.

1747 schreibt Podewils, der preußische Gesandte, über sie an Friedrich den Großen: „Sie beobachtet sich selbst und zeigt sich nur von ihren guten Seiten; herablassend, fromm, freigebig, leutselig, mildtätig, mutig und großherzig, so erscheint sie der Welt." Er hätte hinzufügen müssen: „Als ein geborner großer Herrscher übersieht sie jedes Verhältnis in ihren Staaten, im Detail wie im Ganzen, und durchblickt die Ursachen und die Wirkungen. Sie sieht auch die kleinen Verhältnisse, und nichts ist ihr unwichtig, nichts aber auch überwältigt sie durch seine Größe oder schreckt sie durch seine Schwierigkeit. Sie sieht die Dinge, wie sie wirklich sind, und läßt sich in keinem Betracht vom Lärm des Augenblicks betäuben; sie weiß sich jederzeit von der landläufigen Auffassung frei zu halten und überall Mächte von Scheinmächten zu unterscheiden. Ihr Wille, sich zur

Herrin der Verhältnisse zu machen, ist unbedingt, ihre Willenskraft ohne Vergleich und nur von ihrer Arbeitskraft erreicht. Sie ist nicht kleinlich; meist entscheidet sie nur, was geschehen muß, in dem ‚Wie' läßt sie freie Hand. Die Maxime ‚Le roi règne et ne gouverne pas' hat sie sich zu eigen gemacht.

Sie sucht in allem und vor allem die Gerechtigkeit; hierin ist sie von einer exemplarischen Strenge gegen sich selbst, und sie macht allein ihr Gewissen zum obersten Richter zwischen sich und der Welt. Öfter haben ihre Minister sie über einer Entscheidung in Tränen gefunden; es hat sich aber auch der Fall ereignet, daß man sie mit Tränen in den Augen ihre Zustimmung zu einer Maßregel geben sah, zu der ein erprobter Ratgeber ihren Kopf, aber nicht ihr Gemüt zu bewegen vermochte.

Wo sie mit sich selbst im reinen ist, ist ihre Festigkeit unerschütterlich, und sie wird dem ganzen Staatsrat, ja, dem Ersten Minister und dem über alles geliebten Gemahl widerstreben und die Oberhand behalten.

Da sie eine starke Seele hat, schrecken Krisen sie nicht, und in einem Schicksalswechsel bleibt sie gefaßt. Zudem gibt ihr die Frömmigkeit eine Zuflucht, wo alle Gefahren und Anfeindungen der Welt sie nicht erreichen können. Sie hat viel Mut und noch mehr Geduld: sowohl eine Sache von weither anzulegen, als auch die, in dem, was sie sich vorgesetzt hat, immer aufs neue wieder anzufangen; welche Geduld nichts andres ist als eine höhere Art von Mut, und die unentbehrlichste für einen großen Monarchen.

Aber sie ist nicht nur Monarchin, sondern auch eine sehr liebenswürdige und schöne Frau, eine musterhafte Gattin und eine vortreffliche Mutter. Sie weiß die Autorität der Regentin durch die Anmut der Frau ebenso zu verstärken als zu verdecken, sowie sie es auch liebt, daß die Autorität der Gesetze durch die Geltung der Schicklichkeit und des Herkommens gemildert und verstärkt werde. In beiden ist sie eine große Meisterin, und sie ist ebenso groß im Befehlen als im Gewinnen und Versöhnen. Sie ist kühn und fordert die Gefahr heraus; sie hasardiert, wenn sie hinter den Hunden im Sattel sitzt und gelegentlich auch am Spieltisch. Ihre größten Schönheiten sind ihr Teint, ihr Haar und ihre Stimme. In den ersten Jahren ihrer Ehe pflegte sie bezaubernd zu singen; jetzt lassen die Geschäfte ihr weniger Zeit, sich darin zu üben. Sie ist herablassend und nicht nur mit ihren Vertrauten, sondern mit jedermann von der äußersten Natürlichkeit; daß sie dabei ihrer Würde etwas vergeben könnte, gehört zu den Dingen, die unvorstellbar sind. Ihr Gefühl von sich selbst ist so hoch, daß sie es oft ausgesprochen hat: ‚Es könne ihr niemand an schuldiger Ehrfurcht mankieren, das sei nicht im Bereich der Möglichkeit.‘

Sie ist außerordentlich glücklich in der Auswahl ihrer Vertrauten und gegen ihre Diener von der größten und ausdauerndsten Güte. Wie sie in allem sehr ganz ist, schenkt sie ihr Vertrauen auch nie bloß halb. In Dankbarkeit ist sie kraftvoll wie in all und jedem; nie vergißt sie den geringsten Dienst, nie das kleinste Zeichen der Anhänglichkeit. Im Verzeihen ist sie rasch und großmütig; zur Ranküne ist sie unfähig, wie sie selber bekennt. Es ist selten, daß ein Regent nicht entweder der Schmeichelei zugänglich sei oder den Gedanken an den Nachruhm über alles stelle. Sie ist der Schmeichelei unzugänglich und hat eine Art, diese von sich abzulehnen, die niemand mißverstehen kann; aber auch der Ruhm scheint sie beinahe kalt zu lassen. Dagegen hält sie sehr viel auf das, was sie Ehre nennt, und worunter sie eine Übereinstimmung der rechtlich denkenden Leute mit der Stimme ihres eigenen Gewissens versteht."

Wenn der gleiche Podewils ferner die ganzen vierzig Jahre ihrer Regierung als ein aufmerksamer Beobachter Maria Theresias an ihrem Hofe ausgeharrt und die Kaiserin noch überlebt hätte, so hätte er seine Aufzeichnungen nach ihrem Tode etwa mit folgendem Resümee abschließen müssen: „Mit den vorrückenden Jahren nahm ihre geistige Klarheit zu, ihre Güte nicht ab. Sie täuschte sich über nichts: weder über den Charakter ihrer Kinder, deren Schwächen sie von ihren liebenswürdigen Eigenschaften aufs reinste zu sondern verstand, noch über die Grenzen ihres Lebenswerkes, die noch drohenden Unsicherheiten und Gefahren. Ihre Selbstkritik war die strengste; oft konnte man sie klagen hören, daß sie sich nicht mehr en vigueur fühle. Vielleicht kann man sagen, daß nichts ihrem Blick zu entgehen schien als die Größe ihrer eigenen Leistung.

Maria Theresia besaß wahrhaftig jenes Janusgesicht der guten und großen Fürsten, die mit einem Augenpaar die Vergangenheit festzuhalten, mit dem andren in die Zukunft vorauszublicken scheinen. Den ewigen Gegensatz zwischen Politik und Recht, zwischen gegebenen Zuständen und notwendigen Veränderungen darf sie sich rühmen, mit einer nie ermüdenden Anspannung ihrer Regentenkraft bis zur denkbarsten Milderung gebracht zu haben. Ihre

Maxime scheint simpel genug: sie war bestrebt, daß alles in Fluß bleibe und eine einfache, friedliche und rechtliche Lösung finde. Aber man muß die Schwierigkeit der politischen Geschäfte überhaupt und die Besonderheit ihrer Länder kennen, um zu wissen, was es bedeutet, eine solche Maxime in einer vierzigjährigen Regierung auch wirklich durchzuführen, und das inmitten von fast fortwährenden Kriegen und Kriegsdrohungen und mit der Last fortwährend sich erneuernder Mutterschaft, schließlich aber krank und fast ohne Atem.

Betrachtet man die Summe ihrer Maßregeln, mit denen sie ihre Staaten von oben bis unten, und das in der Stille, reformiert hat, so erscheint das Vollbrachte ungeheuer. Fast unmerklich hat sie den Übergang der politischen Verwaltung von den provinzialen Ständen an die Organe des Staates bewerkstelligt und zugleich die Justiz von der politischen Verwaltung abgetrennt. Sie hat durch die stabile Kontribution dem Staat ein beständiges Einkommen zugewiesen und durch die Konskription das stehende Heer fundiert. Das System der indirekten Steuern ist in den Mauten durch sie begründet. Für das Dasein der Bauern, die in ihren Ländern das eigentliche Volk bilden, ist durch die Aufhebung der Leibeigenschaft und die gemäßigte Untertänigkeit eine neue Epoche gemacht. Was sie im einzelnen an Verordnungen geschaffen, über den Gang der Märkte, das Maß und Gewicht in den Städten, den Bau von Chausseen und Wegen, die Zünfte, die Baupolizei, die Ordnung der ländlichen Gemeinden, die Dienstbotenordnung, die Waldordnung, das übersteigt nahezu das Maß der menschlichen Vorstellung: und in der kleinsten Maßregel wird man den gleichen

Geist der Vernunft und, ich möchte sagen, der Natürlichkeit finden, der im großen ihrem System zugrunde liegt.

Dabei muß man bedenken, daß ihr zeitlebens nur *ein* ganz außerordentlicher Mann zur Seite gestanden ist, und dieser nur auf dem Gebiete der äußeren Politik: der Fürst Kaunitz. Trotzdem war sie von der größten Bescheidenheit. Es wird ein Wort von ihr kolportiert aus einem Brief an eine ihr nahestehende Person: ‚Das bißchen Ruhm, was ich mir in der Welt erworben habe, verdanke ich nur der guten Auswahl meiner Vertrauten.‘ Da sie zur Lüge unfähig war, so enthält dieses Wort wirklich ihre aufrichtige Gesinnung über diesen Punkt. Ganz ebenso hat sie sich in ihren Handbilletten an ihre ersten Diener ausgedrückt; ja, man kann als Souverän nicht weiter gehen in der Wärme und Größe des Ausdrucks, als sie es zuweilen getan hat. Aber ihre Güte auch gegen ihre Kammerfrauen und niedriges Personal war ohne jeden Stolz, von einer vollkommen aus der Tiefe ihrer Natur entspringenden Wärme. Nie ist diese stärker zutage getreten als nach dem Tode ihres über alles geliebten Gemahls, des Kaisers Franz I. Mit eignen Händen an dem Leichentuch für den geliebten Toten arbeitend, wurde sie nicht müde, den mithelfenden Damen und Kammerfrauen von der Schönheit und Liebenswürdigkeit des Verblichenen zu erzählen. Die Kraft ihrer Trauer in diesem und zugleich die Lebhaftigkeit und Ingenuität, mit der sie sich der Erinnerung an den einzig Geliebten hingab, soll alle Anwesenden erschüttert und erstaunt haben; aber sie verbot allen diesen Frauen bei ihrer vollen Ungnade, je ein Wort von dem, was sie in der höchsten Vertraulichkeit des

Schmerzes mit ihnen geteilt hatte, unter die Leute zu bringen. Dieser Zug scheint mir die unvergleichliche Frau besser zu malen, als eine lange Schilderung oder Analyse ihres Charakters es vermöchte, desgleichen alles, was sie tat, um dieser bis zum letzten Atemzug währenden Trauer den Ausdruck zu geben, der ihrer großartigen und in allem nach Ganzheit und Fülle verlangenden Natur genügte. Gleich nach dem Tode des Gemahls schnitt sie sich ihre schönen Haare ab und verbarg den kahlen Kopf für die folgenden siebzehn Jahre unter der Witwenhaube. Das Zimmer, in dem Franz den letzten Atemzug getan hatte, verwandelte sie in eine Kapelle. Sie selbst zog aus ihren Gemächern aus, in den dritten Stock der Burg, wo sie fortan eine Reihe von Zimmern bewohnte, die sie mit schwarzem Samt ausschlagen ließ. Den Monatstag, jeden Achtzehnten, verbrachte sie eingeschlossen im Gebet, so auch den ganzen Sterbemonat, den August, insgesamt zweiundvierzig Tage im Jahr. Bei all dieser Hinwendung ihrer Seele auf den Tod und die letzten Dinge hat ihre Menschlichkeit nicht abgenommen; ja, die Gewissensangst und Sorge um das ihr Anbefohlene war vielleicht tiefer und leidenschaftlicher als in ihren jungen Jahren. So sah man sie zwei Jahre vor ihrem Tode, in dreistündigem Gebet in der Stephanskirche auf den Knien liegend, von Gott die Abwendung eines drohenden Krieges zu erflehen. So offenbarte sie bis in den Tod hinein die wunderbare Vereinigung zweier so seltener als scheinbar widersprechender Eigenschaften in einer Natur: der vollkommensten Menschlichkeit und Weiblichkeit, Weichheit, Herzenswärme, mit einer unbeugsamen Stärke der Seele. Von den Tagen und Stunden, die ihrem Tode vorausgingen, werden Zeugnisse der höchsten Gefaßtheit und Seelenkraft erzählt. Sie habe gewünscht, daß man sie wach erhalte; denn sie wolle nicht überfallen werden, sondern den Tod kommen sehen. Sie starb, nach ihren eigenen Worten, wie ihre älteste Tochter, die Erzherzogin Marianne, sie aufgezeichnet hat, bei völliger Klarheit, ohne die mindesten Ängste und Gewissensskrupel. Darüber habe sie selbst reflektiert und folgende Worte darüber geäußert, in denen sich die in ihr hergestellte Einheit einer vollkommenen Christin mit einer großen weltlichen Regentin in der größten Einfachheit offenbart: ‚Ich hab alleweil gearbeitet, so zu sterben; aber ich hab mich geforchten, es möchte mir nicht geraten; jetzo seh ich, daß man mit der Gnad Gottes alles kann.'

In dieser Weise etwa hätte ein Zeitgenosse sich ausdrücken können, der es versucht hätte, sich über ihr Wirken Rechenschaft zu geben und ihr Gerechtigkeit widerfahren zu lassen. Aber dieser Versuch, einen Kontur ihrer Person zu finden, war unzulänglich, ebenso ist es unsrer; wir fühlen, es gibt hier ein Etwas, dessen Kontur nicht nachzuzeichnen ist: eine vollkommene Rundung, die Äußerung einer ganz ausgeglichenen Kraft, die ein Mysterium war, und deren mysteriöse Nachwirkung über anderthalb Jahrhunderte hinweg eine von den mitbestimmenden Kräften unsrer Existenz ist. Als Kraft tritt sie in der Regententätigkeit, die für ihre Staaten neue Verhältnisse geschaffen hat, ebenso hervor wie im privaten Leben: ihre Art, die Existenz von zehn erwachsenen Kindern, die zum Teil Souveräne sind, zu gouvernieren, ihre Art von Dankbarkeit und Hingabe, ihre Art, sich herabzulassen, und ihre Art, zu trauern, alles das dokumentiert ein ganz außerordentliches und besondres Maß von Kraft. Das besondre Geheimnis dieser Kraft, die individuelle Signatur des Wesens liegt in der Einheit der Person in allem und jedem; nie wirkt bloß ihr Kopf, bloß ihr staatsmännischer Wille; sie kann nicht nach Willkür Gemüt oder Gewissen draußen lassen. In allem, wo sie handelt, ist sie ganz drin: wenn sie einen Brief schreibt, wie jenen berühmten an die Pompadour, durch den die Allianz mit Frankreich zustande kam, so fühlen wir, daß ihr Gewissen, das stärker war als ihr starkes und stolzes Gemüt, die Entscheidung gegeben hat und daß in dem Briefe eine Art Selbstaufopferung liegt; wer so handelt, kann sich freilich nichts vergeben, und dieses Gefühl, daß sie sich nichts vergeben kann, verläßt sie nie. Die Äußerung ihrer Kraft hat etwas Magisches wie bei jedem großen Menschen; aber daß sie als eine mächtige Herrscherperson sich der Besessenheit der Macht entzog, das ist ganz groß und singulär: denn leichter fällt es einer großen Seele, den Ruhm als hohl und lügnerisch gering achten, als der Faszination der Machtmehrung sich zu entziehen, welche das ganze Gewicht der Realität für sich in die Waagschale wirft. Darum ist ihr Widerstand gegen die Teilung Polens, ihre Tränen, ihr unwilliges Nachgeben, um ihren Staaten den von Preußen und Rußland angedrohten Krieg zu ersparen, die Fassung ihrer endlichen Zustimmung: „Placet, weil soviel große und gelehrte Männer es wollen, wenn ich aber schon längst tot bin, wird man erfahren, was aus dieser Verletzung an allem, was bisher heilig und gerecht war, hervorgeht“ — darum sind dies, obwohl gegen ihren Willen gehandelt wurde, und die Dinge weiter ihren Lauf nahmen, große theresianische Dokumente und auch der bescheidenste Versuch, ihrem Andenken zu huldigen, kann nicht an ihnen vorbeigehen.

Als sie die Augen schloß, schrieb Friedrich II. an seinen Minister: „Maria Theresia ist nicht mehr, somit beginnt eine neue Ordnung der Dinge.“ Für uns ist über alles wichtig die Ordnung der Dinge, die mit ihr begonnen hat und noch fortwirkt. Sie ist eine ganz große repräsentative Person und eine unvergängliche Erzieherin. Das, was man das Josefinische nennt, ist schärfer im Umriß und leichter faßlich; das Theresianische ist bei weitem stärker, geheimer und schicksalsvoller. In ihr war eine Zusammenfassung des österreichischen gesellschaftlichen Wesens, die für die Folge entscheidend geblieben ist. Prägten die preußischen Könige den Begriff der Stände, geschieden nach Rang, Lebensart und Funktion im Staate, aufs schärfste aus, so hatte Maria Theresia einen naiven und großen Begriff vom Volk, dem wir unendlich viel verdanken, weil er intuitiv und darum unerschöpflich ist. An welche Mächte sie glaubt und an welche nicht, ist eine Frage, die in keinem Katechismus steht und doch von Generation zu Generation unausgesprochen beherzigt worden ist; wie sie das Rechte kaum vom Schicklichen und das Schickliche kaum vom Natürlichen trennte — so natürlich war ihr das Sittliche —, wie sie ein hohes Ehrgefühl in sich trug, ganz ohne Ruhmsucht und Sucht nach Geltung, wie sie um keine Gunst buhlte: auch nicht um die des Volkes, auch nicht um die der Geschichte; ihre Instinktsicherheit und ihre hohe Seelenkraft, daß sie das Höchste überall nicht begrifflich, sondern mit dem Gemüt fassen will; ihr Mißtrauen gegen den

Begriff und ihr Zutrauen auf den Menschen, das ist einem Geschlecht nach dem andern ins Blut gegangen. Ihr Ruhm ist stärker in Geschöpfen als in Worten. Wenn auf unserm Dasein ein besonderes Licht liegt, das die Deutschen fühlen, wenn sie aus ihrer Welt in die unsre herübertreten, so ist sie schuld daran, in geheimerer Weise, als die Feder des Geschichtschreibers ausführen kann.

Unter den großen Figuren der Geschichte möchte man sie in die Nähe des Augustus stellen, der gleich ihr nicht den Kriegen seinen Ruhm verdankt und ein Baumeister des Lebendigen war wie sie. Freilich ein Augustus, bei dem kein Vergil und kein Livius steht. Aber dennoch blieb ihr Walten nicht ohne eine Stimme. Wo eine Fülle sich zusammenfaßt, will das innere Gefühl des Reichtums an den Tag. Das theresianische Weltwesen war irdisch und naiv und voll Frömmigkeit. Es war voll Mut zur Ordnung und Natur und voll Erhebung zu Gott. Es war naturnahe und, wo es stolz war, voll echtem Stolz ohne Steifheit und Härte. Haydn, Gluck und Mozart sind sein unvergänglicher Geist gewordener Gehalt.

DIE ÖSTERREICHISCHE IDEE

DIE Welt hat in diesen vier Jahren von hier eine Kraft ausgehen sehen, die sich in immer neuen Wellen fühlbar machte. Ein immer erneuter Effort kann nun und nimmer von einer inerten Masse ausgehen und man war allmählich genötigt, dieses ,,Konglomerat", dieses ,,Bündel von Nationen", angeblich unter irgendwelcher tyrannischen Oberherrschaft stehend, als die Offenbarung einer geistigen Kraft und einer historischen Notwendigkeit anzusehen. Hinter der naiven und andauernden Hingabe so verschiedener Elemente mußte etwas sein von größter Spannweite, das mit den Begriffen der Organisation und Mache ebensowenig faßbar war als mit den entgegengesetzten der Trägheit oder der Gewohnheitskraft. Die Versicherungen des Erstaunens und der Anerkennung, die mir darüber in der Schweiz, in Polen, in Skandinavien, wo immer, entgegengekommen sind, waren sehr belehrend. Man sprach von einer bewundernswerten Regeneration, doch ist richtiger vielleicht der Begriff eines historischen Machtkomplexes, der sein natürliches Schwergewicht zurückgewonnen hat.

Man hatte Mühe, dies mit den geläufigen Vorurteilen übereinzubringen, vielmehr diese zurücktreten zu lassen; doch hätte man vielleicht vom Anfang an mehr an das Geistige denken sollen, wie man tatsächlich jetzt zu Ende des Krieges zu tun anfängt. Man erinnert sich, daß Daseinsgesetze sich vielfältig durchkreuzen und daß historische Phänomene dadurch nicht unedler werden, ja vielleicht gerade an einer höheren Ordnung der Dinge teilnehmen, weil sie als Produkte solcher Kreuzungen unübersichtlicher als andere und nicht auf den ersten Blick zu beurteilen sind. Und man hätte finden können, daß ein aus den Tiefen dringender und offenbar weder zu entwurzelnder noch zu ermüdender österreichischer Optimismus auf zwei Faktoren sich begründete, die wie alles sehr Naheliegende leicht zu übersehen sind, und in der Tat gegenüber den glänzenden und militanten Ideologien, welche alle Köpfe beherrschten und alle Federn beschäftigten, in das Dunkel getreten waren: die Dauer des Bestandes dieses Reiches und seine geographische Situation. Beides, das ehrwürdige Alter dieser Monarchie und ihre beherrschende Lage im Südosten und an den Ufern des größten Stromes, der Europa mit dem Orient verbindet, hätte müssen immer sehr hoch gewertet werden: beides ist durch diesen Krieg, welcher alle Werte geprüft und in ihrer wahren Ordnung bestätigt hat, gleichsam rehabilitiert worden.

Die geographische Situation, eine Sache, die an sich unveränderlich scheint und doch immer neuen Interpretationen unterliegt, und das Alter, ein Phänomen, an das wenig oder nur mit der gelegentlichen Geringschätzung des Halbverstandes gedacht wird, wo man doch jener Zeilen des Machiavell nicht hätte vergessen sollen, die klar und unzerstörbar sind, wie jeder Bruchteil seines politischen Denkens: „Was den Staat betrifft, so ist die Form seiner Regierung von sehr geringer Bedeutung, obwohl halbgebildete Leute anders denken: das große Ziel der Staatskunst sollte Dauer sein, welche alles andere aufwiegt" — auf ihnen beiden zusammen ruht in diesem Reiche das zurückgewonnene Gefühl der eigenen Bedeutung und damit der Mut, sich selbst zu verstehen und die Polaritäten, die sich innerhalb unserer Totalität geltend machen, als lebensfördernde Konstellationen zu begreifen, unsere gewohnten inneren Spannungen und Krisen aber als Vorwegnahme des Tiefsten, das dem europäischen Konflikt zugrunde liegt, bei uns schon fühlbar, als noch das übrige Europa, in der Dumpfheit ausschließlich materieller Interessen und in einem prekären Gleichgewichtszustand fixiert, seinen größten politischen, das heißt geistigen Problemen ins Auge zu schauen noch nicht den Mut hatte.

Es ist nicht gleichgültig, ob man von gestern oder als Mark des Heiligen Römischen Reiches elfhundert Jahre oder als römische Grenzkolonie zweitausend Jahre alt ist und seine Idee in dem einen Fall von den römischen Kaisern, im anderen von Karl dem Großen, ihrem Nachfolger im Imperium, her hat, und dies in der Form, daß das Wesentliche dieser Idee nie abgebogen wurde, sondern sich als ein Unzerstörbares im Vorbeirauschen von zehn und zwanzig Jahrhunderten erhielt.

Das Wesen dieser Idee, kraft dessen sie die Möglichkeit in sich trug, die Jahrhunderte nicht nur zu durchdauern, sondern mit einer immer wieder verjüngten Miene aus dem Chaos und den Kataklysmen der Geschichte aufzutauchen, liegt in ihrer inneren Polarität: in der Antithese, die sie in sich schließt: zugleich Grenzmark, Grenzwall, Abschluß zu sein zwischen dem europäischen Imperium und einem, dessen Toren vorlagernden, stets chaotisch bewegten Völkergemenge Halb-Europa, Halb-Asien und zugleich fließende Grenze zu sein, Ausgangspunkt der Kolonisation, der Penetration, der sich nach Osten fortpflanzenden Kulturwellen, ja empfangend auch wieder und bereit zu empfangen die westwärts strebende Gegenwelle.

Real bis zur Vollkommenheit und darum in seinen letzten Konsequenzen überreal, das Praktisch-Politische überfliegend wie alle Elemente aus der großen geistig-politischen Erbschaft der Römer — und hierin der katholischen Kirche, der großen Fortsetzung des römischen Imperiumswesens, verwandt —, läßt diese Idee in ihrer geistigen Amplitude alles hinter sich, was nationale oder ökonomische Ideologien unserer Tage produzieren können. Sie allein hat eine österreichische Geschichte ermöglicht, die schwer zu schreiben ist, weil sie eine Geschichte fließender Grenzen ist, in der sich aber die Taten der babenbergischen Markgrafen und die der habsburgischen Dynastie, die Taten des Schwertes und der Abwehr, der Kirche und der Expansion, der Kolonisation und der Musik zu einer sehr hohen Synthese verbinden und die, obgleich sie ungeschrieben ist, eine darum nicht minder große geistige Macht ausübt, welche im Laufe der Jahrhunderte stark und beständig wie ein immer und immer wehender Wind in die Poren und ins Mark der südöstlichen Völker eingedrungen ist.

Diese primäre und schicksalhafte Anlage auf Ausgleich mit dem Osten, sagen wir es präzise: auf Ausgleich der alteuropäischen lateinisch-germanischen mit der neu-europäischen Slawenwelt, diese einzige Aufgabe und raison d'être Österreichs mußte für das europäische Bewußtsein eine Art von Verdunkelung erfahren, während der Dezennien 1848-1914. Während alle Welt sich konsequent dem nationalen Problem widmete — das freilich bei England und Frankreich zugleich, aber wie geistreich verborgen bis zur eigenen Täuschung, ein übernationales europäisches, mehr als europäisches Problem war —, hatten wir in den Ereignissen der Jahre 1859 bis 1866 zuerst die der Gegenwart kaum mehr verständlichen Reste einer alten übernationalen europäischen Politik zu liquidieren, dann aber in Dezennien einer schwierigen inneren Entwicklung, zu der die Welt keinen Schlüssel hatte, die innere Vorarbeit zu leisten auf den jetzigen Moment, die anonym blieb: die Grundlinien zu erfassen einer neuen übernationalen europäischen Politik unter voller Erfassung, Integrierung des nationalen Problems.

Österreichs Sprache war zu groß für die nachnapoleonische Zeit; erst die Ereignisse dieses Krieges sprechen und lehren wieder eine Sprache, in der wir ohne Zwang mitsprechen. Auf das, was nun kommen muß, sind wir tiefer vorbereitet als jemand in Europa. Stärker als das Engparteiliche und das Ideologische — die beide man irrtümlich für die einzigen Ausdrucksformen des Politischen hält — ist das Schicksalhafte, welches bei uns darauf geht, in deutschem Wesen Europäisches zusammenzufassen und dieses nicht mehr scharf-nationale Deutsche mit slawischem Wesen zum Ausgleich zu bringen. Die Ideen der Versöhnung, der Synthese, der Überspannung des Auseinanderklaffenden haben ihre eigene fortwirkende Kraft, ihre Spontaneität; sie nähren sich aus den Situationen, nicht aus den Argumenten, aus den wahren Erfahrungen, nicht aus den Schlagworten, seien diese nationalistisch, sozialistisch, parlamentaristisch.

Dies Europa, das sich neu formen will, bedarf eines Österreich: eines Gebildes von ungekünstelter Elastizität, aber eines Gebildes, eines wahren Organismus, durchströmt von der inneren Religion zu sich selbst, ohne welche keine Bindungen lebender Gewalten möglich sind; es bedarf seiner, um den polymorphen Osten zu fassen. Mitteleuropa ist ein Begriff der Praxis und des Tages, aber in der höchsten Sphäre, für Europa, wofern Europa nun bestehen soll, in der Sphäre der obersten geistigen Werte und der Entscheidungen über die Kultur der Jahrtausende ist Österreich nicht zu entbehren. Von hier unser Selbstbewußtsein, von hier die tiefe Sammlung und Ruhe in uns, während wir eine Welt gegen uns in Aufruhr sahen.

PREUSSE UND ÖSTERREICHER

Ein Schema

Im Ganzen:

PREUSSEN:	ÖSTERREICH:
Geschaffen, ein künstlicher Bau, von Natur armes Land,	Gewachsen, geschichtliches Gewebe, von Natur reiches Land,
alles im Menschen und von Menschen,	alles von außen her: Natur und Gott,
daher: Staatsgesinnung als Zusammenhaltendes,	Heimatliebe als Zusammenhaltendes,
mehr Tugend,	mehr Frömmigkeit,
mehr Tüchtigkeit.	mehr Menschlichkeit.

Soziale Struktur:

PREUSSEN:	ÖSTERREICH:
Ein undichtes soziales Gewebe, die Stände in der Kultur geschieden; aber präzise Maschinerie.	Ein dichtes soziales Gewebe, die Stände in der Kultur verbunden; die Mechanik des Ganzen unpräzise.
Niedriger Adel scharf gesondert, einheitlich in sich.	Hoher Adel reich an Typen, politisch uneinheitlich.
Homogene Beamtenwelt: Träger *eines* Geistes.	Polygene Beamtenwelt: Keine geforderte Denk- und Fühlweise.
„Herrschende" Anschauungen und Gepflogenheiten.	

Volk: Disziplinierbarste Masse, grenzenlose Autorität (Armee; wissenschaftliche Sozialdemokratie).	Volk: Selbständigste Masse, unbegrenzter Individualismus.
Höchste Autorität der Krone.	Höchstes Zutrauen der Krone.

Der Einzelne:

DER PREUSSE:	DER ÖSTERREICHER:
Aktuelle Gesinnung (um 1800 kosmopolitisch, um 1848 liberal, jetzt bismarckisch, fast ohne Gedächtnis für vergangene Phasen).	Traditionelle Gesinnung, stabil fast durch Jahrhunderte.
Mangel an historischem Sinn.	Besitzt historischen Instinkt.
Stärke der Abstraktion.	Geringe Begabung für Abstraktion.
Unvergleichlich in der geordneten Durchführung.	Rascher in der Auffassung.
Handelt nach der Vorschrift.	Handelt nach der Schicklichkeit.
Stärke der Dialektik.	Ablehnung der Dialektik.
Größere Gewandtheit des Ausdrucks.	Mehr Balance.
Mehr Konsequenz.	Mehr Fähigkeit, sich im Dasein zurechtzufinden.
Selbstgefühl.	Selbstironie.
Scheinbar männlich.	Scheinbar unmündig.

Verwandelt alles in Funktion.	Biegt alles ins Soziale um.
Behauptet und rechtfertigt sich selbst.	Bleibt lieber im Unklaren.
Selbstgerecht, anmaßend schulmeisterlich.	Verschämt, eitel, witzig.
Drängt zu Krisen.	Weicht den Krisen aus.
Kampf ums Recht.	Lässigkeit.
Unfähigkeit, sich in andere hineinzudenken.	Hineindenken in andere bis zur Charakterlosigkeit.
Gewollter Charakter.	Schauspielerei.
Jeder Einzelne Träger eines Teiles der Autorität.	Jeder Einzelne Träger einer ganzen Menschlichkeit.
Streberei.	Genußsucht.
Vorwiegen des Geschäftlichen.	Vorwiegen des Privaten.
Harte Übertreibung.	Ironie bis zur Auflösung.

ZUM DIREKTIONSWECHSEL IM BURGTHEATER

Wien, 4. Juli

DURCH den plötzlichen Abgang des zeitweiligen Burgtheaterdirektors tritt der kritische Zustand dieses wichtigen Instituts, die Sorge um seinen Fortbestand deutlich ins Bewußtsein der Allgemeinheit, zugleich auch die enormen Schwierigkeiten einer richtigen Besetzung des Postens. Denn es handelt sich, wenn man von einer gewissen Schönfärberei, die in allen Dingen unmoralisch und unpatriotisch ist, absieht, heute nicht mehr um Erhaltung, sondern um Wiederherstellung dessen, was seit Dezennien vernachlässigt, verrannt und verwirtschaftet worden ist. Man fragt sich, ob das Burgtheater denn überhaupt noch existiert, und es ist sehr schwer, sich selbst die Frage ehrlich zu beantworten. Das, was man unter diesen Begriff faßte, war ein im deutschen Kulturkreis vollkommen einziges Phänomen und selbst in schweren und trüben politischen Zeiten, um und nach 1848, nach 1866, von der größten Bedeutung, daß dieses Kulturphänomen mit der Stadt Wien und mit dem österreichischen Kaiserhaus in einer scheinbar selbstverständlichen und scheinbar unlöslichen Weise verknüpft war. Auf diesem Umstand und auf dem ganz analogen Vorrang im Musikalischen ruhte ein gewisser nicht zu bestreitender Primat der „Kaiserstadt" und wirkte in einer Sphäre, die ganz außerhalb des rein Politischen liegt, mit einer stillen Gewalt, die man aber nicht hätte für unzerstörbar halten sollen;

denn menschliche und besonders geistige Dinge sind hinfällig und bedürfen der beständigen Pflege.

Die Besonderheit des alten Burgtheaters, das völlig unbestrittene Anderssein und Bessersein gegenüber sämtlichen deutschen Hof- oder städtischen Theatern, lag in einer Reihe von Umständen: am meisten im Sozialen. Die unmittelbare, sogar örtliche Anknüpfung an den Hof, die ganz unvergleichliche soziale, zugleich bunte und distinguierte Zusammensetzung des Publikums — welche niemals etwas Schematisches hatte, wie etwa das Berliner Königliche Schauspielhaus in seiner Beschränkung auf Adel, Offiziers- und Beamtenkreise aufweist, — durch dies alles entstand eine Atmosphäre und ein gebildeter Geschmack, ein ausgesprochener Sinn für Qualität und Distinktion, vor allem gegenüber der schauspielerischen Leistung. Dieser glückliche Zustand setzte sich durch vier Generationen fort; auch das Jahr 1848 machte in diesen Dingen keinen Einschnitt. So erhielt sich, was sonst nirgends in deutschsprechenden Ländern zustande gekommen war, außer für kürzeste Frist, ein Theater ersten Ranges an dieser einzigen Stelle durch ein volles Jahrhundert. Über diesem stand dann ein glücklicher Stern. Vier bedeutende, superiore Menschen, Schreyvogel, Laube, Dingelstedt und Wilbrandt, kamen, jeder im richtigen Moment, jeder als reifer Mensch, jeder dem Zeitmoment und der augenblicklichen Mode geistig überlegen, jeder in seiner Weise mit einer unaffektierten, wirklich gefühlten Ehrfurcht für die Tradition und die Einzigartigkeit des Instituts, und gaben das Beste, was jeder zu geben hatte, einander ergänzend zu einer glücklichen Mischung: weder war der Kult des Schauspielers vorherrschend, noch der Bildungsdünkel des Literaten, weder wurde dem niedrigen Geschmack nachgegeben, noch das Publikum künstlich zu dem emporgeschraubt, was ihm fremd ist und wofür es sich nur künstlich und mit Anempfinderei interessieren kann. Die Atmosphäre der Stadt und des Reiches wurde respektiert, ja sie destillierte sich an dieser einzigen Stelle zu einer sinnlich anmutig in Erscheinung tretenden Geistigkeit. Die Prinzipien dieser vier bedeutenden Männer wären kaum genau zu fixieren: es waren lauter Imponderabilia, durch die sie gewirkt haben, Takt und Geschmack, Geist und Konsequenz, Linie im großen und Nuance im einzelnen, und das Produkt war eine bestimmte Spielweise, ein spezifischer Darstellungsstil des Burgtheaters, eine einzigartige Vermischung hoher Kultur mit großer Natürlichkeit. Man kann nicht den Darstellungsstil vom Repertoire trennen, alle diese Dinge müssen eins ins andere getrieben werden. Das alte Burgtheater spielte seinen Iffland und Kotzebue, das spätere seinen Augier, Feuillet und Dumas in einer so besonderen Weise, daß damit eben auf dem Gebiet des Theaters etwas Großes geleistet war; und anderseits kann man Shakespeare, Goethe und Schiller philisterhaft und provinziell herunterspielen und es ist nichts dabei gewonnen.

Man braucht kein Greis zu sein und man hat auf der Bühne des Burgtheaters — kurz vor und noch kurz nach dem Umzug ins neue Haus —, und man hat, vor allem auf dem Gebiet des Lustspiels und des Konversationsstückes, einen Glanz, nicht des Einzelnen, sondern des Zusammenspiels erlebt, dessengleichen heute auf dieser Bühne umsonst gesucht wird. Der Unterschied zwischen einem anständigen Ensemble und einem glanzvollen ist eben ein enormer, und man muß es ruhig aussprechen, daß das Kriterium des Glanzvollen sich auf das, was hier seit fünfzehn Jahren geboten wird, nicht mehr anwenden läßt. In diesem Zeitraum ist dann Brahm öfter nach Wien gekommen und er hat gezeigt, was ein glanzvolles Ensemble ist; aber es waren spezifisch norddeutsche Schauspieler und Stücke, die er brachte; man konnte sich damit trösten: es war eine bestimmte, unserem Geist nicht ganz homogene Epoche des literarischen Geschmackes angebrochen, so auch des Darstellungsstiles, man konnte das Gebrachte bewundern, aber nichts davon ließ sich unbedingt herwünschen. Indessen aber hat Reinhardt in Berlin ein neues Ensemble aufgebaut, in einem ganz anderen Geist, und wieder empfängt der Reisende an glücklichen Abenden dann und wann den Begriff, was ein Ensemble aus glanzvollen Kräften bedeutet. Ganz frappierend ist dann der nächste Gedanke: daß dieses Ensemble weit mehr als zur Hälfte aus Österreichern aufgebaut ist und aus solchen, die, wenn sie herkommen, jeder einzelne die größte Kraft auf das hiesige Publikum ausüben. Ich nenne nur: Moissi, den jedermann kennt, die Konstantin, die monatelang hier volle Häuser macht, Hermine Körner, die außerordentliche Lady Macbeth oder Königin Elisabeth, die in dieser Generation da war, Helene Thimig und ihren noch jüngeren Bruder, zwei der größten Hoffnungen der deutschen Bühne, und gleich zwei große Komiker: Arnold und Pallenberg — und alles, alles Wiener oder sonst Österreicher, ich nenne hier aus diesem Ensemble nur diese.

Man ist betroffen, wenn man sich dies zusammenfassend vergegenwärtigt. Aber ich breche hier ab, denn es sollte ausgesprochen werden, um einen allgemeinen Gedanken zu bekräftigen: daß bei zäher Konsequenz das Glanzvolle ebensogut auch heute zu erreichen ist wie das Mittelmäßige — nicht aber, um den Namen Reinhardts in Evidenz zu bringen, der in Berlin drei Theater leitet, dort sein eigener Herr ist und der hieherzukommen wohl ebensowenig den Wunsch hat, als man die Absicht hätte, ihn zu berufen.

Ein Provisorium durch einen intelligenten Schauspieler ist, für eine begrenzte Zeit, natürlich ein durchaus denkbarer Zustand, und ein solcher wird gewiß verhindern können, daß das Institut während einer solchen Zeit mit Vehemenz bergab geht. Ein gewisses Bergabgehen, gradatim, wird er nicht verhindern können, da diese Richtung, einmal eingeschlagen, eine fatale Gewalt übt. Dazu bedarf es eines Kraftfaktors, was der das Theater allein oder kollegialisch leitende Schauspieler nicht ist und nicht sein kann. Um das Ensemble völlig zu regenerieren, muß man über demselben stehen; so wird derjenige, von welchem eine neue Epoche dieses Instituts datieren sollte, auch auf anderen Gebieten über, nicht in der Situation stehen müssen. Weder von Mode, noch von Gegenmode, weder von Schlendrian und Routine, noch von Schlagworten, weder von der öffentlichen Meinung, noch von dem immer platten Willen des Publikums darf er sich einmal da und einmal dort hinzerren lassen. Er muß von dem, was hier geleistet werden muß, eine hohe, geordnete, ebensowohl österreichische als europäische Vorstellung haben; das Vorgestellte zu realisieren, in einer schwierigen, an Widerständen reichen, aber im Grund doch wieder lenksamen Welt muß er nicht Routine und nicht absolute Gelehrsamkeit, aber wahre Bildung, einen natürlichen Patriotismus und einen natürlichen Kosmopolitismus in sich tragen, ein starkes Selbstgefühl, ein noch stärkeres Gefühl der immensen Verantwortung, die er hier auf sich nimmt; für die Durchführung alles Erkannten aber braucht er, was man entweder hat oder nicht hat, aber niemals erwerben kann: Takt, Geschmack, den Sinn für Qualität und Nuance.

Nach mehreren der früheren nicht glücklichen Ernennungen, so auch nach der letzten, liefen im Publikum oder in halbwegs informierten Kreisen Anekdoten um, welche in mehr oder weniger pointierter Form zum Erstaunen der Außenstehenden zum Ausdruck brachten, daß ein gewisses Maß von Eile und das Zusammentreffen überstürzter Umstände, hastiger Informationen einen ziemlichen Anteil an der Designation solcher, nun längst der Vergangenheit angehöriger Männer hatten — deren nicht glückliches, steriles oder gar destruktives Wirken wir in den Resultaten noch nicht überwunden haben. Diese Anekdoten mögen zum großen Teil apokryph sein; jedenfalls, wenn die Allgemeinheit sich heute für das Burgtheater einen Mann wünscht, der — komme er aus welcher Sphäre immer — das Zeug hat, mit Mut und Kraft und mit unbezweifelbarer Superiorität in einen nicht mehr latenten Verfallszustand einzugreifen, so wird sie, als ein außenstehender und doch innerlich beteiligter Faktor, den Wunsch formulieren: durch ihr eigenes Verhalten alles beizutragen, damit eine Bedrängung oder Überhastung von den obersten Stellen, denen die schwere Verantwortung einer solchen Wahl auferlegt ist, ferngehalten bleibe.

ZUR KRISIS DES BURGTHEATERS

DIE Überschrift sucht keine Sensation. Es herrscht über die Lage der Dinge nur eine Meinung. Ein böser Zustand kann sich lange hinschleppen, aus Interesse verhehlen ihn die Beteiligten, aus gewohnheitsmäßiger Schönrednerei die meisten der öffentlich Schreibenden, endlich bricht er über Nacht heraus und liegt klar am Tage. Eine Übereinkunft, an die niemand recht glaubt, sucht umsonst den Schein zu retten: es gibt in diesen Dingen aber doch ein Entscheidendes hinter dem Schein, das da ist oder nicht da ist, eine innere Macht und Geltung, die einem solchen Kunstkörper innewohnt oder nicht innewohnt. Glaubt man aber die Autorität, die immer wieder neu erworben werden muß, gewohnheitsmäßig auf die Dauer in Anspruch nehmen zu dürfen, so entsteht ein ungesunder Zustand, durch den das Höhere, das hinter den Dingen und Einrichtungen steht, herabgewürdigt wird.

Der erkennbare Wert eines Theaters prägt sich aus in seinem Repertoire. Hat der Spielplan ein bestimmtes Gepräge, ist er in seinem Aufbau absichtsvoll, in bestimmten erkennbaren Bahnen laufend, das Höhere ständig suchend, dabei dem Ortsgeist gemäß, zugleich aber weit ausgreifend, im Neuen wählerisch, im Alten neubelebend, so ist an einer solchen Bühne etwas erreicht. So verhielt es sich am alten Burgtheater, so war der Bestand unter Laube, Dingelstedt, Wilbrandt. Ein Repertoire neu aufzubauen, sei es von

Grund aus, sei es nach einem Verfall, den wir erkennen, ist Sache eines langen Zeitraumes. Wer in diesen Dingen von heut auf morgen zu wirken glaubt, ist ahnungslos, oder er betrügt sich selber. Die Berliner Theater, welche in den letzten zwanzig Jahren, man mag es Wort haben oder nicht, in diesen Dingen die Führung innerhalb des deutschen Kulturgebietes an sich gezogen haben, stehen unter anderen Bedingungen als das, was hier gesucht wird; aber sie können als Beispiel herangezogen werden. Brahm, der für einen bestimmten Zeitenraum einen bestimmten Stil der Darstellung, ja des Theaters geschaffen hat, war siebzehn, wenn nicht zwanzig Jahre Direktor. Reinhardt, von dem in anderer Weise das gleiche gilt, ist heute vierundvierzig und leitet seine Theater seit achtzehn Jahren. Im kleinen Rahmen Jarno bei uns: er will etwas und weiß was er will, er hält jahrelang, ja Dezennien daran fest und erreichts. Er hat sein höheres Repertoire auf einen einzigen Autor gestellt: Strindberg. Nichts ist auf den ersten Anblick seltsamer, als einen bizarren nordländischen Autor, wie Strindberg, und das Wiener Publikum, das Publikum des Josefstädter Theaters, übereinbringen zu wollen. In diesen Dingen aber ist Geduld, ein fester Vorsatz und die Dauer der Zeit über allem.

Zwei Faktoren sind die entscheidenden für den Aufbau des Repertoires: die Atmosphäre der Stadt und das Schauspielermaterial. Publikum ist Publikum, es ist Masse und will das Flache, es ist befangen im Heute und will die Mode von heute, es hat nicht sehr viel Urteil, wenig Geschmack, wenig Unterscheidungsvermögen. Trotzdem sind Wiener und Berliner Publikum so entscheidend verschieden wie alles im

Geist dieser beiden Städte. Für das Berlinische gilt sehr scharf Schillers Wort: Der Deutsche ist nur moralisch, nicht ästhetisch zu rühren; das unsrige ist gerade ästhetisch zu rühren, es ist durch die Phantasie, die dem Sinnlichen nahe bleibt, zu finden und zu bewegen. Das rein Verstandesmäßige widerstrebt ihm, so auch die psychologische Analyse, wo es aber bei der Analyse bleibt; sitzt es vor der Rampe, so ist es von der sinnlich-seelischen Synthese nicht abzubringen. Über diese Beschaffenheit des Wiener Publikums ist nichts auszusprechen, das nicht Grillparzer mit einfachen schlagenden Worten mehrmals ausgesprochen hätte. Auch ist das Wiener Publikum seines eigenen Gefühles sicherer als das Berlinische, nicht so erpicht auf die geistige Mode, nicht so unruhig, es hat unbewußt einen Rückhalt an dem, was die Generationen, bis hinauf zu den Ururgroßeltern, auf diesem Gebiet erlebt und genossen haben. So ist es nicht leicht durch jedes Neue zu gewinnen, aber was man ihm gegeben hat, ist nicht in den Sand geschrieben. Endlich hat die hohe Kontinuität, mit der hier in der Musik das Reine und Große von Mozart an bis Wagner, Offenbarung auf Offenbarung, sich gefolgt ist, einen edleren Zug in die Allgemeinheit gebracht, eine Ahnung mehr als einen ausgebildeten Sinn, aber eine tief ins Blut gedrungene Ahnung doch des Höheren, das man zugleich vertraulich genießen könne: dieser kaum nennbare, bei aller Verwüstung immer wieder durchschlagende höhere Sinn des Empfangens ist vielleicht das Kostbarste.

Schauspieler sind hier, was sie überall sind: es kommt alles darauf an, welchen Gebrauch man von ihnen macht, ob es gelingt, sie wieder zu einer wahren

„Gesellschaft“, einem wahren Kunstkörper zu verbinden. Es sind vielleicht nicht zu wenige gute Schauspieler da, sondern zu viele gleichgültige. Das ist das wahre Kennzeichen einer schlecht geleiteten Truppe, daß man betroffen ist, wie viele gute Künstler im Verzeichnis stehen und wie wenig Glanz die Vorstellungen haben. Alles kommt ja gerade darauf an, daß die leitende Hand alle einzelnen beständig zur Geltung bringt, im Gegeneinander und im Zusammenspiel, im Alternieren, in der Episodenrolle noch beständig die glänzende, die unerwartete Seite jedes einzelnen zeige. Dazu bedarf es des Regisseurs, hier liegt sein Wirkungsfeld, nicht im Dekorativen. Hierin war Laube bewunderungswürdig und hierin ist es Reinhardt: daß er aus seinen Schauspielern, aus jedem einzelnen und aus allen zusammen, das Meiste macht, was aus ihnen zu machen ist, sie gegeneinander abtönt, sie aneinander steigert, einen durch die anderen bildet. Er kennt keine Grenze, er hält sich an kein Rollenfach, keine Anciennität: er läßt den Alten und den Jungen, den Berühmten und den um Geltung Ringenden wechselnd die gleiche Rolle spielen und nimmt aus dem zweifelhaften Halbtalent noch heraus, was zu nehmen ist. Ein großer, ja selbst nur ein guter Regisseur glänzt in seinen Schauspielern; um ihretwillen, muß es ihm scheinen, sei er da, ihnen zuliebe baut er scheinbar sein Repertoire; er scheint nur der Direktor der Schauspieler und nur im stillen subordiniert er sie dem höheren Zweck und ist hinter ihrem Rücken der Direktor des Schauspiels.

Es muß große und kleine Schauspieler geben, aber es sollte an einer vorzüglichen Bühne keine gleichgültigen Schauspieler geben, auch nicht einen einzigen.

Wer in den Jahren ist, sich des alten Burgtheaters zu erinnern, dem werden Schauspieler vor Augen stehen, wie Herr Altmann oder Herr Kracher, Episodisten, ja, aber sie hatten ein Gepräge, sie hatten Haltung, sie waren nicht gleichgültig, noch minder waren sie gemeine, gewöhnliche Menschen oder erschienen wenigstens niemals als solche. Wenn einer von ihnen in einem shakespearischen Königsdrama seinem Herrn eine Urkunde reichte, in der „Jungfrau von Orleans" dem König einen Stab vorbeitrug, einen Zeltvorhang zurückschlug, so war dies was.

Diese auszeichnende Prägung ist verloren, sie herzustellen wird lange dauern. Aber es sind die Individuen da, an welchen diese Prägung nicht verwischt ist, es kann einer am andern diesen Anstand steigern, einer vom andern ihn abnehmen, wenn nur die Hand da ist, die unablässig darauf hinweist.

Womit und in welchem Sinne das Repertoire aufzubauen, darüber meint man im reinen zu sein: mit den Klassikern vor allem. Doch liegen auch hier die Dinge nicht einfach, ja, eigentlich liegen sie hier schon durchaus problematisch. Vergleicht man die Situation der Comédie française, so ist dort alles, als ob es sich von selbst verstände. Sie spielen ihren Corneille, ihren Racine und Molière seit zweihundert und zweihundertfünfzig Jahren. Das ist der unveränderliche Kern des Repertoires. Aus dem achtzehnten Jahrhundert ist etliches von den kleineren Komödiendichtern dazugetreten, Regnard und Marivaux, dann allenfalls Beaumarchais und das Wenige, das sich von Voltaire auf dem Theater erhalten hat; aus der ersten Hälfte des neunzehnten Jahrhunderts einiges Wenige von Musset, der „Hernani" und der „Ruy Blas" von Victor Hugo; aus der zweiten das eine oder andere Stück von den Analytikern: Augier, Dumas, Sardou. Wie unendlich beharrend ist diese Lage der Dinge, wie übersichtlich, wie selbstverständlich das Handeln; da sind geweiste Wege. Bei uns ist alles problematisch, nichts versteht sich von selber, nichts liegt auf der Hand. Zu allem bedarf es der inneren Vorbereitung, einer geistreichen Wahl, eines strengen und zarten Gewissens.

Schiller selbst: er muß seinen großen Platz im Repertoire haben — aber ist er unbedingt heute noch der Grundstein des Repertoires? Er war es ohne Frage bis über die Mitte des neunzehnten Jahrhunderts, damals war er der heranwachsenden Generation, auf die zu wirken alles ankommt, er war ihr, man muß es aussprechen, was ihr heute Wagner ist. Immerhin, es ist für ein Theater des hohen Stiles ein ungeheurer Besitz, daß es die „Räuber" hat, daß es „Kabale und Liebe" hat und den „Wallenstein"; der unvergleichliche Glanz des Anfangs und die unvergleichliche Wucht des Endes werden noch auf Generationen hinaus das Bedenkliche der Hauptfigur überwiegen; für uns kommt dazu, daß der geschichtliche Vorgang uns nahe und von höchster Bedeutung. Das gleiche gilt von „Don Carlos", in dem zwei Elemente sind, um derentwillen das Theater und gerade das Burgtheater schließlich auf dieses unersetzliche Theaterstück wird zurückkommen müssen: der beispiellose theatralische Schwung und Wurf des Ganzen und der Zauber eines grandiosen höfischen Anstandes, mit dem das Ganze durchtränkt ist, der, so erträumt er ist, etwas gerade so Einzigartiges und Seltenes ist, als die Feld- und

Waldluft des „Götz“ oder die Gespensterluft der „Ahnfrau“.

Nun spreche ich den Namen unseres großen Dichters aus: Grillparzer. Auch hier liegt nichts auf der Hand, ist nichts mit einfachen Zeugnissen gewonnen. Alles, was er geschaffen hat, gehört der Bühne und verlangt nach der Bühne. Ein Bruchstück noch, wenn es von seiner Hand ist, wie die „Esther“, vermag sich dauernd zu behaupten, geschlossener und kraftvoller als tausend fertige Werke anderer. Aber die beiden geheimnisvollsten, weisesten Werke seines reifen Alters: „Der Bruderzwist in Habsburg“ und „Libussa“, beide einzig im deutschen Schrifttum, das eine die bedeutendste historisch-politische Tragödie der Deutschen, das andere ein Werk völlig unvergleichlicher Art, höchster Verklärung des wienerischen Zaubermärchenstückes, schwer von Weisheit, beide haben aber nur kaum auf der Bühne gelebt — sie sind nicht zu wecken, denn sie sind wach und lebendig: aber sind sie für die Burg zu gewinnen? Dies ist nicht unbedingt zu bejahen, doch unbedingt zu hoffen.

Goethes Verhältnis zur Bühne, zum wirklichen Theater, war eigener und verwickelter als sich in diesem Zusammenhang andeuten läßt. Sieht man den Zweiten Teil des „Faust“ auf der Bühne, und auf einer geistreich geleiteten Bühne, so erkennt man, wie sehr er fürs Theater gedacht ist, nicht als Repertoirestück, sondern als Festspiel aller Festspiele. In diesem Sinne muß ein Theater sich um ihn bemühen, in anderem Sinne aber um andere Werke. Mit der „Iphigenie“, mit dem „Tasso“ und der „Natürlichen Tochter“ steht es so, daß, um sie spielen zu dürfen, schon eine hohe Stufe erreicht sein muß: eine Haltung, ein Anstand, eine gereinigte Sprachweise wiedergewonnen sein muß, von der wir noch weit entfernt sind.

Sophokles und etwa Euripides, Molière, Calderon, Lope: so steht es mit all diesem ewigen Besitz, daß um ihn immer aufs neue gerungen werden muß. Denn die lebendige Bühne ist dem Heute und dem Hier zunächst untertan: das Fremde und Ferne kann ihr wohl gewonnen werden, aber jede Generation muß es sich aufs neue gewinnen.

Ein unendlicher Takt ist hier nötig, ein unendliches Unterscheidungsvermögen, ein gebildeter und am Leben gebildeter Geist. Ein gelehrtenhaftes Sich-Annähern entfremdet nur den Sinn eines als Masse doch unverdorbenen und naiven Publikums, erzeugt eine peinliche Spaltung, endlich eine Verwirrung des Geschmacks: Bildungssinn und der Trieb, sich zu unterhalten, dürfen nicht in der Berliner Weise auseinanderklaffen, sie müssen so überlegen als diskret immer wieder zueinandergeführt, durcheinandergeflochten werden. An die Übertragungen dieser Werke ist eine beständige Sorgfalt zu wenden, daß in ihnen, wie durch dünne feuchte Gewänder, das Lebendige dieser ewig lebendigen Dinge sich enthülle — ist nicht Shakespeare im Original heute jünger, ungezierter, minder gewelkt als in der Schlegel-Tieckschen Übertragung? Durch den Schauspieler müssen diese Dinge ans Publikum herangebracht werden; sie müssen dem Schauspieler durchaus schmackhaft werden, durch seine Leistung erst dem Publikum. Alles andere ist leere dramaturgische Absicht, ohne das Vermögen der Verwirklichung, oder Spiegelfechterei, und wer so verfährt, holt nur mühsam die großen alten Dinge heran, um sie für Jahrzehnte zu diskreditieren.

Und bedarf es nicht auch eines großen Maßes von Takt, um herauszufinden, wie man zu den österreichischen Volksdichtern sich zu verhalten habe, zu Raimund, Nestroy, Anzengruber? Hier glaubt man unbedingt auf dem rechten Wege zu sein, indem man Werk um Werk von der Volksbühne hinübernimmt auf die Bühne des höheren Stils. Nichts scheint mir bedenklicher, um es offen auszusprechen. Man meint diese Dichter und ihre Werke ausgezeichnet zu ehren, indem man sie auf die vornehmste Bühne bringt, man meint ihnen damit ein dauerndes Fortleben zu sichern. Der Gedanke an die Aufnahme eines Gemäldes in eine Gemäldegalerie schwebt vor, wo es, ein Meisterwerk neben Meisterwerken, fortlebt. Aber leben denn diese volksmäßigen Werke dann auch wirklich? Wurzeln sie denn in dem neuen Boden? Das Theaterstück lebt durch den Schauspieler, so diese volksmäßigen Stücke durch die volksmäßigen Schauspieler. Der Dialekt ist ihre Lebensluft. Wie nun: sollen die Schauspieler des hohen Stiles, die man mit beständiger Bemühung zu einer gereinigten Sprache, zu einer erhöhten Gebärde hinzuführen trachtet, zwischendurch, und oft, in die Welt des Dialekts mit Mund und Gebärde zurücktreten? Traut man ihnen so viel Biegsamkeit zu — und werden sie nicht auf dem volkstümlichen Gebiet immer etwas Künstliches an sich haben, etwas Ausgeliehenes, umgekehrt wie wenn Bauern hochdeutsch Komödie spielen wollten? Werden sie nicht matte und halbe Darsteller des Dialektischen sein — und das Dialektische geht bis in die Gebärde, bis ins Atmen und Dastehen—, und wenn ein großer Volksschauspieler, wie Girardi, unter sie tritt, wird da nicht ein sonderbarer Kontrast entstehen und durch das schöne naive alte Bild ein grober Riß gehen? So müßte man denn allmählich die großen, ja auch die vorzüglichen und selbst die guten Volksschauspieler herüberzuziehen trachten, das übermäßig große Ensemble durch eine Dialekttruppe vermehren, verdoppeln? Das wäre konsequent gehandelt und ganz zum Verderben der dichterischen Gebilde, denen man zu dienen glaubt. Aus ihrer Lebensluft genommen, der eigentümlichen leichten ungenauen, nicht mit Anspruch und Bildungssinn durchsetzten Atmosphäre des Vorstadttheaters, würden sie ein unglückseliges Halbdasein führen. Anstatt lebendig fortzuwirken, würden sie zum Objekt der Bildung werden, sie würden historisch empfunden und schließlich zum „Biedermeiermöbel" hinabsinken. Zugleich aber nimmt man durch die „noble" Konkurrenz dem vorstädtischen Theater die Lust und den Willen, seinen Raimund und seinen Nestroy weiterzuspielen, bricht hier eine schöne Tradition, verarmt das Repertoire in der Vorstadt, ohne das der Burg wirklich zu bereichern, und versündigt sich leichtsinnig an dem Besten und Eigensten was wir haben, nicht aus böser, sondern aus lauter guter Absicht, wie in den meisten Dingen gehandelt wird, denn es geht hier wie in allem darum, die Dinge zu Ende zu denken, aber gerade dies ist unendlich Wenigen gegeben. Hier spricht ein Einzelner und gegen eine Meinung, die im Augenblick allgemein ist. Und doch möchte auch ich nicht sagen, daß ich den „Verschwender" nicht im Repertoire der Burg behalten sehen möchte. Es ist in allen diesen Dingen so, daß sie sich nicht sondern lassen in Weiß und Schwarz, sondern daß alles auf die Nuance ankommt, alles immer wieder auf das Unterscheidungsvermögen, auf den Takt, zuletzt und zuhöchst auf ein zartes Verantwortungsgefühl, auf ein waches Gewissen: somit auf eine Person.

Regeln lassen sich nicht aufstellen, nur hindeuten läßt sich auf das Schwierige und auf die Zusammenhänge. Die Regel, hat jemand schön gesagt, nützt nur dem, der sie entbehren kann, den aber verdirbt sie, der sich an ihr weise glaubt. So ist in diesen verwikkelten Dingen die vernünftige Maxime keine Garantie, die Bildung und Gelehrtheit nicht, die Routine und das abgebrühte Fachwesen am wenigsten. Nur die produktive Person kann retten und der Kopf, der gewissenhaft genug ist, die Dinge zu Ende zu denken und bis in ihre Verzweigungen hinein, darf sich an solche Aufgaben wagen.

*

Diese Betrachtungen waren niedergeschrieben, als die Tagesblätter die Nachricht von der Ernennung des Gesandten Baron Andrian zum Generalintendanten, somit zum verantwortlichen Chef der beiden Hoftheater brachten. In die Öffentlichkeit sind über diese Persönlichkeit nur geringe Nachrichten gedrungen; immerhin lassen sich an diese wenigen Züge vielleicht Gedanken oder Vermutungen knüpfen, die hier in Kürze noch angeführt werden dürfen. Mit neunzehn Jahren der Autor einer kurzen Erzählung, „Der Garten der Erkenntnis“, und durch diese Prosa von kaum sechzig oder siebzig Seiten für eine Spanne Zeit in Deutschland berühmt und in einer Weise berühmt, daß die Spur davon sowohl im Gedächtnis der Literaten wie auch in der Literaturgeschichte sich heute, nach einem Vierteljahrhundert, scharf und bestimmt erhalten hat, wandte sich Baron Andrian dann dem öffentlichen Dienst zu und hat in fünfundzwanzig Jahren seiner ersten Arbeit keine zweite, kein Gedicht, keinen Aufsatz, nicht eine Zeile belletristischen Charakters jemals folgen lassen. Die Identität des verschollenen Schriftstellers, dessen verschollenes kleines Buch beständig gesucht und auf Auktionen hoch bezahlt wurde, mit dem hie und da in amtlichem Zusammenhang erwähnten Diplomaten war wohl dieses Vierteljahrhundert hindurch nur wenigen einzelnen geläufig. Der Vorgang ist ungewöhnlich. Ebenso ungewöhnlich ist das Buch selbst. Es ist ein kurzer, traumartiger Lebenslauf, sehr schlicht erzählt, mit Nennung österreichischer Ortschaften, Erwähnung ganz alltäglicher Dinge. Aber durch Zusammendrängung und Unbestimmtheit entsteht der Charakter des Märchenartigen und dies Besondere ist nicht durch kalte Absicht erzeugt, sondern wie unbewußt, durch die eigene Ergriffenheit. Eine Hervorbringung dieser Art hat etwas durchaus Außerordentliches, Einmaliges. Auch literarhistorisch steht dieses Stück Prosa ganz einsam. Inmitten einer Generation, für die es kein anderes Objekt gab als die Außenwelt, wendet sich hier ein unabhängiger, zarter und doch strenger Geist gegen das Innere, sucht das Hohe, Unnahbare mit dem Vertrauten zu verbinden. Das Suchende, Angstvolle der Jugend ist das Element des Buches und doch auch mehr, eine Anahnung des Höheren, Hinnahme des Schicksals, ein der Frömmigkeit Verwandtes, schwer Auszusprechendes. Wer ein Ding dieses Ranges gemacht hat und dann keine Zeile weiter, muß eine Art haben, sich selbst zu behandeln, die nicht alltäglich ist. Eine Selbstbezähmung dieser Art kann nur *eine* Wurzel haben: ein sehr waches Gewissen, einen sehr strengen Sinn für das als unvereinbar Erkannte.

Man sagt mir, daß Baron Andrian als einzige Rekreation das Zeichnen betreibe. Wer zeichnet, statt Aquarell oder Öl zu malen, liebt nicht das Bequeme. Er ringt um den richtigen Kontur. Er sucht die Sache, die Grenze. Er setzt, und noch in den Stunden seiner Erholung, das strenge Suchen nach dem Sein über das freundliche Spiel mit dem Schein.

Eine Selbstbezwingung, die bis zur Abnegation gehen müßte, eine große Geduld, die Geringschätzung jeder Bequemlichkeit und ein beständiges Ringen um den richtigen Kontur, um die Sache und um die Grenze, nicht viel anderes verlangen die neuen bis zum Äußersten schwierigen und verantwortungsvollen Geschäfte, die man Baron Andrian anvertraut hat.

DAS REINHARDTSCHE THEATER

Vorwort zu einem Buch von Ernst Stern

DAS Reinhardtsche Theaterunternehmen ist eine Macht geworden, von der, weit über Berlin hinaus, in hundert deutschen Städten das Bühnenwesen und auch das sonstige Kunstwesen influenziert wird. Wer dies nicht direkt gewahr wird, kann es an den Gegenströmungen erkennen, an der Ostentation, die damit getrieben wird, daß man vom Reinhardtschen Geiste unabhängig oder ihm entgegengesetzt sei. In der Tat ist nichts dabei gewonnen, wenn man ihn nachahmt. Aber es kann viel gewonnen sein, wenn man von ihm lernt, aus der konventionellen Verbindung auf die Elemente zurückzugehen. Dies tun mit mehr und minderer Befähigung so viele, daß man ohne jeden Zweifel von ihm Epoche datieren muß. Die ihn anfeinden oder ihn zu ignorieren vorgeben, nehmen ihm da und dort einen Gedankengang, eine einzelne Intention weg, betrachten als fertige Resultate, was stets nur eine Valeur in einem ewig fließenden Bilde ist und bringen gerade dadurch an den Tag, daß ein geistiges Band und eine wahre Originalität da sein muß, welche bei ihm so viele fluktuierende Elemente zusammenhält.

Es liegt im deutschen Wesen, daß jede Sache immer wieder von vorne angefangen wird. Wir haben seit hundertundfünfzig Jahren eine neue dichterische Sprache, viele große Dichter und einzelne große Schriftsteller, aber wir haben streng genommen nicht, was man eine Literatur nennen kann. Desgleichen haben wir seit ebenso langer Zeit eine deutsche Bühne, aber wir haben nicht entfernt eine theatralische Überlieferung von der Selbstverständlichkeit wie die Franzosen, worin die heutige Komödie von Capus oder Tristan Bernard sich zwanglos in die Entwicklung fügt, die von Molière und Regnard her läuft und Theaterdichter, Schauspieler und Publikum zur Einheit zusammenfaßt. Das normale deutsche Theaterwesen, wie es von den Intendanten und Stadttheaterdirektoren seit dem Anfang des neunzehnten Jahrhunderts betrieben wurde, verfolgte eine Art von eklektischem Traditionalismus: der Stil der Goetheschen Theaterführung, so wie ihn das ältere Burgtheater mit einiger Veränderung überliefert hatte, war maßgebend. Wo aber hinter solchen Instituten nicht eine grandiose Persönlichkeit stand, wie zu Anfang der vierziger Jahre Immermann in Düsseldorf, verfielen sie in einen glanzlosen Bildungsbetrieb, und der Enthusiasmus strömte zur Wagnerschen Opernbühne ab. Vor fünfundzwanzig Jahren trat Brahm auf und stellte in seiner „niederländischen Manier“ diesem zeitlos und farblos gewordenen allgemeinen deutschen Theaterwesen etwas entgegen, das spezifisch modern und spezifisch norddeutsch war und das ganze Gepräge seiner wahrhaft bedeutenden und geistig glanzvollen Person trug. Er gab dem Theater, dem sowohl das Festliche als das Soziale abhanden gekommen war, zwar nicht das Festliche, wohl aber das Soziale wieder. Indem von der Bühne etwas so Bestimmtes und in seinen Grenzen bis zur Vollkommenheit Getriebenes gezeigt wurde, kam auch in die Zuhörerschaft wieder Nerv und Einheit.

Das Vage und Schlaffe eines bloß vom herkömmlichen Bildungsbedürfnis zusammengehaltenen Publikums machte einem lebendigen Interesse Platz: das Gefühl der Epoche, des Augenblicks war stark und die Teilnahme an einer notwendigen Entwicklung, in der das Soziale und Künstlerische einander hervorhoben. Der Realismus daran war nichts als eine augenblickliche Konvention, das Wesentliche war Geist, Intention, Gespanntheit. Diese Luft eingeatmet zu haben, in ihr als Schauspieler gelernt und in der Freundschaft mit dem Direktor gewebt und gelebt zu haben, war sicher von entscheidender Bedeutung für Reinhardt. Für den Mut, dem flauen und verwischten Geschmack der Allgemeinheit seinen eigenen Geschmack entgegenzustellen, sah er hier das große Beispiel. Vielleicht war es in gewissem Sinn der schönste Moment seiner Existenz, als er das Neue, das ihm vorschwebte, neben die schon anerkannte Brahmsche Darbietung hinstellen konnte.

Anderseits wäre vielleicht Reinhardt nicht denkbar, wenn nicht vordem etwas existiert hätte wie das Wiener Theaterwesen. Nicht das Gegenwärtige, das fast charakterlos geworden ist, sondern jenes, das sich von den ersten bis gegen die letzten Dezennien des neunzehnten Jahrhunderts erhielt und wovon vor zwanzig Jahren noch mehr zu spüren war als heute. Dort, an dieser einzigen Stelle innerhalb des ganzen deutschen Bereiches, hatte sich ein Theaterwesen entwickelt, dem man das Epitheton „volkstümlich“ oder „natürlich“ geben kann. Es bestand die Einheit zwischen den drei Elementen: Drama, Schauspieler und Publikum, die sonst nirgends da war. In diesem

Sinn lassen sich Burg und Vorstadt in eins zusammenfassen: an beiden Orten bildete der Schauspieler den Mittelpunkt, und was die Zuschauer mit ihm und dem Drama verband, war ein wirklicher Theatersinn, nicht die Bildung, die ein vager und problematischer Begriff ist. Es lagen in dem Ganzen unausgewickelte Elemente aus dem Barock, die den Zuschauer mit einbegriffen, während das Goethesche Theater ihn draußen läßt und das Wagnersche ihn ideologisch und nicht ganz wahrheitsgemäß behandelt. Der Begriff des Festlichen und Geselligen waren die stillschweigenden Voraussetzungen. Indem Reinhardt bewußt den Schauspieler als das Zentrum seines Theaterwesens ansah, griff er auf diese barocken Elemente zurück und entwickelte sie mit Phantasie und Liebe. Versucht man in seiner so vielfältigen Tätigkeit das Entscheidende aufzufinden, so ergibt sich vielleicht als das Stärkste dies: er hat die Art des Zuhörens verändert. Seine Tendenz ging beständig dahin, den Zuhörer auf eine andere Ebene hinüberzuziehen. Hierin liegt die Einheit und Konsequenz von vielen scheinbar ganz disparaten Versuchen und Unternehmungen: das Spielen in sehr großen, dann wieder in kleinen Sälen, die wechselnde Verwendung der Musik, die Varianten der örtlichen Relation zwischen dem auftretenden Schauspieler und dem Publikum, die scheinbare wechselnde Aufmerksamkeit, die er der sogenannten Illusion und dem sogenannten Bühnenbild widmet. Musik ist ihm wesentlich ein geselliges Element und das Licht und die Kulisse ebenso. Er benützt alle drei als Hilfsmittel, um die gewohnte Relation zwischen Zuschauer und Schauspieler aufzuheben und den einen als Mittelpunkt und Festgeber, den anderen als Teilnehmer des Festes und Medium einer vor sich gehenden Zauberei möglichst frei zu machen.

Das Besondere ist, daß hier von den Elementen aus gedacht und gebaut wird. Bei einem solchen Freimachen ist die Gefahr nahe, daß immer wieder das Chaotische eintritt. Insbesondere das Schauspielerische, völlig losgelassen, führt ins Leere, in die Gemeinheit, ins Nichts. So verkam die commedia dell' arte. Das Reinhardtsche Unternehmen ist von dieser Gefahr nicht einen Augenblick unbedroht, aber er kommt immer wieder gegen sie auf, nicht durch Grundsätze, nicht mit einem starren Geschmack, sondern mit einer wunderbaren Sensibilität, einer Phantasie, welche sich immer wieder entzückt an den Zusammenhängen und Übereinstimmungen und dadurch immer wieder das Höhere über dem Chaotischen durchsetzt. Das Ganze, über das er gebietet, schlägt immer über, wird aber immer wieder an den Zügel genommen. Er wirft einem Element das andere entgegen: dem Schauspielerischen das Malerische, beiden das Dichterische und kühlt ein Feuer mit dem andern. Diese Arbeitsweise ist ganz einzigartig, unendlich fruchtbar in sich und eigentlich unnachahmlich. Die Aufgabe liegt für ihn wie für jeden produktiven Menschen im Strengerwerden, im Suchen des Stils, nachdem man sich der Elemente versichert hat. Aber zuerst muß einer das Feuer der Elemente kennen und hierin hat er einen ganz anderen Mut als Brahm, der primär ein Mann von ganz außerordentlichem Geist und erst in zweiter Reihe ein Mann des Theaters war.

Mit all dem kam Reinhardt irgendwelchen vitalen Bedürfnissen der Epoche entgegen. Aus dem Überflüssigen wird keine Berühmtheit und Autorität wie die seinige. Am deutlichsten liegen diese Zusammenhänge in der Wertung des Augensinnes. Die Generation, welche die Epoche trägt, hat sich gegen die frühere umgestellt in bezug auf den Sinn des Auges. Hier fiel das, was Reinhardt brachte, zusammen mit dem, was viele wünschten und suchten. Vielleicht könnte man in seinen Anfängen als das Leitende den Wunsch erkennen, das Schwarzweiß der Brahmschen Manier durch das Farbige abzulösen. Aber heute, wo man fünfzehn Jahre seiner Produktion überblickt, kann man vielleicht sagen, daß auch das Farbige nur eine der Formen des Rhythmischen war, das auf allen Gebieten des Theaterkomplexes wieder zur Geltung zu bringen ihm vorschwebte.

Zunächst waren es die empfindlichen und differenzierten Menschen, denen Reinhardts Unternehmen hier auf einem Gebiet entgegenkam, auf welchem sie in einer Welt von augenstumpfen Menschen zu entbehren, ja zu leiden gewohnt waren. Denn wo der Musiker den Mißtönen leicht entfliehen kann, wird der für die Farbe Empfindliche beständig beleidigt. Diejenigen, welche in der Farbe ebenso reizende Abgründe zu erkennen vermochten als in der Musik, sammelten sich als erste um ein Theater, das schon dadurch zum Malerischen kam, daß es das Mimische entschlossen in die Mitte stellte und von da aus folgerecht nach allen Richtungen ins Unendliche ging. Das Mimische bedarf, um sich auszuleben, des geschmückten, durch Farbe und Licht modulierten Raumes. Hier zum erstenmal sah die Malerei die

Gelegenheit, sich als Gehilfin, nicht als Handlangerin zu betätigen, und wenn es in der Möglichkeit liegt, daß eine ganz auf den lebendigen Augenblick gestellte Kunstübung irgend auf die Nachwelt gelange, so wird es durch die malerischen Mitarbeiter sein, von denen der vorzüglichste, der vieljährige Teilnehmer an fast allem dort Geleisteten, das vorliegende Buch vor die Öffentlichkeit bringt.

AN HENRI BARBUSSE, ALEXANDRE MERCEREAU UND IHRE FREUNDE

EURE Worte kommen langerwartet und sie sind stark und kommen zur rechten Stunde. Wir nehmen begierig ihren Gehalt auf und fühlen das Vertrauengebende wie vom Druck einer männlichen aufrichtigen Hand.

Daß Euch, während Ihr teilnahmet am Kampf, das Mitleid verzehrte wie ein innerer Brand — daß Euer Geist sich erhob über das Gewühl der Schlachten — daß Ihr die Wahrheit sprachet und der Lüge nicht glaubtet: — wir waren begierig, ähnliche Worte zu hören und ähnliche Worte auszusprechen, aber die Würde, die bei denen bleiben muß, welche unterlegen sind, verwehrte es uns. Einzelne Äußerungen drangen zu uns von solchen Eures Volkes, die wir um ihres Geistes willen zu verehren gelernt hatten, aber sie waren uns kaum begreiflich, und es ergab sich, nach so vielen Prüfungen, für uns ein neuer schmerzlicher Zwiespalt. Wir vergaßen, daß auch bei Euch ein Augenblick der Sammlung nötig war, bis das Wort derer zu uns dringen konnte, deren Lippen sich schon darum nicht am hurtigsten öffnen konnten, weil sie ihr ganzes Herz, finstere Erlebnisse und ungeheure Erfahrungen in ihre Worte zu legen hatten. Sei es jetzt ausgesprochen: daß diese furchtbaren vier Jahre lang für uns die Hingabe an das Geschick des eigenen Volkes vereinbar war mit dem Mitfühlen für Euer Volk, und daß der Begriff des mütterlichen Europa, den die Federn der chauvinistischen Tagschreiber rastlos verhöhnten, für uns Einzelne beständig mit der gleichen angstvollen Ehrerbietung umgeben war, zu der wir uns heute bekennen. Waren wir Einzelne, es waren unser nicht wenige, und wir fühlten uns als lebendige Glieder des gleichen Leibes, der kämpfte und verblutete.

Sei es ausgesprochen: daß eine Reue allein in uns immer lebendig war: die Reue, zur wahren wechselweisen Erkenntnis der Nationen zu wenig beigetragen zu haben. Die Mühe, die wir aufgewandt hatten, die Früchte Eures Geistes zu genießen, die Produkte dreier, glorreicher französischer Jahrhunderte uns zu eigen zu machen, die unlösbare Verkettung der Geistigkeiten zu erfassen, war selbstsüchtig gewesen. Zu wenig hatte sie unseren Völkern gefruchtet. Hier, auf unserem eigensten Gebiet, hatten wir uns als unzulänglich erwiesen.

Diese Einsicht hat alles an sich, um uns zu entmutigen: aber indem Ihr uns aufruft, gebt Ihr uns neuen Mut; indem Ihr uns sagt, daß Ihr unseres Wortes bedürfet, leben wir auf. Wir erkennen, daß Ihr *der* Worte müde seid, welche, furchtbarer noch als die Waffen, fast unmenschliche Gruppen aus uns machten und daß Euch, wie uns, eine neue Sprache zu finden nötig scheint, eine neue Sprache zwischen den Nationen.

Zu wenig sorgenvoll und tiefblickend hatte man die Unterschiede der Sprachen erfaßt: unsere einsame, tiefsinnige monologische mehr als gesellige Sprache ist Euch fremd geblieben, die Eurige, so unvergleichliches Organ der höchsten geistigen Geselligkeit, ist von den Unseren mit einer seichten Liebe geliebt, mit einem seichten verkennenden Haß geschmäht worden. Dies ist das große Dilemma: die Sprachen sind der Träger des Lebens, sie sind der eigentliche geistige Leib der Nationen, aber ohne Ehrfurcht, ohne eine Scheu, die Niedrigen nicht lehrbar ist, gebraucht, sinken sie herab zum Vehikel jenes barbarischen und dem Untergang geweihten Nationalismus, gegen den Euer Aufruf sich bebend und flammend auflehnt.

Wir wollen uns zuschwören, eine neue Sprache zueinander zu sprechen. Vielmehr es bedarf Eures Schwures nicht: denn Ihr habt uns in einer neuen Sprache angesprochen.

Unsere Vereinigung ist selbstverständlich; sie ist mit diesem einen ausgesprochenen Worte ohne Umschweife vollzogen; und sie wird unendliche Feindseligkeit auslösen, aber ohnmächtige Feindschaft. Die Sprache des Hasses ist künstlich und schon übermüdet. Die kalte Übertreibung, die zügellose Rhetorik, die boshafte Zuspitzung, und über alles jene giftige scheinbare Sachlichkeit, jene „Technicität", welche Herz und Hirn verdorren läßt und vergessen will, daß wir Menschen, ein lebendes Ganzes sind, jener ruchlose Quantitätsgeist, jene materialistische und immer zweideutige Fachlichkeit — das überanstrengte Herz der Welt ist ihrer aller müde.

Wir, die wir dem Geiste dienen, haben erst in maßloser Bedrängnis ahnen gelernt, was Geist ist, und eine fast religiöse Scheu wird uns hinfort verbieten, einen so schwer errungenen Begriff zu prostituieren. Wir glaubten, daß die Sprache der Brüderlichkeit, die philosophische und soziale Sprache von 1780 und von 1820, hinter uns liege: aber sie liegt aufs neue vor uns: die Ahnung der Menschenwürde steigt wieder leuchtend auf, und Europa, dem ein Chaos den Untergang droht, wird uns namenlos teuer.

Wenig wißt Ihr von uns, Freunde. Was wissen wir selbst von uns? Wir sind ein zwiespältiges Volk, das sich selber immer neu entdecken muß und Mühe hat, sich selber zu begreifen. Dunkler Gast unter den Völkern der Erde, dem Nicht-seienden und dem Daseienden wechselweise verknüpft, müssen wir es tragen, wenn Mißtrauen die Welt erfüllt, auch dann, wenn wir aufrichtig aber unerwartet handeln und wandeln. Auch in einem scharfen, verkleinernden Spiegel noch sind Eures Volkes Züge erträglich, ja bezaubernd, die unseren bedürfen eines liebevollen, das Große und Weitschweifige klug zusammenfassenden, eines vermenschlichenden Blickes. Aber wir sind begierig nach Formung, und der Übergang von Starrheit und beklommener Selbstversunkenheit zu dieser Expansion, zu der Ihr uns aufruft, ist schon ein Erlebnis, das uns formt. Indem Ihr die Hände gegen uns ausstreckt, habt Ihr uns gestärkt und es hat tragischer Zusammenhänge bedurft, um in eine bloße Berührung so viel Pathos zu legen. Das bloße Wort, daß Ihr „Eile habt, unsere Hände zu ergreifen", hat unsere Herzen schlagen gemacht. Wo immer wir einander begegnen werden, sei es als Lebende, sei es als geistige Kräfte, wird es keine Begegnung gleichgültiger und eitler Individuen sein. Eine Kameradschaft wird aus unseren Augen sprechen, wie die Welt sie noch nicht gekannt hat: denn wir mußten durch eine furchtbare Prüfung gehen, bevor wir diese Weihe empfangen konnten, einander in diesem neuen Sinne Kameraden zu sein.

Wir sind, als Geistige, in Frage gestellt von einer Welt, die Chaos werden will, weil ihre Ideen erschüttert sind; unser Wert, als Individuen, ist bescheiden und problematisch; das Ungeheure unserer Situation ist ohne Beispiel. Und es ist nur ein Anfang, nur ein Aufbrechen erst. Wir haben einen gefahrvollen Weg: aber wir werden ihn gemeinsam gehen.

Wien, im Februar 1919.

DEUTSCHE FESTSPIELE ZU SALZBURG

DER Festspielgedanke ist der eigentliche Kunstgedanke des bayrisch-österreichischen Stammes. Gründung eines Festspielhauses auf der Grenzscheide zwischen Bayern und Österreich ist symbolischer Ausdruck tiefster Tendenzen, die ein halbes Jahrtausend alt sind, zugleich Kundgebungen lebendigen, unverkümmerten Kulturzusammenhanges bis Basel hin, bis Ödenburg und Eisenstadt hinüber, bis Meran hinunter. Südlichdeutsches Gesamtleben tritt hier hervor; der gewaltige Unterbau ist mittelalterlich, in Gluck war der Vorgipfel, in Mozart war der wahrhaftige Gipfel und das Zentrum: dramatisches Wesen und Musikwesen ist eins — hohes Schauspiel und Oper, stets nur begrifflich geschieden, im Barocktheater des siebzehnten Jahrhunderts schon vereinigt, in der Tat untrennbar. Hier tritt Weimar an Salzburg heran; was in Goethe wahrhaft theatralisches Element war — und wie gewaltig dieses war, werden die Salzburger Festspiele zeigen — ist ein großartiges Übereinanderschichten aller theatralischen Formen, die dem süddeutschen Boden entsprossen sind: vom Mysterium und der Moralität über das Puppenspiel und das jesuitische Schuldrama zur höfischen Oper mit Chören, Maschinen und Aufzügen. Und was ist Schillers Schaffen, nicht des jungen Schiller, sondern des reifen von der „Jungfrau von Orleans“ bis zur „Braut von Messina“, anderes als ein Ringen um die Oper ohne Musik?

So tritt Weimar zu Salzburg: die Mainlinie wird betont und zugleich aufgehoben. Süddeutsche Stammeseigentümlichkeit tritt scharf hervor und zugleich tritt das Zusammenhaltende vor die Seele. Nicht anders kann als in solcher Polarität das im tiefsten polare deutsche Wesen sich ausdrücken; so war es zu den Zeiten des alten ehrwürdigen Reiches, so soll es wieder sein. Mozart ist das Zentrum: das ist keine begriffliche Konstruktion, sondern Naturwahrheit, die waltet doch auch im Geistigen, nicht nur im Geographischen und in der Wirtschaft. Das romanische Element in seinem Leben ist nicht Akzidenz, nicht Zeitmode, sondern ewig und notwendig und Weltbrücke. Steht die Dreiheit: „Idomeneo" — „Don Juan" — „Zauberflöte" — in der Mitte, so ist Gluck von selber mitinbegriffen, mit Gluck aber auch das antike Drama, soweit unser theatralischer Instinkt es uns heranbringen kann — denn Gluck war nur ein Ringen deutschen Geistes um die Antike, wie Racine das Ringen französischen Geistes um die Antike —, und Glucks Drama war Wiedergeburt antiker Tragödie aus der Musik.

Von „Don Juan" und den anderen Komödien Mozarts ist Anschluß gegeben — und ein Programm dieser Art rechnet mit wirklichen, nicht mit begrifflichen Anschlüssen — an das weltliche Drama Calderons, wie an das geistliche. Mit dieser höchsten Auswirkung des barocken Theatergeistes ist das Mysterium und das geistliche Spiel, soweit es sich mit Anstand auf die weltliche Bühne bringen läßt, einbezogen. An das naive deutsche Wesen der „Zauberflöte", an die Gemütswelt der Mozartschen Komödien schließen sich Webers Werke und schließt sich Ferdinand Raimunds von einer bescheidenen Musik durchwebte Märchenwelt an. Shakespeare war vom Augenblick an einbezogen, als man diese Bühne aufschlug: aber der Shakespeare des „Sturm" und des „Sommernachtstraum" vor allem. Das Repertoire ist ungeheuer. Überblickt man es, so ergibt sich ein Schein von Buntheit, im Wesen eine organische Einheitlichkeit, in der, es sei noch einmal gesagt, die konventionelle Antithese von Oper und Schauspiel im hohen Festspiele aufgehoben erscheint.

Seien einige wenige der Gruppen und Stufungen genannt, die sich ungezwungen ergeben:

„Faust" I und II — das phantastische Element: die germanische Walpurgisnacht — „Sommernachtstraum" — „Alpenkönig und Menschenfeind" — Webers „Oberon" und „Freischütz".

„Faust": das antike Element — die klassische Walpurgisnacht — die Märchenstücke des Euripides: „Helena", „Ion", die „Bacchen" — Grillparzers „Hero".

„Faust", das Puppenspiel als symbolische Tragödie höchsten Stiles: Äschylos' „Gefesselter Prometheus" — indisches Drama — Calderons „Leben ein Traum" — als Nachhall: Grillparzers „Traum ein Leben".

FESTSPIELE IN SALZBURG

MUSIKALISCH theatralische Festspiele in Salzburg zu veranstalten, das heißt: uralt Lebendiges aufs neue lebendig machen; es heißt: an uralter sinnfällig auserlesener Stätte aufs neue tun, was dort allezeit getan wurde; es heißt: den Urtrieb des bayrisch-österreichischen Stammes gewähren lassen, und diesem Volk, in dem „die Gabe des Liedes, des Menschensachenspielens, des Holzschneidens, des Malens und des Tonsetzens fast allgemein verteilt ist", den Weg zurück finden helfen zu seinem eigentlichen geistigen Element.

Dem Bajuvaren wurde alles Handlung; er ist der Schöpfer des deutschen Volksspieles. Das Passionsspiel der Oberammergauer Bauern, alle zehn Jahre wiederholt, ragt heraus, weltberühmt. Aber der Ammergau ist ein Gau unter siebzig Gauen deutscher alpenländischer Landschaft; und die Dörfer und Städtlein, die Abteien und Schulklöster am Inn und an der Etsch, an der Donau und an der Mur haben aus sich das gleiche herausgeboren. In Tirol allein lassen sich innerhalb eines halben Jahrhunderts, 1750 bis 1800, an 160 verschiedenen Orten über 800 Volksaufführungen zählen. „Der Tiroler Bauer hat in diesem halben Jahrhundert einfach alles gesehen, was seit 1600 über deutsche Bühnen, vieles, was in dieser Zeit über europäische Bühnen gegangen war." Da sind Staatstragödien großen Stiles, Passionsspiele, Weltgerichtsspiele, deutsche und italienische Operetten; da sind Legenden; da sind Komödien und Tragödien aus dem Spielplane aller deutschen Hoftheater dieses Menschenalters; alte Fastnachtspiele. Da steht unter Voltaires „Zaïre“ der sächsische Prinzenraub, unter der „Maria Stuart“ die „Griseldis“, „Genofeva“, „Johannes von Nepomuk“. Das ist Tirol, und so geht es den Inn entlang, die Donau hinab zum Böhmerwald hinüber, es geht südlich bis an die kärntnerische Drau, östlich bis Preßburg. So ists Stadt um Stadt, Dorf um Dorf. Die mächtigen Abteien, die von schönen Hügeln herab weit ins Land schauen, haben ihre Bühne für das große Schauspiel, für die prunkvolle Oper; sie wetteifern mit München und Wien. Ihrer jede ist der Mittelpunkt, von dem aus diese volkstümliche Kunst nach allen Seiten ausströmt „bis in die einsamste Waldkapelle, in die letzte Holzschnitzerwerkstatt“. Wo in einem Waldtal die Schmiedehämmer dröhnen, spielen die Schmiede und Schmiedgesellen Theater. Sie spielen Ritterstücke, Märchen und Sagen. An der Kieferach blühte ein solches Schmiedetheater vom Ende des sechzehnten Jahrhunderts bis zum Anfang des neunzehnten. Anderswo sinds die Müller und Müllergesellen, die sich zusammentun. In den Bergstädten haben die Bergleute ihre Singschulen, und aus ihnen wachsen Theater. In Lauffen an der Salzach, dem schönen Fluß, an dem Salzburg liegt, blüht die Gilde der Salzschiffer, mächtig und geachtet. Im Winter, wenn der Fluß vereist ist, spielen sie Theater: in Wirtshäusern, in Mühlen, auf Schlössern, und ihr Ruhm als Schauspieler stellt ihren Ruhm als mutige und geschickte Schiffer in den Schatten. Es ist wahrhaftig ein Urtrieb, der sich da auslebt; und wenn die Zeiten finster werden, die

Wirklichkeit hart und gräßlich auf den Menschen liegt, so wird dieser Trieb stärker, nicht schwächer. 1663, im furchtbaren Pestjahre, gelobten die Oberammergauer ein Passionsspiel und seit damals halten sie ihr Gelübde. 1683, als die Türken vor Wien lagen und halb Niederösterreich in die Sklaverei verschleppt wurde, und der Brand der Dörfer und Städte nicht aufhörte, den Nachthimmel zu röten, wurde in den verschonten Teilen der Alpenländer Theater gespielt mit einer Hingabe wie kaum je zuvor, und sieben Jahre später war Kara Mustapha eine Bühnenfigur auf zwanzig Bühnen. Es ist etwas in diesem Tun und Treiben, diesem unbesiegbaren Drang zur Darstellung, in dem Bild und Klang, pathetische Gebärde und Tanzrhythmus zusammenfließen, das an Attika gemahnt; und hier wie dort scheint es an das gleiche Naturgegebene gebunden: das Bergland. Ein Bergtal ist ein natürliches Theater, und sonderbar genug, der theatralische Trieb des südlichen deutschen Stammes folgt den Bergketten. So strahlt er bis in den Böhmerwald aus; die Passionsspiele zu Höritz sind sein letztes lebendiges Überbleibsel; so geht er nördlich bis Niederbayern, östlich bis an die ungarische Ebene. Die Nürnberger Landschaft gehört noch dazu, die Hügel von Bayreuth gehören dazu. Und sollte es Zufall sein, daß Wagner Bayreuth gewählt hat? In Bayreuth steht aus der Markgrafenzeit das prunkvolle Barocktheater, das ein süddeutscher Fürst geschaffen hat. Es ist nichts Zufall, alles geographische Wahrheit, tiefer Zusammenhang zwischen scheinbar nur Geistigem und scheinbar nur Physischem. In Syrakus, im antiken Theater, mit dem ewigen Meer als Hintergrund, wird seit drei Jahren jedes Frühjahr eine der Tragödien des Äschylos aufgeführt, mit gesungenen Chören, die Gewänder in den Farbtönen der antiken Wandmalereien, die stumpf erscheinen unter unserem stumpfen Licht, aber wundervoll aufleben unter der sizilianischen Sonne. Der Eindruck ist überwältigend, und er appelliert nicht an den Bildungssinn, sondern an das unmittelbare Gefühl. Es waren Fremde, Schweden, Schweizer, die von dorther zurückkamen und mir davon sprachen. Sie waren sich bewußt, etwas aufgenommen zu haben, das — obwohl aus der höchsten geistigen Sphäre und durch den Abgrund der Jahrtausende von uns getrennt — doch, an dieser Stätte, so unmittelbar, so natürlich, so volkshaft auf sie gewirkt hatte wie eine Marienprozession in Gent oder ein Stiergefecht in Spanien. So war es mit dem „Jedermann" in Salzburg.

Es war nur ein Anfang. Aber der Eindruck war ungeheuer: denn hier, wie dort in Syrakus, traten unendlich komplizierte Elemente, die ganz verschiedenen Ordnungen angehören, zu einer solchen Einheit zusammen, daß das Resultat als etwas rein Volkshaftes, ja Naturhaftes, Unmittelbares erschien. Salzburg ist in der Tat das Herz dieser bayrisch-österreichischen Landschaft. Alle diese kulturellen und geographischen Linien, die Wien mit München, Tirol mit Böhmen, Nürnberg mit Steiermark und Kärnten verbinden, laufen hier zusammen. Zugleich ist es landschaftlich und architektonisch der stärkste Ausdruck des süddeutschen Barock, denn die Landschaft spielt hier so der Architektur entgegen, die Architektur hat sich so leidenschaftlich theatralisch der Landschaft bemächtigt, daß die beiden Elemente zu trennen undenkbar wäre. Das Geistige stimmt überein. Salzburg war seit der Mitte des siebzehnten Jahrhunderts „der unbestrittene geistige Führer alles freien Landes zwischen München, Wien und Innsbruck. Humanismus, Renaissance und Barock hatten hier einen geschichtlichen Gehalt wie in keiner Landschaft[1]“. Nirgends so wie dort fließen die Jahrhunderte ineinander, das Barock des Mittelalters — die nach Ausdruck und Darstellung ringende franziskanische Zeit — und das Barock des Jahrhunderts. Das bäuerliche, beharrende, naturnahe Element bindet beide. Der von Palästen und Säulenbogen umschlossene Domplatz ist italienisch, fast zeitlos. Herein blicken die Berge einer deutschen Landschaft, gekrönt von einer deutschen Burg. Die Franziskanerkirche ragt daneben auf, reines Mittelalter. Die Statuen vor dem Dom sind frühes Barock. Es war der Gedanke Max Reinhardts, auf diesem Platze, vor der Fassade des Doms, das Gerüst für das „Jedermann“-Spiel aufzubauen. Aber als das Spiel lebendig wurde, schien es sein Gedanke gewesen zu sein, der in diesem Platz, diesem Ganzen aus Natur und Baukunst, immer gelegen war. Die Fanfarenbläser und Spielansager hatten ihren selbstverständlichen Platz, zerstreut auf dem marmornen Portikus. Wie ein Selbstverständliches wirkten die marmornen fünf Meter hohen Heiligen, zwischen denen die Schauspieler hervortraten und wieder verschwanden, wie ein Selbstverständliches die Rufe „Jedermann“ von den Türmen der nahen Kirche, von der Festung herab, vom Petersfriedhof herüber, wie ein Selbstverständliches das Dröhnen der großen Glocken zum Ende des Spieles, das Hineinschreiten der sechs Engel

[1] Josef Nadler, „Literaturgeschichte der deutschen Stämme und Landschaften“, dem auch die übrigen Zitate angehören.

ins dämmernde Portal, die Franziskanermönche, die von ihrem Turm herunter zusahen, die Kleriker in den hundert Fenstern des Petersstiftes, wie ein Selbstverständliches das Sinnbildliche, das Tragische, das Lustige, die Musik. Selbstverständlich war das Ganze den Bauern, die hereinströmten, zuerst vom Rande der Stadt, dann von den nächsten Dörfern, dann von weiter und weiter her. Sie sagten: „Es wird wieder Theater gespielt. Das ist recht."

In diesem Jahre zu gleicher Zeit, in der zweiten Hälfte des August, wird das „Jedermann"-Spiel wiederholt. Aber dazu tritt nun Mozart. Von all dieser Theaterkunst, dieser wahren organischen Entwicklung, einer der folgerichtigsten, ungebrochensten, die je, seit der Antike, auf künstlerischem Gebiete da war, ist das Mysterienspiel in deutschen gereimten Versen der Anfang und ein Gebilde wie der „Don Juan" die Krönung. Verwandt sind sie beide durch und durch, denn beide sind sie ein wahres Theater, nicht aus der Rhetorik geboren, nicht aus dem Psychologischen, sondern aus jenem Urtrieb, „der das Übermenschliche greifbar vor sich sehen will und tiefen Abscheu hegt vor jeder formlosen Abstraktion". Äußerlich schon wie ein kleines Abzeichen blutsverwandter Kinder, verbindet sie das gemeinsame Buffo-Element, eine Figur wie der Teufel des mittelalterlichen Mysterienspieles und der Leporello sind eines Geschlechtes. Ihr Gemeinsames heißt Hans Wurst; und Hans Wurst wieder ist ein geborener Salzburger. Zu dem „Don Juan" tritt „Cosi fan tutte": das Gebilde, worin dieses Buffo-Element zum herrschenden geworden ist, das Tanzhafteste, was Mozart schuf, das am verwandtesten ist dem bezauberndsten Bau-Element des Rokoko:

einem schwebenden Plafond aus Stukkatur und Malerei. Den Taktstock führt — als Regisseur zugleich, als Führer ganz und gar — Strauß, der ein Bayer ist und ein Künstler, der — wenn mit einer Sache auf der Welt — mit der Welt des Barock eine wirkliche Affinität hat. So wird einmal an einem Ort der Welt wieder etwas gemacht werden, das zugleich höchst raffiniert und höchst natürlich, ja naturhaft sich aufbaut. Möge es Freude machen.

ZUR ENTSTEHUNGSGESCHICHTE DER „FRAU OHNE SCHATTEN“

In einem alten Notizbuch finde ich die folgende Eintragung des ersten Einfalles unterm 26. Februar 1911.

„Die Frau ohne Schatten, ein phantastisches Schauspiel. Die Kaiserin, einer Fee Tochter, ist kinderlos. Man verschafft ihr das fremde Kind. Schließlich gibt sie es der rechten Mutter zurück. (‚Wer sich überwindet.—‘) Das zweite Paar (zu Kaiser und Kaiserin) sind Arlekin und Smeraldine. Sie will schön bleiben. Er täppisch und gut. Sie gibt ihr Kind her, einer als Fischhändlerin verkleideten bösen Fee; der Schatten als Zugabe.“

Dies ist der eigentliche Kern des Stoffes. Für Arlekin und Smeraldine traten bald in meine Phantasie zwei Wiener Volksfiguren. Ich wollte das Ganze als Volksstück, mit bescheidener begleitender Musik, machen, zwei Welten gegeneinanderstehend, die Figuren der unteren Sphäre im Dialekt.

Nachdem sich das Ganze etwas ausgeformt hatte, erzählte ich es einigen Freunden, darunter auch Strauß. Ich fragte ihn, ob er sich diese Handlung als Oper denken könne, oder er selber, scheint mir, faßte sie gleich als Opernhandlung auf. Das Musikalische des Prüfungs- und Läuterungsmotives, die Verwandtschaft mit dem Grundmotiv der „Zauberflöte“ fiel uns beiden auf. Damit war es entschieden, daß beide Figurengruppen in gleichem Stil, in höherer Sprache zu behandeln wären: an Stelle von Arlekin und Smeraldine, oder dem Wiener Flickschneider und seiner schönen unzufriedenen Frau, waren der Färber und die Färberin getreten. 1913 schrieb ich dann den ersten und zweiten Akt und Strauß fing gleich zu komponieren an. Im Juli 1914, wenige Tage vor der Mobilisierung, hatte ich den dritten beendet. 1915 war die Komposition fertig, dann lag die Oper vier Jahre in Strauß' Schreibtisch. Wir konnten uns nicht entschließen, sie während des Krieges spielen zu lassen.

Zu einer Gestaltung des gleichen Stoffes in erzählender Form, die demnächst erscheint, habe ich die Feder erst angesetzt, nachdem die dramatische, das heißt die Opernform fertig vorlag.

DIE BEDEUTUNG UNSERES KUNSTGEWERBES FÜR DEN WIEDERAUFBAU

Ansprache an die Mitglieder des Österreichischen Werkbundes

DURCH die ganze deutsche Kulturwelt in ihren höheren Schichten geht ein ganz deutlich wahrnehmbares Streben, jenseits von allem Sichhingeben an die Bekümmernisse des Augenblicks, jenseits auch von Zukunftshoffnungen oder Aspirationen sich über die Situation klarzuwerden. Dieses Sichklarwerdenwollen, ganz deutlich Erkennenwollen, was an dem Volksganzen, an den geistigen Institutionen, an der Gliederung, an den einzelnen Verbänden Kraft und was Schwäche ist, halte ich für ein außerordentlich zukunftversprechendes und kraftverratendes Symptom. Vielleicht gehört auch der Österreichische Werkbund zu jenen Gemeinschaften, denen es in einer solchen Stunde nicht unerfreulich sein kann, sich über seine eigene Situation klarzuwerden, und vielleicht kann ein Außenstehender infolge gewisser Eindrücke, die ihm die Kriegsjahre gegeben haben, Ihnen dabei einigermaßen helfen, ein Licht auf die Dinge zu werfen, die gerade dem in der Organisation, in der Arbeit Stehenden nicht so deutlich sind. Dies allein kann der Grund sein, warum mir Ihr Herr Vorsitzender zu einer kleinen Äußerung, die mit dem Worte Vortrag schon zu unbescheiden bezeichnet wäre, das Wort erteilt hat.

Erlauben Sie, daß ich mit gewissen, ganz persönlichen Eindrücken anfange, die ich während des

Krieges dadurch empfangen habe, daß Zufälle — teils militärdienstliche Verwendungen, teils von auswärts gekommene Einladungen — mir die Möglichkeit gegeben haben, während die mitteleuropäische Kulturgemeinschaft, eingesperrt, von ihren Schützengräben umgeben, gekämpft und gelitten hat, einige Male das Ausland zu bereisen und in der ganz eigentümlich berührenden freien, auch scharfen Atmosphäre der Neutralität, einmal in Brüssel, einmal in Warschau, einmal in Christiania und Stockholm, einmal in der Schweiz gewisse Dinge anders zu sehen, als sie von innen aus den Ländern der Zentralmächte heraus gesehen werden.

Wenn ich mich gewisser geistiger Phänomene erinnere, die einem namentlich in der geistig so scharfen, klaren, vom Analphabetismus so weit entfernten Luft der drei skandinavischen Königreiche entgegengetreten sind, so ließen sich vielleicht drei Punkte sehr scharf hervorheben. Ganz im allgemeinen die große Bedeutung immaterieller geistiger Faktoren gerade während des Getöses eines Kampfes, der ganz durch materielle Kraftentfaltung sich entscheiden zu wollen schien. Innerhalb dieser allgemeinen Gegebenheit dann drei einzelne Phänomene: das Unvermögen aller absichtsvollen deutschen — das Wort im Sinne des deutschen Kulturkomplexes genommen — Äußerungen, welche irgendwie auf die öffentliche Meinung des Auslandes wirken wollten, also Kundgebungen der Hochschullehrerschaften, der Intellektuellen und so weiter. Dies natürlich relativ genommen, genommen als ein Rückschlag gegen die dominierende Hochachtung vor diesem selben sozialen und geistigen Phänomen des deutschen Gelehrten, wie sie das

Halbjahrhundert von 1800 bis 1850 auszeichnet, wovon Sie die Niederschläge und Spuren ja in der auswärtigen Literatur von Carlyle bis Taine, von Turgenjew bis zu den Memoiren Kropotkins finden. Und diesen negativen Phänomenen gegenüber ein ganz unerwartetes positives: die außerordentliche Werbekraft, Kraft, Sympathien zu gewinnen und zu erhalten, zu fixieren, welche von solchen Kunstleistungen und Kunstgebieten ausgingen, denen man eigentlich schon ihrer Stummheit willen das Werbende nicht zutrauen sollte: die Macht, welche die französische Malerei des neunzehnten Jahrhunderts, die große Malerei, die mit Ingres und Delacroix beginnt und mit Cézanne und Van Gogh aufhört, auf die Phantasie und öffentliche Meinung breitester intellektueller Schichten der europäischen kleineren Länder gewonnen hat. Ich meine ganz ausdrücklich natürlich nicht die Welt der Galeriedirektoren, Kunstschriftsteller und Maler allein, bei denen das ja so selbstverständlich war wie bei analogen Kreisen die Sympathie für die deutsche Musik etwa, ich meine die Faszination, die, von diesen genannten Kreisen, die jeweils als Kern oder Herd wirkten, ausgehend, diese französischen Leistungen und das hinter ihnen liegende und als bewegend gefühlte französische Volks- und soziale Element über die Phantasie und damit über die Herzen und das Gemüt und sogar über den Willen so vieler Neutralen ausübten.

Ein bescheidenes, aber doch analoges Phänomen war mir die außerordentliche Wirkungskraft, welche von denjenigen gleichfalls stummen und ihrer Absicht nach nicht werbenden Leistungen ausstrahlte, deren Hervorbringung dem Kreise anvertraut ist, den

Sie, meine Herren, repräsentieren: ich meine die Leistungen des österreichischen Kunstgewerbes.

In einer mich außerordentlich erfreuenden und überraschenden Weise waren gelegentliche Ausstellungen einzelner oder vieler solcher Produkte — ich erinnere zum Beispiel an eine, die ein großes Warenhaus in Stockholm veranstaltet hat und bei der Produkte der Wiener Werkstätte ausgestellt waren — im Gedächtnis der verschiedenartigsten Menschen lebendig geblieben und in einer merkwürdigen Weise als Ausstrahlungen eines ganz bestimmten Kulturmediums, eben des österreichischen, empfunden, gewertet und zu unseren Gunsten registriert worden.

Unter Leuten der verschiedensten sozialen Schichten war das Erinnerungsbild an diese kunstgewerblichen Produkte sehr lebhaft und der Affektionswert, den sie in der Erinnerung damit verbanden, die Erinnerung an Österreich oder die Suggestion von einem Österreich, wie es etwa sei, ein sehr scharfer, deutlicher und erfreulicher.

Es wurden, wie gesagt, diese schönen, qualitativ hochstehenden, mit Liebe gefertigten Waren als ein Exponent des österreichischen Wesens empfunden, ganz abgetrennt von ähnlichen Produkten des deutschen Kunstgewerbes. Sie wurden als ein sehr beträchtlicher Faktor empfunden, am stärksten vielleicht in Schweden. Dort und überhaupt in den nordischen Ländern, gehen ja Produkte dieser Art ganz außerordentlich mit der Bauweise, mit der Material- und Farbenfreude, die so sehr verbreitet ist, zusammen, mit der Bauweise in dem Sinne, daß der Baufaktor, dem nachgestrebt wird, nicht wie bei uns der Barockpalast, sondern das hölzerne Haus ist. Es ist also die

Anknüpfung an das Villenartige, das Kleinhaus und jenes Element des emporkultivierten Bäuerlichen, das in unserem Kunstgewerbe eine so große Rolle spielt, dort besonders willkommen und die Anknüpfung leicht.

Gegenüber dieser Situation, die man dort vorfand, der Lebhaftigkeit der Aufnahme dieser Dinge und den häufig sich daran knüpfenden Fragen nach dem Stadtbild Wiens, das ja in seinen modernen Teilen von ähnlichen Gesinnungen beeinflußt sein müsse, gegenüber der dort vorausgesetzten Bedeutung dieses Faktors und der Homogenität, die dergleichen Bestrebungen in unserem Kulturleben ausdrücken müßten, war es für den Österreicher überraschend, daran zurückzudenken, in welcher unklaren und zweideutigen Situation diese Bestrebungen in der eigenen Heimat mit sehr vielen, zum Teile nicht leicht zu definierenden Mächten und mit einer nicht leichten Atmosphäre zu ringen hatten.

Jedenfalls ergab sich, um die politische Auswertung dieser Sache noch einmal zusammenzufassen, daß die Menschen von ihren Bedürfnissen zwar regiert werden, aber bis zu einem sehr erstaunlichen Grade sich nach ihren Freuden, und zwar nach ihren geistigen Freuden, auch auf dem politischen Gebiete orientieren. Ich habe mir gedacht, daß Sie als eine Gemeinschaft, wie Sie hier vor mir stehen, die Gemeinschaft von Gewerbetreibenden, Industriellen, Künstlern, Lehrern, Schülern dieses Gebietes, es freudig empfinden würden, wenn Sie jemals ganz klar und deutlich das Maß der Sympathie dieser Bestrebungen in diesen kleineren Staaten für das von Ihnen Geleistete empfinden könnten. Zu diesen kleineren Staaten werden ja bald noch andere hinzutreten, die ganz ähnlich reagieren werden, etwa Finnland, etwa die Ukraine, mit denen es ganz ähnlich wie mit den nordischen Staaten gehen wird. Jedenfalls ist dort draußen den Leuten klar, daß das, was sie vertreten, auf einer wirklichen Kultur ruht. Das Wort Kultur ist ja in der letzten Zeit, namentlich in der Polemik, einigermaßen überspannt und überanstrengt worden. Wir werden uns ohne Mühe über das Wort in einem bescheidenen Sinne verständigen. Eine viele Jahrhunderte alte Volksart, sich auswirkend in Gliederungen und Stufungen, in Sitten, Gebräuchen, Geschmack, Sprechweise, im Lebensrhythmus, wie es eben die deutschösterreichische ist, äußert sich in einem ganz bestimmten Geschmack, der eben diesen Produkten ihren Charakter gibt. Für diese österreichische Kultur beliebt man gelegentlich die Formel: sie sei eine erschöpfte Kultur. Nun, ich glaube, daß dieses Schlagwort mit sehr großer Vorsicht anzuwenden ist. Ganz entschieden ist ja von dem älteren Österreich auf diesen Begriff der österreichischen Kultur hin viel gesündigt worden und viel ist anderseits an dieser Kultur verwahrlost worden. Es war eine große und gefährliche Gedankenlosigkeit, daß man Verwaltung und Kultur getrennt behandeln zu können geglaubt hat. Infolgedessen wurde die Kultur, statt daß sie ein stärkstes Bindendes geworden wäre, eigentlich zum Sprengstoff. Anderseits glaubte man, ein bloß Formales der Kultur als ein Herrschendes bewahren zu können, wovon die letzten Symptome jene unglücklichen Produkte offiziellen oder — sagen wir — bürokratischen Baugeistes sind, mit denen man unsere Landstädte tatsächlich entstellt hat, diese Gemeindehäuser und Sparkassen oder — als letztes, ganz unglückliches Beispiel — etwa das Kriegsministerium.

Auf dem Gebiete einer erschöpften Kultur stehen aber Sie, meine Herren, mit Ihrer Arbeit keineswegs. Sie stehen auf unerschöpflichen, völlig volkstümlichen Elementen, und wenn man die Ära, in die wir hineintreten, irgendwie nebelhaft sich zeichnen und sich umreißen sehen kann, kann man sagen, daß das Prinzip der historischen, geographischen und wirtschaftlichen Kontinua wieder sehr nach oben kommen wird und daß Sie auf einem solchen Kontinuum stehen in bezug auf den unzerreißbaren Konnex zwischen dem, was Sie anstreben, und der aus der Scholle sich erneuernden bäuerlichen Hauskultur und Hauskunst. Das wissen Sie ja selber. Diese Eigenart gegenüber auch dem deutschen Kunstgewerbe fand nirgends wärmere Anerkennung als unter unseren deutschen Brüdern selbst. Die Anerkennung hatte die erfreulichsten Formen: den Erfolg unserer Ausstellung in Köln oder etwa die Tatsache, daß eine zerstörte ostpreußische Stadt Josef Hoffmann als Architekten erwählt hat.

In dem starken Kontakt, in dem Ihr Bund mit dem großen Deutschen Werkbund steht, ist Ihnen vielleicht klarer geworden, daß von den deutschen Brudergenossenschaften zu lernen ist vor allem die Schärfe der Formulierung, das, was in der begrifflichen Umreißung der Ausdruckskultur, in dem Sichklarwerden, in dem Begriffe durchgeistigter Arbeit festgelegt ist. Anderseits haben die Deutschen vieles nachzuholen, vieles aufzugeben, wo Sie nicht in dem gleichen Falle sind. Durch die ungeheure Raschheit der industriellen Entwicklung ist die deutsche Werkkultur in eine bedenkliche Situation geraten, die niemand schärfer erkannt hat als eben die Träger des Deutschen Werkbundes und der gegenüber die Deutschen jenen Begriff der Heimatkunst wieder ins Leben zu rufen sich veranlaßt gefühlt haben. Sie haben das Gefühl gehabt, wenn es so weiter geht, stehen wir in ganz Deutschland auf einem traditionslosen Boden, und demgegenüber haben sie mit der ihnen eigenen Zielbewußtheit und Energie die rheinische, die elsässische, die thüringische, die friesische oder pfälzische Volkskunst wieder ins Leben zu rufen gesucht. Wir wollen uns der Besonderheit bewußt bleiben, daß wir diesen Teil der Bewegung nicht mitzumachen genötigt waren. Bei uns war in den Alpenländern diese Bewegung immer dem Boden sehr nahe. Sie hat sich beständig von Generation zu Generation aus Individuen ergänzt, die aus einer kräftigen bäuerlichen Tradition, aus der einer Landschaft oder einem Tale angehörigen Hauskunst hervorgegangen waren. So war es infolge dieses Bodennahen, dieses Elements beständiger Berührung mit den heimatlichen Quellen den deutschösterreichischen Leistungen gegeben, rasch eine markante und in gewissem Sinne führende Stellung unter den deutschen Bestrebungen gleicher Art einzunehmen. Somit stehen wir gegenüber dem großen Bruderlande, mit dem wir ja im Kulturellen völlig unzerreißbar verbunden sind und bleiben, in einer entschieden klar umrissenen und günstigen Situation. Ganz ebensowohl kann man das gegenüber den Nationalstaaten sagen, wo vielleicht diejenigen Menschen und Vereine, mit denen Sie früher innerhalb des österreichischen Ganzen im Kontakt waren, diejenigen Personen, die Sie als Vertrauensmänner für die Länder nominiert hatten, wohl zu den ersten gehören werden mit denen sich über den Moment hinaus und über die Härten eines rein politischen und Kompensationsverfahrens hinaus ein geistiger und wirtschaftlicher Austausch ergeben wird. Und ganz dasselbe ist, wie ich schon früher berührte, zu hoffen gegenüber den kleineren Staaten des Auslands, der Schweiz, Skandinavien, Holland, etwa auch Finnland, vielleicht auch gegenüber Frankreich. Ihnen ist besser wie mir die eigentümliche konservative Situation Frankreichs auf dem Gebiete des Kunstgewerbes bekannt, dieses eigentümliche Stehenbleiben des sonst geistig so beweglichen Volkes auf den Stilprinzipien von 1750 bis 1780 ungefähr. Demgegenüber herrscht natürlich wie in jedem Volke auch ein Bestreben nach Neuerung, und Sie sind so gut wie ich darüber unterrichtet, daß kurz vor dem Kriege die Möglichkeit einer großen Verbreitung deutscher und österreichischer kunstgewerblicher Leistungen auf einer Pariser Ausstellung zu den hoffnunggebendsten und anspannendsten gehörte. Nun, vielleicht sind wir Österreicher zunächst am ehesten in der Lage, dort ein Neues zu geben, das doch so weit kultiviert, so weit an das klassische siebzehnte und etwa an das achtzehnte Jahrhundert in den Tiefen anknüpfend ist, daß es von den Franzosen als ein akzeptables Fremdes in gewissen Grenzen empfunden werden kann.

Im Innern scheinen mir zu diesen günstigen Momenten, die die Situation gegenüber dem Ausland ergibt, eine Reihe gleichfalls günstiger Momente der augenblicklichen Entwicklung hinzuzutreten. Die moralische Niederlage, die der Geldbegriff erlitten hat und die der ihm anhängende Begriff der endlosen Vertauschbarkeit, der endlosen Ersetzbarkeit erlitten hat, bringt ganz von selbst eine Rehabilitation des Materialwertes und des Arbeitswertes mit sich, ist also Wasser auf Ihre Mühle. Des ferneren konvergieren ökonomische, geistige und politische Tendenzen in einem Komplex, den wir als Abbau der Großstadt bezeichnen wollen und als die Errichtung von der Großstadt nicht zu fernen Kleinstädten, nennen wir sie etwa Vororte, Vororte moderner Art, die in ihrer Entstehung unzertrennlich mit dem Begriffe der elektrischen Schnellbahn verbunden sind.

Ein drittes Moment, das, wenn wir das Innere betrachten, Ihren Bestrebungen günstig sein muß, ist neben der moralischen Entwertung des Geldes und der Antigroßstadtbewegung die zunehmend klar hervortretende Geltung des bäuerlichen Elements in Österreich. Der bäuerliche Geist, insofern er eben auch der Geist der bäuerlichen Heimat ist — denn jeder ordentliche Bauer bei uns ist noch sein eigener Zimmermeister, sein eigener Korbflechter, sein eigener Steinmetz. In diesem Element west und waltet jenes Element der Freude an der Arbeit, der unzerteilten Arbeitsweise, der unmittelbaren Vereinigung von Arbeit und Genuß der Arbeit. Und dieses Stück Mittelalter, dieses unüberwindliche und heilige Stück Mittelalter als Träger eines hohen Selbstgefühls ist Ihnen und Ihrer Atmosphäre nahe. Unter den Begabtesten derer, die Ihnen als Wirkende und Ausübende zugehören und hoffentlich heute und morgen immer zuströmen werden, sind ebensolche, in denen die Differenzierung des Künstlers vom Bauer nur mühsam und zart vor sich geht, deren Arbeit, wie immer sie geartet und wie bescheiden sie sei, nie ganz Ware werden kann.

Als ein viertes Moment erscheint mir das oft viel beklagte und zu sehr viel Verwirrung Anlaß gebende der Verkleinerung des Ganzen. Es muß Ihnen leichter sein, mit Ihren klaren, bodenständigen, vernünftigen und auch für den Staat verständlichen wichtigen Bestrebungen in einem verkleinerten Ganzen zur Geltung zu kommen als in einem großen, wo das beständige Ausbalancieren nationaler Interessen, die sich dann doch in wirtschaftliche Wünsche umsetzten, die oberen Stellen an ein derart kompliziertes Schachspiel band, daß es vielleicht nicht in der wünschenswertesten Weise möglich war, immer für Ihre Interessen den Rahmen zu schaffen. Kleinere Einheiten sind es ja von jeher gewesen, die im höchsten Sinne kulturschaffend gewesen sind, und kleinere Einheiten, als unsere kleine Republik ist, waren als Republik Athen Träger der Weltkultur, als italienische oder deutsche Städterepubliken mindestens Träger eines höchst bedeutenden Teiles der Weltkultur ihrer Jahrhunderte.

Haben wir so eine Reihe sehr günstiger Momente berührt, so wollen wir doch ganz flüchtig auch die Gegnerschaften berühren, die Ihre Tüchtigkeit hier findet. Es ist besser, solche Dinge ganz klarzusehen. Eine österreichische Schwäche ist ja die Überschätzung des Gegners. In Gegnerschaften verquickt sich gewöhnlich Persönliches und Prinzipielles. Vielleicht könnte man es einen Augenblick sondern. Ihre Gegner pflegen sich, wie um eine Fahne, um den Begriff des Historischen, der Tradition und der Pietät gegen die Vergangenheit zu gruppieren. Nun muß man sagen, das alles hält doch eigentlich einer etwas aufmerksamen Prüfung nicht stand. Diejenigen

Menschen, die um eines leeren Schlagwortes willen, wie die Verkehrsfreiheit, ganz ohne nachzuprüfen, wo ein Verkehr dringend notwendig ist, wo er auch wirklich besteht, die Innere Stadt, eines der herrlichsten Baugebilde, so zugrunde gerichtet haben, diejenigen Menschen, die in Form eines Baubüros und in unwürdiger Weise, die Pläne eines genialen Menschen wie Semper weiter verwaltend und entseelend, ein so unglückliches Gebäude wie das Burgtheater, an dem tatsächlich im Laufe der Dezennien die Schauspielkunst und der ganze geistige Komplex, der das alte Burgtheater war, zugrunde gegangen ist, geschaffen haben, die es für möglich gehalten haben, neben das Palais Kinsky auf der Freyung eine scheußliche Kopie zu stellen, die dasselbe Motiv wiederholt, dieselben Statuen, im Hause daneben, als ob sie eine Karikatur hätten geben wollen, dieselben Menschen, die es schließlich zuließen, daß etwas wie das Kriegsministerium hingestellt wird, von dem man wirklich sagen muß, so häßlich kann nur mehr ein Staat bauen, der an sich selbst nicht mehr recht glaubt, dieselben Menschen haben keine Ursache, von Pietät zu sprechen. Gehen aber diese Leute zurück auf den großen Begriff des Barock, so müssen wir sagen, daß das Barock für alle Bestrebungen dieser Art, für ehrliche und redliche Bestrebungen kein Trennendes, sondern ein Vereinigendes ist. Es geht in der ganz reinen und unserer Epoche bescheiden und stark folgenden Kunst Josef Hoffmanns unendlich viel auf das Barock zurück, und ich glaube, wie gescheite Menschen, wie, sagen wir, Spengler oder Worringer, das siebzehnte Jahrhundert, die Verbindung zwischen Gotik und Barock verstanden haben, so kann ein Trennendes in bezug auf diesen großen Kunstbesitz nicht mehr bestehen, nur daß die Künstler unter Ihnen diesem großen Kunstbesitz das Struktive und Geistige ablernen wollen, während diejenigen, welche das Wort Pietät gewöhnlich im Munde führen, ausschließlich nur das Ornamentale dieses Kunstbesitzes in einer etwas verunstalteten Weise weiterführen wollen, wie denn überhaupt der ganze Streit und die Gegnerschaften, die Sie hier finden, merkwürdigerweise auf das Ornamentale zurückgehen.

Im Ornament steckt nun ganz ohne Zweifel sehr viel Soziales, wie ja das Ornament überhaupt das Ranggebende ist, am Tempel, an der Waffe, an der Kleidung, bis zur Adlerfeder eines Häuptlings, und entschieden der stark soziale Sinn, der das österreichische Volksganze seit Jahrhunderten durchzieht, bis in seine äußerste Auswirkung, den sozialen Snobismus, sich an dem Ornament festhängt. Und ganz entschieden ist dies der Hauptpunkt der Trennung.

Nun ist die Abstinenz, die im allgemeinen in Ihrer Sphäre gegenüber dem Ornament gehegt wird, sehr zu begrüßen, insofern sie nicht zu weit geht. Hier könnte man vielleicht an etwas erinnern. Auch Institutionen haben ihr verschiedenes Alter. Die Bewegung, der Sie angehören, hat ihre Sturm- und Drangjahre, ihre Jünglingsjahre und Kampfjahre hinter sich, und sie ist damals vielleicht mit Absicht und mit einer ganz richtigen Absicht und einer Art Strategie sehr weit gegangen, indem sie diesem Sozialen und Ornamentalen das Absolute, das Strenge, das Abstrakte, das Geistige entgegengesetzt hat. Hierin sehe ich auch eine Milderung schon in dem, was Sie machen, und nichts mehr Bedenkliches.

Es wird Ihnen von außen oft ein Begriff entgegengehalten werden, der auch ein sozialer ist, der Begriff der Wiener Eleganz, die ja tatsächlich im Kunstgewerbe eine gewisse Rolle zu spielen hat. Jedenfalls werden Sie sich ja auch vor gewissen Dingen hüten, die nun wieder innerhalb Ihrer Atmosphäre Manier werden könnten. Dazu würde ich mir vielleicht zu rechnen erlauben das nicht ganz Ungefährliche des Wiederholens naiver Formen aus der Biedermeierzeit. Es entsteht vielleicht nie etwas ganz Gutes, wenn naivere Formen und naivere Ornamente, eine naivere dekorative Welt wiederholt wird von einer komplizierteren, mit der Andeutung gleichzeitig, daß man sich darüber überlegen findet.

Haben wir hiemit das Gebiet der prinzipiellen und Geschmacksgegnerschaften leicht gestreift, so ergibt sich in Summa, daß Ihre Situation dem einzelnen gegenüber und gegenüber dem Staate eine durchaus günstige und zum Kleinmut nicht den leisesten Anlaß gebende ist. Sie dürfen sich als ein wertvoller Exponent der österreichischen Allgemeinheit fühlen, ja Sie haben etwas ganz Außerordentliches voraus: Sie sind vielleicht die einzige weltliche Gemeinschaft, die auf einem Glauben ruht. Sie glauben an Qualitätsarbeit, und ich glaube nicht, daß, wenn man diesem Begriffe auch in seinen ethischen Verästelungen nachgeht, man Ihnen irgendeine Gemeinschaft, irgendeinen Konvent von gleichstrebenden Menschen, irgend etwas Wertvolleres entgegenhalten könnte. Mit diesem Selbstgefühl werden Sie demjenigen Faktor entgegentreten, der als Protektor und als Konsument für Sie der wichtigste sein muß: der Staat. Man spricht von diesem Staate beständig in Ausdrücken der Klage und des Bedauerns, die ja teilweise aus der Relation zu dem früheren großen Staate hervorgehen, auch aus einem Rechnungtragen der gegenwärtigen Situation. Wir wollen uns aber davon nicht ganz ins Negative drängen lassen. Auch im Abbau wird gebaut werden und das Sparen, von dem Ihnen immer geredet wird, wird eine Grenze haben, eine einfache Grenze, an der Notwendigkeit zu existieren. Dieser Staat muß sich ja irgendwo selbst finden, da er existieren muß, und wo er sich finden wird, scheint mir ganz klar: Er wird sich genau auf Ihrem Gebiete finden, er wird sich in den inneren Übereinstimmungen des Ästhetischen und Ethischen genau in diesen Dingen finden, die Ihre Arbeit beseelen. Darum haben Zusammenkünfte wie die heutige, die ja nur ein momentaner Ausdruck für Ihr ständiges Zusammenwirken sind, innerhalb dieses Staates eine große Bedeutung; denn sie sind ein lebendiges, ein produktives und ein hoffnunggebendes Zusammensein.

Sie bringen dem Staate ferner ein sehr starkes geistiges Element entgegen auf einem der wichtigsten Gebiete, auf einem Gebiete, auf welchem unaufhaltsam Bewegung und Reform einsetzen wird, auf dem Gebiete der Schulreform. Es geht durch den ganzen deutschen Kulturkomplex eine ganz außerordentliche Müdigkeit am gegenwärtigen Schulwesen, eine Abwanderung von den Universitäten. Es ist nicht zu glauben, in welchem Maße sich dies vollzieht, und Briefe, die jeder von uns Geistigen beständig bekommt, von Bekannten und Unbekannten, zeigen, in welchem Maße diese jungen Leute, die fast noch Buben sind und doch als reife Männer aus dem Krieg gekommen sind, die ihr Leben gerade darum ungeheuer ernst nehmen, weil sie einmal bereit waren, es hinzugeben, das Materielle in einer Art geringschätzen, die in der schönsten Weise an die großen deutschen Generationen von 1800 und 1820 erinnert. Durch all diese jungen Leute geht eine große Universitätsverdrossenheit, ein Suchen und Tasten nach neuen geistigen Bindungen und Autoritäten.

Ich denke nur an das ganz Positive, das die Existenz einer solchen Schule, wie es unsere Kunstgewerbeschule ist, dem Staate bringt, den Sinn für Schönheit, verbunden mit sittlicher Ausbildung, Respekt vor Tradition, Gemeinschaftssinn und Unterscheidungsvermögen und dem Gegenwillen gegen das bloß Abstrakte und Formalistische. Hier in der Atmosphäre dieser Schule, sei sie wie sie sei, hat sich unter Rollers Direktion etwas durchgerungen, das europäisch ist, dem aber in Österreich der Genius loci und die Begabung entgegenkommen. Hier wird in diese deutsche Schulreformbewegung von dieser Stelle aus etwas sehr Entscheidendes hineingegeben werden können, wenn man den Moment nicht versäumt, wenn man nicht wiederum das Gefährlichste und Bedenklichste tut, eine universelle, deutsche Kulturarbeit nicht aktiv mitzumachen. Denn das ist vielleicht das, was mehr als politische Trennungen die Situation des deutschen Österreichers prekär gemacht hat in vieler Beziehung, daß er seit der Gegenreformation die großen deutschen Krisen nicht oder nicht voll mitgemacht hat. Hier auf dem Gebiete der Schulreform stehen wir entschieden vor der Möglichkeit, mit als aktive Deutsche an ihr einen vorbildlichen Anteil zu nehmen. Wenn es dem Staate gelingt oder wenn es Ihnen gelingt, dem Staate klarzumachen, daß eine Institution wie die Kunstgewerbeschule auszubauen ist, daß sie ein geistiger, ein sittlicher Besitz ist, daß sie etwas wie eine Bauhütte werden kann, die ja im Mittelalter Zentren des freien geistigen Lebens waren, so ist hier viel gewonnen.

Dies alles, was Sie vom Staate zu fordern haben, müssen Sie fordern wie eine Macht von einer Macht. Seien Sie eine Macht; denn Sie sind eine. Sie sind eine sehr hohe Instanz. Da — um das Wort eines ausgezeichneten Mannes zu gebrauchen, der gleichfalls zu Ihren leitenden Männern gehört — geschützte und freiwillig geleistete Qualitätsarbeit nicht bloß ein Zeichen geordneter Wirtschaft, sondern fast diese selbst ist, so wird alles, was sich in Ihnen vereinigt, ein Eckstein jedes Aufbaues sein. Da alles ringsum neue Bindung ist, und es keine stärkeren Bindungen gibt als Arbeitsgemeinschaften, da hinter diesen Bindungen der Ständestaat und das Ständeparlament in deutlicheren Vorformen sich über den Horizont erheben, an wen sollte der Staat appellieren, wenn nicht an Gruppen, Gemeinschaften und Vereinigungen wie Sie?

Werden Sie darum — das wünsche ich Ihnen — nie im engeren Wortsinne politisch. Gerade jenseits der Politik, jenseits dessen, was wir bisher Politik zu nennen gewohnt waren, ergeben sich für geistige Gemeinschaften die allergrößten Möglichkeiten. Werden Sie nie offiziell. Treten Sie dem Staate stark gegenüber, stark durch Ihre Eigenart, Kräfte fördernd und gebend, aber werden Sie womöglich nie ein Teil der Staatsmaschinerie.

Wer mit dem Staate zu tun hat — wird man mir entgegenhalten —, hat mit Beamten zu tun, und das

Wort vom weltfremden Bürokratismus liegt natürlich nahe. Eine Reihe von Männern, die ich gern nennen würde, wenn ich nicht fürchten müßte, ihre Bescheidenheit zu verletzen, weil die meisten von ihnen anwesend sind, haben Ihnen gezeigt, daß Österreich einen Beamtentypus hervorzubringen verstanden hat, wo der freie Mensch, der Kulturmensch, der geistreiche Mensch, sich mit dem gewissenhaften Beamten vollkommen vereinigt. Und es waren zum Teil gerade Beamte, die die lebengebendsten und wichtigsten Ihrer Ideen bei Tagungen des Deutschen Werkbundes in der schönsten Weise zur Geltung gebracht haben. Natürlich sind das wenige und ausgezeichnete Individuen. Aber durch Ihre Stärke werden Sie imstande sein, die Situation dieser wenigen Individuen immer wieder zu stärken. Es darf an entscheidender Stelle niemanden geben, der für das taub zu bleiben vor sich selbst verantworten könnte, was Sie fordern.

Dies alles, was ich Ihnen als ein Resümee von Gedanken zu sagen mir erlaubt habe, die in mir ausgelöst worden sind durch den Reflex Ihrer Leistungen auf das Ausland, den ich im Kriege beobachten konnte, dies alles ist in der oberflächlichsten und aphoristischen Form natürlich nur eine Philosophie Ihrer Politik. Die Politik dazu müssen und werden Sie selbst machen.

FERDINAND RAIMUND

Einleitung zu einer Sammlung seiner Lebensdokumente

DIESES kleine Buch enthält ungefähr alles, was wir von Raimund wissen, und vermutlich alles, was wir jemals von ihm wissen werden; denn es ist darin Stück für Stück zusammengestellt, was im Lauf der Jahrzehnte ans Licht gekommen ist: das Bruchstück einer Selbstbiographie, die Briefe an die treue Freundin, die Aufzeichnungen der Zeitgenossen, die kleinen, da und dort verstreuten Anekdoten. Dem Volumen nach erscheint es nicht viel, mißt man es aber nach der Wirksamkeit, so ist es eines der seltenen, unvergleichlichen Denkmäler eines Menschen; denn alles daran ist Leben, alles Bild, es schließt sich vollkommen zusammen, wir fühlen, daß nichts Wesentliches fehlt, und die Erinnerung, die davon zurückbleibt, ist nicht wie an etwas Gelesenes, sondern an etwas, das wir selbst in einer halbvergessenen Zeit erlebt hätten.

Es sind Bilder, mit denselben einfachen Farben gemalt wie seine Dichtungen. Es sind lauter kleine Mythen, lauter solche kleine Szenen, in die ein Höheres hineinspielt, oft drohend und finster; sie könnten alle in seinen Stücken stehen, und wie sie an uns vorüberziehen, steht schließlich seine Figur so vollkommen und geschlossen da, daß man glaubt, sie mit Händen greifen zu können. Da ist die Zeit im Elternhaus und der Drang zum Theater; der Zuckerbäckerlehrling, der vor dem Spiegel steht und immer wieder, indem er den Mund gewaltsam verzieht, dem berühmten Intriganten Ochsenheimer ähnlich werden will; und der Vater, der das durch die halboffene Tür sieht, schon krank und sterbend, dem Sohn seinen Fluch gibt. Da ist die unglückliche, leichtfertig geschlossene Ehe, die echte Schauspielerehe, und die lange, treue, manchmal traurige Liebe zu der ewigen Braut; da sind die kleinen Liebesgeschichten: der Sprung in den Mühlbach wegen eines koketten Mädchens und die mißglückte Entführung, die kranke Bürgerstochter, die ihn liebt, von den Eltern abgeschlossen wird und dann stirbt; und die anderen kleinen Geschichten und Bildchen, in denen allen sich etwas Bedeutungsvolles, beinahe Märchenhaftes zusammendrängt in einen Augenblick, die Begegnung kontrastierender Gestalten wie auf der Bühne: der schwarzgesiegelte Brief mit der Nachricht vom Tod einer Geliebten, den man ihm aufs Theater bringt im Augenblick, da er in einer komischen Gestalt hinaustreten soll; die Praterfahrt und der Selbstmörder, der hinterm Gebüsch in seinem Blut liegt; der Bettler beim Schottentor, in Lumpen im kalten Nachtwind, und oben das rauschende Fest bei den Polen in taghell erleuchteten Sälen. Und das Ganze ergibt diese vollkommen einheitliche, mit nichts zu vergleichende Figur: Ferdinand Raimund. Was ist diese Figur? Er ist kein Literat, niemand je war es so wenig. Er ist ein Dichter; er glaubt, es zu sein, und weiß doch auch wieder nicht, wie sehr er es ist. Vor allem ist er dies: ein Kind des Volkes. Darum ist er ein Individuum und ist auch zugleich eine Welt. Die Grenzen zwischen ihm und allem andern, was zu dieser Welt gehört, sind ganz fließend. Er gehört einer Gemeinschaft an:

Wien, und er teilt mit dieser Gemeinschaft alles, was er hat. Es ist sonderbar, sich Shakespeare als Gesellen bei einem Fleischhauer vorzustellen oder Molière als jungen Tapezierer, aber es ist natürlich, daß Raimund ein Zuckerbäckerlehrling auf der Wieden oder in Hernals und dann ein Schauspieler in der Leopoldstadt war. Die Einheit aller dieser Dinge ist vollkommen. Weder kann man in ihm den Dichter vom Menschen trennen, noch den Menschen vom Wiener. Von Zeit zu Zeit entstehen solche Individuen, in denen ein soziales Ganzes schicksalhaft und, man möchte sagen mühelos seine Blüte treibt: eine solche Figur war Goldoni; eine solche Figur war Ovid.

Raimund ist nicht der Verherrlicher von Wien; auch nicht einmal sein Schilderer, noch weniger — was später Nestroy werden sollte — sein Satiriker. Er ist das Wesen, in dem dieses Wien irgendwie Geist wurde. Er ist im Grund weder sozial noch antisozial — Nestroy war beides in hohem Grad; er reflektiert nicht; er sieht nicht zusammenfassend wie ein großer Dichter, nicht analytisch wie ein großer Romanschreiber, eher träumerisch. An seiner Produktion wie an seinem ganzen Dasein ist etwas Vegetatives. Das Soziale ist bei ihm weniger Bewußtheit — mit Molière, auch mit Goldoni verglichen, den er als Dichter weit überragt, ist er doch ein unmündiges Kind — als Ehrfurcht und Zutraulichkeit. Sich als einen Teil von Wien fühlen: das ist das Ganze. Alles, was seine schweifende und starkbeschwingte Phantasie erreichen kann, an Wien heranbringen, wie wir alles, wovon wir träumen, irgendwie an uns selbst heranbringen: das ist die einzige Tendenz, die man ihm unterschieben könnte; und noch diese ist völlig unbewußt; er war ein Träumer und Grübler, aber keiner von der Art, daß ihm das Selbstverständliche hätte kalt bewußt werden können. — Er ist Schauspieler, Theaterdirektor, Theaterdichter. Er will gefallen, will unterhalten und gibt sich dabei nicht preis. Er ist innerlich einsam, maßlos empfindlich, leicht verschreckt und geängstigt. Etwas Düsteres steht immer neben ihm. Bald ist es die Mißgunst der Menschen, ihre Gemeinheit, der hämische Neid; bald die Melancholie, die ihn von innen heraus verfinstert. Die Berge ängstigen ihn, vor dem Biß eines Hundes fürchtet er sich sein Leben lang. Am Schluß, einsam und traurig trotz der Freundin, entzückt und geplagt von Träumen, fühlt er, wie eine Hand aus dem Dunkel nach ihm greift; es ist kaum ein Widerstand in ihm — all dieses Dunkel strömt ja aus ihm selber; so ist er schnell dahin. Auch dieser Tod ist unendlich seltsam, so auf der Grenze zwischen furchtbarer und dabei grotesker Wirklichkeit und Märchen mit dem echt Raimundschen Einschlag von Phantasterei, Hypochondrie — ganz nahe dem Handeln und Leiden seiner Figuren. Die Einheit aller dieser Dinge ist vollkommen — und dies gibt ihnen dies eigentümlich Magische. Man möchte denken, daß eine aus lauter solchen Anekdoten bestehende Biographie wie diese unzerstörbar sein müßte — gleich der so viel dürftigeren des „lieben Augustin"; es sei denn, daß das Völkergedächtnis, daß die Einheit des Ganzen abrisse, von der, wie weit sie noch da sei, wir heute nichts Gewisses sagen können.

Es ist der wienerische Volksgeist, ein ungenauer und zutraulich-inniger Geist, an den Raimund alles heranbringt. In welcher Form kann diesem Geist die Welt faßlich gemacht werden? Es ist der Geist einer großstädtischen Bevölkerung im Anfang des neunzehnten Jahrhunderts. Wie weit läßt er sich Märchen erzählen? welche? und in welcher Sprache? — Die Märchen, die er sich erzählen läßt, sind die alten ewigen, vom Orient herübergetragenen, die gleichen, die Galland den Franzosen und Gozzi den Venezianern erzählte, aber unendlich vermischt, unendlich durchflochten mit eigenen volkstümlichen Elementen, ganz übermalt mit lokalem Kolorit, ganz erfüllt von lokalem Aroma. Die Sprache, in der er sie sich erzählen läßt, ist eine barocke Sprache, eine Mischung aus dem Höheren und dem Niederen, halb großer Stil, halb die Sprache des wienerischen Hanswurst.

Diese Sprache ist das Element, an dem Raimund zum Dichter wurde; sie war sein Schicksal in jedem Sinn, der Flügel, der ihn emportrug, und die Fessel, die ihn hinabzog.

Im Gebrauch, den einer von der Sprache macht, enthüllt sich der ganze Mensch. Nicht nur die Bildungsstufe drückt sich darin aus, sondern viel zartere Schwebungen, solche, die noch subtiler sind als alles Gesellschaftliche. Wunderbar zeichnet sich die Wesenheit der großen Franzosen des achtzehnten Jahrhunderts in ihrer Sprache: ihre Kühnheit und Sicherheit bei so viel Grazie; die freie, männliche Kraft, mit der sie den Ich-Punkt im Universum fühlten, auf dem sie ruhten, von dem aus ihnen möglich schien, die Welt aus den Angeln zu heben; hierin steht Lessing ihnen nahe. Unendlich weit von diesem kühnen, selbstsicheren Element ist Raimunds Sprache. Noch seltsamer ist es, zu denken, daß dies die Sprache eines deutschen Dichters war, ungefähr im gleichen Zeitmoment mit der Sprache des „Westöstlichen Divans". Der bezeichnende Zug von Raimunds Sprache überall dort, wo sie den Dialekt verläßt, ist Unmündigkeit. Ist es bei anderen Dichtern das schöpferische Selbstgefühl, der Stolz und der Schwung des Geistes, wovon vor allem der Gebrauch der Sprache bestimmt wird, so ist es hier das Gemüt und vor allem die Scheu und die Ehrfurcht. Die großen Begriffe: Einsamkeit, Liebe, Glück, sind ihm Ideale. Die hohe Sprache ist voll hoher Allegorien, zwischen denen sich sein Geist schüchtern bewegt. Die Sprache ist ihm der Tempel der höheren Mächte, die das Leben regieren, der wahre Dichter ein Priester in diesem Tempel. Dem Abstraktum gegenüber, diesem durchsichtigen Gefäß des Geistigen in der Sprache, ist sein Geist vollkommen frei von Skepsis, unberührt von jedem Hang zur Kritik. Dies ist unendlich seltsam im Augenblick, als die Lehre Kants und Fichtes, alles Geistige und Wesenhafte im Außer-ich auflösend, in der vollsten Kraftwirkung stand, eine ganze Jugend, Heinrich von Kleist ihr voran, aus diesem „Becher der Vernichtung" trank. Wunderbar ist es, zu denken, daß in Goethes stilles Studierzimmer, wo keine geistige Regung ungehört blieb, im gleichen Zeitraum jener beständige Schrei der Selbstauflösung drang und die naive gläubige Stimme der Raimundschen Dichtung. Es war nicht nur ein Individuum, sondern eine ganze Stadt, die der Welt für einen Augenblick diesen verschönernden Zauberspiegel vorhielt. Herrliche Elemente waren beisammen, in einer Mischung, die sich vielleicht nur für kurze Zeit erhalten konnte. Das Liebenswürdige war auch noch wahr, das Naive noch nicht trivial; die Dürftigkeit des Lebens selber war Reichtum.

Raimunds Theater hat man oft analysiert. Das Lebengebende daran ist eine eigentümliche Mischung von Naturalismus und Allegorie, geordnet nach einem richtigen Taktgefühl. Die Allegorie kam unmittelbar aus seiner Sprache, vielmehr hierin waren Sprache und Anschauung eines. „Nur eigentliche Schauszenen gehören aufs Theater", hatte zwanzig Jahre früher Novalis in sein Notizbuch geschrieben, Novalis, der sehr wahrscheinlich nie ein eigentliches volksmäßiges Theater gesehen hatte, aber sich aus der Intuition des Genies die Welt aufbaute. Raimund hat vielleicht keine Szene geschrieben, die nicht aus einer wirklichen Vision hervorgegangen wäre; er ließ sich viel mehr vom inneren Auge leiten als vom Verstand. Das Wort ist bei ihm nie das dialektische Wort, das Um und Auf der Rationalisten und des Philisters; hierin ist er so weit als möglich entfernt von dem andern großen Schauspieler-Dichter, von Molière; so weit als möglich auch von Nestroy, der ein gewaltiger und gefährlicher Dialektiker war. Raimunds Wort ist immer nur ein Pinselstrich und wieder ein Pinselstrich, der die reinste, zarteste Farbe hinsetzt, mit einer kindlichen Scheu vor den zweideutigen Mischfarben der wirklichen Welt, in deren Gebrauch Nestroy stark war. Es liegt auf allen diesen Szenen ein zartes, nicht unwirkliches, aber überwirkliches, fast heiliges Licht wie vom Sonnenaufgang. Man begreift, daß fast alles davon im Freien erträumt ist; man sieht den Dichter, der, ein großes Tintenfaß an einer Schnur um den Hals gebunden, „auf den Bäumen sitzt und dichtet". So entsteht eine

Phantasmagorie, mit der verglichen die reizenden Märchen von Gozzi nur von Theaterlampen erleuchtet scheinen. Wo die Phantasmagorie sich stellenweise verdunkelte, half Raimund, der Schauspieler, nach. Es heißt, daß kein Stück fallen konnte, worin er spielte, wegen der Unerschöpflichkeit seiner Natur. Das dritte Element der wunderbaren Einheit war ein Publikum, so ungebildet als empfänglich, empfindlich, naiv, begierig, zu lachen, und fähig, sich rühren zu lassen. So entsteht ein Phänomen, einmalig, von kurzer Dauer und, wie alles lebendige Schöne, der Analyse spottend: die Blüte der Wiener Volksbühne. Das übrige Deutschland, das kein volkstümliches Theater mehr besitzt, es in seinen Träumen sucht, im sechzehnten Jahrhundert, im Mittelalter, überall und nirgends, wird mit den Augen der Romantik dieses Phänomens als Gegenwart gewahr und wirft einen entzückten und erstaunten Blick darauf: im Licht dieses vergoldenden, wehmütigen Blickes steht das Bild der Wiener Volksbühne im literarischen Gedächtnis der Deutschen, so wie eine Landschaft unter dem Zauberlichte eines letzten, für ewig festgehaltenen Sonnenstrahls.

VORWORT ZU HANDZEICHNUNGEN ALTER MEISTER AUS DER SAMMLUNG BENNO GEIGER

UNTER allen Werken der bildenden Kunst ist die Zeichnung von der geistigsten Natur und das geistigste Verhältnis zu ihr möglich. Vielfach ist sie wesensgleich den einzelnen Gedanken, den aphoristischen Äußerungen des Genius, die wir hie und da aufgezeichnet finden und die im Augenblick, wo wir sie lesen, jede der Grundriß zum einzigen Tempel auf Erden scheinen. Im Vergleich mit solchen blitzhaften Hinzeichnungen ist dann das Buch und das Gemälde irdisch und schwer.

Sie ist auch darin verwandt dem magischen dichterischen Wort, daß es ihr gegeben ist, das Unmögliche darzustellen. Die Sprache ist nie herrlich, als wenn sie mit der klaren Schlichtheit das Unmögliche aussagt, das was dem Denker unvollziehbar ist — außerhalb der Magie. Solches ist auch der Zeichnung gegeben, niemals der Malerei. In der Zeichnung kann das physisch Unmögliche da sein, aber freilich nur ein solches Unmögliches, das in einem schöpferischen Augenblick mit der ganzen Kraft der Seele als wirklich geplant war. Hier tritt das schöne Wort von Blate in Kraft: „Alles, was uns zu denken oder zu glauben wirklich möglich ist, darf immer ein Bild der Wahrheit heißen.“ Die Zeichnung gibt wahrhaftige „symbola“ Zusammenwerfungen des Unvereinbaren. Sie kann das Nacheinander in ein Zugleich verwandeln, und noch ähnliche Wunder vollbringen.

Vieles in den Handzeichnungen Rembrandts gehört in diesen Bereich: Der Heiligenschein, der um die Hand des die Krämer aus dem Tempel treibenden Christus flammt, gewisse Gebärden seiner Tiere, die sich in Ehrfurcht neigen, oft ein scheinbares Zu-groß, Zu-klein, Zu-wuchtig oder Zu-hart seiner Gestalten oder einzelnen Gliedmaßen. So auch auf einem Holzschnitt, darstellend das Letzte Abendmahl von Dürer. Christus muß gerade das Wort gesprochen haben: „Einer ist unter euch, der mich verraten wird“ — denn er hat seinen Arm so um seinen Liebling Johannes geschlungen, daß dieser dadurch aus dem Kreis der Apostel herausgenommen erscheint; er ist nicht mehr bei jenen, von denen einer Verrat üben wird, sondern er ist bei Ihm, beinahe in Ihm. Ein Anderes auch hier zu nennendes tritt ein bei großen Zeichnern, wenn ihre Kontur der Naturformen den Übergang in das die Seele bizarr ergreifende Zauberzeichen, in die wahre Hieroglyphe findet. So bei Urs Graf und anderen träumerischen Alemannen, aber etwas auch bei einem in seinen Malereien so sanften und gefriedeten Künstler wie dem Guereino, dessen Zeichnungen von Landschaften wahre Geheimnisse sind.

Auch eine Verwandtschaft mit der Musik kann an der Zeichnung bemerkt werden, wogegen das Gemälde und die Musik ganz auseinanderstreben. In der Zeichnung ist wie in der Musik ein Hinzaubern von Dingen möglich, die Erinnerungen wecken, ohne zu sein, was sie scheinen. Es gibt eine altchinesische Landschaft — und diese Malereien dürfen wir, mit europäischem Auge schauend, wohl eher Zeichnungen mit dem Pinsel nennen — über das Thema:

„Abendglocken eines fernen Tempels", wo der Klang und die Welt ferner Erinnerungen, die er weckt, in wenige Striche und Farbenflecke gebannt erscheinen.

Jedes Kunstwerk ist seiner Natur nach höchst einsam: es ist ein stummes Ringen, eine magische Gewalt über die Welt. Claudel sagt einmal von den Toten, sie seien „plus mornes que les poissons" — so stehen die einzelnen Kunstwerke nebeneinander, verdrossenfinster, wie stumme Fische, die in der Wassertiefe stehen, vergleichbar den Toten, ohne Großmut ein jeder, besessen von seiner Einzigkeit. Darüber schwebt die Ironie des Ruhmes, den der Zufall verleiht, die Melancholie, daß auch die stumme Sprache weckt, einem Tag entgegengeht, wo sie nicht mehr verstanden wird.

Aus diesen Verschaltungen hebt sich der Geist dessen, der diese Sammlung zusammengebracht hat. Alle diese geistigen Melancholien sind in ihr inbegriffen. Hier wirkt nicht das behagliche Besitzergefühl, das die Sammlungen des achtzehnten Jahrhunderts so hell durchströmt und sie rund und gesichert macht wie einen wohlgebauten Pavillon in einem friedlichen Park — hier sind die Geheimnisse und die Einsamkeiten in eine Reihe gebracht. Der Sammler ist ein Dichter. Als ein Dichter und Deutscher ist er schöpferisch auch im Erkennen, als ein dem Lateinischen nächst Verwandter kennt er die heilbringende Kraft des Konturs und glaubt an sie. Seine Gedichte kennen die Finsternis und schöpfen die Tiefe aus, darum sammelt er die Zeichen, die das Chaos beschwören. Der angstvolle Halbirre der frühesten Zeiten schuf das Ornament — dieser fast Aufgelöste in der Reife der Zeit trägt diese magischen Handschriften, in welchen die abertausend Formen der Welt wieder Ornament geworden sind, zusammen, aber ohne jede Prunksucht, ohne Überhebung, ohne die Andeutung einer anderen Haltung als die des ehrfürchtig Verstehenden. Er besitzt, als ob er nicht besäße. Er betrachtet, als ob er nicht betrachtete.

Von Geigers Gedichten sagt ein bedeutender Zeitgenosse, alles an ihnen sei „unmittelbares Erlebnis, hand- und geistesgreifliche Vorstellung". Seine Sammlung von Handzeichnungen kann seinen Gedichten unmittelbar angereiht werden, nicht bloß in der strengen würdigen Haltung, sondern in tieferem Bezug.

In der Gegenwart wurzelnd, über sie sich erhebend, überwindet er mit der Melancholie des Verstehens die Melancholie der Epoche und des Volkes.

DEUTSCHLANDS STERBEGESANG

Bald ist mir Zeit gegeben, wie vor Zeiten,
Geraume Zeit und Rast und Dämmerung;
Ich kehre heim ins Enge von dem Weiten,
Geruhsam, und verschwinge nach dem Schwung.

Mir war verheißen, aber nicht verliehen,
Daß ich es sage, mahnt mich noch ans Ziel,
Aus meinem Wesen jenes Licht zu ziehen,
Das, aus mir wirkend, in mich niederfiel.

So viel von Schein und Widerschein entblößte
Mein starkes Dasein vor dem Menschenall,
Daß ich die Wanderung hinaus ins Größte
Begann; und hiermit meinen Niederfall.

Zehn hundert Jahre ging ich in dem Kleide
Der Armut um und sammelte den Geist;
Ich zeugte Walther von der Vogelweide
Und die Zerrissenheit von Heinrich Kleist.

Zehn hundert Jahre saß ich in der Kammer
Mit Lot und Zirkel grübelnd auf der Hand,
Für jedes Stück Gelahrtheit, seht den Jammer!
Zum Lohn einbüßend ein Stück deutsches Land.

Zerfleischt ward ich, genützt zehn hundert Jahre,
Und nur der wahre Glaube hielt mich wach;
Dafür gab ich der armen Welt das Wahre
Und die Musik vom alten Kantor Bach.

Ich glaubte so, mein Recht auf meine Stunde
Mir wohl erwirkt zu haben, ernst und bleich;
Und siehe: wie verharscht erschien die Wunde,
Und auf dem alten stand das neue Reich!

Was Karl der Große, was die Hohenstaufen
In Fluß gebracht, hier endlich wars getan:
Ein Meisterstück und aus dem Länderhaufen
Wie Gold gesiebt. Ich sprach bewußt: Wohlan!

Das Wort: Du darfst! getragen in Ergebung,
Es ballt die Brust und macht die Lippe still;
O wie dagegen aufreizt zur Erhebung
Und löst den Schrei das schönre Wort: Ich will!

Ich wollte wissen, wie zum fernen Strande
Das Lied der Heimat übers Wasser weht;
Auch daß der deutsche Mann, wie hierzulande,
So dort und da vor Gott zu Recht besteht.

Ich wollte fühlen, ob ein Wind auf Erden
Die Kräfte so vermischt, als er sie baut;
Und jenes Erdenglücks teilhaftig werden,
Vor dem sich immer noch mein Gang gestaut.

Aus mir aufgehn! das war es, was ich wollte,
Mich selbst genießen und mein Geber sein;
Und für den Dank, den ich der Menschheit zollte,
Den Dank erwidert sehn. Mein Herz war rein.

O deutsches Herz, o Dulderherz, zu frühe
Ging dir die Wintersaat im Acker auf!
Dein war der Pflug und deine war die Mühe:
Daß sie dir bleibe, wird dir Schicksalslauf.

Nimm deinen Schinder wieder an den Zügel,
Bestelle dumpf dein Land, das dich verhüllt,
Mich, deine Scholle, deinen Grabeshügel;
Vergiß die Sehnsucht, die sich nicht erfüllt.

Ich muß vielleicht noch ein Jahrtausend warten,
Vom Weg zurückgedrängt und doch vermißt,
Bis sich die Türen öffnen und der Garten
Aufs neue blüht, der nicht zu blühn vergißt.

Und habe Zeit, o so viel Zeit für alles!
Und höre gern dem längsten Liede zu,
Das mir mein Schubert mit dem Samt des Schalles
Zum Frührot dichtet, mir zur Totenruh.

ADAM MÜLLERS ZWÖLF REDEN ÜBER DIE BEREDSAMKEIT

Bücherei für Politik und Geschichte des Dreimaskenverlages in München

Es stand zu erwarten und zu wünschen, daß ein ähnliches Unternehmen wie diese Bücherei begründet würde. Wer im Kriege mit der eigenen Partei mitzudenken versuchte, die Staatsdokumente, die ans Ausland gerichteten Äußerungen, die Schriften und Reden der führenden militärischen und zivilen Personen, bei uns und in Deutschland, mit Aufmerksamkeit verfolgte, der mußte in all dem eine Steifheit und Dürftigkeit gewahren, einen Mangel an Sicherheit und Würde des Ausdrucks, ein bald phrasenhaft weichliches, bald forciert schneidiges, immer aber unerwärmendes Wesen, von dem für die eigene Seite Mißtrauen und Niedergeschlagenheit ausging. Man mußte sich eingestehen, daß die Überlegenheit der historisch-politischen Bildung bei den Gegnern lag; oder wenigstens war diese Bildung, und darauf kam alles an, bei ihnen in ganz anderer Weise flüssig und allgemein: sie besaßen eine politische Sprache, welche die höheren und höchsten Begriffe mit der Sphäre des Praktischen, Wirksamen in Einheit zu bringen wußte. Wir haben keine gemeinsame höhere Sprache in diesem Sinn. Bei uns ist die Rede- und Schreibweise der politischen und militärischen Personen von den höheren Begriffen abgekommen; diese sind dadurch in den niederen und gewöhnlichen Sprachgebrauch gefallen, und wo sich ihrer bei offiziellem Anlaß bedient wird, haftet ihnen etwas Plattes und Unaufrichtiges an. Nichts von dem, was amtlich oder von hohen Kommanden verlautbart wurde, hält den Vergleich aus mit dem, was etwa vor hundert Jahren aus der Kanzlei des Erzherzogs Karl hervorging, der freilich Gentz seine Feder lieh. Auch das Manifest Kaiser Franz Josefs zu Beginn des Weltkrieges, obwohl mit Ernst und Würde verfaßt und weit menschlicher im Ton als die deutschen Proklamationen, lehnt sich im Stil an eine ältere Vorlage: an das Kriegsmanifest von 1859. Ebenso bleibt alles, was an Aufzeichnungen und Darstellungen aus dem Weltkrieg nun vorliegt, empfindlich hinter den ähnlichen Dokumenten aus der nachnapoleonischen Zeit zurück: was läßt sich, von dem jetzt Geschriebenen, an Menschlichkeit und Würde der Haltung, an geistiger Zartheit und Urbanität mit der Selbstbiographie des Erzherzogs Karl, mit den Aufzeichnungen und Briefen Schwarzenbergs, Metternichs, Gneisenaus, Scharnhorsts vergleichen? Wir stehen, wie immer wieder im geistigen Leben dieser geheimnisvollen Nation, der deutschen, vor einer abgebrochenen Tradition: überlegen und siegreich, ihr gegenüber, die Völker des westlichen Europa mit ihrer ungebrochenen Überlieferung.

Bei einer solchen Lage der Dinge kam weniger darauf an, daß der eine oder andere Verlag das unzweifelhaft vorhandene Bedürfnis erkannte: die historisch-politische Bildung durch ein Zurückgehen auf jene frühere glücklichere Epoche neu belebt zu sehen, als darauf, wie das Unternehmen angelegt und womit es eingeleitet würde. Hier ist nun der Verlag zu der Wahl des Historikers zu beglückwünschen, der als Herausgeber dieses Bandes erscheint und in welchem wir wohl den Leiter des weitangelegten und wichtigen Unternehmens zu sehen haben. Professor Artur Salz hat uns in der Sammlung der Reden Adam Müllers „Über die politische Beredsamkeit und deren Verfall in Deutschland" *das* Buch in die Hand gegeben, das uns mit einem Schlag, gleichsam symbolisch, in die Mitte des hier zu Leistenden und von uns zu Empfangenden versetzt und dadurch jede programmatische Auslassung des Herausgebers überflüssig macht. Das Wenige, was dieser im Vor- und Nachwort seiner Publikation beifügte, zeichnet sich in hohem Maße durch die Eigenschaft aus, die wir mit dem Wort „Takt", die ältere Generation mit dem schönen Wort „Anstand" bezeichnete; welches immer aus einem großen inneren Gleichgewicht, der Sicherheit, zu wissen, was man wolle, aus dem Einklang der Kräfte mit dem Gewollten hervorgeht.

Es kann sich bei den Neupublikationen eines solchen Unternehmens, das politisch gemeint ist, das heißt: dessen Wirkung sich nicht auf eine Sphäre des Wissens erstrecken, sondern ins Gesamtleben der Nation einfließen und dadurch die Weise des Handelns verändern soll, nicht um das Anlegen eines geistigen Museums handeln, sondern um eine unmittelbare Wirkung. Eine solche geht tatsächlich von Müllers Buch kräftig aus, und der Anzeiger dieser Publikation muß sein Recht, sie sehr nachdrücklich zu empfehlen, dadurch erweisen, daß er mindestens andeutet, worin eine solche Wirkung begründet sei.

Lesen wir eine nach der anderen dieser vor mehr als hundert Jahren (1812) in unserer Stadt gehaltenen Reden, so bemächtigt sich unser das Gefühl einer angenehmen Befremdung. So lebhaft unser Verstand und unser historisches Bewußtsein in eine weit zurückliegende Epoche sich versetzt, von der Atmosphäre Schillers, Johannes von Müllers, der Brüder Humboldt sich umgeben fühlt, so ist etwas in uns, das sich in seinem eigenen Element spürt. Durch so viele wechselnde geistige Moden fühlen wir uns einem Beharrenden zugetragen. Wir bemerken, daß sich mehr die Oberfläche als der Kern dieser geistigen Dinge verändert hat. Es werden Dinge, die auch im heutigen Leben die entscheidenden sind, in einer höheren Weise behandelt, die zugleich eine philosophischere und eine geselligere ist, als wir sie bei Behandlung politischer Materien heute gewohnt sind. Die Worte haben mehr Frische und zugleich mehr Kraft und Würde, als die überanstrengte und zugleich fachlich verengte Ausdrucksweise, die für unseren Moment die einzig feststehende scheint. Was auf uns wirkt, ist das Schöne in dieser Darstellung: die Verbindung des Hohen, Ideellen mit dem Wirklichen. Es geht eine lang entwöhnte Freude von diesen Blättern aus, ohne daß wir uns darum von der Sphäre des Politisch-Zweckhaften fortgerückt, etwa ins Bereich der Poesie oder der Ästhetik hinübergeglitten fühlten, und wir sehen den weiteren angekündigten Veröffentlichungen der gleichen Reihe mit einem lebhaften, ganz eigenartig betonten Vergnügen entgegen.

Wird hart und bestimmt die Frage aufgeworfen, ob durch solche Publikationen der Nation *genützt* werde, also ganz aus der ästhetischen Sphäre herausgetreten, so würden wir wagen, diese unbedingt zu bejahen. Solche Publikationen, richtig verbreitet und im kritischen Moment, wie der gegenwärtige ist, müssen auf die geistigen Elemente der Nation wirken, durch diese auf die Zeitungen, durch diese auf den öffentlichen Ton. Den Ton einer Nation verändern, auf die Sprache einer Nation einwirken, heißt aber nichts anderes, als deren Kultur umgestalten: denn wer für Kultur „Sprache“ setzt, setzt nur an Stelle eines übermüdeten und darum kraftlos gewordenen Kunstwortes ein reineres und darum wirksameres Wesens- und Hauptwort.

GELEGENTLICHE ÄUSSERUNGEN

[*Tolstoi*]

Wien, 7. September 1908

Es ist unendlich schwer, das geistige Gesicht dieses Mannes zu fixieren. Es war seine Signatur, einen doppelten Schein zu werfen.

Sein europäisches und sein russisches Gesicht treten wechselnd vor das innere Auge. Keines kann erblickt werden, ohne daß das andere durchschaut wird.

Der stumme und wundervolle naturhafte Künstler und der bis zur Geschwätzigkeit beredsame christliche Reformator sind gleich schwer zu vereinigen und auseinanderzureißen.

Der majestätische Block seines Werkes ist voll eines mystischen Heidentums, aber dem Künstler fehlte vielleicht eine letzte Aufrichtigkeit, und hier traten die Formeln des vorhandenen Christentums an Stelle einer letzten geheimnisvollen Eigenwahrheit, einer visionären Wahrheit, die zu geben einem Dostojewski verliehen war.

Die Analogie zu Rousseau als dem großen pathetischen Vorläufer einer großen Umwälzung schien manchmal so auffallend, wie die parallele Formung zweier Gipfel im Hochgebirge, aber sie ist nur vag.

Tolstoi ist einer der größten Gestaltenschaffer aller Zeiten, und als Künstler reichte der große Orator nie so hoch. Aber Rousseaus Gestalt steht in einer klaren

Atmosphäre, die Tolstois erhebt sich auf einem Hintergrund von barbarischer Grandiosität. Seine Legende als eines russischen Rousseau wäre dürftig und unzulänglich. Er ist eine so geheimnisvolle Erdgestalt, als nur je zwischen uns Staunenden gewandelt, und wenn die Legende so groß und vollsaftig im Schaffen ist, wie er selbst ist, wird sie ihm viele Züge des Jägers Jeroschka aus seiner wundervollen Erzählung „Die Kosaken" leihen müssen, der zugleich ein Mensch, ein Russe und ein Naturdämon ist.

[Hauptmann]

Ein schöner äußerer, doch keineswegs äußerlicher Anlaß läßt viele Stimmen zusammenklingen. Wo ein beständiges Verhältnis der Hingezogenheit vorhanden ist, mit den Jahren wechselnd und vertieft, ergibt sich schwerer der Übergang zur plötzlichen Manifestation einer beharrenden selbstverständlichen Gesinnung. Wollte ich in diesen Tagen zu einem einzelnen Werke Hauptmanns mir ein gleichsam festliches Verhältnis besonders hervorrufen, so geschähe es zur „Pippa" und zum „Emanuel Quint": beide Märchen und geschautes Dasein in einem und mir besonders teuer. Hinter beiden, durch beide hindurch ist es freilich das gesamte Werk, das vor die inneren Sinne tritt und in dem Werk der Dichter, den ich herzlich und bewundernd grüße.

Rodaun, im November 1912.

An Moritz Benedikt

Verehrter Herr!

Erlauben Sie auch mir, Ihnen zu dem Festtage Ihres Blattes, zu dem Festtage auch Ihrer persönlichen, unermüdlichen und weitblickenden Wirksamkeit meinen Glückwunsch auszusprechen. Ich hätte ihn gerne noch in anderer Weise dargebracht als durch diese Zeilen, und es wäre mir eine große Freude gewesen, durch einen Beitrag, von dem ich gehofft hätte, daß er die Spuren der Reife und des inneren Wachstums getragen hätte, Ihrer Festnummer zuzugehören — nun ist alles, was man plante und beabsichtigte, in einer großartigen Weise anders gekommen, ich stehe seit dem 26. Juli im Dienste und muß mich auf diese Zeilen beschränken, welche ich Sie gütig entgegenzunehmen bitte.

Ihr Ihnen ganz ergebener

Hofmannsthal.

Keine „scherzhaften" Kriegskarten

Wien, 13. Oktober

Sehr geehrter Herr Redakteur!

In zahlreichen Auslagen nicht nur in den Vorstädten, sondern auch in der Inneren Stadt sieht man Ansichtskarten, die ebenso dem normalen guten Geschmack als allen Gefühlen und Stimmungen, von denen fühlende Menschen in diesen Tagen bewegt sind, ins Gesicht schlagen. Die politischen und militärischen Vorgänge, deren kleinstes Detail heute durch seinen ungeheuren Ernst ehrfurcht- und scheugebietend ist, finden in ihnen einen platt-scherzhaften Kommentar, der gewiß gut gemeint, aber in seiner Ausführung pöbelhaft ist und das stets richtige und zarte Gefühl des Volkes ebenso beleidigen muß, wie er dem Geschmack der Gebildeten widerstrebt. Es mag sein — und gewisse Anzeichen sprechen dafür —, daß ein großer Teil dieser Scherzkarten Produkte der reichsdeutschen Ansichtskartenindustrie wären. Wie aber im verbündeten Reiche über dergleichen industrielle Mißgriffe geurteilt wird, und das von oberster amtlicher Stelle, geht aus nachstehender Verfügung des Staatsministeriums in Koburg hervor, die ich wörtlich einer deutschen Tageszeitung entnehme. Sie lautet:

„In den Auslagen verschiedener Buchhändlerläden befinden sich vielfach, namentlich in Postkartenform, rohe und geschmacklose Kriegsdarstellungen. Insbesondere werden auf dem Gebiete der ausgestellten Scherzkarten die Grenzen des Geschmacks vielfach überschritten. Da solche Darstellungen weder der Würde des um seine Existenz kämpfenden deutschen Volkes noch dem Ernst der Lage entsprechen, überdies bei unseren kämpfenden Landsleuten draußen im Felde keineswegs Beifall finden, bedarf es wohl statt weiterer Schritte nur dieses Hinweises, damit die Ladeninhaber Maßnahmen treffen, um dergleichen Darstellungen aus der Auslage zu entfernen und aus dem Verkehr zurückzuziehen."

Bei dem sehr lebhaften Sinne der Wiener Geschäftsleute für das Geschmackvolle und Angemessene wird es wohl bei uns kaum einer behördlichen Mahnung bedürfen, sondern es wird vermutlich schon dieser Hinweis Ihres Blattes auf ein Übel genügen, das seit nunmehr zwei Monaten einen Gang durch unsere mit so schönen und sympathischen Auslagen gezierten Straßen minder erfreulich macht.

Mit dem Ausdruck aufrichtiger Ergebenheit

Hugo von Hofmannsthal

Worte

In aufgeregten Tagen fielen mir ungerufen viele solche Worte ein, sie haben alle irgendeinen Bezug auf das sich Vollziehende. Das Geistige ist immer eine Wohltat, am lebhaftesten wird sie empfunden, wenn die ungeheuerliche Gewalt des Geschehnisses alle Seelenkräfte überwältigt. Vielleicht überträgt sich diese Wohltat auf andere, sicherlich wird das hier Aufgezeichnete in jedem Anderes, Ähnliches hervorrufen; jedes Gedächtnis trägt viel Schönes in sich, aber es ist nicht immer in unserer Hand, davon zu unserer Aufklärung und Tröstung Gebrauch zu machen.

*

Nur wer Geschichte erlebt hat, kann Geschichte verstehen.
Goethe

Man ist ebensogut Zeitbürger, als man Staatsbürger ist.
Schiller

Zu denken, daß es mich jetzt mehr kostet, ein Augenlid zu heben, als damals eine Schlacht zu schlagen.
Napoleon auf dem Sterbebette zu seinem Arzt

Auch die Taten, mein Lieber, haben ihr Produktives.

Goethe zu Eckermann

Soyez donc plus sérieux en face de tant d'honnêtes gens qui s'égorgent.

Napoleon während des Straßenkampfes in Ligny zu einigen jungen Ordonnanzoffizieren, die sich hinter ihm laut und heiter unterhielten

Die Gottheit ist wirksam im Werdenden und sich Verwandelnden, aber nicht im Gewordenen und Erstarrten.

Goethe

Man muß im Kriege niemals hoffen; die Hoffnung dient zu nichts als die Tätigkeit zu lähmen.

Prinz Eugen

Français plus que hommes au venir, moins que femmes à la retraite.

Alte Redensart

Ihr habt die Österreicher bei Aspern nicht gesehen, ihr habt nichts gesehen.

Napoleon

Wenn das Äußerste an uns herantritt, flieht der hohle Schein, der uns gemeinhin ängstigt, und uns wird wohl.

Schiller

Trostwort aus dem Felde

Von Rudolf Alexander Schröder

Zu keiner Zeit außer dieser konnte es möglich scheinen, daß die privaten Briefe mitlebender einzelner ohne zwingenden Grund könnten der Öffentlichkeit übergeben werden und für diese von Bedeutung sein. Nun werden die Briefe einzelner an einzelne aus der Kampflinie oder gefährdeten Landstrichen oder aus der feindlichen Gefangenschaft täglich zum Gemeingut aller, ja fast bilden sie das Um und Auf unseres geistigen und gemütlichen Aufnehmens. So kann ich es vielleicht noch einmal, wie schon in einem früheren Fall, verantworten, mit einem Brief des Dichters Rudolf Alexander Schröder, ohne dessen Erlaubnis, so öffentlich zu verfahren. Den Antrieb dazu gibt die Reinheit, mit welcher in diesem Brief von einem am Kampf nicht unmittelbar beteiligten Manne das ausgesprochen ist, was zahllose Männer und Frauen jetzt fühlen.

Hugo von Hofmannsthal

Fort W. . . an der Nordsee,

13. November 1914

Dasselbe Gefühl, das Dich nicht zum Schreiben kommen ließ, hat auch mir die Lust zum Briefstellern unterbunden. Ich wußte und ahnte manches, das schwer auf Dich drücken mußte, und man hat doch eine Art Selbsterhaltungstrieb, der einen in so schrecklicher Zeit das Gesicht lieber dahin wenden läßt, wo etwas Licht und Hoffnung schimmert. Wir wollen also den Krieg seinen Lauf nehmen lassen und uns aneinander halten, nicht als Verzagende, aber als Männer, die einsehen, daß durch Bereden der ungeheuerlichste Zustand, in dem diese unsere Welt sich jemals befunden hat, nur entwürdigt wird. Merkwürdigerweise habe ich eine Art Entlastung in einer großen Anzahl von Gedichten gefunden, die, so unwürdig sie mir selber vorkommen, den Zweck, vielen Leuten eine Freude zu sein, anscheinend erfüllen. Es ist doch merkwürdig, was kann in solchen Reimen wohnen, daß sie es vermögen, auch nur einen Moment gegenüber der schrecklichen unerbittlichen Realität das Allergeringste für ein Menschenherz zu bedeuten?

— — — — — — — — — — — — — — — — —

Mein Lieber, es mag ja sein, daß wir wieder zusammenkommen und unsere Existenzen über dem Zusammensturz einer Welt noch eine Weile fortblühen, wie kleines Gepflänz, das auf einem Bergsturz mit hinuntergeschwommen ist. Wie früher wird es nicht sein, kann es nicht sein. Das Gedächtnis an das unabwendlich Furchtbare, die schreckliche Erfahrung und Erkenntnis von dem wahren Angesicht des Lebens wird zwischen unserer vertrautesten Vertraulichkeit stehen. Wir werden uns gewiß inniger lieben, aber der leichte heitere Halbschlummer unserer arkadischen Zeiten, denen der Ernst und das böse Antlitz der Wahrheit doch nur ein Traum unter Träumen, eine Wolkenphantasmagorie am Horizont war, wird uns nicht wiederkehren. Mag es so recht sein, ja, mag es so nötig sein, wir wissen doch, was wir verloren haben. Ich muß sagen, mir graut fast vor dem Moment, wo wir alle wieder an unsere Heimstätten zurückkehren werden. Wie wird uns das alles

anschauen, wie wird uns das Ungenutzte, das Ungenossene der Vergangenheit anklagen, wie werden wir mit dem Verbliebenen irgendeine Form neuen Haushaltes beginnen können? Ich weiß wohl, äußerlich wird das alles sehr schnell, ja in einem unmeßbar schnellen Übergang sich vollziehen. Wir werden an unseren Schreibtischen und bei unseren Mahlzeiten sitzen, als wäre nichts gewesen, als wäre niemals ein Abgrund unter all diesen sicheren, ein- und angewohnten Besitztümern aufgetan gewesen. Aber im Innern? Vielleicht geht das auch schneller als man meint, denn unser Herz ist ein wunderliches Ding und seine Vergeßlichkeit ist die wunderlichste seiner Wunderlichkeiten. Ich fange jetzt an, das Alte Testament zu begreifen und zu besitzen, lese mit schmerzlicher Rührung in den Büchern der Könige und der Richter, wie das Judenvolk von einer Katastrophe zur andern seinen Gott verließ und ihn wieder aufsuchte. Auch Jesaias hat jetzt für mich eine Stimme bekommen. Früher war das alles totes Papier für mich.
— — — — — — — — — — — — — — — — — —

Mein Lieber, wir wollen uns eines schwören. Die neue Zeit, wenn sie noch eine Zeit für uns sein wird, soll uns als bessere Menschen treffen, als wahrhaftigere, brüderlichere, reinere Geschöpfe. Wir wollen nie mehr blind in den Tag hineinschlendern, nachdem wir nun aufs deutlichste erfahren haben, daß das, was wir Verderben und Tod nennen, nicht an irgend einem Zielpunkt des Lebens steht, sondern auf jedem Punkt unsere Existenz in konzentrischem Ring umgibt, und daß jedes Einzelnwesen der ungeheuren Welt dies Schicksal mit uns teilt, und daß nur die selbstvergessenste Liebe eine schwache,

schwache Brücke über dies von Anfang an Feindselige, von Anfang an Hoffnungslose zu schlagen vermag.

— — — — — — — — — — — — — — — — — —

„Österreichs Kriegsziel“
Von Professor Carl Brockhausen

Vor einem halben Jahr erschien diese Broschüre, der Text eines im Rahmen der „Volkstümlichen Universitätskurse“ gehaltenen Vortrages, und erweckte allgemeine Sympathie. Sie hält sich gleichweit ab von der Linie des trocken Fachmännischen wie von der, zu Kriegsanfang so bevorzugten, des gewagt Konstruktiven. Ihre Haltung ist autoritativ und zugleich menschlich, ihre Synthese behutsam und der Verantwortung bewußt, ihre Gesinnung bejahend und hoffnungsvoll: ein Wille zu staatsmännischer Auffassung trägt sie. Überliest man sie heute, so ergibt sich, daß sie die Probe bestanden hat; nach einem halben Jahr, das für ein Vielfaches von Jahren zählt, bewahrt sie die gleiche erfreuliche Miene. Ihre Entwicklung der österreichischen Idee, des österreichischen Problems, der Ton, in welcher der sprunghafte Charakter unserer inneren Entwicklung, des „österreichischen Experimentierens“ abgehandelt und in Schutz genommen wird, der Begriff der „Symbiose“ in den sie gipfelt, alles dies läßt sie zu den Publikationen zählen, deren Vorhandensein zu den tonischen, leben- und mutfördernden Elementen unserer geistigen Atmosphäre beiträgt.

An Dr. Ernst Benedikt

Selbst seit vielen Wochen krank liegend, empfing ich mit herzlichem Mitgefühl die so völlig unerwartete Nachricht von dem Hinscheiden Ihres Herrn Vaters. Er war ein außerordentlicher Mensch in seiner Lebenssphäre und nicht bloß in dieser. Bedenkt man, wie schlaff die Menschen sind, wie schnell desorientiert und entmutigt, wie inkohärent — so ermißt man erst, wie selten eine solche Organisation, an der alles immer wieder sich spannte, nichts ermüdete — alles voll Ressource und Kraft. Vor dem Kriege hatte ich ihn nicht gekannt; durch den Krieg erst ergaben sich die gelegentlichen persönlichen Begegnungen. Ich werde diese und die große warme Freundlichkeit, die der Verstorbene gegen mich an den Tag legte, gewiß nie vergessen. Vor allen Ihnen persönlich kondoliere ich aufs innigste; Sie haben den besten Vater und, was ein so seltenes Glück ist, einen bis ins Letzte jugendlichen Vater verloren. Allen Ihren Mitarbeitern spreche ich mein herzliches Beileid aus.

ANHANG

ÜBER KRIEG UND KULTUR

Hofmannsthals Brief aus „Svenska Dagbladet“ ist nicht erhalten. Der folgende Auszug erschien damals (1915) in Rückübersetzung.

Die Fragen, die Unruhe und Besorgnis bei Ihnen und Ihren Landsleuten erweckt haben, berühren mich als Deutsch-Österreicher ganz besonders. Denn wenn auch andere national-einheitliche Staaten sich berechtigt glauben, den Begriff Europa von sich zu werfen und in gehärtetem Vertrauen auf sich allein dazustehen, so ist dies für mein Land unmöglich. Österreich braucht Europa mehr wie irgendein anderes Land — denn es ist ja selbst ein Europa im Kleinen. Für uns hat dieser Krieg demnach mehr wie für die anderen Länder auch eine *geistige* Bedeutung.

Es wäre möglich, daß die Gedanken, die uns in dieser schweren Prüfung beseelen, in gewissem Sinne auch die Antwort auf die Frage enthalten, die Sie an mich gestellt haben; denn wir Deutsch-Österreicher haben das Gefühl, daß nach diesem Kriege, wie er auch immer enden mag, unbedingt eine neue geistige Orientierung sowohl bei uns, wie auch in ganz Europa, folgen wird. Ein Ereignis von so gigantischer Art wie dieser Krieg kann nichts anderes sein, als der Abschluß einer ganzen Epoche, deren tiefste Tendenzen zusammengefaßt und in einer grandiosen Dissonanz zum Ausdruck gebracht werden. Was wir jetzt erleben, ähnelt einem Bergsturz, der ganz Europa unter sich begräbt; und doch wird eines Tages auch dieses Ereignis, aus der Ferne betrachtet, seinen Platz in der Geschichte der Kultur haben.

Es scheint mir, daß wir jetzt zum Ende einer Entwicklung gelangt sind, deren Ausgangspunkte eng verknüpft sind mit der Französischen Revolution, wie auch mit dem Höhepunkt des deutschen geistigen Lebens, der Dezennien um das Jahr 1800 — einer Entwicklung, die besonders nach den vierziger Jahren von immer größerem Gewicht und Einfluß auf das Gedanken- und Seelenleben der Völker war. Damals, vor mehr als achtzig Jahren, schrieb unser großer österreichischer Dichter Grillparzer folgende harte Charakteristik des immer mehr anwachsenden neuen Geistes in sein Tagebuch: „Von der Humanität durch Nationalität zur Bestialität“. Er hätte sich wahrscheinlich allem gegenüber, was später geschehen ist, abweisend gegenübergestellt. Und er hätte in alledem nichts anderes gesehen, als eine Finsternis gegenüber dem Lichte des achtzehnten Jahrhunderts, dem Jahrhundert Rousseaus, Schillers, Kants und Goethes, dem er seine ganze Bildung verdankte.

Wir aber können nicht auf gleiche Weise urteilen.

Wir ahnen, daß der Weg, den wir jetzt gehen, gegangen werden *mußte*. Und gleichzeitig ahnen wir, daß in der jetzigen Katastrophe gewisse Tendenzen innerhalb der materiellen Zivilisation, die das neunzehnte Jahrhundert uns als Erbe gegeben hat, sich brechen werden wie eine Woge in der Brandung und dann verschwinden. Auch diese materielle Zivilisation wird sich ohne Zweifel weiter entwickeln, aber — wir hoffen es wenigstens — unter einem andern Stern, mit der Möglichkeit, sich selbst zu überwinden. Ich habe das Gefühl, daß nach diesem Kriege ein neues Europa entstehen wird. Die gemeinsamen Leiden (denn die Leiden haben ja alle Nationen gemeinsam!) werden bei allen Völkern und bei ihren Leitern neue Kräfte auslösen, für die der Verstand nur eine Scheinmacht ist. Die Aufgabe scheint mir nicht darin zu bestehen, das Europa der letzten Dezennien mit seinen halb gelähmten Schwingen wieder herzustellen, sondern ich meine, daß die Aufgabe höher gefaßt werden muß. Es muß jetzt die Rede sein davon, daß eine neue Autorität in den Vordergrund tritt, und daß diese Autorität nicht in beamtenmäßiger, sondern in rein seelischer und geistiger Form in Übereinstimmung mit dem Wiedererwachen des religiösen Sinnes verkörpert werde, daß der Begriff der Masse, dieses fürchterlichsten und gefährlichsten Begriffes während dieses Krieges und der vorhergehenden Dezennien überwunden und definitiv durch den hohen Begriff „Volk" ersetzt wird.

Natürlich werden Übergänge, Verwicklungen und Schwierigkeiten von jetzt noch unübersehbarem Umfange auf diesem Wege entstehen. Niemand aber wird auf eine so fruchtbare Weise zum Entstehen des neuen Europas beitragen können, wie gerade die neutralen Staaten, und unter diesen wieder die durch Rasse, Weltverbindungen und geistige Reife, verbunden mit unverbrauchter Lebenskraft, ausgezeichneten drei nordischen Länder.

ÖSTERREICHISCHE BIBLIOTHEK

Der Prospekt des Insel-Verlages (1917) ist fast sicher von Hofmannsthal geschrieben oder redigiert.

1. *Grillparzers politisches Vermächtnis.* Zusammengestellt von Hugo von Hofmannsthal. — Das einzige innere Gut, das Grillparzer bis an seinen letzten Lebenstag geblieben ist, war die Liebe zu seinem Vaterlande. Diese Auswahl aus den Gedichten, Dramen und Prosaschriften ergibt seine Haltung in politischen Dingen. Die Gestalt des Dichters lebt hier so ganz, so menschlich, so voll Verantwortung für die Gesamtheit, so voll Rechtlichkeit und stiller Treue: ein österreichisches Beispiel, rührend und ehrwürdig, das heute mehr denn je als vorbildlich fortgelte.

2. *Heldentaten der Deutschmeister 1697–1914.* Mit einem Nachwort von Max Mell. — Einige der glänzendsten Taten dieses berühmtesten österreichischen Regiments, der Wiener Hoch- und Deutschmeister, von den Tagen des Prinz Eugen bis auf die unsern, zeugen von dem unverminderten Fortleben des Wagemuts der alten kaiserlichen Armee und insbesondere dieser Truppe, die der Wiener Volksmund stolz „Die Edelknaben" nennt.

3. *Heinrich Friedjung: Custozza und Lissa.* — Die beiden wichtigsten Schlachten Österreichs gegen Italien, verbunden mit dem Gedächtnis des großen Admirals Tegetthoff und des Erzherzogs Albrecht, erscheinen in der monumentalen Darstellung Heinrich Friedjungs als machtvolle militärische Gemälde sowohl wie auch als politische und historische Schick-

salstatsachen, die den gegenwärtigen Antagonismus zwischen den beiden Staaten begreifen lehren.

4. *Bismarck und Österreich.* Herausgegeben von Franz Zweybrück. — Die Äußerungen Bismarcks über Österreich, politische wie persönliche, ergeben das Verhältnis des großen Staatsmannes zu der habsburgischen Monarchie — ungeachtet des schweren Gegensatzes des Jahres 1866 — als ein stetiges des Wohlwollens und des Verständnisses, das sich nach Königgrätz in dem Gedanken des heute so erprobten Bündnisses unwandelbar befestigte.

5. *Audienzen bei Kaiser Joseph.* Nach zeitgenössischen Dokumenten zusammengestellt und mit einem Nachwort versehen von Felix Braun. — Die volkstümlichste Gestalt unter allen österreichischen Kaisern, Joseph II., dessen Legende noch heute fortgesponnen wird, erscheint hier in ihrer eigentlichen Sphäre: in der Berührung mit Menschen. Hoheit, ungeschmälert von Leutseligkeit, Güte, ungemindert von Humor und Witz, Gerechtigkeit, unverringert durch Strenge, zeigen das edle Bild dieses tragischen Fürsten, gegen eine Zeit gehalten, die ihn nicht begriff.

6. *1809. Dokumente aus Österreichs Krieg gegen Napoleon.* Herausgegeben von Otto Zoff. — Aus der größten historischen Epoche Österreichs, dem Jahre, das mit der Schlacht bei Aspern und der Erhebung Tirols seinen höchsten militärischen Ruhm bedenkt, sind hier in Vers und Prosa Zeugnisse für den vaterländischen Aufschwung im Lande und für die Anteilnahme des übrigen Deutschlands an seinen Schicksalen zusammengestellt.

7. *Fürst Friedrich zu Schwarzenberg, der „Landsknecht“: Bilder aus Alt-Österreich.* Ausgewählt und eingeleitet von Helene Bettelheim-Gabillon. — Eine der originellsten Erscheinungen Alt-Österreichs war die des Fürsten Fritz Schwarzenberg. Seine Aufzeichnungen, von denen wir hier eine kleine Auswahl vorlegen, spiegeln nicht nur die tatsächlichen Ereignisse wider, sondern auch seine politischen Bekenntnisse, seine Naturliebe, seine Jagdfreude, sein weiches, großmütiges Herz und seinen eigenartigen Geist, dessen klares Urteil mehr als einmal einen fast seherischen Blick bewies.

8. *Abraham a Sancta Clara.* Ausgewählt und eingeleitet von Richard von Kralik. — Ulrich Megerle, wie er mit seinem Laiennamen hieß, war kein geborener Wiener, und doch ist er die stärkste Verkörperung wienerischen Geistes im siebzehnten Jahrhundert. In der Augustinerkirche zu Wien hielt er die meisten seiner Predigten. Mit einer unglaublichen Fülle von Kenntnissen, von Anschauungen, von Geschichten, von Tatsachen und Phantasie, von Witz, von Poesie beleuchtete er den Kern dessen, was er zu sagen hatte, sachgemäß von allen Seiten. Er war Künstler, wie die ersten Dramatiker aller Zeiten, er war Prediger wie Äschylos und Aristophanes, indem er die tiefsten, notwendigsten Lehren in der Kunstform der Rede anschaulich und eindringlich machte.

9. *Beethoven im Gespräch.* Mit einem Nachwort von Felix Braun. — In vielen Spiegeln gleichsam sind hier die Ausstrahlungen eines bedeutenden Menschen aufgefangen. Lebendig und greifbar steht aus diesen Dokumenten die Persönlichkeit des genialen Musi-

kers auf, der mit einem gewissen Recht in diesem Zusammenhang erscheint, da bei weitem die meisten dieser Erinnerungen an Wien als seine zweite Heimat geknüpft sind.

10. *Radetzky: Sein Leben und sein Wirken.* Nach Briefen, Berichten und autobiographischen Skizzen zusammengestellt von Ernst Molden. — Das Leben des österreichischen Staates, da es nicht eins ist mit dem eines naturgefeiten großen Volkes, bedarf zu Wiedergeburt und Probe der Kraft der großen Krisen und in jeder Krise des Mannes, der zur inhaltvollen Gestalt der folgenden Friedensepochen wird. Eine solche Gestalt war in der letzten großen Kraft- und Lebensprobe der Revolutionsjahre 1848–49 der alte Radetzky. Die Größe seiner Gestalt gibt noch den Nachkommen Kraft, und seine Erlebnisse sind erfüllt von den Problemen, die den Österreicher von heute erfüllen.

11. *Auf der Südostbastion unseres Reiches.* Von Robert Michel. — Inhalt: Sarajewo / Banjaluka / Jajce / Mostar / Aus dem Lustspiel „Der weiße und der schwarze Beg" / Herzegowinische Hirten. Novelle / Ein Brief des Rekruten Mustajbegovič / Der kleine Hauptmann.

12. *Österreichische Gedichte.* Von Anton Wildgans. — In keinem Gedichtbuche eines Österreichers, das der große Krieg hervorgebracht hat, ist das mächtig erstarkte neue Pathos des verbündeten Kaiserstaates so unmittelbar zum Ausdruck gekommen wie in diesem.

13. *Comenius und die Böhmischen Brüder.* Ausgewählt und eingeleitet von Friedrich Eckstein. — Als „Nachfolger von Christi Gesetz" durchzogen die böhmischen

Brüder die Wälder, Berge und Täler von Böhmen und Mähren und verkündeten in Dörfern und Städten, auf Höfen und Burgen mit begeisterter Rede und durch Taten und Menschenliebe ihre neue Heilslehre. Keiner hat in seiner Person und seinem Erleben das Wesen jener Brüderschaft und ihr Schicksal so leibhaftig widergespiegelt wie gerade Comenius, der letzte Bischof, der „Mann der Sehnsucht", wie er sich selbst genannt hat.

14. *Die österreichischen Lande im Gedicht*. Herausgegeben von Max Mell.

15. *Franz Grillparzer: Ein Bruderzwist in Habsburg*. Ein Trauerspiel in fünf Aufzügen.

16. *Nikolaus Lenau an Sophie Löwenthal*. Briefe. Herausgegeben von Stefan Zweig.

17. *Prinz Eugen*. Aus seinen Briefen und Gesprächen. Ausgewählt von J. Hift.

18. *Adam Müller-Guttenbrunn: Deutsches Leben in Ungarn*.

19. *Walther von der Vogelweide: Gedichte und Sprüche in Auswahl*.

14.—19. s. S. 320.

20. *Briefe aus Wien*. Gesammelt von Wilhelm Bauer. — Wien ist dies und jenes und kann nicht in eine Formel gebracht werden. Es ist die Stadt, die Beethoven heranzuziehen und zu halten vermochte, von der Brahms sich losmachen weder konnte noch wollte, in der Hebbel als ein Fremder lebte und starb. Hier sind Briefe aus vier Jahrhunderten zusammengestellt, Aeneas Silvius Piccolomini ist der erste Schreiber, der Sachse Graf Vitzthum der letzte. Dazwischen

stehen Montesquieu und Hegel, Bettina Brentano und Moltke, Zelter und Berlioz, nebst vielen anderen. Es sind Spiegelungen, die, rasch nacheinander vorbeifliegend, im Auge ein Fließendes ergeben, das als das „ältere Wien“ dem gegenübertritt, das uns umgibt und mit dem wir, lebend, handelnd oder leidend, zurechtzukommen suchen.

21. *Tschechische Anthologie: Vrchlický, Sova, Březina.* Übertragung von Paul Eisner. — Das geistige Leben des tschechischen Volkes dem deutschen Leser näherzubringen, muß eine der Aufgaben einer „Österreichischen Bibliothek“ bilden. Die Tschechen haben im neunzehnten Jahrhundert eine glänzende Reihe von lyrischen Dichtern: in ihrer großen rhythmischen Kraft und Besonderheit tritt das musikbegabte Wesen der westlichsten slawischen Nation an den Tag, die geistigen Anknüpfungen weisen in der interessantesten Weise nach Europa hin und bezeigen ein Mitleben alles Europäischen unter besonderer Abwandlung. Aus der Reihe der repräsentativen Lyriker wurden Vrchlický, Sova, Březina gewählt.

22. *Adalbert Stifters Briefe.* Ausgewählt und herausgegeben von Richard Smekal. — Stifters Briefe zeigen das geläuterte Österreichertum und die zarte Humanität des Mannes, dessen Werke einen Besitz des deutschen Volkes und eines der reinsten Geschenke, das Österreich dem deutschen Schrifttum zu geben hatte, bedeuten.

23. *Ein österreichischer Kanzler: der Fürst von Metternich.* Herausgegeben von Ernst Molden. — Metternich, vielleicht der meistgenannte kontinentale Staatsmann der ersten Hälfte des neunzehnten

Jahrhunderts, ist vielleicht zu wenig gekannt. Die *communis opinio* hat etwas einseitig das Bild des reaktionären Kulturpolitikers ausgemalt; in der äußeren Politik, insbesondere in bezug auf den Orient und Österreichs Sendung im Orient und in der Erfassung des historisch notwendigen Antagonismus zu Rußland, wird die Gegenwart ihn mit Überraschung zu den ihrigen, den lebendigsten und scharfblickendsten, zählen.

24. *Alpensagen.* Herausgegeben von Max Pirker. — Wie die Alpenblumen ihre besondere metallische Färbung und ihren herben, aber süßen Duft haben, so wohnt diesen alpenländischen Sagen ein Besonderes inne, das sie jedem wert machen wird, der die Landschaften, denen sie entblüht sind, liebt.

25. *Maria Theresia als Herrscherin.* Aus den deutschen Denkschriften, Briefen und Resolutionen (1740–1756). Herausgegeben von Dr. Kollbrunner. — Das Material über die Tätigkeit der großen Kaiserin als Regentin und Reformatorin ist noch allzuwenig im Fluß; Bücher wie dieses, eine von historisch und archivalisch geschulter Hand herrührende Zusammenstellung bedeutsamster Stellen aus ihren Resolutionen und Staatsschriften, wollen mithelfen, die große Gestalt aus dem legendenhaften Halbdunkel ins volle Licht zu rücken.

26. *Schubert im Freundeskreis.* Herausgegeben von Felix Braun. — Hier ist die reinste Stätte jenes geistig musikhaften Wien des Vormärz, der reinste Duft einer Zeit, deren Humanität und Zutraulichkeit, deren Anmut und Geborgenheit uns heute fast zum Märchen geworden ist.

In Band 18, *Deutsches Leben in Ungarn, Schilderungen aus dem Leben der Banater Schwaben*, war ein Blatt eingelegt. Der Text ist sichtlich von Hofmannsthal.

Es braucht wohl auch reichsdeutschen Lesern nicht in Erinnerung gebracht zu werden, daß die deutschen Enklaven, auf deren Leben die vorliegenden Schilderungen Bezug haben, zum Bereiche des ungarischen Staates gehören.
Inwiefern sie dessenungeachtet in einer „Österreichischen Bibliothek" ihren Platz finden dürfen, welcher ganz andere Begrenzungslinien ihrer Materie als die staatsrechtlichen zukommen, bedarf wohl keiner Aufklärung. Ebensowenig wird es einer besonderen Hervorhebung bedürfen, daß damit keinem Wunsch nach einer Veränderung der staatsrechtlichen Verbände Ausdruck gegeben wird.

ANMERKUNG

Der dritte Band von Hofmannsthals Prosa umfaßt das Jahrzehnt von vor bis kurz nach dem Ersten Weltkrieg, die Schriften des Fünfunddreißig- und des Fünfundvierzigjährigen. Er beginnt mit den Aufzeichnungen über die mit Harry Graf Kessler und Aristide Maillol unternommene griechische Reise von 1908. Viele der Kriegsaufsätze werden hier erstmals zusammengestellt: sie gehen aus von einem hohen Begriff der Nation und deuten hin auf einen ebensolchen von Europa. Die Teilnahme am Theaterwesen tritt stärker hervor; gegen Ende dieses Zeitraums wird Hofmannsthal zum wesentlichen Anreger des Salzburger Festspielgedankens.

Etwa ein Viertel der hier vereinigten Prosa wurde in die „Werke“ von 1924 aufgenommen.

„Augenblicke in Griechenland“: Nach dem Erstdruck von 1917 hat Hofmannsthal „Die Statuen“ an vielen Stellen gekürzt, vor allem die Episode des Museumskustoden fast ganz gestrichen. — Ein Aufsatz von 1922 gedenkt noch einmal dieser Reise — wie einer von 1927 von der Entstehung des „Rosenkavalier“ berichtet.

Die Einzelheiten der Zusammenarbeit mit Richard Strauss finden sich im „Briefwechsel“ (vollständig herausgegeben von den Erben Strauss' und von Willi Schuh, Atlantis-Verlag, Zürich 1952). Dort auch die ursprüngliche Fassung des Briefs über Ariadne.

Hofmannsthal hat die Nachrufe auf Wilhelm Dilthey, Robert von Lieben und Raoul Richter unter der Überschrift „In Memoriam“ zusammengefaßt.

„Das Spiel vor der Menge“: das Motto ist aus Goethe.

„Deutsche Erzähler“: die Einleitung zu der in nun vierzig Jahren immer wieder aufgelegten Auswahl des Insel-Verlages.

„Das alte Spiel von Jedermann“: Der erste Absatz steht als Vorbemerkung in den Ausgaben des „Jedermann“ und endet dort mit dem Satz: „Vielleicht geschieht es zum letztenmal, vielleicht muß es später durch den Zugehörigen einer künftigen Zeit noch einmal geschehen." — S. 384: jener Brief Rudolf Borchardts wurde später in „Handlungen und Abhandlungen" veröffentlicht.

Der Titel der für das französische Publikum bestimmten Äußerung über „Ariadne", „Ce que nous avons voulu en écrivant ‚Ariane à Naxos' et ‚Le Bourgois gentilhomme'", ist vielleicht nicht authentisch, der Text ist wohl von Hofmannsthal redigiert. Der erste Teil des Textes liegt deutsch vor (S. 133) als Einleitung zum Vorabdruck der „Ariadne" in der „Neuen Freien Presse".

Die „Worte zum Gedächtnis des Prinzen Eugen" hatten als Untertitel „Geschrieben nach der Räumung Belgrads"; das Motto ist aus Goethes Übertragung der Rede des Schweizer Historikers.

Der Untertitel des Buchs über Prinz Eugen hieß „Sein Leben in Bildern. Erzählt von Hugo von Hofmannsthal"; die ganzseitigen Illustrationen waren von Franz Wacik. — Die Vorbemerkung (S. 292), im Buch nicht enthalten, leitete den Vorabdruck einiger Kapitel ein.

Von Hofmannsthals Tätigkeit während des Krieges zeugen ferner der „Österreichische Almanach auf 1916", die von ihm begründete „Österreichische Bibliothek" (beide im Insel-Verlag) und die z. T. von Heinrich Zimmer aus dem Nachlaß mitgeteilten Reden. — Die 26 Bändchen der „Bibliothek" (1915–17) erschienen im Format der Inselbücherei, in die einige von ihnen später aufgenommen wurden. — Der Grillparzer-Aufsatz war die Einleitung zum ersten Bändchen (vergl. S. 252).

Die Reden „Gesetz und Freiheit" und „Die Idee Europa" wurden in Stockholm und Oslo (damals Christiania) im Dezember 1916, die zweite März 1917 auch in Bern gehalten. Damals wurden in Stockholm Werke des Dichters aufgeführt. — Zur Begegnung des Knaben Hofmannsthal mit Ibsen vgl. „Corona" IX Heft 6. — Für die Berner Rede hatte Hofmannsthal ein Exposé von Rudolf Borchardt erbeten; ungefähr die erste Hälfte der Europa-Notizen ist von Borchardt.

„Österreich im Spiegel seiner Dichtung" erschien „nach dem Stenogramm".

„Die österreichische Idee" erschien zuerst französisch unter dem Titel „La vocation de l'Autriche".

Das Vorwort zu den „Handzeichnungen alter Meister" endete im Manuskript mit dem Gedicht Benno Geigers, das dann gegen Hofmannsthals Willen gestrichen wurde. — „Ein bedeutender Zeitgenosse": Rudolf Pannwitz. Sein Aufsatz über Geiger in „Das junge Deutschland, Blätter des Deutschen Theaters" 1919.

„Festspiele in Salzburg": wohl 1919 geschrieben.

„Zur Entstehungsgeschichte der ‚Frau ohne Schatten'": „Wer sich überwindet" aus Goethes: „Von der Gewalt, die alle Wesen bindet, Befreit der Mensch sich, der sich überwindet."

„Tolstoi": Wir verdanken Max Mell die Kenntnis dieser uns unbekannt gebliebenen Äußerung; sie gehört zeitlich zu „Prosa II" und sollte dort eingeordnet werden.

„An Moritz Benedikt", den Herausgeber der „Neuen Freien Presse", zu deren Gedenkfeier diese Zeilen erschienen.

„Trostwort aus dem Felde": „in einem anderen Falle", Hofmannsthal hatte kurz vorher einen Brief Rudolf Alexander Schröders in der „Presse" zum Abdruck gebracht.

„Über Krieg und Kultur": wir hoffen, in der nächsten Auflage eine vollständige Übersetzung dieses Briefes zu geben.

BIBLIOGRAPHIE

Augenblicke in Griechenland I. „Der Morgen" 1908 („Ritt durch Phokis"); I—III, „Die Prosaischen Schriften" III, S. Fischer 1917.

Ungeschriebenes Nachwort zum „Rosenkavalier". „Der Merker" 1911; „Rappen-Almanach", S. Fischer 1937.

Über die Pantomime. „Süddeutsche Monatshefte" 1911; „Szenen", S. Fischer 1911; „Rodauner Nachträge", Amalthea-Verlag 1919; „Die Berührung der Sphären", S. Fischer 1931.

Ernst Hartmann zum Gedächtnis. „Die Zeit" 1911; Smekal, „Das alte Burgtheater" 1916.

Wilhelm Dilthey. „Der Tag" 1911; „Prosaische Schriften" III.

Einleitung zu Marlowes „Eduard II.". „Süddeutsche Monatshefte" 1911; Marlowe, „Eduard II.", Insel 1912.

Das Spiel vor der Menge. „Pan" 1911.

„Lebensformen." „Der Tag" 1911.

„Wilhelm Meister" in der Urform. „Neue Freie Presse" 1910; „Berührung der Sphären".

Antwort auf die „Neunte Canzone" Gabriele d'Annunzios. „Neue Freie Presse" 1912; „Loris", S. Fischer 1930.

Ein deutscher Homer von heute. „Neue Freie Presse" 1912; „Berührung der Sphären".

Deutsche Erzähler. Insel 1912.

Das alte Spiel von Jedermann. Figurinen zu dem alten Spiel von Jedermann. Bard 1912.

Ariadne auf Naxos. „Neue Freie Presse" 1912.

Ce que nous avons voulu en écrivant „Ariane à Naxos". Revue musicale S. J. M. 1912.

Ariadne. „Almanach für die musikalische Welt" 1912; „Rodauner Nachträge".

Die Persönlichkeit Alfred von Bergers. „Presse" 1912; „Loris".

Nijinskys „Nachmittag eines Fauns“. „Berliner Tageblatt“ 1912; „Berührung der Sphären“.

Robert von Lieben. „Presse“ 1913; „Prosaische Schriften“ III.

Blick auf Jean Paul. „Presse“ 1913; „Rodauner Nachträge“.

Goethes „West-östlicher Divan“. „Presse“ 1911; „Rodauner Nachträge“.

Raoul Richter, 1896. „Raoul Richter zum Gedächtnis“, Privatdruck (Insel) 1914.

Appell an die oberen Stände. „Presse“ 1914.

Boykott fremder Sprachen. „Presse“ 1914.

Die Bejahung Österreichs. „Österreichische Rundschau“ 1914; „Insel-Almanach auf 1915“.

Unsere Fremdwörter. „Presse“ 1914.

Worte zum Gedächtnis des Prinzen Eugen. „Presse“ 1914; „Prosaische Schriften“ III.

Bücher für diese Zeit. „Presse“ 1914; „Corona“ 1933.

Wir Österreicher und Deutschland. „Vossische Zeitung“ 1915; „Berührung der Sphären“.

Aufbauen, nicht einreißen. „Presse“ 1915.

Die Taten und der Ruhm. „Presse“ 1915; „Österreichischer Almanach auf das Jahre 1916“, Insel 1915; „Berührung der Sphären“.

Grillparzers politisches Vermächtnis. „Presse“ 1915; „Grillparzers politisches Vermächtnis“, Österreichische Bibliothek, Insel 1915; „Prosaische Schriften“ III; „Berührung der Sphären“.

Geist der Karpathen. „Presse“ 1915.

Unsere Militärverwaltung in Polen. „Presse“ 1915.

Österreichische Bibliothek. „Presse“ 1915; Prospekt der Insel 1915; „Rodauner Nachträge“; „Berührung der Sphären“.

Prinz Eugen der edle Ritter. Seidel 1915. — Vorbemerkung: „Presse“ 1915.

Österreichische Bibliothek. Voranzeige der Bändchen 14–19. „Presse“ 1916; Prospekt der Insel 1917.

Shakespeare und wir. „Presse" 1916; „Rodauner Nachträge".

Österreich im Spiegel seiner Dichtung. „Presse" 1916; „Rodauner Nachträge".

Aufzeichnungen zu Reden in Skandinavien. „Corona" 1932.

Die Idee Europa. „Europäische Revue" 1930; „Berührung der Sphären".

Rudolf Borchardt. „Berliner Tageblatt" 1916; Einzeldruck: „Rudolf Borchardt zu seiner vom Bund Deutscher Gelehrter und Künstler am 7. Dezember 1916 in der Berliner Philharmonie veranstalteten Rede." Berlin 1916.

Maria Theresia. „Presse" 1917; „Prosaische Schriften" III.

Die österreichische Idee. Französisch: „La Revue d'Autriche" 1917; deutsch: „Neue Zürcher Zeitung" 1917; „Berührung der Sphären".

Der Preuße und der Österreicher. „Vossische Zeitung" 1917; „Rodauner Nachträge".

Zum Direktionswechsel im Burgtheater. „Presse" 1918.

Zur Krisis des Burgtheaters. „Österreichische Rundschau" 1918.

Das Reinhardtsche Theater. „Das junge Deutschland" 1918; Ernst Stern, „Reinhardt und seine Bühne" 1919; „Rodauner Nachträge"; „Berührung der Sphären".

An Henri Barbusse, Alexandre Mercereau und ihre Freunde. „Der Friede", Wien 1919.

Deutsche Festspiele zu Salzburg. „Mitteilungen der Salzburger Festspielhausgemeinde" 1919.

Festspiele in Salzburg. „Moderne Welt", Wien 1921.

Zur Entstehungsgeschichte der „Frau ohne Schatten". „Theater und Musikwoche", Wien 1919.

Die Bedeutung unseres Kunstgewerbes für den Wiederaufbau. „Presse" 1919.

Ferdinand Raimund. „Tagebuch" 1920; Smekal, „Ferdinand Raimunds Lebensdokumente", Wiener Literarische Anstalt 1920; „Berührung der Sphären".

Adam Müllers zwölf Reden über die Beredsamkeit. „Presse" 1920.

Handzeichnungen alter Meister aus der Sammlung Geiger. Amalthea-Verlag 1920; „Amalthea-Almanach" 1921; (gekürzt) „Berührung der Sphären".

Zu Tolstois achtzigstem Geburtstag. „Presse" 1908.

Zu Gerhart Hauptmanns fünfzigstem Geburtstag. „Berliner Tageblatt" 1912.

Brief an Moritz Benedikt. „Presse" 1914.

Keine „scherzhaften" Kriegskarten. „Presse" 1914.

Worte. „Wiener Kunst- und Buchschau", Heller 1914.

Trostwort aus dem Felde. „Presse" 1914.

„*Österreichs Kriegsziel.*" „Österreichische Rundschau" 1915.

Brief an Ernst Benedikt. „Presse" 1920.

Über Krieg und Kultur. „Svenska Dagbladet" 1915; (gekürzt, rückübersetzt) „Berliner Tageblatt" 1915.

Österreichische Bibliothek. Prospekt der Insel 1917.

INHALT

INHALT